2004

MILLE MORCEAUX

JAMES FREY

MILLE MORCEAUX

Traduit de l'américain
par Laurence Viallet

belfond
12, avenue d'Italie
75013 Paris

Titre original :
A MILLION LITTLE PIECES
publié par Nan A. Talese,
an imprint of Doubleday, New York

Cet ouvrage a été traduit avec le concours
du Centre national du livre.

Si vous souhaitez recevoir notre catalogue
et être tenu au courant de nos publications,
vous pouvez consulter notre site internet :
www.belfond.fr
ou envoyer vos nom et adresse, en citant ce livre,
aux Éditions Belfond,
12, avenue d'Italie, 75013 Paris.
Et, pour le Canada,
à Interforum Canada Inc.
1050, bd René-Lévesque-Est,
Bureau 100,
Montréal, Québec, H2L 2L6.

Le Jeune Homme s'en alla chercher conseil auprès du Vieil Homme.

J'ai cassé quelque chose, Vieil Homme.

Comment l'as-tu cassé ?

En mille morceaux.

Je crains de ne pouvoir t'aider.

Pourquoi ?

Il n'y a rien à faire.

Pourquoi ?

Cela ne peut être réparé.

Pourquoi ?

On ne pourra jamais le recoller. C'est en mille morceaux.

Je suis réveillé par le vrombissement d'un moteur d'avion et la sensation qu'un truc chaud dégouline de mon menton. Je porte la main à mon visage. Mes quatre dents de devant ont disparu, j'ai un trou dans la joue, mon nez est cassé, mes yeux sont gonflés et à moitié fermés. Je les ouvre et je regarde autour de moi, je suis à l'arrière d'un avion, il n'y a personne à mes côtés. J'examine mes vêtements, ils sont couverts d'une mixture bariolée, mélange de bave, de morve, d'urine, de vomi et de sang. Je tends le bras vers la sonnette, je la trouve, j'appuie, j'attends et au bout de trente secondes une Hôtesse arrive.

Vous désirez ?

On va où ?

Vous ne savez pas ?

Non.

Nous allons à Chicago, Monsieur.

Comment j'ai atterri ici ?

Vous avez été amené par un Médecin et deux messieurs.

Ils ont dit quoi ?

Ils ont parlé au Commandant de bord, Monsieur. On nous a demandé de vous laisser dormir.

On arrive quand ?

Dans une vingtaine de minutes.

Merci.

9

Je ne lève pas les yeux une seule fois, mais je sais qu'elle sourit et qu'elle me plaint. Elle a tort.

L'avion se pose quelques instants plus tard. Je jette un coup d'œil autour de moi, à la recherche de mes affaires, mais je ne trouve rien. Ni billet d'avion, ni sacs, ni vêtements, ni portefeuille. Je m'assois et j'attends et j'essaie de comprendre ce qui s'est passé. En vain.

Lorsque tous les Passagers sont descendus, je me lève et je me dirige vers la porte. Je fais cinq pas avant de me rasseoir. Impossible de marcher. J'aperçois ma gentille Hôtesse, je lève la main.

Ça va ?

Non.

Vous avez un problème ?

J'ai du mal à marcher.

Essayez d'atteindre la porte, et je me charge de vous trouver un fauteuil roulant.

Elle est loin, la porte ?

Non.

Je me lève. Je chancelle. Je me rassois. Je fixe le sol et j'inspire un bon coup.

Courage.

Je la regarde, elle sourit.

Tenez.

Elle me tend la main, je la prends. Je me lève et je m'appuie contre elle, elle m'aide à marcher dans l'Allée centrale. On va jusqu'à la porte.

Je reviens tout de suite.

Je lâche sa main et je m'assois sur la Passerelle en acier qui relie l'Avion à l'Aérogare.

Je risque pas d'aller bien loin.

Elle rit, je la regarde s'éloigner puis je ferme les paupières. J'ai mal à la tête, j'ai mal à la bouche, j'ai mal aux yeux, j'ai mal aux mains. J'ai mal à des endroits que je ne peux même pas nommer.

Je me frotte le ventre. Je sens que ça vient. C'est rapide, c'est violent, ça brûle. Impossible de me retenir, alors je ferme les yeux et je laisse courir. Ça vient, je cède à la puanteur et à la douleur. Il n'y a rien à faire.

Oh, mon Dieu.

J'ouvre les paupières.

Ça va aller.

J'appelle un Médecin.

Pas la peine. Sortez-moi d'ici, c'est tout.

Vous pouvez tenir debout ?

Ouais.

Je me lève, je me nettoie, j'essuie mes mains par terre, je m'installe sur le fauteuil roulant qu'elle a apporté. Elle le contourne et commence à me pousser.

Quelqu'un vient vous chercher ?

J'espère.

Vous ne savez pas.

Non.

Et s'il n'y a personne ?

Ce ne sera pas la première fois, je me débrouillerai.

Nous quittons la Passerelle pour entrer dans l'Aérogare. Je n'ai pas besoin de chercher mes Parents, ils sont là, juste devant moi.

Oh mon Dieu.

Maman, je t'en prie.

Seigneur, qu'est-ce qu'il t'est arrivé ?

J'ai pas envie d'en parler, Maman.

Grand Dieu, Jimmy. Que s'est-il passé, bon sang ?

Elle se penche vers moi et tente de me prendre dans ses bras. Je la repousse.

Barrons-nous d'ici, Maman.

Mon Père contourne le fauteuil. Je cherche l'Hôtesse du regard, mais elle a disparu. Merci pour tout.

Ça va, James ?

Je regarde droit devant moi.

Non, Papa, ça va pas.

Il me pousse.

Tu as des bagages ?

Ma Mère continue de pleurer.

Non.

Les Gens nous dévisagent.

Tu as tout ce qu'il te faut ?

Tout ce qu'il me faut, c'est me casser d'ici, Papa. Sors-moi de là.

Ils poussent mon fauteuil jusqu'à la voiture. Je grimpe sur le siège arrière, j'enlève ma chemise et je me couche. Mon Père démarre, ma Mère pleure toujours, je m'endors.

Je me réveille environ quatre heures plus tard. J'ai la tête claire mais ça m'élance. Je m'assieds et je regarde par la fenêtre. On est garés dans une Station-Service, quelque part dans le Wisconsin. Je ne vois pas de neige par terre, mais je sens le froid. Mon Père ouvre la portière côté Conducteur, s'assoit et la referme. Je frissonne.

Tu es réveillé.

Ouais.

Comment tu te sens ?

Foireux.

Ta Mère est allée se rafraîchir et faire quelques courses dans la station. Il te faut quelque chose ?

Une bouteille d'eau, deux trois bouteilles de vin et un paquet de cigarettes.

Tu es sûr ?

Ouais.

C'est pas bon, James.

J'en ai besoin.

Tu ne peux pas attendre.

Non.

Ça va faire de la peine à ta Mère.

Je m'en fous. J'en ai besoin.

Il ouvre la porte et se dirige vers la Station-Service. Je me recouche, j'observe le plafond. Je sens mon cœur qui s'emballe et je tends la main, m'efforçant de ne pas trembler. Pourvu qu'ils fassent vite.

Vingt minutes plus tard les bouteilles sont vides. Je m'assois, j'allume une clope, j'avale une gorgée d'eau. Ma Mère se retourne.

Soulagé ?

C'est toi qui le dis.

Nous allons au Cabanon.

Je m'en doutais.

Une fois là-bas, on avisera.

Très bien.

T'en penses quoi ?

Je n'ai pas envie de penser, là.

Il faudra bien, à un moment ou à un autre.

Eh bien attendons le moment.

On roule vers le nord en direction du Cabanon. Pendant le trajet, j'apprends que mes Parents, qui habitent Tokyo, sont aux États-Unis depuis deux semaines, pour affaires. À 4 heures du matin, ils ont reçu un coup de fil de l'ami qui m'a emmené à l'Hôpital ; il avait réussi à les pister jusqu'à leur hôtel dans le Michigan. Il leur a annoncé que j'étais tombé tête la première dans un Escalier de Secours et que j'avais besoin d'aide. Il ignorait ce que je prenais, tout ce qu'il savait c'est que je n'y allais pas de main morte et que ça craignait. Mes Parents avaient roulé de nuit jusqu'à Chicago.

Qu'est-ce que c'était, alors ?

Quoi donc ?

Le truc que tu as pris ?

Je sais pas trop.

Comment ça, tu ne sais pas ?

Je ne m'en souviens pas.

Tu te rappelles quoi au juste ?

De choses et d'autres.

Par exemple.

Je ne sais plus.

On continue à avancer et après quelques pénibles minutes de silence on arrive à bon port. On sort de la voiture, on entre dans la Maison et je prends une douche, ce qui n'est pas du luxe. En sortant, je trouve des vêtements propres sur mon lit. Je les enfile et je vais dans la chambre de mes Parents. Ils discutent autour d'un café mais s'interrompent en me voyant.

Salut.

Ma Mère se remet à pleurer et tourne la tête. Mon Père me regarde.

Tu te sens mieux ?

Non.

Tu devrais aller te reposer.

J'y vais.

Bien.

J'observe ma Mère. Elle ne supporte pas ma vue. Je prends ma respiration.

Je...

Je détourne les yeux.

Je voulais juste... vous savez.

Je détourne les yeux. Je n'arrive pas à les regarder.

Je voulais juste vous dire merci. Merci d'être venus me chercher.

Mon Père sourit. Il prend ma Mère par la main, ils se lèvent, s'approchent de moi, me serrent dans leurs bras. Je n'aime pas qu'ils me touchent alors je me dégage.

Bonne nuit.

13

Bonne nuit, James. On t'aime.

Je tourne les talons, quitte leur Chambre, ferme la porte, et me dirige vers la Cuisine. Je fouille dans les placards et je trouve une pleine bouteille de whiskey. La première gorgée me retourne l'estomac, mais après ça passe. Je vais dans ma Chambre, je bois et je fume des cigarettes et je pense à elle. Je bois et je fume et je pense à elle, au bout d'un moment c'est le trou noir.

De nouveau en voiture avec un mal de tête carabiné et l'haleine fétide. On roule vers le nord-ouest en direction du Minnesota. Mon Père a donné quelques coups de fil pour me faire entrer en Clinique et comme je n'ai pas le choix, j'accepte d'y passer quelque temps. Pour l'instant ça me va. Il fait plus froid.

Mon visage va de mal en pis, il est atrocement boursouflé. J'ai du mal à parler, à manger, à boire, à fumer. Je ne me suis pas encore regardé dans un miroir.

On passe par Minneapolis pour voir mon Frère aîné. Il s'y est installé après son divorce, il sait comment aller à la Clinique. Il s'assoit à côté de moi sur la banquette arrière et il me tient la main, et ça m'aide parce que j'ai la trouille.

On va garer la voiture au Parking, je finis une bouteille et on sort, on se dirige vers l'Entrée de la Clinique. Moi et mon Frère et ma Mère et mon Père. La Famille au grand complet. En marche vers la Clinique. Je m'arrête, ils s'arrêtent en même temps que moi. J'observe les Bâtiments. Bas, étendus, reliés les uns aux autres. Fonctionnels. Simples. Menaçants.

Je voudrais m'enfuir ou mourir ou me défoncer la tête. Je voudrais être aveugle, hébété, insensible. Je voudrais me faufiler dans un trou pour ne plus en sortir. Je voudrais faire une croix sur mon existence. Faire une putain de croix. Je retiens mon souffle.

Allons-y.

On pénètre dans une petite Salle d'Attente. Une femme assise derrière un bureau feuillette un magazine de mode. Elle lève les yeux.

Que puis-je faire pour vous ?

Mon Père fait un pas et s'entretient avec elle tandis que ma Mère, mon Frère et moi-même trouvons des sièges et nous y asseyons.

Je tremble. Mes mains, mes pieds, mes lèvres, ma poitrine. Tremblent. Pour toutes sortes de raisons.

Ma Mère et mon Frère viennent près de moi, ils me prennent les mains, ils les tiennent, ils comprennent ce qui m'arrive. On regarde par terre, on ne dit pas un mot. On attend et on se tient les mains et on respire et on réfléchit.

Mon Père en a terminé avec la femme, il se tourne et se plante en face de nous. Il a l'air content, la femme est au téléphone. Il s'agenouille.

Ils vont procéder à ton admission, maintenant.

D'accord.

Ça va aller. C'est une bonne Clinique. La meilleure.

À ce qu'il paraît.

T'es prêt ?

Je crois bien.

On se lève et on se dirige vers une petite Pièce où un homme est assis à un bureau devant son ordinateur. Il vient nous chercher à la porte.

Je suis désolé, mais il va falloir que vous le laissiez ici.

Mon Père hoche la tête.

Nous allons nous occuper de son admission, vous pourrez appeler plus tard pour avoir des nouvelles.

Ma Mère fond en larmes.

Il est entre de bonnes mains. Ne vous en faites pas.

Mon Frère a le regard fuyant.

Je me tourne vers eux et ils me serrent dans leurs bras. Chacun à son tour et bien fort. Je les serre bien fort, c'est tout ce que je peux exprimer. Je fais volte-face sans un mot, j'entre dans la Pièce, l'homme referme la porte, ils sont partis.

L'homme me tend un siège et retourne à son bureau. Il sourit.

Bonjour.

Bonjour.

Ça va ?

Ça en a l'air ?

Pas trop.

C'est pire que ça.

Vous vous appelez James. Vous avez vingt-trois ans. Vous vivez en Caroline du Nord.

Ouais.

Vous allez passer quelque temps avec nous. Vous êtes d'accord ?

Pour l'instant.

Vous connaissez notre Centre ?

Non.

Souhaitez-vous mieux le connaître ?

Je m'en fiche.

Il sourit, me regarde attentivement pendant un moment. Il reprend la parole.

Nous sommes le Centre de Traitement de la Toxicomanie et de l'Alcoolisme le plus ancien au monde. Il a été fondé en 1949 dans une vieille bâtisse sur la terre même où se trouvent aujourd'hui les bâtiments, et il y a trente-deux Pavillons reliés les uns aux autres. Plus de vingt mille Patients y ont été soignés. Nous avons le meilleur taux de rétablissement au Monde. Selon les périodes, il peut y avoir entre deux cents et deux cent cinquante Patients répartis dans les six Services, trois pour les hommes et trois pour les femmes. Les Patients peuvent rester ici autant qu'ils le souhaitent, ils ne sont pas tenus de suivre une Cure de vingt-huit jours. Il est relativement coûteux de séjourner à la Clinique, mais nombre de nos Patients sont aidés par des bourses que nous finançons ou des subventions que nous offrons. Nous bénéficions d'une dotation de sept cents millions de dollars. Mais le Centre ne fait pas que de la désintoxication, c'est également une Institution pionnière en matière de Recherche en Toxicomanie. Vous pouvez vous estimer heureux d'être ici et d'entamer un nouveau chapitre de votre vie.

Je le regarde fixement. Je ne dis rien. Il soutient mon regard, attend que je dise quelque chose. Il y a un moment de gêne. Il sourit.

Vous êtes prêt à commencer ?

Je ne souris pas.

Ouais.

Il se lève et je me lève, nous marchons dans le couloir. Il parle et moi pas.

Ici les portes restent toujours ouvertes, donc si vous souhaitez partir, vous le pouvez. La prise de substance est interdite et si l'on en trouve en votre possession ou si vous êtes surpris en train d'en consommer, vous serez renvoyé. Vous n'avez pas le droit de parler aux femmes qui ne sont pas Médecins, Infirmières ou Membres de l'Équipe Soignante, sauf pour leur dire bonjour. Si vous violez cette règle, vous serez renvoyé. Il y a d'autres règles, mais pour l'instant vous n'avez pas besoin d'en savoir plus.

Nous franchissons une porte et pénétrons dans l'Aile Médicale. Il y a des petites Pièces et des Médecins et des Infirmières ainsi qu'une Pharmacie. Les Placards sont munis de gros cadenas en acier.

Il me conduit à ma Chambre. Il y a un lit, une table, une chaise, un placard, une fenêtre. Tout est blanc.

Il se tient dans l'embrasure de la porte et je m'assois sur le lit.

Une Infirmière va venir bavarder avec vous dans quelques minutes.

Très bien.

Vous vous sentez bien ?

Non, je me sens complètement foireux.

Ça va s'arranger.

Ouais.

Faites-moi confiance.

Ouais.

L'homme s'en va et ferme la porte et je me retrouve tout seul. Je trépigne, je me touche le visage, je passe la langue sur mes gencives. J'ai froid, de plus en plus froid. J'entends des hurlements.

La porte s'ouvre et une Infirmière pénètre dans la Chambre. Elle est en blanc, tout en blanc, et elle tient un bloc-notes. Elle s'assied sur la chaise près de la table.

Bonjour, James.

Bonjour.

Il faut que je vous pose quelques questions.

Très bien.

Il faut aussi que je vous prenne la tension et le pouls.

Très bien.

Quel type de substance consommez-vous d'ordinaire ?

De l'alcool.

Tous les jours ?

Oui.

À quelle heure commencez-vous à boire ?

Quand je me réveille.

Elle note.

Quelle quantité d'alcool buvez-vous par jour ?

Le plus possible.

C'est-à-dire ?

Assez pour me donner l'allure que j'ai.

Elle m'observe. Elle note.

Vous prenez autre chose ?

De la cocaïne.

À quelle fréquence ?

Tous les jours.

Elle note.

En quelles quantités ?

Le plus possible.

Elle note.

Sous quelle forme ?

Du crack ces derniers temps, mais au fil des années, sous toutes les formes possibles.

Elle note.

Autre chose ?

Cachetons, acides, champignons, amphés, PCP et colle.

Note.

À quelle fréquence ?

Quand j'en ai.

C'est-à-dire ?

Plusieurs fois par semaine.

Note.

Elle s'approche de moi et sort un stéthoscope.

Comment vous sentez-vous ?

Mal.

Mal à quel point de vue ?

À tous les points de vue.

Elle tend la main vers ma chemise.

Ça ne vous dérange pas ?

Non.

Elle relève ma chemise et place le stéthoscope sur ma poitrine. Elle écoute.

Inspirez bien à fond.

Elle écoute.

Bien. Encore une fois.

Elle baisse ma chemise, elle s'éloigne et elle note.

Merci.

Je lui souris.

Vous avez froid ?

Oui.

Elle tient un manomètre à mercure.

Vous avez la nausée ?

Oui.

Elle pose le brassard sur mon bras et ça fait mal.

Quand avez-vous bu pour la dernière fois ?

Elle le gonfle.

Y a peu de temps.

De quoi s'agissait-il, en quelles quantités ?

Une bouteille de vodka.

Et ça fait quoi, comparé à ce que vous absorbez quotidiennement ?

Y a pas de comparaison possible.

Elle observe le manomètre et l'aiguille bouge et elle note, elle ôte le brassard.

Je vais m'absenter quelques instants, mais je reviens.

Je fixe le mur.

Vous devez rester en observation, et il faudra certainement envisager une Cure de Désintoxication à l'aide de médicaments.

J'aperçois une ombre et il me semble qu'elle bouge mais je n'en suis pas sûr.

Pour l'instant ça va bien, mais je crois que vous allez bientôt ressentir certaines choses.

J'en vois une autre. C'est horrible.

Si vous avez besoin de quelque chose, appelez-moi.

C'est horrible.

Elle se lève, elle sourit, elle replace sa chaise et s'en va. J'enlève mes chaussures, je me glisse sous les couvertures, je ferme les yeux, je m'endors.

Je me réveille et je me mets à trembler et je me roule en boule et je ferme les poings. La sueur dégouline le long de mon torse, de mes bras, derrière mes jambes. Elle me pique le visage.

Je m'assieds, j'entends des gémissements. J'aperçois une bestiole dans un coin, mais je sais qu'elle n'existe pas. Les murs se rapprochent et s'écartent ils se rapprochent puis s'écartent et je les entends. Je me bouche les oreilles mais ça ne suffit pas.

Je me lève. Je jette un coup d'œil circulaire. Je ne sais plus rien. Où je suis, pourquoi, ce qui s'est passé, comment m'enfuir. Mon nom, ma vie.

Je me recroqueville sur le sol, terrassé par les images et les bruits. Des choses que je n'ai jamais vues ni entendues et dont j'ignorais l'existence. Elles sortent du plafond, de la porte, de la fenêtre, de la table, de la chaise, du lit, du placard. Elles sortent de ce putain de placard. Des ombres noires et des lumières vives et des éclats bleus, jaunes, rouges comme le rouge de mon sang. Elles s'approchent de moi et elles crient et je ne sais pas ce qu'elles sont mais je sais qu'elles aident les bestioles. Elles me crient dessus.

Je me mets à trembler. Trembler trembler trembler. Mon corps tout entier tremble et mon cœur bat à se rompre, je le vois sauter dans ma cage thoracique et je transpire et ça pique. Les bestioles s'insinuent dans ma chair, se mettent à me mordre, j'essaie de les tuer. Je me griffe la peau, m'arrache les cheveux, je commence à me mordre. Je n'ai pas de dents et je me mords et il y a des ombres et des lumières vives et des éclats et des cris, des bestioles des bestioles des bestioles. Je suis perdu. Putain je suis complètement perdu.

Je hurle.

Je me pisse dessus.

Je chie dans mon froc.

L'Infirmière revient, elle demande des renforts, des Hommes en Blanc arrivent et ils me mettent au lit et ils m'y plaquent. J'essaie de tuer les bestioles mais comme je ne peux pas bouger elles continuent de vivre. Dans moi. Sur moi. Je sens le stéthoscope et le brassard et ils me plantent une aiguille dans le bras et ils continuent de me plaquer.

Je suis aveuglé par l'obscurité.

Je pars.

Je suis assis devant la fenêtre et je regarde. Je ne sais pas ce que je regarde et je m'en fous. Il fait nuit, il est tard, je n'arrive plus à dormir. Les médicaments ont cessé de faire effet.

L'Infirmière entre dans ma chambre.

Vous ne dormez pas ?

Elle me prend la tension et le pouls.

Non.

Nous avons un Salon.

Elle me tend des cachets.

Vous pourriez regarder la télé.

Elle me tend un peignoir et des pantoufles.

Et vous pourriez fumer.

Je lui tourne le dos et regarde par la fenêtre.

Allez vous changer, que je puisse vous montrer où ça se trouve.

D'accord.

Elle part, je prends les cachets, je me change, et lorsque j'ouvre la porte elle m'attend. Elle sourit et me tend un paquet de clopes.

Ça ira ?

Je souris.

Merci.

Nous allons au Salon. Une télé, deux canapés, un fauteuil, quelques distributeurs automatiques. La télé est allumée.

Vous voulez un soda ?

Je m'assois sur le fauteuil.

Non.

Ça va ?

Je hoche la tête.

Merci bien.

Elle part et je sens les cachets qui commencent à faire effet. Je regarde l'écran mais ça me passe au-dessus de la tête. Je fume une cigarette. Ça brûle.

Un homme arrive, il marche dans ma direction et se plante devant moi.

Hé, mon Pote.

Sa voix est profonde et grave.

Hé, mon Pote.

Des rayures strient ses bras.

C'est à toi que je parle.

Des cicatrices sillonnent ses poignets.

C'est à toi que je parle.

Je le regarde dans les yeux. Ils sont vides.

Quoi ?

Il pointe le doigt.

C'est mon fauteuil.

Je me tourne vers la télévision.

C'est mon fauteuil.

Les cachets commencent à faire effet.

Hé, mon Pote, c'est mon fauteuil.

Ça me passe au-dessus de la tête.

C'EST MON PUTAIN DE FAUTEUIL, CONNARD.

Je regarde la télé et il respire bruyamment et l'Infirmière arrive.

Il y a un problème ?

Ce Connard est assis dans mon fauteuil.

Alors pourquoi n'allez-vous pas sur le canapé ?

Parce qu'il ne me plaît pas, le canapé. Ce qui me plaît, c'est le fauteuil.

James a pris le fauteuil. Asseyez-vous sur le canapé ou par terre ou bien allez-vous-en. À vous de voir.

Qu'il aille se faire foutre. Dites-lui de se casser.

Vous voulez que j'appelle un Vigile ?

Non.

Alors à vous de voir.

Il va vers le canapé et s'y assoit. L'Infirmière le tient à l'œil.

Merci.

Il ricane et elle s'en va et nous sommes seuls et je regarde la télé et je fume une cigarette. Il ne me quitte pas des yeux, il se ronge les ongles et recrache les rognures dans ma direction mais les cachets sont bien là et les bestioles sont parties et je m'en fous. Ça me passe au-dessus de la tête.

Je regarde la télé. Tout passe au ralenti. Au point que ça en devient méconnaissable.

L'image se brouille, les voix s'évanouissent. Il n'y a ni action ni bruit, rien que des lumières clignotantes et une symphonie de voix mourantes. Je regarde les lumières, j'écoute les voix. Je veux qu'elles s'en aillent mais elles persistent.

Mes paupières se ferment. Je lutte pour les garder ouvertes mais il n'y a rien à faire. Le reste de mon corps suit. Mes muscles s'avachissent, je glisse du fauteuil et tombe à terre. Ça ne me plaît pas, je n'aime pas ça mais je ne peux pas m'arrêter. Tandis que je glisse, mon peignoir s'accroche au fauteuil, mes jambes s'y écorchent, le peignoir s'enroule autour de ma taille. Je lève une main pour le rajuster mais ma main retombe. Mon cerveau ordonne à ma main de bouger et mon cerveau ordonne à ma main de rajuster le peignoir mais mon cerveau ne marche plus. Mon cerveau ne marche plus et mon corps ne marche plus. Le peignoir reste coincé.

L'homme cesse de cracher ses rognures d'ongles dans ma direction, il se lève et vient vers moi, je l'aperçois par la fente de mes paupières. Je sais qu'il peut me faire tout ce qui lui passe par la tête, je sais que je suis totalement incapable de l'en empêcher. Je sais qu'il est en colère et, au vu de ses sillons et de ses cicatrices, je sais qu'il est violent et va sans doute passer sa colère sur moi. Si je pouvais bouger, je me lèverais et irais à sa rencontre pour lui rendre la pareille mais je ne peux pas lui rendre quoi que ce soit. À chacun de ses pas, ma situation m'apparaît plus clairement. Il peut me faire tout ce qui lui passe par la tête, je suis incapable de l'en empêcher. Incapable de l'en empêcher. Incapable.

Il se plante devant moi, me toise. Il se penche, me dévisage et éclate de rire.

T'es pas beau à voir, Enculé.

J'essaie de rétorquer. Je ne peux que grogner.

Je pourrais te flanquer une belle branlée si ça me disait. Te coller une sacrée ratatouille.

Mon corps s'engourdit.

Mais tout ce que je veux, c'est ce putain de fauteuil.

Mon cerveau ne marche plus.

Et je vais le récupérer, bordel.

Il tend les bras, m'attrape par les poignets et me traîne par terre. Il me traîne jusqu'à un coin de la Pièce et me laisse face contre terre. Il se penche et colle sa bouche contre mon oreille.

J'aurais pu te flanquer une bonne branlée. N'oublie pas.

Il s'en va, je l'entends s'asseoir dans le fauteuil et zapper. Un flash sportif, une infopublicité sur la croissance des cheveux, un talk-show de dernière partie de soirée. Il laisse le talk-show, rigole quand il faut rigoler, marmonne dans sa barbe qu'il aimerait bien se farcir une des invitées. Je reste face contre terre.

Je suis conscient mais je suis incapable de bouger.

Mon cœur bat, il fait du bruit et je le vois. Les poils de la moquette s'incrustent dans ma figure et je les entends.

Les rires enregistrés du talk-show redoublent et je les sens.

Je suis conscient mais je suis incapable de bouger.

Je sombre.

Je sombre.

Je sombre.

Le jour pointe et lorsque je suis en état de bouger, de me lever, je cherche le type. Il est parti, mais il reste dans ma mémoire et ne risque pas de s'en aller de sitôt. Ça a toujours été mon défaut. J'ai une bonne mémoire.

Je vais dans ma Chambre et en ouvrant la porte j'aperçois un Aide Soignant en train de poser un plateau sur ma table. Il me regarde et me sourit.

Bonjour.

Bonjour.

Je vous apporte le petit déjeuner. On s'est dit que vous auriez peut-être un petit creux.

Merci.

Si vous avez besoin de quoi que ce soit, sonnez.

Merci.

Il s'en va et je regarde la nourriture. Des œufs, du bacon, des toasts, des pommes de terre. Un verre d'eau et un verre de jus d'orange. Je ne veux pas manger mais je sais qu'il le faut, alors je me dirige vers la chaise, m'assois, regarde la nourriture, puis je me touche le visage. Il est encore tout boursouflé. Je touche mes lèvres et elles se fendillent. J'ouvre la bouche et elles saignent. Je ferme la bouche, ça coule. Je ne veux pas manger mais je sais qu'il le faut.

Je prends le verre d'eau et j'avale une gorgée mais c'est trop froid.

Je prends le verre de jus d'orange et j'avale une gorgée mais ça pique.

J'essaie d'utiliser la fourchette mais elle fait trop de dégâts.

Je coupe une tartine et j'enfonce les morceaux dans ma gorge avec mes doigts. Je fais la même chose pour les patates, les œufs, le bacon. Je bois l'eau, mais pas le jus. Je me lèche les doigts.

Quand j'ai fini je vais à la Salle de Bains et je vomis. J'essaie de me retenir, mais je ne peux pas. Environ la moitié du repas remonte, avec du sang et de la bile. Je suis content d'en garder l'autre moitié. Je n'en garde pas tant d'ordinaire.

Comme je vais vers le lit, un Médecin entre dans ma Chambre.

Il sourit.

Bonjour.

Il porte un badge indiquant son nom mais je n'arrive pas à lire.

Je suis le Docteur Baker.

Nous nous serrons la main.

Aujourd'hui c'est moi qui vais m'occuper de vous.

Je m'assieds sur le rebord du lit.

Ça vous va ?

Il me regarde le visage, pas dans les yeux.

Comment vous sentez-vous ?

Son regard est bienveillant.

J'en ai marre de cette question.

Il rit.

Je veux bien vous croire.

Je souris.

Tenez.

Il me tend de nouveaux cachets.

Librium et Diazépam.

Je les prends.

Ces médicaments favorisent la désintoxication, ils sont importants du point de vue clinique car ils stabilisent votre rythme cardiaque, maintiennent votre tension artérielle à un niveau relativement bas et vous aident à décrocher. Sans eux vous risqueriez un infarctus, une attaque ou les deux.

Il se penche et regarde ma table.

Il faudra les prendre toutes les quatre heures, en réduisant progressi vement les doses, pendant cinq jours.

J'observe ses yeux.

Nous allons faire quelques examens.

Il en a vu d'autres.

Et nous allons mettre en place votre Cure de Désintoxication.

Très bien.

Mais d'abord, il faut qu'on essaie de vous rafistoler un peu.

Nous nous dirigeons vers une Salle. Il y a des néons fluorescents et une grande table d'opération et des boîtes pleines de matériel. Je m'assieds sur le lit, il sort une paire de gants en latex, m'examine la joue. Il décolle les croûtes. Il m'ouvre la bouche. Son doigt pénètre dans l'orifice. Il prend une aiguille et du fil et me demande de bien serrer les poings et de fermer les yeux. Je les garde grands ouverts et je regarde l'aiguille me transpercer. De part en part. Ma joue, ma lèvre, ma bouche. Quarante et une fois.

On a fini, il est au téléphone avec un Chirurgien-Dentiste et je suis assis sur la table et je tremble de douleur. Je sens le goût de la chaleur, du fil, du sang. Il prend rendez-vous et il raccroche et il se lave les mains.

Nous vous emmènerons en Ville d'ici deux trois jours pour vous refaire les dents.

Je passe la langue sur ce qu'il me reste de dents.

Vous serez beau comme un sou neuf.

Je remets ma langue en place.

Ne vous en faites pas.

Il enfile une nouvelle paire de gants et se retourne

Maintenant il faut que je m'occupe de votre nez.

Je bloque ma respiration. Il vient vers moi et observe mon nez. Il le touche et je fais la grimace. Je ne sens plus ma joue.

C'est pas terrible.

Je sais.

Il va falloir que je le casse et que je le redresse.

Je sais.

Le plus tôt sera le mieux, mais si vous voulez on peut attendre.

Le plus tôt sera le mieux.

Très bien.

Il écarte les pieds, se campe solidement sur ses jambes, pose ses deux mains sur mon nez. Je m'agrippe au lit, je ferme les yeux, j'attends.

Prêt ?

Ouais.

Il avance les mains puis les remonte d'un geste brusque, ça fait un craquement sonore. Une lumière blanche et froide se répand dans mes yeux, ma colonne vertébrale, mes pieds puis elle remonte. Mes yeux sont clos mais je pleure. Le sang coule à flots de mes narines.

Maintenant il faut que je le redresse.

Il fait glisser ses mains sur le côté et je sens le cartilage qui les suit. Il les déplace à nouveau. Je le sens. Il appuie vers le haut, on dirait que ça se met en place. Je le sens.

Voilà.

Il attrape du sparadrap, j'ouvre les yeux. Il place le sparadrap sur l'arête de mon nez et ça maintient le cartilage en place. Ça m'a l'air solide.

Il saisit une serviette, essuie le sang sur mon visage et mon cou, je fixe le mur. Je sens mon cœur battre sur mon visage et je m'accroche au cadre du lit et ça me fait mal aux mains. Je voudrais lâcher mais je ne peux pas.

Ça va ?

Non.

Je ne peux pas vous donner d'analgésiques.

Je m'en doutais.

Le Librium et le Diazépam vont un peu atténuer la douleur, mais vous allez morfler.

Je sais.

Je vais vous chercher un autre peignoir.

Merci.

Il se recule, jette la serviette dans le linge sale et s'en va. Je cesse de m'agripper au lit et je place mes mains sous mes yeux et je les observe. Elles tremblent, je tremble.

Le Médecin revient avec une Infirmière et ils m'aident à me changer, ils me parlent des examens qu'ils vont faire. Sang, urine, selles. Ils ont besoin de prendre la mesure des dégâts que j'ai faits à l'intérieur de mon corps. Cette pensée m'est insupportable.

On part et on rejoint une autre Salle qui comporte des Toilettes. Je pisse dans une tasse, chie dans un récipient en plastique, me prends une aiguille dans le bras. C'est simple et c'est facile et ça ne fait pas mal.

Nous ressortons et le Service grouille de monde. Les Malades font la queue pour les médicaments, les Médecins passent de Chambre en Chambre, les Infirmières transportent des flacons et des tubes. Il y a du bruit, mais tout est calme.

Je vais dans ma Chambre avec le Médecin et je m'assieds sur le lit. Il s'assoit sur la chaise et il écrit sur la fiche de suivi médical. Il cesse de gratter, relève les yeux vers moi.

À part le dentiste, vous avez fait le pire.

Très bien.

Vous allez prendre deux cent cinquante milligrammes d'Amoxicilline trois fois par jour et cinq cents milligrammes de Pénicilline VK une fois par jour. Pour éviter les infections.

Très bien.

Vous pouvez aller chercher vos cachets à la Salle de Soins, mais si vous oubliez de le faire, une Infirmière vous les apportera.

D'accord.

Merci d'avoir été aussi courageux ce matin.

Y a pas de quoi.

Bonne chance.

Merci.

Il se lève, je me lève, nous nous serrons la main, il s'en va. Je vais à la Salle de Soins et me joins à la queue. Il y a une jeune femme devant moi. Elle se retourne et scrute mon visage. Elle parle.

Salut.

Elle sourit.

Salut.

Elle me tend la main.

Lilly, enchantée.

Je la lui prends. Elle est douce et chaude.

James.

Je ne veux pas la lâcher, mais je me force. Nous avançons d'un pas.

Qu'est-ce qu'il t'est arrivé ?

Elle jette un coup d'œil vers la Salle de Soins.

Je m'en souviens pas.

Elle se retourne.

Trou noir ?

Ouais.

Elle grimace.

Merde alors.

Je ris.

Ouais.

Nous avançons d'un pas.

Quand es-tu arrivé ?

Je jette un coup d'œil vers la Salle de Soins.

Hier.

L'Infirmière nous lance un regard noir.

Moi aussi.

Je fais signe vers l'Infirmière, Lilly se retourne et elle cesse de parler, nous avançons d'un pas et nous attendons. L'Infirmière nous lance un regard noir, elle donne quelques cachets à Lilly avec un verre d'eau, Lilly prend les cachets et elle boit l'eau. Elle se tourne, me croise, me sourit, me fait bye avec ses lèvres. Je souris et j'avance d'un pas. L'Infirmière me lance un regard noir et me demande mon nom.

James Frey.

Elle donne un coup d'œil à un papier, se dirige vers une armoire, prend des cachets, me les tend avec un verre d'eau.

Je prends les cachets.

Je bois l'eau.

Je retourne à ma chambre et je m'endors, je passe le reste de la journée à dormir et à fourrer de la nourriture dans mon gosier, à faire la queue et à prendre des cachets.

Il fait encore nuit lorsque mon corps me réveille. Mes tripes me brûlent, j'ai l'impression qu'elles sont en feu. Elles remuent et la douleur arrive. Elles remuent encore et la douleur redouble. Elles continuent de remuer et je suis pétrifié.

Je sais ce qui m'attend, il faut que je me lève mais je ne peux pas marcher, alors je me fais rouler sur le lit et je tombe par terre. Je reste couché là et je gémis, c'est froid et noir et silencieux.

La douleur ne s'en va pas, je rampe jusqu'à la Salle de Bains, je m'agrippe à la cuvette des W-C, j'attends. Je transpire, j'ai le souffle coupé, mon cœur palpite. Mon corps chavire et je ferme les yeux et je me penche en avant. Du sang, de la bile et des morceaux d'estomac jaillissent de ma bouche et de mon nez. Ça se coince dans ma gorge, dans mes narines, dans ce qu'il me reste de dents. Et ça vient encore, ça vient encore, et chaque fois une douleur fulgurante se diffuse dans ma poitrine, mon bras gauche et ma mâchoire. Je me cogne la tête contre l'abattant mais je ne sens rien. Je me cogne encore. Rien.

La nausée s'arrête et je me rassieds et j'ouvre les yeux et j'inspecte les toilettes. D'épaisses traces rouges collent aux parois et des bouts marron de mes entrailles flottent dans l'eau. J'essaie de ralentir ma respiration et mes battements de cœur mais c'est impossible, alors je reste assis et j'attends. Tous les matins c'est la même chose. Je vomis, je reste assis et j'attends.

Au bout de quelques minutes je me relève et je marche lentement vers la Chambre. Le jour pointe, je me place devant la fenêtre, j'attends. Des rayons orange et roses déchirent le bleu du ciel, de grands oiseaux se découpent sur le rouge du soleil levant, les nuages viennent me frôler. Je sens du liquide s'écouler des blessures de mon visage, je sens les battements de mon cœur, je sens le poids de ma vie qui commence à me tomber dessus, au crépuscule du matin je me sens au crépuscule de ma vie.

Je m'essuie le visage avec ma manche, je quitte mon peignoir qui est désormais couvert de sang et de tout ce que je viens de vomir, je le laisse tomber par terre, je vais vers la Salle de Bains. Je fais couler la douche et j'attends l'eau chaude.

Je regarde mon corps. Ma peau est cireuse et blanchâtre. Mon corps est criblé d'entailles et de bleus. Je suis maigre et mes muscles sont flasques. J'ai l'air las, abattu, vieux, mort. Je n'ai pas toujours eu cette allure.

Je tends le bras pour tester l'eau. Elle est chaude, mais pas brûlante. J'entre dans la douche et je ferme le robinet d'eau froide et j'attends la chaleur.

L'eau coule le long de mon torse et de mon corps. Je prends un bout de savon et je fais mousser, pendant que l'eau devient plus chaude. Elle me fouette la peau, me brûle la peau, me fait rougir la peau. Même si ça fait mal, ça fait du bien. La chaleur, l'eau, le savon, la brûlure. Ça fait mal mais je l'ai bien mérité.

Je ferme l'eau, je sors de la douche, je m'essuie consciencieusement. Je grimpe dans le lit et je me glisse sous les couvertures et je ferme les yeux et j'essaie de me souvenir. Il y a huit jours j'étais en Caroline du Nord. Je me souviens avoir chopé une bouteille et une pipe et être allé faire un tour en voiture. Deux jours plus tard je me suis réveillé à Washington D.C. J'étais sur un canapé dans une Maison appartenant à la Sœur d'un ami à moi, couvert de pisse et de gerbe, elle voulait que je m'en aille, alors je lui ai emprunté un T-shirt et je suis parti. Vingt-quatre heures plus tard je me suis réveillé dans l'Ohio. Je me souviens d'une Maison, d'un Bar, un peu de crack, un peu de colle. Des hurlements. Des pleurs.

La porte s'ouvre, je m'assieds et le Médecin m'apporte une pile de vêtements et des cachets, il les pose sur la table.

Rebonjour.

Je prends les cachets.

Bonjour.

Voici des vêtements propres.

Merci.

Il s'assoit derrière la table.

Aujourd'hui on vous change de Service.

Très bien.

En principe lorsqu'un Patient change de Service, ses contacts avec nous sont limités, mais là, il va falloir que l'on continue à vous suivre.

D'accord.

À partir de la semaine prochaine, il faudra que vous passiez ici deux fois par jour, après le petit déjeuner et le dîner, pour qu'on vous donne vos antibiotiques et le Librium. Là, c'est votre dernière prise de Diazépam.

Compris.

Il observe ma bouche.

Demain on vous emmène chez le Dentiste.

Je n'ai pas encore vu ma bouche.

Il sait ce qu'il fait et c'est un ami. Vous serez entre de bonnes mains.

J'ai peur de me regarder dans une glace.

Soyez fort et tout ira bien.

J'ai peur de la haine que mon reflet pourrait susciter en moi.

Vous devriez vous changer et aller nous attendre au Salon.

Très bien.

Un membre de l'autre Service va venir vous chercher.

J'en meurs d'impatience.

Il rit et se lève.

Bonne chance, James.

Je me lève.

Merci.

Nous échangeons une poignée de main et il s'en va, je passe les vêtements qu'il m'a apportés. Un treillis, un T-shirt blanc, des pantoufles. Elles sont chaudes et douces et je m'y sens à l'aise. J'ai presque l'impression que je suis un être humain.

Je quitte ma Chambre et je traverse le Secteur Médical, rien n'a changé. Toujours ces lumières vives, toujours cette blancheur. Toujours les Malades et les Médecins et les queues et les cachets. Toujours les plaintes et les cris. Toujours la tristesse, la folie et la désolation. Je connais tout ça, ça ne m'affecte plus. J'entre au Salon et je m'assois sur le canapé. Je suis seul, je regarde la télé, la dernière fournée de cachets commence à agir.

Mon cœur se met à battre plus lentement.

Mes mains cessent de trembler.

Mes paupières tombent.

Mon corps s'engourdit.

Tout me passe au-dessus de la tête.

J'entends mon nom, je lève les yeux, Lilly se tient devant moi. Elle sourit et s'assied à côté de moi.

Tu me reconnais ?

Lilly.

Elle sourit.

Je n'en étais pas sûre. T'avais l'air dans le coaltar.

Librium et Diazépam.

Ouais, je viens d'arrêter. Quelle saloperie, je déteste.

C'est mieux que rien.

Elle rit.

On en reparle d'ici deux trois jours.

Je souris.

Je crains de ne pas tenir deux trois jours.

Elle acquiesce.

Je comprends ce que tu veux dire.

Je ne réponds pas. Elle parle.

D'où est-ce que tu viens ?

J'attrape mes cigarettes.

Caroline du Nord.

J'en sors une.

Tu en as une pour moi ?

Je lui file une cigarette et je les allume et on fume et Lilly me parle d'elle et je l'écoute. Elle a vingt-deux ans, elle vient de Phoenix. Son Père est parti quand elle avait quatre ans et sa Mère était une Héroïnomane qui finançait sa toxicomanie en faisant la pute. Elle a commencé à refiler de la came à Lilly quand elle avait dix ans et s'est mise à la forcer à faire la pute quand elle en avait treize. À dix-sept ans, Lilly s'est enfuie pour rejoindre sa Grand-Mère à Chicago, où elle vit depuis. Elle est accro au crack et à la méthaqualone.

Un homme entre dans la Pièce et nous cessons de bavarder. Il est mince, propret, presque chauve. Il a de petits yeux anxieux.

James ?

Il sourit.

Ouais.

Il a l'air très heureux.

Bonjour, je m'appelle Roy.

Il me tend la main.

Bonjour.

Je me lève et je lui serre la main.

Je suis là pour vous accompagner jusqu'au Service.

Très bien.

Vous avez des bagages ?

Non.

Des vêtements de rechange, des livres ?

Je n'ai rien.

Un vanity-case ?

Rien.

Il sourit à nouveau. Nerveusement.

Allons-y.

Je me tourne et je jette un coup d'œil sur Lilly, qui fait semblant de regarder la télévision.

Elle lève les yeux vers moi, elle me sourit.

Salut Lilly.

Salut James.

Roy et moi quittons le Salon. On prend un Couloir sombre, étroit, moquetté. Comme nous marchons, Roy ne me quitte pas des yeux.

Vous savez que c'est contraire aux Règles.

Je regarde droit devant moi.

Quoi ?

De parler aux femmes.

Désolé.

Ne soyez pas désolé, ne le faites plus, c'est tout.

Très bien.

Les Règles sont là pour votre bien. Je vous conseille de les suivre.

J'essaierai.

Faites un peu plus qu'essayer, sinon vous allez avoir des ennuis.

J'essaierai.

On arrive devant une immense porte, on la franchit et tout change. Les Couloirs sont longs et bordés de portes. Les moquettes sont luxueuses, les murs lumineux. Il y a de la couleur et de la lumière et

35

une sensation de bien-être. Il y a des gens qui marchent dans tous les sens et ils sourient tous.

On traverse une kyrielle de Couloirs. Roy ne me quitte pas des yeux et je regarde droit devant moi. Il me parle du Service et des Règles.

Il y a d'ordinaire entre vingt et vingt-cinq hommes dans le Service, trois Thérapeutes et un Chef de Service. Chaque Patient est suivi par un Thérapeute qui supervise sa Cure et le Chef de Service supervise les Thérapeutes.

Chaque Patient est tenu d'assister à trois Conférences par jour, de manger trois repas par jour, et de participer à toutes les activités proposées par le Service.

Chaque Patient se voit assigner une tâche qu'il doit effectuer tous les matins.

Les psychotropes sont interdits dans le Service. Si vous en possédez ou en consommez, vous serez renvoyé.

Le courrier arrive quotidiennement. Les Thérapeutes se réservent le droit d'ouvrir et de fouiller le courrier.

Les Visites ont lieu le dimanche entre 13 heures et 16 heures. L'Équipe Soignante se réserve le droit d'ouvrir et de fouiller tout colis ou paquet apporté par les Visiteurs.

Les femmes sont hébergées dans un autre Secteur et tout contact avec elles est rigoureusement interdit. Si vous les croisez dans les Couloirs, vous pouvez leur dire bonjour mais pas comment ça va. Si vous violez cette Règle, vous risquez d'être renvoyé.

Roy ne me quitte pas des yeux.

Ces Règles sont capitales. Si vous voulez vous rétablir, je vous conseille de les suivre.

Je regarde droit devant moi.

J'essaierai.

On prend une porte sur laquelle est inscrit Sawyer et on entre dans le Service. On prend un Couloir bordé de portes. Certaines ont un écriteau avec un nom et d'autres sont grandes ouvertes. J'aperçois des hommes dans les Chambres.

On quitte le couloir et on entre dans une immense Salle à deux niveaux. À l'Étage se trouvent un distributeur de boissons, un distributeur de friandises, une énorme cafetière, une cuisine et une grande table entourée de chaises. Au Rez-de-Chaussée il y a des canapés et des fauteuils organisés en cercle, une télévision et un tableau noir. Contre le mur du fond se trouvent une Cabine

Téléphonique et deux grandes baies vitrées coulissantes sur les autres murs. Les baies vitrées donnent sur une abondance d'herbe et d'arbres, au loin j'aperçois un Lac. Les hommes sont assis à table ou sur les canapés. Ils lisent, bavardent, fument des cigarettes et boivent du café. Lorsque j'entre dans la Salle, ils se retournent d'un bloc et me dévisagent.

Roy sourit.

Bienvenue à Sawyer.

Merci.

Vous y serez bien.

Je veux partir.

Vous allez vous rétablir, ici.

M'enfuir.

Faites-moi confiance, je sais de quoi je parle.

Me défoncer la tête.

Ouais.

Mourir.

Allons voir votre Chambre.

On monte à l'Étage et on marche jusqu'au fond d'un Couloir. Le Couloir est bordé de Chambres dans lesquelles j'entends des Gens qui parlent, qui rient, qui pleurent. On s'arrête devant une porte et on entre dans la Chambre. Elle est plutôt grande, il y a quatre lits, chacun dans un coin de la Pièce. À côté de chaque lit se trouvent une petite table de nuit et une petite commode. À l'écart, sur le côté, il y a la Salle de Bains. Deux hommes jouent aux cartes sur l'un des lits et ils lèvent les yeux lorsque nous entrons.

Larry, Warren, voici James.

Les hommes se mettent debout, se dirigent vers moi, se présentent. Larry est petit et râblé, massif comme le manche d'un gros marteau. Il a de longs cheveux châtains, une barbe épaisse et l'accent du Sud. Il doit avoir dans les trente-cinq ans. Warren a la cinquantaine, il est grand, élancé, bronzé et bien habillé, il a un grand sourire. On échange une poignée de main, ils me demandent d'où je viens, je leur réponds. Ils me demandent si je veux jouer aux cartes et je leur dis que non. Je leur dis que je suis fatigué et que je veux me reposer, je remercie Roy, je me dirige vers le lit vide et je m'allonge. Roy s'en va, Larry et Warren retournent à leur partie de cartes.

Je ferme les yeux et je respire bien à fond et je pense à ma vie, comment j'en suis arrivé là. Je pense à la désolation, à la dévastation, aux dégâts que j'ai infligés à moi-même et aux autres. Je pense à la haine de soi, au dégoût de soi. Je pense à ce qui m'est arrivé et comment et pourquoi, les questions me viennent facilement, contrairement aux réponses.

J'entends des pas, je sens une présence. J'ouvre les yeux, un homme est penché sur moi. Il a une trentaine d'années. Taille moyenne et mince comme un fil avec de longs bras osseux et des mains délicates. Il est tiré à quatre épingles, cheveux courts, rasé de frais.

T'es le nouveau.

Il semble nerveux, excité.

Ouais.

Et ses yeux sont vides.

Comment tu t'appelles ?

James.

Je m'assieds.

Moi c'est John.

Il s'assoit sur le rebord du lit et me tend une carte.

C'est ma carte.

Je la lis. Il y a écrit John Everett. Le Ninja du Sexe. San Francisco et le Monde.

Je ris.

Tu veux voir un truc ?

Il cherche son portefeuille.

Pourquoi pas.

Il l'ouvre et en tire une coupure de journal jaunie par le temps, qu'il me donne. C'est un vieil article du *San Francisco Chronicle*. Il comporte la photo d'un homme qui brandit une pancarte dans la Rue. Je lis le titre : *Un homme qui portait un écriteau sur lequel était inscrit « Vente de cocaïne » a été arrêté dans Market Street trois heures après sa sortie de la prison de San Quentin.*

C'est moi.

Je ris à nouveau.

J'y suis retourné pour trois ans.

Je lui rends l'article.

La poisse.

Il le fourre dans sa poche.

Tu t'es déjà farci un cul ?

Hein ?

Tu t'es déjà farci un cul ?

Qu'est-ce que tu racontes ?

J'ai commencé en Taule et maintenant je suis accro. À ça et aux cailloux. Je me suis dit qu'il valait mieux que tu saches à quoi t'en tenir. Je le fixe.

La franchise et l'honnêteté, c'est vachement important ici. Ça fait partie de la Cure, et comme je suis en Cure, je voulais te le dire. Ça va ?

Je le fixe durement.

C'est bon.

Il s'agite, se lève, regarde sa montre.

C'est l'heure du déjeuner. Tu veux que je te montre le Réfectoire ?

Je me lève sans un mot. Je le fixe, c'est tout.

On part, on traverse le Service et puis on prend une suite de Couloirs. Tandis que nous marchons, John me parle de lui. Il a trente-sept ans, est originaire de Seattle. Il vient d'une Famille fortunée et puissante qui lui a coupé les vivres. Il a une Fille de vingt ans qu'il n'a pas vue depuis dix ans. Il a passé huit ans en prison. Son Père a commencé à avoir des relations sexuelles avec lui alors qu'il avait cinq ans.

On entre dans un immense Hall séparé en deux par des parois de verre. D'un côté, les femmes prennent leur déjeuner, de l'autre ce sont les hommes. Face au Hall se trouve un Espace de Convivialité avec un buffet de salades et deux Self-Services. John prend deux plateaux, m'en tend un, et nous nous joignons à la queue.

Comme nous avançons, je jette un coup d'œil alentour. Il y a des hommes et des femmes. Il y a de la nourriture. Il y a des conversations, mais pas de sourires. Il y a des tables rondes entourées de huit chaises. Il y a des Gens assis sur les chaises, il y a des assiettes et des verres et des plateaux sur les tables. Il y a environ cent vingt-cinq personnes dans la section Hommes, réparties autour de tables qui pourraient certainement en accueillir deux cents. Il y a une centaine de personnes dans la section Femmes, réparties autour de tables qui pourraient certainement en accueillir cent cinquante. Je prends un bol de soupe et un verre d'eau et comme je traverse le Réfectoire, je sens les regards fixés sur moi. Je n'ose même pas imaginer de quoi j'ai l'air.

Je trouve une table libre, je m'y assois, je suis seul. Je prends une gorgée d'eau et j'avale quelques cuillerées de soupe. C'est chaud et chaque cuillerée m'envoie une décharge de douleur dans les lèvres, la joue, les mâchoires et les dents. Je mange lentement et posément et je ne lève jamais les yeux. Je ne veux voir personne, je veux que personne ne me voie.

Je finis ma soupe et pendant quelques instants, au moins, je me sens bien. J'ai l'estomac bien plein et j'ai chaud et je suis content. Je me lève, je prends mon plateau, je le pose sur une pile de plateaux, je quitte le Réfectoire.

Je rentre dans mon Service. Alors que je passe devant une porte ouverte, quelqu'un crie mon nom. Je m'arrête, je retourne sur mes pas, un homme se lève derrière un bureau et vient à ma rencontre. Il a une petite trentaine d'années. Il est très grand et très mince. Il a des cheveux bruns attachés en queue-de-cheval et il porte des lunettes rondes. Il a un T-shirt noir, un pantalon noir et des tennis noires. On dirait la version adulte d'un gosse qui aurait passé son enfance derrière un ordinateur pour se protéger des camarades qui le tourmentaient.

Vous êtes James.

Il me tend la main. Je la lui serre.

Je suis Ken, le Thérapeute du Service.

Enchanté.

Il se retourne, se dirige vers son bureau.

Entrez donc, venez vous asseoir.

Je le suis et je m'assois sur une chaise en face de lui, je jette un coup d'œil sur son Bureau. Il est petit, en bazar, il y a des piles de paperasses partout, des dossiers partout. Les murs sont couverts de plannings, de petites photos de personnes ou de paysages, et il y a la liste des Douze Étapes des Alcooliques Anonymes accrochée sur le mur derrière lui. Il attrape un dossier, le pose sur son bureau, l'ouvre et me regarde.

Vous vous adaptez bien ?

Ouais.

Y a-t-il quoi que ce soit que nous puissions faire pour que vous vous sentiez mieux ?

Non.

Nous avons besoin de quelques informations supplémentaires pour compléter votre dossier. Cela ne vous ennuie pas de répondre à quelques petites questions ?

Non.

Il prend un stylo.

À quel âge avez-vous commencé à consommer de la drogue et de l'alcool ?

J'ai commencé à boire à dix ans, et à prendre de la drogue à douze ans.

Quand avez-vous commencé à en prendre en fortes quantités ?

J'ai commencé à boire tous les jours à l'âge de quinze ans, à dix-huit ans je picolais et je prenais de la dope tous les jours. Après c'est devenu beaucoup plus sérieux.

Est-ce qu'il vous arrive d'avoir des trous noirs ?

Oui.

Tous les combien ?

Tous les jours.

Depuis combien de temps ?

Quatre ou cinq ans.

Vous arrive-t-il d'avoir la nausée ?

Tous les jours.

Combien de fois ?

Quand je me réveille, quand je bois mon premier verre, quand je prends mon premier repas, et encore plusieurs fois après ça.

Comment ça, plusieurs fois ?

Entre trois et sept fois.

Et ça dure depuis combien de temps ?

Quatre ou cinq ans.

Vous arrive-t-il de penser au suicide ?

Oui.

Avez-vous déjà essayé ?

Non.

Avez-vous déjà été arrêté par la police ?

Oui.

Combien de fois ?

Douze ou treize.

Pour quoi ?

Toutes sortes de conneries.

Du genre ?

Simple Usage, Usage et Trafic de Stupéfiants, trois fois pour Conduite en état d'ivresse, un paquet pour Vandalisme et Atteinte au Bien d'autrui, Voies de Fait avec une Arme par Destination, Voies de fait sur un Dépositaire de la force de l'ordre, Ivresse sur la voie

41

publique, Trouble de l'ordre public. Je dois oublier deux trois conneries, mais je ne sais plus trop quoi.

Les poursuites engagées contre vous ont-elles été maintenues ?

Pour la plupart.

Où ça ?

Dans le Michigan, l'Ohio et la Caroline du Nord.

Avez-vous été jugé ?

Non.

Avez-vous été remis en liberté sous caution ?

Je ne me suis pas présenté au tribunal.

Où ça ?

Partout.

Pourquoi ?

J'ai déjà été en Taule. Ça ne m'a pas plu et je n'ai pas l'intention d'y retourner.

Tôt ou tard, il va bien falloir que vous vous occupiez de ces poursuites.

Je sais bien.

Nous vous encouragerons à le faire pendant votre séjour ici. Ne serait-ce que pour mettre les choses en place.

Je vais y réfléchir.

Comment gagniez-vous votre vie ?

En vendant de la drogue.

Ça ne va plus être possible.

Je sais bien.

Avez-vous déjà été en Cure ?

Non.

Pourquoi ?

J'ai toujours refusé. J'ai dit à mes parents que s'ils essayaient de m'inscrire dans un Centre de Désintoxication je m'en irais et qu'ils ne me reverraient jamais. Ils m'ont cru.

Il s'interrompt, pose son stylo. Il me regarde droit dans les yeux, et je sens qu'il cherche à m'éprouver, qu'il attend que je détourne les yeux, donc je soutiens son regard.

Voulez-vous vous désintoxiquer ?

Je crois bien.

Vous croyez bien ?

Ouais.

Est-ce que cela veut dire oui ?

Ça veut dire que je crois bien.

Pourquoi ?

Ma vie, c'est l'Enfer, c'est l'Enfer depuis bien trop longtemps. Si je continue comme ça je vais mourir. Je ne suis pas sûr de vouloir mourir tout de suite.

Êtes-vous prêt à faire tout ce qu'il faudra ?

Je ne sais pas.

Je répète. Êtes-vous prêt à faire tout ce qu'il faudra ?

Je ne sais pas.

Je répète une dernière fois. Êtes-vous prêt à faire tout ce qu'il faudra ?

Je ne sais pas.

Il me lance un regard furieux, je ne lui donne pas les réponses qu'il attend. Je ne baisse pas les yeux.

Si vous n'êtes pas prêt à faire tout ce qu'il faudra, mieux vaudrait que vous partiez. Je n'y tiens pas, mais nous ne pourrons pas vous aider si vous n'êtes pas disposé à vous aider vous-même. Pensez-y, nous pourrons en reparler. Si vous avez besoin de quoi que ce soit, venez me voir.

Je n'y manquerai pas.

Il se lève, je me lève, il contourne la table, on quitte le Bureau, on entre dans le Service. Les hommes, de retour du déjeuner, se regroupent autour des tables et des canapés, s'amassent en petites grappes sur les chaises pliantes. Ken me demande s'il peut me présenter et je lui réponds que non et il s'en va, je le regarde qui se dirige vers un autre homme et commence à bavarder avec lui. Je trouve une chaise, j'allume une cigarette, j'avale une grosse bouffée, j'observe les hommes assis autour de moi. Ils sont noirs et blancs et jaunes et marron. Ils ont des cheveux longs, des cheveux courts, des barbes et des moustaches. Ils sont bien habillés et ils portent de vieilles frusques, ils sont gros et ils sont maigres. Ils ont l'air durs, décatis, éteints et désespérés. Intimidants et malfaisants, défoncés et fous. Ils sont tous différents et ils sont tous pareils, je les regarde en fumant ma cigarette et ils me foutent une trouille d'enfer.

Ken a cessé de discuter avec le type, il annonce que c'est l'heure de la Conférence, les Hommes se lèvent et commencent à quitter la pièce. Mes cachets sont en train de cesser de faire effet et il m'en faut d'autres alors je fais sauter la Conférence et je traverse l'Aile Médicale et je rejoins la queue. J'avance dans la queue et je me sens de plus en plus anxieux, nerveux, irrité. À chaque pas qui me rapproche des médicaments, mes sensations s'intensifient. Je sens mon pouls qui accélère et je regarde mes mains et elles tremblent et une fois arrivé devant l'Infirmière je peux à peine parler. Je veux un truc. J'ai besoin d'un truc. Il me faut un truc. N'importe quoi. Qu'on me file un truc, bordel.

L'Infirmière me reconnaît et elle cherche la fiche de suivi médical, elle la consulte, se retourne et prend mes cachets dans un placard. Elle me les tend avec un petit verre en plastique, je les avale illico et je fais un pas en arrière et j'attends. Je me sens presque tout de suite mieux. Mon pouls ralentit, mes mains cessent de trembler, la nervosité, l'anxiété et l'irritabilité s'envolent.

Je tourne les talons, je m'en vais, je traverse le Service, je rejoins la Salle de Conférences où je m'assois pour écouter un homme qui parle de la corrélation entre un régime équilibré et un esprit sain. Rien de tout cela n'est compréhensible à cause des cachets et tout à coup la Conférence s'arrête, je me lève, je m'en vais et je rentre dans mon Service avec les autres hommes. L'un d'eux ressemble à un Acteur célèbre, il me semble bien que je lui parle mais je n'en suis pas sûr. L'après-midi et la soirée s'écoulent dans une hébétude de plomb dans laquelle mon aptitude à concevoir une pensée claire s'évanouit et chaque instant paraît durer une éternité. Peu après le dîner je grimpe sur le lit et pour la première fois depuis plusieurs années je me rends compte que je sens venir le sommeil.

J'ouvre les yeux. Mes compagnons de chambre dorment, la Pièce est plongée dans le silence, le calme et l'obscurité. Je m'assieds, je passe mes doigts dans mes cheveux, je baisse les yeux sur mon oreiller, je m'aperçois qu'il est couvert de sang. Je me touche le visage et je me rends compte que je saigne.

Je me lève, je fais lentement les dix pas qui me séparent de la Salle de Bains, j'ouvre la porte, j'entre, j'allume. La lumière me fait reculer, je ferme les yeux, et en attendant qu'ils s'adaptent je fais un pas en avant et je m'agrippe au lavabo. J'ouvre les yeux et je regarde dans le miroir, et pour la première fois depuis cinq jours je vois mon visage.

Mes lèvres sont fendillées et crevassées, elles sont enflées et font trois fois leur taille normale. Sur le côté gauche de ma joue des points de suture ensanglantés et croûteux referment une entaille de plus de deux centimètres de profondeur. Mon nez est tordu et gonflé sous les pansements, des traces rouges s'échappent de mes narines. Il y a des hématomes noirs et jaunes sous mes deux yeux. Du sang, à la fois humide et sec, partout.

J'attrape une serviette en papier et je l'humecte et je commence à m'essuyer doucement. Des filets d'eau strient mes joues, mes croûtes se décollent, je grimace de douleur, la serviette est trempée. Je la jette et j'en prends une autre. Je recommence.

Je recommence.

Je recommence.

Je m'arrête et je jette la dernière serviette et je me lave les mains et je regarde l'eau rouge qui coule sur mon visage, tombe dans le lavabo et disparaît dans les tuyaux. Je ferme le robinet et je me passe les mains dans les cheveux, elles sont chaudes, ça me fait du bien, j'essaie de me regarder une nouvelle fois.

Je veux voir mes yeux. Je veux regarder sous la pellicule vert pâle et voir ce qui se trouve à l'intérieur de moi, dans moi, ce que je cache. Je fais une tentative mais je détourne les yeux. J'essaie de me forcer mais c'est impossible.

Je fais volte-face, je sors de la Salle de Bains, je retourne dans la Chambre. Larry et Warren et John sont réveillés, chacun en est à un stade différent de sa toilette. Ils me disent bonjour et je leur dis bonjour et je retourne au lit et me glisse sous les draps. Comme je commence à me sentir mieux, John s'approche et se plante devant moi.

Qu'est-ce que tu fais ?

À ton avis ?

Tu te recouches.

Bingo.

Mais ce n'est pas possible.

Pourquoi pas ?

Il faut aller bosser.

Comment ça ?

On a tous une tâche à accomplir. Le matin on se lève et on fait notre boulot.

Maintenant ?

Ouais.

Je sors du lit et je suis John à l'Étage. Roy m'aperçoit, il vient à ma rencontre et m'accompagne jusqu'au Tableau de Tâches, il me le montre, m'explique comment ça marche.

Là c'est la tâche et là c'est votre nom. Plus vous restez, plus c'est facile. Comme vous venez d'arriver, on vous a chargé du nettoyage des Toilettes Collectives.

Je lui demande où se trouve le matériel d'entretien et il me l'indique. Je m'en empare, et tandis que je me dirige vers les Toilettes Collectives il m'apostrophe.

Nettoyez-les bien à fond.

Oui.

À fond.

J'ai entendu.

Je trouve les Toilettes à l'Étage, deux Cabinets réservés à l'usage des Thérapeutes, des hommes qui ne souhaitent pas rentrer dans leur Chambre et des Visiteurs. Les Toilettes sont petites, avec les W-C, un urinoir et un lavabo. J'entre et je récure les W-C et les urinoirs et les lavabos. J'enlève les poubelles et je remplace le papier toilette. Je passe la serpillière. Ce n'est pas rigolo, mais ce n'est pas la première fois que je nettoie des W-C, alors je m'en fiche.

Je finis mon boulot, je ramène le matériel, je rentre dans ma Chambre, je vais à la Salle de Bains et j'ai la nausée. Comme je n'ai pas bu une goutte depuis trois jours et pas pris de coke depuis cinq, ce n'est pas aussi terrible que d'ordinaire, mais je suis mal d'une autre manière. Je baisse l'abattant des W-C, je tire la chasse, je m'assois sur le siège, je fixe le mur. Je me demande ce qui m'arrive. Je me lève et je commence à faire les cent pas sur toute la longueur de la Salle de Bains. Je croise les bras, je me frictionne le corps. J'ai froid, les frissons glacés remontent le long de ma colonne vertébrale. Tantôt je veux pleurer, tantôt je veux tuer, tantôt je veux mourir. J'ai envie de courir mais comme il n'y a pas de place pour courir, je fais les cent pas et je me frictionne le corps et j'ai froid.

Larry ouvre la porte, il me dit que c'est l'heure du petit déjeuner, alors je m'en vais, je le suis ainsi que Warren et John jusqu'au Réfectoire, je fais la queue et je prends de quoi manger. Je trouve une table libre, je m'y assois, je commence à manger un bol de bouillie d'avoine chaude et sucrée, je bois un verre d'eau. Les sensations perdurent, mais pas toutes. Je crois que je vais devenir fou.

Je finis ma bouillie d'avoine et je me rassieds sur ma chaise et je jette un coup d'œil circulaire dans le Réfectoire et j'aperçois Ken qui parle à un type de mon Service. L'homme me désigne du doigt, Ken se dirige vers ma table et s'assied face à moi.

Comment vous sentez-vous ?

Ça va.

Vous avez repensé à notre conversation ?

Ouais.

Des conclusions ?

Non.

Continuez à y penser, alors.

Oui.

Aujourd'hui vous avez rendez-vous chez le Dentiste.

Très bien.

Je vais aller avec vous au Secteur Médical et, une fois que vous aurez pris vos médicaments, je vous accompagnerai à la voiture. Le Chauffeur vous conduira au Cabinet, il vous attendra et vous ramènera ici.

D'accord.

Et puis, après le déjeuner, on vous fera passer un test qui s'appelle le MMPI. C'est un test de personnalité classique qui nous donnera quelques informations sur la façon dont nous pouvons vous aider.

D'accord.

Il se lève.

Vous êtes prêt ?

J'attrape mon plateau et je me lève.

Ouais.

Je me débarrasse du plateau, on s'en va et on rentre dans le Secteur Médical. On me donne mes cachets, je les prends, on se dirige vers l'Entrée de la Clinique où nous attend un VSL. Ken me passe une veste pour que je n'aie pas froid, nous sortons et il fait coulisser la porte du VSL, il parle au Chauffeur tandis que je me glisse sur le siège avant et me mets à l'aise. Ken nous dit au revoir, je lui dis au revoir, il ferme la porte et le Chauffeur se met en route, nous partons.

Le temps se gâte. Le Ciel est envahi de nuages noirs, des petites flaques de neige se forment sur le Sol. Ce qui auparavant était vert a viré au marron. Ce qui auparavant avait des feuilles n'en a plus. Il fait froid, c'est l'hiver, la Terre est allée se coucher.

Je regarde défiler par la fenêtre le paysage gelé. La buée qui s'échappe de ma bouche se dépose sur la vitre, je frissonne. Je me pelotonne et je regarde le Chauffeur, lui aussi se pelotonne, il conduit lentement et observe la Route.

Ce serait possible d'avoir un peu de chauffage, là-dedans ?

Le Chauffeur me jette un coup d'œil par-dessus son épaule.

Vous avez froid ?

Je lui rends son regard.

Un peu mon neveu.

Il éclate de rire.

Ça vient, Fiston. Une fois que le moteur sera chaud, on sera mieux.

On s'arrête devant un feu rouge, à un carrefour désert, les routes sont vides, le vent fait tourbillonner des bouts de papier et des feuilles dans les airs. Le Chauffeur a une tête de vieillard. Il a des cheveux blancs en bataille et une barbe blanche en pétard et des yeux d'un bleu perçant. Sa peau ressemble à du cuir. Ses avant-bras sont menus, mais ils ont l'air robustes, et malgré son âge il a l'air robuste. Il me tend la main.

Moi, c'est Hank.

On se serre la poigne.

James.

Qu'est-ce qu'il t'est arrivé ?

Je sais pas trop.

T'étais défoncé ?

À ton avis ?

À mon avis c'est un doux euphémisme.

Ton avis est le bon.

On rit, le feu passe au vert, Hank continue de conduire et on continue de discuter. Il vient du Massachusetts, où il a passé la majeure partie de sa vie à exercer le métier de Commandant d'un Chalutier de Pêche. Il a picolé toute sa vie, mais ça s'est dégradé à la retraite. Il a perdu sa Maison, sa Femme, sa Famille, sa tête. Il est venu chercher de l'aide ici et il y est resté, pour voir s'il pouvait porter secours aux autres. Il a la langue bien pendue, et comme le trajet dure quelque temps on sympathise.

On arrive dans une petite Ville et on prend une rue qui doit être sa Grand-Rue. Il y a une Épicerie, une Droguerie et un Commissariat. Des décorations de Halloween sont accrochées aux Lampadaires, et les Gens, qui ont l'air de se connaître, se croisent à l'entrée des magasins. Hank s'arrête dans un parking en face d'un Magasin d'articles de pêche, on descend du VSL et on se dirige vers une porte attenante à l'Entrée du Magasin. Hank ouvre et on gravit des escaliers, on passe une nouvelle porte, on entre dans une petite salle sombre équipée de deux banquettes, un coin accueil derrière des vitres coulissantes et une table basse croulant sous les magazines et les livres pour Enfants.

Hank va jusqu'à l'Accueil, je marche vers l'une des banquettes, m'assieds et jette un coup d'œil aux magazines. Sur l'autre banquette se trouvent une jeune femme et un petit Garçon qui lit un livre illustré de Babar l'Éléphant. Comme je saisis un magazine et me rassois pour commencer à lire, je m'aperçois que la femme m'épie du coin de l'œil. Elle attire l'Enfant tout contre elle, drape ses bras autour de lui et se penche pour l'embrasser sur le front. Je comprends pourquoi elle agit ainsi et je ne lui en veux pas, mais j'ai le cœur serré et j'ouvre mon magazine en espérant que ce petit Garçon ne me ressemblera jamais.

Hank revient de l'Accueil.

Ils sont prêts à te recevoir.

Je pose mon magazine et je me lève.

OK.

J'ai peur, Hank s'en aperçoit.

Ça va ?

Il pose la main sur mon épaule.

Ouais.

Il me regarde droit dans les yeux.

Je sais qu'on est dans un Bled, ici, mais ces gens savent ce qu'ils font, Fiston. Ça va aller.

Je détourne le regard.

Une Infirmière m'appelle et Hank enlève son bras, je marche vers une porte ouverte devant laquelle l'Infirmière m'attend. Avant d'entrer je me retourne, la femme et l'Enfant ont les yeux braqués sur moi. Je cherche Hank du regard et il me fait un signe de tête et moi aussi je lui en fais un, et l'espace d'un instant je me sens fort. Pas assez pour être confronté à moi-même, mais assez pour continuer.

Je franchis la porte, l'Infirmière m'entraîne vers une petite Salle blanche et proprette et je m'assois sur un grand fauteuil de Dentiste au milieu de la Salle, l'Infirmière s'en va et je patiente. Le Dentiste arrive quelques secondes plus tard. Il a une quarantaine d'années, il est grand, il a des cheveux bruns, des yeux noirs, une peau burinée. S'il ne portait pas sa blouse blanche et son bloc-notes, il aurait l'air d'un Bûcheron.

Vous êtes James ?

Il tire une chaise et s'assoit en face de moi.

Oui.

Docteur David Stevens, ravi de vous rencontrer.

On se serre la main.

Moi aussi.

Il enfile une fine paire de gants en latex.

Le Toubib du Centre de Désintoxication m'a fait passer quelques infos sur vous.

Il sort une petite lampe de poche.

Mais il faut que je vous examine moi-même, pour voir un peu où ça en est là-dedans.

Il se penche.

Pouvez-vous ouvrir la bouche ?

J'ouvre la bouche, il allume la lampe de poche, s'approche de mon visage.

Puis-je soulever votre lèvre supérieure ?

J'opine du chef et il abaisse la lampe, soulève ma lèvre et prend un long instrument métallique, fin avec un bout pointu.

Ça va peut-être faire mal.

Il touche les extrémités de mes incisives latérales avec le bout de l'instrument et il se met à repousser les parties endommagées de mes gencives. La douleur est instantanée, brutale et sidérante. Je voudrais fermer la bouche pour qu'il s'arrête, pour chasser la douleur, mais je me retiens. Je clos les paupières et je ferme les mains et je serre les poings. Je sens mes lèvres qui tremblent, le goût du sang, et lorsque le dentiste me touche les dents, elles bougent. Il finit son examen, je l'entends reposer son outil sur un plateau. Je m'adosse à mon fauteuil et j'ouvre les yeux.

Il va falloir faire des radios, mais d'après ce que je vois à l'œil nu, on va devoir opérer.

Je serre les poings. Bien fort.

Les deux incisives latérales sont cassées, mais les racines semblent intactes.

Mes lèvres tremblent.

On peut poser des couronnes, ça devrait aller.

Je sens le goût du sang.

Les deux de devant, par contre, sont en train de mourir

Je fais courir la langue sur ma mâchoire supérieure.

Il va falloir que vous subissiez un traitement des canaux radiculaires et qu'on vous pose un bridge.

Je sens ce qu'il me reste de dents. Des petits éclats pointus de dents.

Ce ne sera pas agréable, mais c'est la seule solution, sauf si ça ne vous dérange pas de vivre sans dents.

Je fais signe que si.

On se reverra dans quelques jours. Vos lèvres auront alors certainement désenflé, nous ne pouvons rien faire avant cela.

Je fais signe que oui.

Ravi d'avoir fait votre connaissance, James.

Également.

Il se lève et nous nous serrons la main et il s'en va. Une nouvelle Infirmière arrive, elle me lave la bouche, la remplit de bouts de coton et de petites plaques et elle me fait des radios. Une fois que c'est terminé, les bouts de coton sont imbibés de sang et j'ai l'impression que ma bouche vient d'être poncée au papier de verre et bourrée de coups de marteau. Elle me dit que je peux partir, elle s'en va et je me lève, je retourne à la Salle d'Attente. Hank, assis sur l'une des banquettes, lit un magazine sur la vie privée des Stars, je le rejoins, m'assois à ses côtés et il pose son magazine et m'examine.

Comment ça s'est passé ?

Bien.

Ils vont te rafistoler ?

C'est ce qu'ils disent.

Je vais demander quand tu dois revenir.

Il se lève, se dirige vers l'Accueil, parle avec la Réceptionniste et revient et on quitte le Cabinet, on monte dans le VSL et on repart en direction de la Clinique. Hank essaie d'être sympa et de bavarder avec moi mais je lui dis que ma bouche me fait mal et il me laisse tranquille. Je regarde par la fenêtre.

Je pense à elle. À la première fois où je l'ai vue. J'avais dix-huit ans, j'étais au Lycée et j'étais assis tout seul sous l'orange et le jaune d'un arbre d'octobre. J'avais un livre entre les mains, je bouquinais et pour une raison quelconque j'ai relevé les yeux. Elle traversait toute seule la pelouse du Lycée avec une liasse de papiers sous le bras. Elle a trébuché et les papiers sont tombés par terre et, en se penchant pour les ramasser, elle a jeté un coup d'œil alentour pour s'assurer que personne ne l'avait remarquée. Elle ne m'a pas vu, mais tandis qu'elle s'évertuait à ramasser ses papiers, moi je l'ai vue. Elle ne m'a pas vu, mais moi, si.

Le VSL s'arrête devant l'Entrée de la Clinique, Hank et moi sortons du Véhicule et je m'approche de lui pour le remercier de m'avoir accompagné et de m'avoir aidé. Il me dit qu'à en juger par ma mine je ne dirais pas non à une petite accolade, je me moque de lui et il m'ignore, il fait un pas en avant, enroule son bras autour de moi et me serre. Ce simple contact humain me réchauffe, me fait plaisir, et pour la première fois depuis une éternité je me sens vraiment bien. Pourtant ça me met mal à l'aise et je recule, je dis au revoir et merci, je pénètre dans la Clinique. La Réceptionniste m'apprend que c'est l'heure du déjeuner, alors je me rends au Réfectoire et je fais la queue et je prends un bol de soupe et un verre d'eau, je trouve une table libre et je m'y assois, je fais de mon mieux pour faire passer un peu de nourriture par le carnage sanguinolent qu'est ma bouche.

Salut, Fiston.

Je lève les yeux. Un homme se tient en face de moi. Il a une cinquantaine d'années, est de taille moyenne, de carrure moyenne. Il a une épaisse chevelure brune quelque peu clairsemée sur le sommet du crâne, un visage fané qui semble s'être pris de mauvais coups. Il porte une chemise Hawaïenne en soie bleu et jaune, de petites lunettes rondes argentées et une énorme Rolex en or. Il me regarde fixement. Il pose son plateau. Il a l'air énervé.

Tu te souviens de moi ?

Non.

Ça fait deux jours que tu te balades partout en m'appelant Gene Hackman. Bon, je sais bien que tu es dans les vapes à cause de toutes ces saloperies de médocs qu'ils te font bouffer, mais je ne suis pas Gene Hackman, je n'ai jamais été Gene Hackman, je ne serai jamais Gene Hackman, et si tu m'appelles Gene Hackman encore une fois, putain ça va chauffer.

Je ris.

Ça te fait marrer ?

Je ris de plus belle. Il ressemble vraiment à Gene Hackman.

Tu trouves ça marrant, espèce de Petit Con ?

Je le regarde et je souris. Je n'ai pas de dents et rien que d'y penser je me marre encore plus.

Tu trouves ça si fendard que ça, bordel ?

Je le regarde. Il a des yeux durs, colériques, violents. J'ai déjà vu ce genre de regard et je sais comment m'y prendre. Je suis en terrain connu.

Je me lève, mon sourire s'estompe. Je le regarde et la Salle se tait. Je parle.

Je ne vous connais pas. Je ne me souviens pas vous avoir rencontré, je ne me souviens pas vous avoir parlé et je me souviens encore moins vous avoir appelé Gene Hackman, mais si c'est le cas, ouais, je trouve ça marrant.

Je sens tous les regards posés sur nous, mon cœur s'emballe et l'homme me toise et ses yeux sont durs, colériques et violents. Je sais que je ne suis pas en état pour ça, mais je m'en fiche. Je m'y prépare. Je me tends, je serre la mâchoire, je regarde droit devant moi, sans ciller, le regard fixe, concentré.

Écoute, Vieux Schnock, si tu tiens à te faire foutre une bonne branlée, allons-y.

Il est pris de court. Il n'a pas peur, ne bat pas en retraite, mais il est pris de court, simplement pris de court. Je garde les yeux braqués sur lui.

Qu'est-ce que tu viens de dire ?

Yeux braqués, sans ciller, le regard fixe, concentré.

J'ai dit que si tu tiens à te faire foutre une bonne branlée, eh bien allons-y.

Comment tu t'appelles, Fiston ?

James.

James, moi c'est Leonard.

Il sourit.

Je ne sais pas si tu es le plus grand con ou le mec le plus courageux que j'aie jamais rencontré, mais si tu réponds à ma question, je ne tiendrai pas compte de ta dernière remarque.

Et c'est quoi la question, Leonard ?

Est-ce que t'es cinglé, James ?

Ouais, Leonard, je suis cinglé. Complètement cinglé.

Bien, parce que moi aussi je suis cinglé. J'aime les cinglés et j'essaie de frayer avec eux le plus possible. Ça te dirait qu'on déjeune ensemble, histoire de voir si on peut oublier notre différend et sympathiser. Ça me ferait pas de mal d'avoir un pote ici.

Très bien.

On s'assoit, on mange nos plats, Leonard parle, je l'écoute. Leonard vit à Las Vegas et il est arrivé ici il y a une semaine. Il est accro à la cocaïne et ça fait plus d'un an qu'il a prévu de venir faire un séjour ici. Au cours des douze mois précédents il n'a rien fait à part se gaver de nourriture trop riche, boire du vin coûteux, jouer au golf et sniffer des quantités astronomiques de poudre. Il en a tant fait, dit-il, que s'il recommence il va y rester. Je ne sais pas comment il gagne sa vie, mais je sais qu'il fait des trucs pas réglo et qu'il est doué pour ça. Je le vois dans ses yeux, je l'entends dans ses paroles, je le reconnais à la facilité avec laquelle il parle de choses que la plupart des gens trouveraient horribles. Avec lui je me sens à l'aise. Bien plus qu'avec n'importe qui d'autre ici. Il parle avec facilité de choses horribles. C'est un Grand Délinquant. Avec lui je me sens à l'aise.

On termine le repas et on se débarrasse des plateaux, on quitte le Réfectoire, on va vers la Salle de Conférences. Les Patientes se répartissent d'un côté de la Salle, les hommes de l'autre, le nombre total de Malades doit avoisiner les deux cent cinquante. Les Gens se regroupent par Service et comme Leonard et moi rejoignons la vingtaine d'hommes de Sawyer, un Médecin monte sur scène pour nous parler de la théorie selon laquelle l'Alcoolisme et la Toxicomanie seraient des maladies.

Je commence à me sentir mal. Des vagues de nausée déferlent en moi. J'ai froid. Je ferme les yeux et je les ouvre et je les ferme encore. Je le fais rapidement, je le fais lentement. Je me mets à frissonner, je fixe le siège face à moi et il bouge. Il se met à me parler, alors je détourne les yeux et je vois des lumières bleutées et argentées qui dansent partout. Je ferme les yeux, les lumières dansent dans ma cervelle. Mon sang traverse lentement mon cœur et j'ai l'impression que je vais tomber dans les pommes alors je plaque une main contre mon visage et je me pince. Ça me fait mal, mais j'ai besoin de cette douleur car elle rend le cauchemar réel, elle m'empêche de sombrer dans la folie. La douleur est immense, mais j'en ai besoin car elle m'empêche de sombrer dans la folie.

Le Médecin achève son discours, les Malades se mettent à applaudir et j'ôte les mains de mon visage, je respire un bon coup et je regarde droit devant moi. Leonard me donne une tape sur l'épaule.

Ça va ?

Non.

T'as besoin d'aide ?

Non.

On dirait que si.

C'est pas d'aide que j'ai besoin.

Pendant que le Médecin à la tribune répond aux questions, je me lève et je quitte la Salle de Conférences. Je rentre dans mon Service dans l'espoir d'atteindre mon lit, dans l'espoir qu'une fois au lit je me sentirai mieux. Comme je longe le Bureau de Ken, il m'interpelle et je fais mine de ne pas entendre et je continue de marcher. Il sort dans le Couloir, crie à nouveau mon nom.

James.

Je m'arrête.

Quoi ?

Je m'adosse au mur.

Ça va ?

Il vient à ma rencontre.

Je me sens complètement foireux, il faut que je m'allonge.

Il s'arrête en face de moi.

Vous vous allongerez plus tard. C'est l'heure de votre test.

Quel test ?

Le test du MMPI. Je vous en ai parlé ce matin.

Je ne veux pas le faire.

Pourquoi ?

Parce que je me sens complètement foireux et qu'il faut que je m'allonge.

Vous allez vous sentir complètement foireux pendant quelque temps.

Peut-être, mais je ne veux pas passer ce test.

Vous n'avez pas le choix.

Ça ne peut pas attendre plus tard ?

Non, il faut le faire maintenant. Ça nous aidera à savoir comment on peut vous aider, et nous voulons commencer à vous aider tout de suite.

Bien.

On longe la Salle de Conférences, on traverse un labyrinthe de Couloirs moquettés, on entre dans une petite Pièce blanche dépouillée, équipée de deux chaises et d'une table. Ken s'assoit, je m'assois. Sur la table en face de nous se trouvent un épais fascicule à spirale un questionnaire et un stylo.

C'est un test très facile. Il faut répondre aux questions par vrai ou faux. Prenez tout votre temps. Lorsque vous aurez fini passez dans mon Bureau et si je n'y suis pas, déposez le questionnaire sur la table. Un Psychologue analysera toutes vos réponses et d'ici deux jours nous examinerons ses conclusions ensemble.

Très bien.

Des questions ?

Non.

Ken s'en va et je m'empare du stylo et du questionnaire et j'ouvre le fascicule et j'entreprends de le lire. Les pages sont couvertes de questions, je commence à y répondre.

Je suis un individu équilibré.

Faux.

Le Monde entier s'est ligué contre moi.

Faux.

Les autres sont responsables de mes problèmes.

Faux.

Je ne fais confiance à personne.

Faux.

Je me déteste.

Vrai.

Je pense souvent à la mort.

Vrai.

Le suicide m'apparaît comme une solution sensée.

Vrai.

Mes péchés sont impardonnables.

C'est quoi cette question ?

Mes péchés sont impardonnables.

C'est quoi cette question ?

Mes péchés sont impardonnables.

Je laisse comme ça.

Je finis de répondre à cinq cent soixante-six des cinq cent soixante-sept questions par Vrai ou Faux, je referme le fascicule, je pose mon stylo et j'avale une grande goulée d'air. Les heures ont passé et je suis épuisé et j'ai envie de boire. Vodka, gin, rhum, tequila, bourbon, scotch. Je m'en fiche. Filez-moi un verre, c'est tout. Un bon verre d'alcool fort. Je me dis que je n'en veux qu'un mais je sais que c'est faux. J'en veux cinquante, bordel.

Je prends mon questionnaire et je me lève, je quitte la Pièce, j'entre dans le Bureau de Ken, je pose le test sur sa table et je me dirige vers le Service. Les activités sont terminées et les hommes s'égaillent en petits groupes sur les deux Étages. Ils jouent aux cartes, racontent des conneries, fument des clopes et boivent du café. Le téléphone est gratuit et comme je n'ai pas encore parlé à mes Parents, mon Frère ou l'un de mes amis, je descends au Rez-de-Chaussée, j'attrape une chaise, je m'assois à côté du téléphone, je prends le combiné et je commence à passer des coups de fils en PCV.

J'appelle ma copine Amy. J'appelle ma copine Lucinda. J'appelle ma copine Courtney. À l'origine c'étaient ses amies à elle mais lorsqu'elle m'a quitté et que tous les autres m'ont quitté elles m'ont soutenu. Je les aime très fort toutes les trois, nos conversations me bouleversent. J'appelle, elles répondent. Je leur dis que je me suis blessé, que je suis venu ici, que je vais essayer de me soigner. Je leur dis que je ne suis pas sûr d'y arriver. Elles pleurent et elles me demandent si j'ai besoin de quelque chose et je leur dis non. Elles me demandent si elles peuvent faire quelque chose pour m'aider. Je leur dis qu'elles en ont déjà assez fait. On raccroche.

J'appelle mon Frère. Il me demande comment ça va et je lui dis que je tiens bon. Il me dit qu'il se fait du souci pour moi, qu'il veut venir me voir. Je lui dis que je ne sais pas quel jour on est mais que les Visites ont lieu le dimanche et que j'aimerais bien qu'il vienne. Il me dit d'être courageux, je lui dis que j'essaie. Il me dit qu'il est fier de moi et je lui dis merci. Je lui dis qu'il faut que j'y aille et il me dit d'appeler si j'ai besoin de quoi que ce soit. Je le remercie. On raccroche.

J'appelle l'Hôtel de mes Parents à Chicago, ma Mère décroche.

Allô.

Salut, Maman.

Ne quitte pas, James.

Je l'entends appeler mon Père. Mon Père prend le combiné.

Salut, James.

Salut, Papa.

Comment vas-tu ?

Ça va.

C'est comment là-bas ?

Bien.

Où en es-tu ?

On a commencé la Cure de Désintox et ça fait chier, hier j'ai changé de Service et ça s'est bien passé.

Tu crois que ça t'aide ?

Je sais pas.

J'entends ma Mère qui soupire.

On peut faire quelque chose ?

J'entends ma Mère qui fond en larmes.

Non.

Je l'écoute pleurer.

Faut que j'y aille, Papa.

Je l'écoute pleurer.

Ça va aller James. Tiens bon, c'est tout ce qui compte.

Je l'écoute pleurer.

Faut que j'y aille.

Si t'as besoin de quelque chose, fais-nous signe.

Au revoir.

On t'aime.

Je raccroche et je fixe le sol et je pense à ma Mère et mon Père dans leur Chambre d'Hôtel à Chicago et je me demande pourquoi ils m'aiment encore et pourquoi je ne leur rends pas cet amour et comment deux personnes normales et équilibrées ont pu mettre au monde un truc comme moi, vivre avec un truc comme moi, et supporter un truc comme moi.

Je fixe le sol et je me demande. Comment font-ils pour me supporter ?

Je lève les yeux, j'aperçois les hommes qui quittent le Service pour aller dîner alors je me lève, je longe les Couloirs qui mènent au Réfectoire, je rejoins la queue, je prends de la soupe et un verre d'eau, je m'assois à une table libre, je mange. La nourriture est bonne, et une fois mon bol terminé j'en veux encore. Mon corps a des besoins et des envies et des exigences et, bien qu'il ne puisse pas obtenir ce qu'il obtient d'ordinaire, il lui faut un truc. Je vais me servir un deuxième bol puis un troisième puis un quatrième. Je les finis tous et j'en veux encore. Ç'a toujours été comme ça, j'en veux encore et encore et encore et encore.

J'arrête de manger, je quitte le Réfectoire, je vais dans la Salle de Conférences, je m'assois à côté de Leonard et j'écoute une femme nous raconter son histoire. Ces dix dernières années elle a fait dix-sept Cures de Désintoxication. Elle a perdu son Mari, ses Enfants, tout son argent et elle a passé deux ans en Prison. Elle est clean depuis dix-huit mois et dit qu'elle est heureuse pour la première fois de sa vie. Elle dit qu'elle voue sa vie à Dieu et aux Douze Étapes et que chaque nouvelle journée est plus agréable que la précédente. Bonne chance, madame. Bonne putain de chance.

Elle termine son histoire, les Gens applaudissent, je me lève et rentre dans mon Service et dans ma Chambre. Je voudrais me coucher mais c'est impossible, alors je joue aux cartes avec John et Larry et Warren. Larry, qui a une Femme et deux bébés, des Jumelles, qui l'attendent à la maison, dans le Texas, est fou de douleur. Il a appris dans l'après-midi qu'il est séropositif, il a proba-blement contracté le virus pendant les dix années qu'il a passées à se shooter aux amphés et à baiser des putes. Il voudrait en parler à sa

Femme mais il a peur de l'appeler alors il reste avec nous à jouer aux cartes et à nous raconter combien il aime ses Enfants. Je voudrais le consoler mais je ne sais pas quoi lui dire alors je ne dis rien et je ris à ses blagues et je lui dis que ses Filles sont belles lorsqu'il me montre leur photo.

Il commence à se faire tard, on range les cartes et on va se coucher. Mon corps continue de réclamer ce que je ne peux pas lui donner, et comme je n'arrive pas à m'endormir je reste couché sur le dos à mater le plafond. Je pense à l'endroit où je me trouve, à la façon dont j'y ai atterri, à ce que je vais bien pouvoir foutre et j'écoute Larry qui sanglote et bourre son oreiller de coups de poing et maudit Dieu et implore son pardon. Au bout d'un moment mes yeux se ferment, au bout d'un moment je sombre dans le sommeil.

Je suis assis tout seul devant une table. Il fait sombre et je ne sais pas où je me trouve ni comment j'ai atterri là. Il y a des bouteilles d'alcool et de vin partout, un gros tas de cocaïne blanche et un énorme sachet de crack jaune sont posés sur la table en face de moi. Il y a aussi une petite lampe à souder, une pipe, un tube de colle et un bidon plein d'essence, ouvert.

Je regarde autour de moi. De la noirceur, de l'alcool, de la came. En quantité. Je sais que je suis seul et que personne ne peut m'arrêter. Je sais que je peux prendre tout ce que je veux, autant que je veux.

Comme je tends la main vers l'une des bouteilles, quelque chose me dit d'arrêter, que j'agis mal, que je ne peux plus faire ça, que je me tue. Je tends la main malgré tout. J'empoigne la bouteille, la porte à mes lèvres et je prends une longue rasade qui me brûle la bouche, la gorge et l'estomac.

Pendant un bref instant, je me sens complet. La douleur que je trimbale en moi s'évapore. Je me sens à l'aise et au calme, confiant et sûr de moi, paisible et tranquille. Je me sens bien. Merde alors, qu'est-ce que je me sens bien, putain.

Les sensations disparaissent aussi vite qu'elles sont apparues et je veux les retrouver. Je me fiche de ce que j'ai à faire, de ce que j'ai à prendre, de ce que je dois supporter. Je ferais n'importe quoi. Je veux les retrouver, point.

Je me sers un autre verre. Ça ne marche pas. Je prends une autre bouteille, me sers plus généreusement. Ça ne marche pas. J'attrape bouteille après bouteille, bois verre après verre, rien ne marche. Au lieu de me sentir mieux, je me sens de plus en plus mal. Tout ce qui semblait me faire du bien me fait désormais du mal mais tout a tellement été monté en épingle que plus rien n'est reconnaissable ni compréhensible. La seule solution c'est d'essayer de tuer. Tuer ce qui me fait mal. Le tuer.

Je passe à la drogue. Je respire bien fort et j'enfouis mon visage dans le tas de coke et je sniffe et mes narines sont en feu et le fond de ma gorge devient un brasier. Je respire, sniffe, respire, sniffe, respire, sniffe. Trop et trop vite et mon nez se met à saigner. J'essuie le sang et je respire et je sniffe. Je recommence. La tuerie a commencé, mais je suis loin d'en avoir fini.

Je déchire le sachet de crack et j'en extirpe une poignée de petits cailloux jaunes. J'essuie à nouveau le sang et j'attrape la pipe, constituée d'un long tube en verre et d'un filtre, et je commence à la bourrer de cailloux. Je la remplis, j'essuie à nouveau le sang, j'allume la petite lampe à souder, fourre la pipe dans ma bouche, j'approche la flamme blanche du foyer. J'avale. Miel chaud au menthol mêlé à du napalm suivi d'un flash mille fois plus fort que celui provoqué par la plus pure des poudres, et mille fois plus dangereux. Je garde la fumée et la montée devient plus vive et plus forte et elle enfle, me consume et me terrasse. Je me sens à nouveau bien, parfait, magnifique et invincible, comme si la puissance de chaque orgasme que j'ai jamais eu, pourrai jamais avoir, aurai jamais s'était concentrée en un seul instant. Oh mon Dieu, je jouis. Oh putain de Dieu, je viens. Laisse-le venir laisse-le venir laisse-le venir. Laisse-le venir bordel.

Ça repart aussi vite que c'est arrivé, et je sais que maintenant ça s'est barré pour de bon, laissant place à la peur, l'effroi et une rage meurtrière. Tout simulacre de quête du plaisir disparaît. J'attrape les cailloux, bourre la pipe, allume. La flamme est blanche et le verre est rose et je sens la peau de mes doigts qui bouillonne mais ça ne me fait rien. Je continue jusqu'à ce que le sachet soit vide et alors je fourre le sac dans la pipe et je fume le plastique. Je ressens une rage meurtrière et j'ai besoin de tuer. Tuer mon cœur, tuer mon esprit, me tuer moi.

Il y a de la colle et il y a de l'essence et je les veux. J'attrape la colle et je place l'embout du tube sous mon nez et je dépose une fine couche sur la peau entre mes narines et ma lèvre. Chaque inspiration m'apporte la puanteur de l'Enfer et de la mort, chaque inspiration m'apporte l'envie d'en prendre plus. Je tue vite et bien désormais, mais pas encore assez vite ni assez bien.

Je me penche et je colle le nez au-dessus des vapeurs d'essence chatoyantes et j'observe le visage de l'anéantissement chimique. Ce visage est mon ami, mon ennemi, et ma seule solution. Je l'accepte. Inspirer, expirer, vite et vite et de plus en plus vite. Je ne sens plus rien, à moins que ce que je ressente soit si souverain que cela surpasse mon esprit et mon corps. Je me sens enfin à mon aise. C'est ce que je veux, ce dont j'ai besoin et ce qu'il me faut, et c'est ainsi que j'ai passé ces dernières années.

Tout à coup j'ai froid et je sursaute et j'ouvre les yeux. La Chambre est plongée dans l'obscurité, tranquille. Le réveil à côté du lit de John indique six heures et quart. J'entends les ronflements de Warren. Je m'assois et je me frictionne le corps et je tremble. J'ai la chair de poule sur les bras et les cheveux dressés sur la nuque et j'ai peur. Peur de mon rêve, peur du matin, peur de cet endroit et des Gens qui le peuplent, peur d'une vie sans drogue et sans alcool, peur de moi-même, peur de me prendre en charge, peur de la journée qui se présente à moi, une peur bleue, une peur panique. J'ai peur et je suis seul et c'est le petit matin et personne n'est éveillé.

Je sors du lit, je vais à la Salle de Bains, je prends une douche, je m'essuie et la douleur me frappe et je tombe à genoux et je rampe jusqu'aux W-C et je vomis. C'est pire que d'habitude. Plus épais, plus sanglant, plus de bouts d'estomac, plus douloureux. Chaque nouveau jet me brûle la gorge et envoie une douleur fulgurante dans ma poitrine et me donne l'impression que j'étouffe. J'ai l'impression que j'étouffe et j'aimerais presque que ça soit le cas car ensuite cela cesserait. Tout ce que je veux, c'est que ça cesse.

Ça cesse et je m'assieds par terre et je m'adosse contre la cuvette. Des vagues d'émotion commencent à me submerger, je sens les larmes poindre. Tout ce que je connais, ce que je suis, tout ce que j'ai fait défile sous mes yeux. Mon passé, mon présent, mon avenir. Mes amis, mes ennemis, mes amis devenus mes ennemis. Où j'ai vécu, où j'ai été, ce que j'ai vu, ce que j'ai fait. Ce que j'ai saccagé et détruit.

Je me mets à pleurer. Les larmes ruissellent sur mon visage et des sanglots silencieux m'échappent. Je ne sais pas où j'en suis, je ne sais pas pourquoi je suis ici, je ne sais pas comment tout a tourné aussi mal. J'essaie de trouver des réponses mais elles me font défaut. Je suis bien trop bousillé pour avoir ces réponses. Je suis bien trop bousillé tout court. Les larmes redoublent et les sanglots s'intensifient et je me recroqueville sur le sol carrelé glacé et j'enroule mes bras autour de mon corps. J'enroule mes bras autour de mon corps et je sanglote et c'est le matin et je me trouve quelque part dans le Minnesota et je n'ai pas bu une goutte depuis cinq jours et je ne comprends foutre rien à ce qui m'arrive.

Les larmes cessent, les sanglots cessent, je m'assieds, j'essuie mon visage. J'entends des voix dehors et je ne veux pas qu'on me voie comme ça alors je me lève, je respire un grand coup, je me dis que tout va bien et je sors.

J'entre dans la Chambre. Warren et John se tiennent devant le lit de Larry. Warren m'entend et il me jette un coup d'œil.

T'as vu Larry ?

Non.

Ses affaires ont disparu.

Je l'ai pas vu.

On pense qu'il est parti.

Je ne sais pas quoi vous dire.

On va chercher les Thérapeutes. Si tu le vois, tu peux nous l'envoyer ?

Ouais.

Ils s'en vont et je me dirige vers mon lit et tandis que je m'habille, je pense à Larry. Il est parti. Parti pour de bon et il ne reviendra pas. Il est dehors, tout seul dans le froid, sans doute sur le bas-côté d'une Voie Express, avec tout son barda, le pouce levé. Il pense à sa Femme et à ses jolies petites Filles. Il voudrait les voir et les tenir dans ses bras et les serrer fort et les embrasser. Il voudrait leur dire qu'il regrette, que tout va bien se passer, qu'il se sent prêt à être le Mari et le Père qu'il aurait pu être, il le sait. Il prie pour qu'elles n'aient pas ce qu'il a car si c'est le cas, elles vont mourir. Peut-être pas demain ni la semaine prochaine, ni le mois prochain, ni l'année prochaine, mais un jour ou l'autre elles vont mourir, et elles vont mourir à cause de lui. Que tout aille pour le mieux, Larry, toutes mes pensées vont vers toi. Que tu arrives à bon port, que ta Femme et tes Filles soient séronégatives, que les jours qu'il te reste à passer sur cette Terre soient les jours les plus heureux de ta vie. Que tout aille pour le mieux, Larry. Que tout aille pour le mieux.

Je finis de m'habiller et je quitte la Chambre. Je vais chercher le matériel d'entretien et je me rends aux Toilettes Collectives, et bien qu'elles n'aient pas l'air sales je me mets à genoux et je commence à les nettoyer.

Hé.

Je me tourne. Roy est devant la porte.

T'as fait un boulot de merde hier.

Je pose mon éponge.

Quoi ?

Je me lève.

T'as fait un boulot de merde hier.

Roy s'avance d'un pas.

Ça me semblait propre, pourtant.

C'était dégueulasse. Tâche de faire mieux aujourd'hui ou je vais me plaindre.

Les Toilettes sont exiguës.

Tu m'entends. Tu les nettoies proprement ou bien je vais me plaindre.

Je me sens piégé.

Je les nettoie bien, promis.

Fait comme un rat.

TU VAS LES NETTOYER MIEUX QUE BIEN. TU VAS ME LES BRIQUER OU BIEN JE TE FAIS RENVOYER.

Fait comme un rat qui voudrait s'échapper.

LÂCHE-MOI LES BASQUES, BORDEL.

Il fait un nouveau pas en avant. Je sens son haleine, ses postillons sur mes joues. La Fureur monte.

JE VAIS TE FAIRE RENVOYER À COUPS DE PIED AU CUL, ESPÈCE DE SALE PETIT MERDEUX.

Je tends les bras, je lui saute à la gorge, je serre, je le balance contre le mur des Toilettes, il se cogne dans un bruit sourd, il se met à hurler.

AU SECOURS AU SECOURS AU SECOURS AU SECOURS.

Je le rattrape et je le fais valdinguer par la porte. Il se fracasse contre le mur de l'autre côté, s'effondre par terre, continue de hurler.

AU SECOURS AU SECOURS AU SECOURS AU SECOURS.

Je franchis la porte et je le toise de toute ma hauteur.

Ça y est, elles sont assez propres comme ça les chiottes, Enculé ?

Je veux le démolir.

AU SECOURS AU SECOURS AU SECOURS AU SECOURS.

Je veux lui défoncer la gueule.

Ça y est, elles sont assez propres comme ça, Enculé ?

Je veux lui arracher les membres un à un et les lui faire bouffer.

AU SECOURS AU SECOURS AU SECOURS AU SECOURS.

Je veux le tuer. Le réduire en une bouillie sanguinolente d'os brisés et de chair déchiquetée.

ÇA Y EST, ELLES SONT ASSEZ PROPRES LES CHIOTTES, ENCULÉ ?

Tuer ce connard.

ELLES SONT ASSEZ PROPRES ?

AU SECOURS AU SECOURS AU SECOURS AU SECOURS.

Deux hommes se précipitent dans le couloir et ils se ruent sur moi et ils me tirent en arrière. Je les repousse.

ME TOUCHEZ PAS PUTAIN.

Des renforts arrivent. Ils aident Roy à se remettre sur pied, se placent entre nous, me regardent comme si j'étais un monstre. Je soutiens leur regard. Mes yeux les transpercent et se posent sur Roy. Il m'a agressé, il est fou, emmenez-le.

Roy pleure et sanglote. Les larmes ruissellent sur son visage, il respire fort, par à-coups. Les hommes tentent de le réconforter.

Je suis venu lui donner un coup de main pour nettoyer les toilettes, je voulais juste lui donner un coup de main et il m'a agressé. J'ai rien fait. Ils me regardent. Me regardent comme si j'étais un monstre.

Je tourne les talons, je vais dans ma Chambre, elle est vide, je fais les cent pas, mon corps tremble, j'essaie de me contrôler. D'un côté j'ai envie de retourner dans le Couloir et de me battre avec tous ceux qui s'y trouveraient pour les détruire ou pour me faire détruire, d'un autre j'ai envie de me terrer. Mais plus que tout j'ai envie de l'alcool et du vin et de la coke et du crack et de la colle et de l'essence qu'il y avait dans mon rêve.

La Fureur est montée. Je fais les cent pas et je frissonne et j'essaie de me contrôler. Il faut que je me calme mais je ne sais pas comment. Les échappatoires que j'ai trouvées, qui m'aident à survivre et auxquelles je suis accro ont disparu, remplacées par des Médecins et des Infirmières et des Thérapeutes et des Règles et des Règlements et des Cachets et des Conférences et des Repas

Obligatoires et des Tâches Quotidiennes et ces conneries m'apportent que dalle. Que dalle.

Je cesse de faire les cent pas. Je regarde par terre. Je ferme les poings et je les serre et chaque cellule de mon corps se tend et se prépare et ça vient la Fureur vient et je ne sais pas quoi faire ni où aller ou comment l'endiguer et ça vient ça vient et c'est là. Explosion.

Je hurle. Je vois un lit. J'attrape les pieds du lit et je le soulève et je le secoue et le matelas tombe et j'attrape le sommier métallique et je le soulève et je le fracasse par terre et il craque mais ça ne suffit pas alors je saute dessus et il craque encore encore et encore et il ne reste plus que des lattes brisées et des boulons et des vis et je hurle ça me fait du bien et ça ne fait que commencer. Je passe à la table de nuit. Je tire les tiroirs et je les jette et ils atterrissent de l'autre côté de la Pièce et ce ne sont plus des tiroirs mais des morceaux de tiroirs et la table de nuit est encore là alors je la prends et je la fracasse et ce ne sont plus que des morceaux de table de nuit.

Il y a quelqu'un à la porte, quelqu'un qui hurle mais je n'entends rien. J'ai perdu la faculté d'entendre, de voir, de sentir, de penser. Je suis sourd, engourdi et aveugle. Inconscient, insensé et incontrôlable.

Il y a une commode, il y a des morceaux de commode. Il y a un autre lit et je le soulève et je le détruis. Il y a de nouveaux hurlements, il y a des Hommes en Blanc, il y a des bras et ils me tiennent et je hurle.

Il y a une aiguille.

Je suis dans une nouvelle Chambre. Elle est simple et blanche et vide, à part le lit. Je ne sais pas comment j'ai atterri ici ni depuis combien de temps je m'y trouve et je ne connais ni le jour ni l'heure. Mais je sais que je suis toujours à la Clinique. Je le sais parce que j'entends des hurlements. Les cris des Drogués privés de leur Drogue. Les cris des morts qui, étrangement, sont encore vivants.

Je me couche sur le dos et je fixe le plafond. J'ai vomi deux fois aujourd'hui mais ce n'était pas terrible. Il n'y avait pas de sang, pas de bile, pas de morceaux, juste un peu d'acide et d'eau. Je trouve que c'est encourageant. C'est la seule chose concernant ma situation actuelle que je trouve encourageante.

J'attends que quelqu'un vienne me dire qu'il est temps que j'y aille. J'essaie de savoir ce qu'il faut que je fasse. Je n'ai pas d'endroit où vivre, nulle part où aller. Je n'ai pas d'argent, pas de ressources, pas de boulot. Je n'ai pas la moindre chance d'avoir de l'argent, pas la moindre chance d'avoir des ressources, pas la moindre chance d'avoir un boulot. Je n'ai aucune confiance en moi, aucun amour-propre, aucune estime de moi. Mon instinct de conservation s'est volatilisé depuis belle lurette. Je me fiche de mes Parents ou de mon Frère ou des rares Amis qu'il me reste. Ils feront une croix sur moi dès que je serai parti d'ici. Je ferai une croix sur moi dès que je serai parti d'ici.

On frappe à la porte mais je n'y prête pas attention. On refrappe à la porte mais je n'y prête toujours pas attention. Je ne veux voir personne ni parler à personne ni avoir affaire à personne. J'ai besoin de savoir ce que je vais faire.

La porte s'ouvre et Ken et un homme et une femme entrent dans ma Chambre, je m'assieds sur mon lit. L'homme est plus grand que Ken, et son corps est massif et musculeux et il a des cheveux bruns courts dressés sur la tête. Il porte de grandes bottes noires, un jean noir délavé et un T-shirt noir orné d'une photo de Harley sous laquelle se trouve l'inscription : « Roulez malin, Roulez à jeun ». Ses bras sont couverts de tatouages, l'intérieur de ses coudes est constellé de cicatrices. La femme est petite et grassouillette, ses longs cheveux gris sont ramassés en queue-de-cheval, on dirait Mona Lisa. Elle porte des vêtements amples, des chaussettes en laine, des Birkenstocks, des bagues en argent aux doigts, un pendentif en turquoise autour du cou. Je n'aperçois ni tatouages ni cicatrices. Ken parle.

Bonjour, James.

Bonjour.

Ça ne vous dérange pas si on s'assoit ?

Ça m'est égal.

Ken s'assied au bout du lit, la femme s'assied en tailleur par terre, l'homme reste debout. Ken prend la parole.

Voici Lincoln.

Il fait un geste vers l'homme. L'homme me fixe du regard.

C'est le Chef de Service de Sawyer.

Je soutiens son regard.

Et voici Joanne.

Lincoln me fixe du regard.

Joanne est Psychologue.

Je soutiens son regard.

Nous aimerions causer de ce qui s'est passé hier.

Lincoln me fixe du regard, je soutiens son regard.

Alors causons.

Lincoln parle. Sa voix est profonde et rauque, on dirait une vieille pointe rouillée en métal.

Nous voudrions que vous nous parliez. Nous voudrions entendre votre version des faits.

Vous me foutez dehors ?

Ken jette un coup d'œil sur Lincoln, Lincoln sur Joanne. Joanne parle.

Pour l'instant on voudrait simplement discuter.

Par où dois-je commencer ?

Lincoln parle.

Quand les ennuis sont-ils apparus ?

J'ai fait un rêve, un cauchemar, et ça m'a complètement dévissé la tête. Ça a dû commencer par ça.

Ken parle.

Quel était votre rêve ?

J'étais tout seul dans une Pièce et je ne savais pas où je me trouvais ni comment j'y avais atterri et j'ai bu et j'ai pris plein de drogues et je me suis mis minable. Ça avait l'air réel et quand je me suis réveillé ça m'a fait peur.

Joanne parle.

Vous avez fait un Rêve de Consommateur.

Qu'est-ce que c'est, un Rêve de Consommateur ?

Lorsque les Alcooliques et les Toxicomanes cessent de consommer de l'alcool ou de la drogue, leur inconscient continue de les réclamer. Cela se manifeste dans des rêves qui semblent parfois terriblement réels et qui, dans un sens, le sont. Vous n'avez peut-être rien pris, mais votre cerveau, si. Vous allez probablement faire de tels rêves pendant encore un an.

On va bien rigoler.

Lincoln parle.

Et ensuite ?

Il me fixe du regard.

Je suis allé à la Salle de Bains et j'ai vomi et je me sentais encore plus mal. J'ai essayé de regarder mon visage et je me suis à nouveau senti mal, mais d'une manière différente, et après c'était encore pire. Ensuite je suis allé nettoyer les Toilettes.

Il me fixe toujours du regard.

Et puis vous avez agressé Roy.

Je me retourne, je lui rends son regard.

Roy m'a cherché des noises. Je l'ai envoyé bouler.

Ken parle.

Pourquoi vous a-t-il cherché des noises ?

Aucune idée.

Juste comme ça ?

Il me fait chier depuis que je suis arrivé ici. Je ne sais absolument pas pourquoi.

Comment ça ?

Il me dit que je ne respecte pas les Règles, il me dit que je fais tout de travers, il me dit qu'il va me faire renvoyer.

Lincoln parle.

Et vous n'aimez pas ça, n'est-ce pas ?

Je n'ai rien fait de mal. Il n'a aucun droit de me faire chier comme ça.

Et vous aviez le droit de l'agresser ?

Du moment qu'il s'était mis à me chercher des noises, oui.

Et si je vous cherchais des noises ?

Je vous enverrais bouler.

Lincoln m'envoie un regard noir.

Ça ne vous mènera nulle part de jouer les Gros Durs.

Je lui rends son regard.

Vous non plus.

Ken parle.

Roy nous a dit qu'il vous filait un coup de main et que vous lui avez sauté dessus sans la moindre raison.

Roy n'est qu'un sale menteur, bordel.

Lincoln parle.

Surveillez votre langage.

Allez vous faire foutre.

Que dites-vous ?

Je dis Allez vous faire Foutre.

SURVEILLEZ VOTRE LANGAGE.

ALLEZ VOUS FAIRE FOUTRE.

Ken parle.

Calmez-vous, James.

Vous aussi, Ken, allez vous faire foutre.

Joanne prend la parole, elle s'adresse à Ken et à Lincoln.

Pourriez-vous nous laisser seuls quelques instants ?

Lincoln parle.

Je n'ai pas terminé.

Joanne parle.

Je crois qu'il vaudrait mieux que vous nous laissiez tous les deux un petit moment. Et on pourra reparler de tout ça ensemble dans un instant.

Lincoln tourne les talons et sort de la Pièce sans un mot. Ken me jette un coup d'œil et il parle.

Si vous avez besoin de moi, vous me trouverez dans mon Bureau.

Il suit Lincoln, ferme la porte, me laisse seul avec Joanne. Elle s'adosse au mur, elle ferme les yeux et elle inspire à fond et elle expire, je m'assois sur le lit, je la regarde et elle reste assise comme ça à respirer et je commence à en avoir marre du silence et du bruit de sa respiration. Je voudrais être seul et j'ai besoin de décider de ce que je vais faire. Je parle.

Que me voulez-vous ?

Elle ouvre les yeux.

Je me suis dit que l'on pourrait bavarder quelques minutes. Voir si vous vouliez parler d'un truc en particulier.

J'ai rien à dire.

D'accord.

Elle se lève.

Puis-je faire quelque chose pour vous avant que je m'en aille ?

Ouais.

Quoi ?

Je veux arrêter le Librium.

Pourquoi ?

Ça me rend fou, j'ai l'impression d'être en plein cauchemar. Je préfère ne rien avoir plutôt que de prendre cette merde.

Je demanderai aux Infirmières de mettre un terme à votre traitement.

Merci.

Autre chose ?

Je suis censé faire quoi, là ?

Aujourd'hui est un autre jour. Le déjeuner sera servi dans dix minutes, puis il y a Conférence. Vous avez rendez-vous chez le Dentiste à 10 h 30, il faut donc que vous soyez de retour ici à 10 heures pour retrouver le Chauffeur. Tenez bon aujourd'hui et si vous avez besoin de parler de quoi que ce soit, je suis Salle 312.

Merci.

Elle se dirige vers la porte.

On se revoit bientôt ?

Peut-être.

Elle part, je reste seul et je suis étonné d'être ici, à la fois soulagé et déçu et perplexe et je ne sais pas ce que je vais faire. Je peux partir ou rester. Je peux partir ou rester ?

Partir ça veut dire retomber dans la Dépendance et risquer la mort ou la Prison. Rester ça veut dire cesser d'être dépendant et me retrouver face à l'inconnu. Je ne sais pas ce qui m'effraie le plus. Je me lève, j'ouvre la porte et je m'aperçois que je suis dans le Secteur Médical. Je fais la queue et j'entame ma journée et je mémorise le numéro de Joanne. 312.

Je prends mes antibiotiques et ça passe plus facilement que de coutume et je traverse les Couloirs vides et lumineux qui mènent au Réfectoire. Comme j'entre dans le Hall Vitré je m'aperçois que je suis en retard, les Gens lèvent tous les yeux vers moi et me dévisagent, je les ignore, je prends un bol d'épaisse bouillie d'avoine grisâtre, j'y saupoudre une énorme couche de sucre, je me trouve une place à une table libre et je m'assieds. Je sais que les Gens continuent de me dévisager et je les ignore. Leonard me fait signe et me rejoint, accompagné de deux autres hommes. Le premier est petit et trapu et il porte un bandana noir autour de la tête. De longues mèches brunes pointent sous le bandana derrière son crâne. Il est vêtu d'un jean et d'un T-shirt noir, une balafre traverse une de ses joues sur toute la longueur. Le second est grand et mince, il porte un jean serré noir, une chemise à boutons noire et des bottes de cow-boy noires. Ses traits sont émaciés et tirés et des veines bleues affleurent sous la peau de ses bras. Ils ont tous deux l'air violents et hargneux. Ils ont tous deux l'air bien plus effrayants que le Patient de base de la Clinique. Leonard pose son plateau sur la table.

Salut, Fiston.

Salut.

Je te présente Ed.

Il désigne le plus petit.

Et voici Ted.

Il désigne le plus grand.

Les hommes hochent la tête. Je fais de même.

Ça te dérange pas qu'on mange avec toi ?

Ça m'est égal.

Leonard s'assoit.

Merci.

Ed et Ted font de même. Leonard parle.

J'ai entendu dire que tu avais filé une bonne dérouillée à Roy, hier.

Je ne quitte pas ma bouillie des yeux. Je ne réponds pas.

Je peux pas le blairer ce Connard, alors t'en fais pas je dirai rien à personne.

Je relève la tête pour le regarder. Je ne réponds pas.

Ted parle. Il a un fort accent du Sud.

Tu aurais dû le voir après. Il en menait pas large. Chialait et pleurnichait et braillait et tout. Il a eu une telle frousse qu'il s'est pissé dessus.

Je regarde Ted. Je ne réponds pas.

Ed parle. Sa voix est basse et lasse. Une voix d'ouvrier.

Qu'est-ce que tu lui as fait ?

Je regarde Ed.

J'en causerai à personne.

J'observe la cicatrice. Elle est profonde et vilaine.

J'veux juste savoir ce que tu lui as fait.

Je lui ai demandé s'il trouvait que les Chiottes étaient assez propres comme ça, et je l'ai bousculé un peu.

Leonard parle.

C'est tout ?

Ouais, c'est tout.

Je me lève, je prends mon plateau, je me dirige vers une table libre, je m'assois, je commence à manger. La bouillie d'avoine est grise et épaisse et dégoûtante mais le sucre est bon. Il fond sur ma langue et sa douceur est le premier goût que je reconnais depuis mon accident à part le whiskey et le vin ou le tabac et le vomi. J'aime la douceur, cela signifie que certains de mes sens me reviennent. Ils reviendront tous si je reste ici. Je serai à nouveau capable d'éprouver et de sentir et de goûter les sensations normales que les gens normaux éprouvent tous les jours. Si je reste.

J'enfourne la dernière cuillerée douceâtre de bouillie dans ma bouche et comme je l'avale, je sens mon estomac qui tente de la renvoyer. Je serre les mâchoires et je retiens mon souffle et je contracte mes abdos, j'essaie de me retenir. Mon estomac est plein, il brûle. Il n'a pas l'habitude de garder tant de nourriture et il n'a pas l'habitude de garder tant de nourriture aussi régulièrement. J'ai l'impression qu'il se dilate et qu'il me pompe toute mon énergie. Le simple fait de digérer un bol de bouillie d'avoine me pompe toute mon énergie. Ça fait moins d'une heure que je suis éveillé.

Autour de moi les autres Malades désemplissent le Réfectoire et marchent en direction de la Salle de Conférences. Je me lève, je me débarrasse de mon plateau, je les suis dans le Hall Vitré et dans les dédales de Couloirs, je longe les vitres embuées et les portes ouvertes et les visages avenants du Personnel. Je ne regarde personne et je fais mine de ne reconnaître personne. Je suis dans ma tête et dans ma tête je suis seul. J'essaie de décider ce que je vais faire.

Je trouve un siège parmi les hommes de mon Service et je m'assois. Il n'y a personne autour de moi et c'est ce qu'il me faut. C'est aussi ce que semblent vouloir les autres. Je sens leur regard sur moi et lorsque je le leur rends ils détournent les yeux. Ils détournent brusquement les yeux et je les fixe jusqu'à ce qu'ils comprennent le message et ne me jettent plus un seul coup d'œil. Ils ne me jettent plus un seul coup d'œil. Roy se trouve deux rangées devant moi et il chuchote à l'oreille d'un type que je ne connais pas et il m'envoie des regards torves. Je ne le quitte pas des yeux. Ses chuchotements deviennent plus vifs et sont accompagnés de gestes colériques. L'homme à ses côtés se met lui aussi à m'envoyer des regards torves. Roy achève une phrase et ils éclatent de rire. Je ne suis pas d'humeur.

Hé, Roy.

Roy cesse de parler, me regarde.

T'as un problème ?

Les autres hommes ont tous les yeux braqués sur moi.

Non, j'ai pas de problème.

Si tu as quelque chose à me dire, viens me le dire en face.

J'ai rien à dire.

Alors pourquoi vous la fermez pas, toi et ton Plug Anal.

Roy reste bouche bée, l'homme prend un air outré. Quelques rires fusent. Je ne quitte pas Roy des yeux jusqu'à ce que le mec et lui se retournent. Ils regardent droit devant eux et je n'entends plus de chuchotements.

Une Femme monte sur l'Estrade et la Conférence commence. La femme parle de sexe et de dépendance et du fait que les Alcooliques et les Toxicomanes sont fréquemment dépendants d'une drogue de prédilection de même que d'une pratique sexuelle de prédilection. Cette multidépendance peut entraîner les individus qui s'y adonnent dans des terres dangereuses et déviantes. Au sens réel et figuré. Des terres dont on ne peut sortir et dont il est impossible de revenir.

La Conférence s'achève, je reste assis à attendre, je les regarde tous sortir, je me lève, je sors, la nourriture est encore en cours de digestion et les derniers effets du Librium s'estompent. Je me sens lourd et lent mais derrière tout cela se cachent les prémices d'un truc rapide et impérieux, apeuré et tremblotant, fragile et angoissé, rageur et désespéré. Pour l'instant la lourdeur me permet de le retenir, mais je sais que c'est seulement pour l'instant.

Je rentre dans le Secteur Médical, je trouve une Infirmière et je lui signale que je dois aller chez le Dentiste, elle vérifie sur l'agenda pour les rendez-vous extérieurs, c'est bien ça, elle m'envoie dans la Salle d'Attente et j'attends. La Salle d'Attente est pourvue de fenêtres et je vois dehors. Bien que le matin touche à sa fin, il fait encore noir. J'entends le tonnerre, j'aperçois la neige qui tombe. Des bourrasques de vent envoient tout ce qui traîne par terre dans les airs. On dirait que les arbres essaient de se cacher. C'est moche et ça va être encore plus moche.

Hank arrive dans la Salle d'Attente. Il est emmitouflé dans une veste épaisse, chaude, imperméable. Il porte des bottes en caoutchouc fourrées de laine.

Salut, Fiston.

Salut, Hank.

On se serre la main.

Comment ça se passe ?

J'ai connu mieux.

Je me lève.

J'parie que t'as connu pire, aussi.

Je souris.

Ouais, j'ai connu pire.

Prêt ?

Ouais.

Allons-y.

Nous quittons la Salle d'Attente, nous traversons un petit Couloir et nous sortons. Le VSL se trouve à trois mètres de l'Entrée, j'y cours. La neige fondue et le vent me pilonnent la peau, le tonnerre m'ébranle les os.

J'ouvre la portière passager du VSL et je bondis à l'intérieur, le moteur tourne, il fait bon. Sur le siège il y a une vieille veste usée par le mauvais temps, semblable à celle que porte Hank. Je la prends, je la passe, je me mets à l'aise, je me pelotonne. Au bout de quelques secondes Hank, qui n'a pas eu à courir, ouvre la portière et grimpe à l'intérieur.

Tu as trouvé la veste.

C'était difficile de la rater.

Je la portais quand je bossais sur mon chalutier.

Ça se voit.

C'est une bonne veste.

En tout cas là elle fait du bon boulot.

Je sais que t'en as pas, d'après ce qu'on m'a dit t'as rien du tout, alors je voudrais que tu t'en serves pendant que tu es ici.

Merci, Hank, c'est très gentil.

Je t'en prie.

C'est vraiment très gentil. Merci.

Je t'en prie.

Hank passe la première, on quitte la Clinique et on roule vers la Ville. Hank se concentre sur la route, je regarde par la fenêtre, je réfléchis. Quelques jours plus tôt la Terre est allée se coucher pour se préparer à l'hiver et à mourir. Maintenant elle est couchée et préparée et morte. Il n'y a plus de feuilles sur les arbres, pas de végétation vivante sur le sol, pas un insecte ni un oiseau ni un animal en vue. Le tonnerre s'intensifie, se rapproche, la neige tombe de plus belle, plus fort, et le vent tente de pousser le VSL dans le fossé. Hank le maintient sur la route. Je regarde par la fenêtre et je réfléchis.

Un mois après avoir posé les yeux sur elle pour la première fois, je savais à quoi m'en tenir. Elle était originaire du Connecticut, son Père était un important banquier new-yorkais, sa Mère jouait au tennis et au bridge et était Présidente d'une Association Caritative regroupant des femmes de bonne famille. Elle avait fréquenté un lycée de jeunes filles privé prestigieux dans le New Hampshire. Elle avait un Frère et une Sœur aînés. Elle n'avait jamais eu de petit copain.

Je l'ai rencontrée parce qu'un de mes amis m'avait demandé de lui procurer de l'herbe. Comme il n'était pas fumeur, je lui avais demandé qui avait passé la commande et il m'avait dit que c'était pour une certaine Lucinda qui vivait dans la même résidence universitaire que lui. Je lui avais répondu qu'il fallait d'abord que je rencontre la fille, alors il m'avait donné son numéro de Chambre et j'y étais allé, j'avais frappé à la porte, elle s'était ouverte et elle était là. Grande et mince, de longs cheveux blonds pareils à d'épaisses cordes de soie, des yeux découpés dans l'Arctique. Je ne connaissais pas Lucinda et je ne savais pas qu'elle vivait avec Lucinda et je ne pouvais pas dire un mot et elle se tenait là. Elle se tenait là.

Salut.

Je la fixais sans rien dire.

Tu as besoin de quelque chose ?

J'ai tenté d'ouvrir la bouche, ma bouche ne marchait plus, mon cœur battait la chamade, mes mains tremblaient, j'étais étourdi et excité et apeuré et insignifiant. Elle se tenait devant moi. Juste devant moi. Grande et mince, de longs cheveux blonds pareils à d'épaisses cordes de soie, des yeux découpés dans l'Arctique.

J'ai tourné les talons et je suis parti sans dire un mot. Je ne me suis pas retourné, je suis rentré dans ma Chambre, j'ai pris une bonne bouteille, j'ai bu un bon coup. Mon cœur battait toujours la chamade et mes mains tremblaient toujours et pour la première fois de ma vie ce n'était pas à cause de l'alcool ou de la dope et pour la première fois de ma vie l'alcool et la dope n'ont pas chassé mes tremblements.

On arrive en ville, c'est désert. Pas de voitures garées, pas de Gens faisant les boutiques, pas de jeunes Mères accompagnées de leurs Enfants, pas de vieux messieurs sur un banc avec un café et de sages paroles. Les Magasins sont ouverts, mais ils ne font pas d'affaires. Dehors il n'y a que le tonnerre et la neige fondue et le vent. Ça redouble d'intensité.

On se gare au même endroit, en face du même immeuble et Hank éteint le moteur du VSL, il tend la main, ouvre la boîte à gants, en sort deux vieilles balles de tennis jaunes. Il me les tend.

Je me suis dit que tu en aurais peut-être besoin.

Pourquoi ?

Je ne m'y connais pas trop sauf en ce qui concerne la pêche et la conduite, mais quelque chose me dit qu'on va te faire des trucs ce matin qui risquent de faire mal.

Sans doute.

On ne va pas te donner d'analgésiques et on ne va pas faire d'anes-thésie, en tout cas pas tant que tu es hospitalisé dans le Centre de

Désintoxication. Alors je me suis dit que la dernière chose qui pouvait faire l'affaire, c'était ces balles. Quand ça commencera à faire mal, serre-les.

Je prends les balles en main, les serre un coup.

Merci.

De rien.

Il ouvre sa portière, il sort, je fais de même, on referme les portières, on marche vers l'Immeuble et on prend les escaliers jusqu'au Cabinet Dentaire. La porte est ouverte, on entre et je m'assieds sur l'un des canapés de la Salle d'Attente et Hank va à l'Accueil, il se met à parler avec la Standardiste. Le livre de Babar l'Éléphant est posé devant moi. Je le prends et je commence à lire. Je me rappelle que je l'avais lu quand j'étais petit Garçon et que je l'avais beaucoup aimé, j'imaginais que j'étais ami avec Babar, le Compagnon fidèle de toutes ses aventures. Il allait sur la Lune, j'y allais avec lui. Il combattait les Profanateurs de Sépultures en Égypte, je me battais à ses côtés. Il arrachait sa petite copine éléphante des griffes des Chasseurs d'Ivoire de la Savane, j'organisais leur fuite. Je l'adorais ce satané Eléphant et j'adorais être son ami. Babar est l'un des seuls souvenirs agréables qu'il me reste d'une enfance pleine de malheur et de rage. Babar et Moi, on leur tannait le cuir à tous ces Salopards.

Hank revient et il s'assied à côté de moi.

Ils sont prêts.

Très bien.

Toi aussi tu es prêt ?

Je lui montre les balles de tennis.

Ouais.

J'ai hâte de voir de quoi t'as l'air avec des dents.

J'ai hâte d'en avoir à nouveau.

Je me lève.

Je te revoie dans un petit moment, Hank. Merci pour tout.

Y a pas de quoi.

Je me dirige vers une porte où m'attend une Infirmière. Elle prend soin de ne pas me frôler lorsque je passe à côté d'elle, ce qui m'arrache aux souvenirs attendris et heureux de mes aventures pachydermiques et me rappelle ce que je suis. Je suis Alcoolique et je suis Toxicomane et je suis Délinquant. J'ai quatre dents de devant en moins. J'ai un trou dans la joue, recousu à l'aide de quarante et un points de suture. J'ai le nez cassé et les yeux au beurre noir. Je suis accompagné parce que je suis hospitalisé dans un Centre de Désintoxication. Je porte une veste qui n'est pas à moi parce que je n'en ai pas. Je me balade avec deux vieilles balles de tennis jaunes parce qu'on ne peut pas me donner d'analgésiques ni m'anesthésier. Je suis Alcoolique. Je suis Toxicomane. Je suis Délinquant. C'est ce que je suis et je n'en veux pas à l'Infirmière si elle ne souhaite pas m'effleurer. Si je n'étais pas moi, je ne voudrais pas me toucher.

Elle me mène dans une petite Pièce. La Pièce ressemble à toutes les autres Pièces dans lesquelles j'ai dernièrement séjourné, mais elle semble encore plus propre et encore plus blanche. Il y a des placards en acier inoxydable sur les murs, des plateaux couverts d'instruments pointus et étincelants sur les placards, un éclairage halogène au plafond. Il y a un fauteuil chirurgical au milieu de la Pièce. Il est métallique avec des coussins verts et de longs bras menaçants et toutes sortes d'attaches, de boutons, de manettes et de leviers. On dirait un instrument de torture moyenâgeux. Je sais qu'il est là pour moi. Je passe à côté de l'Infirmière, je m'assois sur le fauteuil, j'essaie de me mettre à l'aise mais c'est impossible. Les instruments de torture ne sont pas faits pour qu'on se sente à l'aise.

Le Docteur Stevens sera là dans une minute.

Très bien.

Avez-vous besoin de quoi que ce soit pour patienter ?

Le livre de Babar.

Je vous demande pardon ?

Je voudrais bien que vous me passiez le livre de Babar l'Éléphant.

Il est dans la Salle d'Attente.

Je reviens tout de suite.

Merci.

Elle s'en va, je me retrouve seul, je m'enfonce dans le fauteuil, je jette un coup d'œil autour de la pièce, je me mets à paniquer. Le dernier Librium commence à ne plus faire effet et la nourriture dans mon estomac a déjà été suffisamment assimilée pour qu'elle ne me tienne plus au ventre, tout s'accélère. Mon cœur, ma tension artérielle, les pensées dans mon crâne. Mes mains tremblent, mais ce n'est pas le tremblement prononcé du manque. C'est une espèce de tremblement rapide et léger, une espèce de tremblement qui naît de la peur. La peur de cette Pièce, la peur de ce fauteuil, la peur de ce que contiennent les placards, la peur de ce que font les instruments, la peur de ce qui m'attend ici, la peur d'une douleur si terrible que j'aurai besoin de serrer les balles pour la vaincre.

L'Infirmière revient avec le livre de Babar, elle me le donne et s'en va. Je pose les balles de tennis sur mes genoux, j'ouvre le livre, j'essaie de lire. En tournant les pages, je vois les mots et je vois les images mais je n'arrive pas à lire les mots et je n'arrive pas à comprendre les images. Tout s'accélère. Mon cœur, ma tension arté-rielle, les pensées dans mon crâne. Je n'arrive pas à me concentrer sur quoi que ce soit. Pas même sur Babar.

Je referme le livre, je le presse contre ma poitrine, j'attends. Tout tremble. Mes mains, mes pieds, les muscles de mes jambes, ma poitrine, ma mâchoire, ce qu'il me reste de dents. J'attrape les balles et je les serre et j'essaie de faire passer la violence des tremblements dans les balles, les balles se mettent à trembler. Tout tremble.

La porte s'ouvre et le Docteur Stevens, mon Dentiste-Bûcheron, entre, suivi par un autre Dentiste et deux Infirmières. Le Docteur Stevens sort un instrument en acier inoxydable et il s'assied sur le tabouret à côté du fauteuil. L'autre Dentiste et les Infirmières entre-prennent de rassembler les corbeilles et les instruments, ils ouvrent et referment les portes des placards. Ils font un bruit pénible, je ne sais pas exactement ce qu'ils fabriquent mais je sais que tout ça va finir dans ma bouche.

Bonjour, James.

Bonjour.

Désolé de vous avoir fait attendre. Nous étions en train de revoir la façon dont nous allons procéder.

C'est rien.

Le second Dentiste se penche et lui murmure quelque chose à l'oreille. Le Docteur Stevens hoche la tête. Tout ça va finir dans ma bouche.

Nous voulons commencer par poser une couronne sur vos deux incisives latérales supérieures. On vient de regarder vos radios à nouveau et les racines semblent intactes, les bases ont l'air stables. Une fois qu'on aura posé les couronnes, ça devrait aller.

D'accord.

Quand ça sera fait, il va falloir que l'on procède à un traitement du canal radiculaire sur les deux dents du milieu. Les racines sont bran-lantes et si nous n'opérons pas, vos dents vont devenir toutes noires et elles vont mourir. Une fois mortes, elles tomberont. J'imagine que vous ne souhaitez pas que ça se passe comme ça.

Non.

Je suis désolé de vous parler aussi franchement.

J'apprécie votre franchise.

Je veux que vous sachiez exactement ce que nous vous faisons et pourquoi.

Je ne veux pas en savoir plus.

Une dernière chose.

Quoi ?

Ça va être extrêmement douloureux. Comme vous êtes actuellement en Cure de Désintoxication, nous ne pouvons pas vous anesthésier, qu'il s'agisse d'une anesthésie locale ou générale, et une fois que ce sera terminé, nous ne pourrons pas vous donner d'analgésiques.

Je lui montre les balles, exerce une légère pression.

Je sais.

Et vous pensez que vous allez pouvoir le supporter ?

J'ai connu pire.

Le Docteur Stevens me regarde comme si ce que je venais de lui dire défiait l'imagination. Je sais que ce que je m'apprête à vivre est horrible et je ne sais pas si j'ai connu pire, mais pour y arriver, c'est ce qu'il faut que je croie. Je lui rends son regard.

Allons-y, Doc. Au boulot.

Il se lève et va parler à l'autre Dentiste et aux Infirmières en chuchotant, il les aide à préparer les corbeilles et les instruments qu'ils vont utiliser dans ma bouche. Je m'assieds et j'attends et mon corps ralentit et mon esprit ralentit, je cesse de trembler, je cesse de serrer les balles, je suis calme. J'ai accepté l'idée que cela se fasse, il faut que ça se fasse et ça va faire mal. Le calme m'envahit, un calme que doivent connaître les condamnés à mort avant l'Exécution.

Le Docteur Stevens s'approche et il se plante devant moi.

Je vais vous faire basculer un petit peu en arrière.

D'accord.

Il se penche, tire une manette, il me fait lentement et doucement basculer en arrière. La lumière halogène tombe directement sur moi, elle est tellement vive qu'elle m'aveugle, je ferme les yeux. Je tiens les balles, le livre de Babar est resté posé sur ma poitrine, juste au-dessus de mon cœur.

Ça vous ennuie si je vous prends le livre ?

J'aimerais mieux pas.

Très bien. On va se débrouiller.

J'entends des bruits de pas et de corbeilles déplacées, on me relève la tête et on fait passer les ficelles d'un bavoir derrière ma nuque, on les noue, le bavoir est placé sur le livre. Le fauteuil bascule un peu plus bas et un peu en arrière, un petit oreiller bien ferme est glissé derrière ma nuque.

Une voix de femme. Des manières professionnelles.

Pouvez-vous ouvrir la bouche ?

J'ouvre la bouche.

Si ça vous fait mal, dites-le.

D'accord.

Maintenant ne bougez plus.

Je ne bouge plus et quelqu'un baisse ma lèvre inférieure et fourre du coton dans l'espace entre ma lèvre et ma gencive. Je sens un tiraillement au niveau de mes points de suture, le sang commence à couler. Les mêmes gestes sont reproduits sur ma lèvre supérieure et mes joues, j'ai l'impression d'avoir la bouche pleine de terre douce et fibreuse, tout s'assèche quasi instantanément. Un jet d'eau pour humecter un peu le tout, mais pas suffisamment. C'est sec et ça restera sec, quel que soit le nombre de jets que je reçoive.

Je m'enfonce dans le fauteuil, je ferme les yeux, j'ouvre la bouche en grand, quelqu'un me passe les balles de tennis, je reçois un jet, j'entends des paroles douces et basses, le bruit d'une fraise qu'on met en route. La fraise se met en marche puis elle s'arrête, elle se met en marche puis elle s'arrête.

Vérifiez la meule.

Une meule se met en marche puis elle s'arrête, elle se met en marche puis elle s'arrête.

Vérifiez la deuxième fraise.

La deuxième fraise se met en marche puis elle s'arrête, elle se met en marche puis elle s'arrête.

Je sens la présence de Personnes penchées sur moi. Une main attrape ma lèvre supérieure et la retrousse délicatement de façon à découvrir ma gencive. Le jet recouvre les restes de mes dents.

C'est parti, James.

Le jet continue, la meule se met en marche, devient de plus en plus bruyante en s'approchant de ma bouche, le bruit est aigu et stri-dent, ça me fait mal aux oreilles et je commence à serrer les balles et j'essaie de me préparer à la meule et la meule touche un bout de mon incisive latérale gauche. La meule rebondit doucement et une décharge de douleur blanche se répand dans ma bouche, la meule revient et elle persiste, la douleur m'envahit de la tête aux pieds et le moindre muscle de mon corps se contracte et je serre les balles, mes yeux commencent à couler et mes poils se dressent sur ma nuque et cette putain de dent me fait mal comme si la pointe d'une baïonnette s'y insinuait. La pointe d'une putain de baïonnette.

La meule tourne autour d'un bout de dent, je suis crispé et j'ai mal et je sens les brisures d'os sur ma langue et le jet gicle, les brisures se regroupent et disparaissent dans mon gosier et dans le creux sous ma langue. Ça continue, la meule et les jets et les brisures et la douleur, les décharges continues d'électricité me laissent tendu et crispé. Je reste assis, je serre les balles de tennis, mon cœur bat fort et régulièrement comme s'il avait besoin de subir cette épreuve pour me prouver qu'il fonctionne correctement. La meule s'arrête et je me détends et j'inspire un grand coup. Il y a des voix douces et des instruments qu'on attrape.

Je crois qu'il y a une cavité dentaire ici, James. Il faut que je m'en assure.

Le coton a tellement bougé dans ma bouche que j'arrive à parler de façon intelligible.

Assurez-vous-en, alors.

Ça va faire mal.

Finissons-en.

Je me prépare à la suite mais je ne suis pas préparé à ce qui vient. L'instrument pointu et effilé qui donne de petits coups sur l'une des parois poncées de ma dent découvre une petite cavité dans laquelle il pénètre. La douleur est fulgurante, c'est une décharge de trois millions de volts, c'est blanc, ça brûle. La baïonnette fait soixante centimètres de long, elle est chauffée à blanc et tranchante comme un rasoir. Jamais je n'ai connu de douleur si terrible et elle est plus terrible que tout ce que j'aurais jamais pu imaginer. Elle terrasse le moindre muscle et la moindre fibre et la moindre cellule de mon corps et tout devient flasque. Je gémis et l'instrument s'en va, mais la douleur reste.

Il n'y a pas de doute, c'est une cavité dentaire. Il va falloir l'obturer pour pouvoir poser correctement la couronne.

La moindre fibre, la moindre cellule est engourdie.

James ?

La moindre fibre, la moindre cellule est chauffée à blanc, brûlante.

James ?

Je respire à fond.

Faites ce que vous avez à faire. Qu'on en finisse, c'est tout.

Voix basses étouffées, ouverture et fermeture des placards, changement d'outils. On met la fraise en route. Je reste assis à attendre.

La fraise arrive et la fraise me touche et je serre les balles tellement fort que j'ai l'impression que mes doigts vont se briser et je gémis. Je gémis d'une voix monocorde qui me remplit les oreilles pour ne plus entendre la fraise mais je l'entends encore et je me concentre sur mes gémissements pour qu'ils me distraient de la douleur mais cela ne marche pas. Baïonnette baïonnette baïonnette baïonnette baïonnette. La fraise fore un trou et tourne autour de façon à l'élargir et les brisures se mêlent au jet et descendent dans ma gorge et se rassemblent sous ma langue. Baïonnette, baïonnette, baïonnette. Le trou s'élargit de plus en plus. Baïonnette baïonnette baïonnette. J'ai une saloperie de fraise dans la bouche. Baïonnette.

La fraise s'arrête, la douleur continue, les pressions sur les balles continuent, mon gémissement continue. Le Docteur Stevens demande aux Infirmières et au second Dentiste de faire vite, ils s'exécutent. Ils remplissent la cavité avec une espèce de ciment et ils essuient et ils remplissent et ils essuient. Le ciment étouffe la douleur à vif de la cavité, la douleur aiguë s'amenuise, un sourd élancement subsiste, mon cœur bat fort et régulièrement et ma douleur bat de concert, cela ne me dérange pas. Ça fait tellement longtemps que je vis avec la douleur que lorsqu'elle bat de concert avec mon cœur, avec force et régularité, ça ne m'embête pas.

Je cesse de gémir et j'ouvre les yeux et j'aperçois à travers l'épais voile de larmes qui les tapisse une sorte de lumière bleue au-dessus de moi, qui semble braquée sur le ciment. Le ciment durcit et obture et comble la cavité, j'entends la meule et je la vois s'approcher et je ferme les yeux et la meule arrive, les brisures chimiques du ciment emplissent ma bouche. Le processus se répète. Ciment, lumière bleue, meule. Ciment, lumière bleue, meule. Je m'immunise contre la meule et je m'immunise contre la douleur, je serre les balles de tennis, j'attends que ça cesse et ça cesse. Et d'une, plus que trois.

Maintenant nous allons poser une couronne sur votre incisive latérale droite.

Je fais signe que oui.

Voulez-vous faire une pause avant qu'on s'y mette ?

Je fais signe que non.

Quelques instants de préparation et puis la meule revient et
j'encaisse sans difficulté. Il n'y a pas de cavité, pas de fraise, le
ciment et la lumière reviennent et ce n'est rien. Je tiens les balles
mais je ne serre pas, le gémissement régulier a disparu, mon cœur se
repose. Une restauration facile et sans souci pour l'incisive latérale
droite. Et de deux, plus que deux.

J'entends des bruits de pas et des bruits d'instruments, des tiroirs
de placard s'ouvrent et se referment, et j'ouvre les yeux. Le Docteur
Stevens s'entretient avec l'autre Dentiste, et les Infirmières posent les
instruments utilisés dans un petit lavabo pour les stériliser. Le
Docteur Stevens cesse de parler et le second Dentiste quitte la pièce.

Il y a un problème ?

Non, pas de problème.

Je me redresse.

Où va-t-il ?

Le Docteur Stevens rapproche son tabouret.

Je ne voulais pas vous en parler avant qu'on soit prêts à commencer,
mais il faut que je vous attache pendant que l'on s'occupera du traitement des canaux radiculaires.

Pourquoi ?

Outre le facteur douleur, si nous anesthésions les Patients pendant
le traitement, c'est pour qu'ils ne bougent pas. Il faut que vous
restiez tranquille pour que nous puissions travailler correctement, et
je ne suis pas certain que cela soit possible si vous n'êtes pas
attaché.

OK.

Vous êtes sûr que ça ne vous pose pas problème ?

Ouais, ça va.

Le second Dentiste revient et il porte deux longues sangles en nylon
bleu équipées de grosses boucles résistantes. C'est le genre de
sangles qui servent à fixer des objets encombrants sur le toit des
voitures, à attacher les bateaux sur les caravanes, à refermer les
portes des cages d'animaux. Elles ont vécu et c'est la seule chose

dans toute la Pièce, excepté moi-même et les balles de tennis, qui ne soit pas impeccablement propre.

Je m'enfonce dans le fauteuil et le Dentiste s'approche de moi. Les Infirmières ont fini de nettoyer les instruments, elles ne me quittent pas des yeux.

Pourriez-vous plaquer vos bras sur les côtés ?

Je place mes bras contre mes flancs.

Le Dentiste enroule les sangles autour de mon corps de façon à ce que les boucles tombent derrière le fauteuil. Il s'accroupit, passe une sangle dans une boucle, tire, les sangles se mettent à serrer.

Dites-moi quand vous ne pouvez plus bouger.

Il continue de tirer, les sangles serrent de plus en plus. Lorsque je ne peux absolument plus lever ni bouger les bras et lorsque les sangles commencent à me cisailler la peau et à enfoncer le livre de Babar contre ma poitrine, je dis au Docteur que je ne peux plus bouger. Il ferme les boucles, se lève et se dirige vers le lavabo pour se laver les mains. Le Docteur Stevens et les Infirmières viennent vers moi.

Nous allons essayer de faire le plus vite possible.

Surtout faites un bon boulot, histoire que je n'aie pas à revenir ici.

Comptez sur moi.

Allons-y.

Je ferme les yeux et je m'enfonce dans le fauteuil et j'essaie de trouver un peu de confort. Il y a des bouts de coton dans ma bouche, l'élancement qui persiste depuis le premier passage de la fraise, les épaisses sangles de nylon bleu qui me cisaillent la peau et enfoncent le livre dans ma poitrine. Il y a des doigts qui attrapent ma lèvre supérieure et la retroussent, le jet froid qui arrose les parties restantes de mes deux dents de devant. Il y a une balle de tennis dans chacune de mes mains, la certitude que je vais subir deux traitements des canaux radiculaires sans anesthésie. Il y a le bruit de mon cœur qui bat de plus en plus vite. Il y a l'anticipation. Il y a la peur. Il n'y a pas de confort.

La fraise revient et elle travaille sur mon fragment d'incisive centrale gauche. Elle se déplace sur un morceau d'os plus fin, plus fragile, alors elle va vite. Elle pulvérise les brisures, creuse le trou, pénètre à l'intérieur. Au moment de la pénétration, une décharge se répand dans mon corps mais ce n'est pas de la douleur, ça n'a rien à voir avec la douleur, c'est infiniment plus terrible.

Tout devient blanc et je ne peux plus respirer. Je ferme les yeux et je me mords avec mes dents existantes et je pense que ma mâchoire est peut-être en train de craquer, je serre les mains et je plante mes ongles dans la surface rugueuse des balles de tennis caoutchoutées et mes ongles se fendent et mes ongles se brisent et mes ongles commencent à saigner, je tords les orteils et putain qu'est-ce que ça fait mal, je contracte les muscles de mes jambes et putain qu'est-ce que ça fait mal, mon torse se crispe et mes abdominaux paraissent s'effondrer et mes côtes semblent se recroqueviller sur elles-mêmes et putain qu'est-ce que ça fait mal, mes couilles rétrécissent et putain qu'est-ce que ça fait mal, ma bite est dure parce que mon sang a mal et mon sang veut s'enfuir et il cherche une sortie par ma bite et putain qu'est-ce qu'elle me fait mal ma bite, mes bras luttent contre les épaisses sangles de nylon bleu et les épaisses sangles de nylon bleu me cisaillent la chair et putain qu'est-ce que ça fait mal, mon visage est en feu et les veines de mon cou paraissent exploser, mon cerveau est blanc et il fond et putain qu'est-ce que ça fait mal. J'ai une fraise dans la bouche. Mon cerveau est blanc et j'ai l'impression qu'il fond, putain. Je ne peux plus respirer. Douleur atroce.

La fraise ressort, un aspirateur commence à avaler la pulpe mourante contenue dans le canal de la racine. La douleur ne diminue pas. L'aspirateur s'arrête, la pulpe restante est éliminée du canal à l'aide d'une espèce d'instrument pointu. La douleur ne diminue pas. L'aspirateur va et vient, le récurage continue. La douleur ne diminue pas. La racine doit être propre pour guérir correctement. Par pitié par pitié nettoyez-la-moi fissa, cette Salope. Par pitié par pitié par pitié nettoyez-la-moi fissa, cette Salope. La douleur ne diminue pas.

Je commence à tomber dans un état de conscience blanche, je me déconnecte de ce que l'on me fait. Mes bras ne sont plus mes bras, mes jambes ne sont plus mes jambes, mon torse n'est plus mon torse, mon visage n'est plus mon visage, mes dents ne m'appartiennent plus. Mon corps n'est plus mon corps. Il y a du blanc.

Partout il y a du blanc. Il y a la douleur. Une douleur insondable. Je m'efforce de me faire revenir à la réalité et aux fraises, aux aspirateurs, aux instruments, aux bouts de coton, au jet, aux brisures, aux Dentistes et aux Infirmières, à la restauration de mes dents, mais je n'y arrive pas. Mon corps refuse de me laisser revenir. C'est comme s'il essayait de préserver mon esprit comme il peut et le repoussait dans un royaume atroce, mais un peu moins atroce. J'abandonne, je renonce, la blancheur et la douleur me consument et il me semble que je reste là pendant une éternité. La blancheur et la douleur. La blancheur et la douleur. La blancheur et la douleur.

Les grincements stridents de la fraise me rappellent au monde. Je sens une dent sur la partie gauche de ma gencive supérieure et je sais que la fraise vient réparer celle de droite. Elle me touche, pénètre l'orifice, je reste conscient pendant la pénétration et l'épreuve se répète. Je n'ai plus d'air ni la capacité à l'inspirer. Je ferme les yeux et je mords et je serre les balles de tennis et la moindre cellule de mon corps semble vouloir exploser sous le coup de la douleur. Si Dieu existait, je lui cracherais à la gueule pour m'avoir fait subir ça. Si le Diable existait, je lui vendrais mon âme pour que ça s'arrête. S'il y avait une Puissance Supérieure qui contrôlait nos destinées individuelles, je lui dirais de se fourrer mon destin dans son putain de cul. Qu'elle se le fourre bien fort et bien profond, cette espèce de Saloperie. Que ça cesse par pitié. Que ça cesse par pitié. Que ça cesse par pitié.

L'aspirateur avale et l'instrument récure et je subis. L'intérieur du canal est nettoyé et vidé et je subis. Le canal est obturé à l'aide d'une nouvelle chair, la racine est protégée, je subis. Il y a le ciment et la lumière bleue et la meule, le ciment et la lumière bleue et la meule, le ciment et la lumière bleue et la meule. Je subis. Je me trouve quelque part dans le Minnesota et je suis hospitalisé dans un Centre de Désintoxication et je suis en train de me faire réparer les quatre dents de devant et je suis attaché à un fauteuil parce qu'on ne peut pas m'anesthésier. Il ne me reste qu'à subir.

Je sens de l'eau qui coule sur ce qui doit être des dents et les dernières brisures s'engouffrent dans ma gorge. Le coton est ôté de mes joues et de mes gencives, j'entends des bruits de voix étouffés, le lavabo coule, les portes des placards s'ouvrent et se referment. J'ouvre les paupières. Je vois des éclairs blancs et j'y vois trouble. L'halogène est resté allumé. Il y a du mouvement, la lumière s'éteint, quelque chose s'éloigne de moi et d'autres choses se rapprochent de moi. J'entends les boucles des sangles qui s'ouvrent, les sangles sont desserrées, le livre de Babar m'est enlevé, mon corps est désormais libre de bouger, de fonctionner à sa guise et soudain j'ai froid et soudain je tremble. J'essaie de me redresser et je suis incapable de me redresser. J'essaie de relever la tête et je suis incapable de relever la tête. J'essaie d'y voir clair mais mes yeux s'entêtent à voir trouble. J'ai froid, de plus en plus froid. Je me mets à trembler plus violemment. Je continue de serrer les balles de tennis. La douleur n'a toujours pas diminué.

Quelqu'un me soulève et enroule une couverture autour de moi. La couverture est chaude et cette chaleur provoque en moi une intense nausée, je sens que ça vient et je ne peux rien faire pour l'empêcher et ça vient. Ça vient facilement, et en venant cela détend mon ventre et mes poumons et mon torse, et bien que j'y voie encore trouble, je m'aperçois que c'est rouge. Ça vient vient vient. Rouge rouge rouge. Partout sur la couverture, partout sur le fauteuil, partout par terre, partout sur moi. Je lâche les balles de tennis, j'essaie de lever la main pour m'essuyer le visage mais ma main tremble, mon visage tremble, je n'arrive pas à les faire se rencontrer. Mes mains retombent sur mes flancs.

Allez chercher des couvertures et de l'eau. Vite.

Ça va, James ?

Je gémis.

Vous m'entendez ?

Je gémis à nouveau, fais oui de la tête.

Il faut que vous alliez à l'Hôpital. Je vais appeler une Ambulance.

Je ne veux pas aller à l'Hôpital, alors je rassemble toute la force qui me reste, je me redresse et j'ouvre les yeux. Le Docteur Stevens se tient devant moi.

Pas d'Hôpital.

Vous avez besoin d'être sous Surveillance Médicale. Vous ne pouvez pas rester en Observation ici.

Le fauteuil.

Quoi ?

Rabaissez le fauteuil.

Le Docteur Stevens abaisse le fauteuil. Je pose les pieds par terre. J'ai froid et je tremble et tout me fait mal. J'en ai marre de ces Docteurs, ces Dentistes, ces Infirmières, ces fauteuils, ces examens, ces lumières halogènes, ces instruments, ces Pièces immaculées, ces lavabos stériles et ce foutu tintouin et j'en ai marre de la prévenance envers les faibles et les blessés et les nécessiteux et je ne veux pas aller à l'Hôpital. Je me suis toujours débrouillé seul avec la douleur. Cette fois encore je me débrouillerai seul.

Faites-moi appeler Hank et laissez-moi rentrer au Centre.

Vous avez besoin de rester en Observation.

Ça va aller.

Si vous partez, je veux que vous sachiez que c'est contre mon avis de Médecin.

Je comprends.

Je me hisse du fauteuil. Les muscles de mes jambes tressautent, mes jambes me soutiennent à peine. Je fais un petit pas, lentement, et je m'arrête. J'enlève la couverture, je la fais tomber sur le fauteuil, je fais un nouveau petit pas, lentement, et je m'arrête.

Vous allez y arriver ?

Ouais.

Vous avez besoin d'aide ?

Non.

Je commence à voir clair et mon estomac tient le choc. Je tremble encore, j'ai encore froid, j'ai encore mal, mais comme je me suis éloigné du fauteuil je me sens mieux. Je regarde la porte. Si j'arrive à atteindre la porte, je serai plus près de la sortie. Je veux sortir d'ici.

Je fais un nouveau pas en avant. J'ai les jambes coupées. Encore un pas. Elles pèsent une tonne chacune. Encore un pas. Elles me font mal. Encore un pas. Elles m'élancent. Encore un pas. Chaque mouvement représente un effort titanesque. Encore un pas. Je ne sais pas si j'arriverai à en faire un de plus. Le Docteur Stevens m'observe et les Infirmières sont revenues, elles aussi m'observent, et je sais que si je flanche, je vais à l'Hôpital. Encore un pas. Encore un pas.

J'arrive à la porte, je m'arrête. Sur ma droite il y a un miroir. J'y jette un coup d'œil et je surprends mon reflet. Je suis blanc comme un linge. Mon visage est hideusement boursouflé. La région autour de ma bouche est constellée de croûtes de sang séché. Des points de suture pointent au-dessus de ma lèvre inférieure et mes yeux sont pochés. L'arête de mon nez est couverte par un pansement. Je suis trop maigre pour ma taille et le peu de chair que j'ai est flasque, elle pendouille. Le T-shirt blanc que je porte est souillé de taches de vomi brunes et rouges. Putain j'ai l'air d'un monstre.

Je me retourne vers le Docteur Stevens et les Infirmières. Les Infirmières détournent le regard, mais pas le Docteur Stevens.

Je parle lentement.

Merci pour votre aide.

Il n'y a pas de quoi. C'est mon métier.

Je ne suis pas votre métier. Vous vous êtes surpassé aujourd'hui. Merci.

Le Docteur Stevens sourit.

Il n'y a pas de quoi.

Je lui souris moi aussi. C'est mon premier sourire avec mes nouvelles dents. Ça m'amuse, je souris encore davantage et je désigne ma bouche du doigt. Le Docteur Stevens se met à rire, il se dirige vers moi et enveloppe ses bras autour de moi, il m'étreint. Nous venons de subir une épreuve terrible ensemble. Bien que ç'ait été pire pour moi, je sais que ça n'a pas été facile pour lui. Cette étreinte scelle notre lien, notre lien et notre volonté de tirer des leçons de ce que nous venons de subir, de devenir plus forts et meilleurs. Je sais qu'il gardera le lien, je ne sais pas si j'en serai capable. Je me dégage.

Merci encore.

Prenez soin de vous, James.

J'essaierai.

Je tourne les talons, je m'en vais lentement, je ne me retourne pas. Ça a toujours été mon défaut, mais je suis comme ça. Je ne me retourne jamais. Jamais.

Je prends un Couloir, m'accrochant au mur pour tenir debout. Chaque pas est plus difficile que le précédent, chaque pas me fait encore plus mal. Mon visage m'élance au rythme de mon cœur, le rythme n'est pas aussi fort ou régulier qu'il l'était. Mon cœur s'accélère et ralentit, bat avec irrégularité, lançant des messages douloureux dans mon bras gauche et ma mâchoire. Il a tenu quand il fallait tenir, mais il ne tiendra plus très longtemps. Je ne vais plus tenir très longtemps.

J'arrive devant une porte et je la pousse et je la franchis et j'entre dans la Salle d'Attente. Hank bavarde avec une vieille dame sur le canapé, lorsqu'ils lèvent les yeux la vieille dame reste bouche bée. Hank se lève, il vient vers moi, je pose la main sur son épaule. Sans son épaule, je m'écroulerais.

Mon Dieu.

Sors-moi d'ici.

Ça va ?

Carrément pas.

Qu'est-ce que je peux faire ?

Me sortir d'ici, bordel.

Hank m'enfile ma veste, il place mon bras autour de son cou et le sien sous mon épaule, il me soulève, on quitte le Cabinet, on descend les marches. Une fois en bas mes jambes cessent de fonctionner et Hank me traîne vers la porte. Il me pose contre elle, la pousse pour l'ouvrir et me tire dehors.

La Tempête, qui grossissait lorsque nous sommes arrivés, est désormais à son comble. Le vent rabat des bourrasques de pluie gelée et de neige glacée. Le Ciel est noir. Il y a un Tonnerre assourdissant et de violents éclairs. Hank me traîne jusqu'au VSL, mes pieds raclent le sol mouillé et gelé, le froid et l'eau pénètrent dans mes chaussettes. Comme nous atteignons le VSL, il m'adosse à la portière passager.

Tu peux tenir debout ?

Il cherche les clés dans sa poche.

Ouais, mais dépêche.

Il sort les clés de sa poche, déverrouille le VSL, ouvre la portière coulissante côté passager, il m'aide à monter et à m'allonger sur la banquette trois places, il ferme la portière et court vers le siège du Conducteur, il ouvre et grimpe dans le Véhicule. Il s'assied, met le contact, fait rugir le moteur, le VSL démarre.

Comme nous traversons la Ville, je me couche sur le dos et je tremble et je me gèle. Mon cœur bat de façon irrégulière et il me fait mal. La baïonnette est revenue dans ma bouche et je suis à bout de forces. Je rentre à la Clinique et je ne veux pas rentrer à la Clinique. Si je quitte la Clinique, je risque la mort ou la Prison. Ce n'est pas la vie que je veux mener, ni la personne que je veux être, mais je ne sais pas quoi faire d'autre. J'ai déjà essayé de changer, j'ai échoué. J'ai essayé de changer encore et encore et encore et j'ai échoué encore et encore et encore. Si j'avais la moindre raison de penser que cette fois cela ne se passera pas comme ça, j'essaierais, mais ce n'est pas le cas. S'il y avait de la lumière au bout du tunnel, je me précipiterais vers elle. Jamais de ma vie je ne suis tombé aussi bas. S'il y avait de la lumière au bout du tunnel, je me précipiterais vers elle. Je suis Alcoolique et je suis Toxicomane et je suis Délinquant. Il n'y a pas de lumière au bout du tunnel.

Après quelque instants le VSL est envahi par la chaleur, la chaleur atténue les tremblements et repousse le froid cinglant et je suis à bout de forces et je ferme les yeux. Il fait noir. Je ferme les yeux.

Il n'y a pas de lumière au bout du tunnel. Je ferme les yeux. Il fait noir. Je ferme les yeux. Il n'y a pas de lumière. Je ferme les yeux. Noir.

Je ferme les yeux.

Je ferme les yeux.

Je ferme les yeux.

Je suis dans une nouvelle Chambre blanche et elle me fait horreur. Je suis dans un nouveau peignoir blanc et j'ai envie de le déchiqueter en mille morceaux. Il y a un nouveau lit, une nouvelle table et une nouvelle chaise et j'ai envie de les briser en miettes. Il y a une fenêtre. J'ai envie de passer à travers.

Je suis mon train-train habituel. Ramper jusqu'à la Salle de Bains. Vomir. Me coucher par terre. Vomir. Me coucher par terre. Vomir. Me coucher par terre. Des bouts de vomi se coincent dans mes nouvelles dents et ça me fait mal quand je nettoie. Après m'être nettoyé, je vomis encore une fois, je nettoie encore une fois et je me traîne jusqu'au lit.

Il fait encore noir, la tempête gronde encore. La pluie et la neige et le vent se fracassent contre la vitre. Une interminable succession de clic et de clac, un cri interminable. J'ai horreur de ce bruit et je veux que ça cesse. Clic, clac, cri, clic, clac, cri, clic, clac, cri. Ça me fait horreur. Je veux que ça cesse, putain.

Je sors du lit. Mes vêtements ont été lavés, ils sont posés sur la table. Je quitte le peignoir, je les enfile. Ils semblent plus amples aujourd'hui qu'ils ne l'étaient hier.

J'ouvre la porte et je sors et je me retrouve dans le Secteur Médical. C'est le beau milieu de la nuit, le Service est désert. Il y a une Surveillante de nuit. Elle lit un magazine de mode et ne me remarque pas.

95

Je quitte le Secteur Médical et je me promène dans les Couloirs. Bien que le Ciel soit noir à cause de la nuit et du gros temps, les Couloirs sont toujours aussi lumineux. Les lustres sont lumineux, les murs sont lumineux, la moquette est lumineuse, les tableaux accrochés aux murs sont lumineux, les plaques sur les portes sont lumineuses. Je ne me sens pas à l'aise dans toute cette lumière. Je suis trop exposé.

Je rentre à Sawyer. C'est calme et c'est noir. Les lumières sont éteintes, les portes des Chambres sont fermées, les hommes dorment. Je me dirige vers le Salon, je m'assieds sur un canapé, j'allume la télévision. Il y a une émission sur les régimes, une pub pour un Psy-Show, une femme qui raconte des conneries sur le spiritisme, un match de catch spectaculaire.

Plusieurs chaînes ont des parasites. Ce sont les parasites qui piquent le plus mon intérêt. Je les regarde. Pendant une heure. Les parasites. J'éteins la télé et je réfléchis à ce que je pourrais faire. Je ne suis pas fatigué, je n'ai pas envie de dormir, je ne veux pas rentrer dans le Secteur Médical et je ne veux pas errer dans les Couloirs. Les Couloirs sont trop lumineux et la lumière me met mal à l'aise.

Contre l'un des murs se trouvent des étagères pleines de livres. J'ai appris à lire très jeune et j'ai toujours dévoré les livres. C'est l'une des rares choses, à part me défoncer la tête et m'attirer des ennuis, que j'ai faites avec constance tout au long de ma vie. Les livres m'attirent. Je me lève et je me dirige vers les étagères et je m'assieds devant elles.

Il y a trois étagères avec une quarantaine de livres sur chacune. Comme je les parcours du regard, j'espère trouver quelque chose qui m'aidera à m'évader. J'ai envie et j'ai besoin de me casser d'ici pendant un petit moment. Si ce n'est pas possible physiquement, j'aimerais que ce soit dans ma tête. Un tout petit moment. Me casser d'ici.

Ce sont des titres de livres pratiques : *Laissez couler : Le rétablissement par les larmes*, *Le déni n'est pas votre ami*, *Anges et Accros : Les Aides de Dieu vous aident !!!* et *Papa ne m'aimait pas : Itinéraire d'un drogué*. Il y a une collection de livres sur chacune des Douze Étapes. *Première Étape : J'ai perdu la maîtrise*, *Troisième Étape : Je me confie aux soins de Dieu*, *Sixième Étape : Je prends les choses en main*, *Onzième Étape : J'améliore mon contact avec Dieu*. Il y a plusieurs exemplaires défraîchis du Nouveau Testament. J'ai déjà lu le Nouveau Testament. Je n'ai pas l'intention de perdre davantage de temps.

J'attrape un gros livre bleu usé. Il n'a plus de couverture et plus de titre et il y a un symbole qui représente un triangle à l'intérieur d'un cercle. On m'a déjà offert ce livre. Des amis, des amis d'amis, des gens qui pensaient qu'il m'aiderait à changer. Il s'appelle le *Gros Livre des Alcooliques Anonymes*, le symbole sur la page de garde représente l'abstinence. Je ne l'ai jamais lu, je ne me suis pas même donné la peine de l'ouvrir. J'ai dû le jeter dans le caniveau ou le fourrer tout au fond de la poubelle la plus proche dès qu'on me l'a offert. J'ai déjà assisté à des réunions des AA et cela m'a laissé de marbre. Pour moi, ils promeuvent une philosophie de remplacement. Remplacer une Dépendance par une autre. Remplacer un produit chimique par un Dieu et une Réunion. Les Réunions me font vomir. Trop de pleurnicheries, trop de jérémiades, trop de doléances. Trop de conneries sur les Puissances Supérieures. Aucune Puissance Supérieure ni aucun Dieu n'est responsable de ce que je fais, de ce que j'ai fait et de ce que je suis. Aucune Puissance Supérieure ni aucun Dieu ne serait capable de m'aider à me rétablir. Aucune Réunion ne serait susceptible de m'aider à me rétablir, quelle que soit la profusion de pleurnicheries, de jérémiades et de doléances.

Je suis Alcoolique et je suis Toxicomane et je suis Délinquant. Jamais de ma vie je ne suis tombé aussi bas. Je me trouve dans une Clinique quelque part dans le Minnesota. Si je quitte la Clinique, ma famille et les rares amis qu'il me reste feront une croix sur moi. Si je quitte la Clinique, je n'ai plus le choix qu'entre la mort et la Prison. Je suis seul au beau milieu de la nuit et je ne veux pas rentrer dans le Secteur Médical et je n'arrive pas à dormir. Je veux boire un verre. Je veux boire cinquante verres. Je veux une pipe et je veux des cailloux. Je veux un bon gros rail d'amphés, je veux dix doses d'acide, un tube de colle industrielle. Filez-moi une boîte de cachetons, filez-moi de la came et du PCP. Filez-moi un truc. N'importe quoi. J'ai besoin de me casser d'ici. Si c'est pas possible physiquement, au moins mentalement. J'ai besoin de me casser d'ici.

J'attrape le livre. Je l'examine. Je sais qu'il ne peut pas me faire de mal et je sais que je n'ai rien à perdre. Je me mets à lire.

Ça commence avec la préface d'un Médecin, c'est écrit par un

Spécialiste de la Dépendance. Le Médecin dit que l'Alcoolisme Chronique est quasiment incurable. Il ajoute que la seule chose qu'il connaisse pour arrêter de boire et rester abstinent, ce sont les AA.

Ensuite on passe à l'histoire de Bill, qui est le fondateur des AA. Bill, c'est le Jésus-Christ de l'organisation, le Sauveur et le Messie, et bien que Bill ne soit pas mort sur la croix, il a sans aucun doute vécu dessus. Bill était un sale ivrogne, il avait une sale vie et de sales problèmes. Il s'est creusé la tête pour trouver une façon de soigner son Alcoolisme et il a fait chou blanc. Alors qu'il était tombé plus bas que terre, il a rencontré par hasard un vieux Compagnon de beuverie qui, ayant trouvé la foi, était devenu abstinent. La conversation de son ami lui a rappelé une expérience qu'il avait vécue dans une Cathédrale en France, où il avait été Soldat pendant la Première Guerre mondiale. Tandis qu'il était assis sur un banc de la Cathédrale, Bill avait été envahi d'un sentiment de paix et de sérénité qu'il n'avait jamais connu et qu'il n'aurait jamais pu concevoir. Il avait été touché par la Grâce. Ses réminiscences et l'abstinence de son vieil ami ont eu un effet profond sur Bill. Il s'est convaincu qu'en se fiant à Dieu, ou à toute forme de Puissance Supérieure, sa vie serait transformée. Il a alors décidé de renoncer à son libre-arbitre et de se confier sans réserve aux soins et aux ordres de Dieu. Il n'a plus jamais bu une goutte d'alcool, a créé les Douze Étapes et le concept des Alcooliques Anonymes, et a voué sa vie à cette œuvre. C'est une histoire touchante, écrite plus pour convaincre que pour raconter. Je ne suis pas convaincu. Pas du tout, absolument pas. Absolument pas.

Je lis le reste du livre, qui traite essentiellement des Douze Étapes. Il y a des chapitres avec des titres du style : « Il existe une solution », « Mode d'emploi », « Passer à l'action », « Une vision pour vous ». C'est très simple. Si vous faites comme le livre vous dit de faire, vous vous rétablirez. Si vous suivez le droit chemin, vous pourrez vous racheter. Si vous rejoignez le club, vous serez l'heureux gagnant d'une vie entière passée dans des réunions à la con à écouter pleurnicheries, jérémiades et doléances. Loué soit le Seigneur. J'ai envie de m'agenouiller. Loué soit le Seigneur Alléluia.

Vers la fin, il y a un chapitre témoignages. On peut lire ceux d'un Dentiste, d'un Buveur Européen, d'un VRP, d'un Agnostique Éclairé. Tous étaient Alcooliques au dernier degré, tous ont trouvé la foi, tous se sont mis à suivre les Douze Étapes, tous se sont rétablis. Comme pour la plupart des témoignages de cet acabit que j'ai lus, entendus, ou qu'on m'a forcé à entendre, je suis frappé par leur faiblesse, leur superficialité, leur vacuité. Ces individus ne boivent plus et ne se droguent plus, mais ils continuent de vivre avec cette obsession. Ces individus sont abstinents désormais, mais leurs vies se fondent sur l'évitement, la critique et la diabolisation des produits qu'ils aimaient et dont ils dépendaient auparavant. S'ils arrivent à fonctionner comme n'importe quel être humain, c'est grâce à leurs Réunions, à leur Dogme, à leur Dieu. Enlevez-leur leurs Réunions et leur Dogme et ils n'ont plus rien. Enlevez-les-leur et les revoilà à la case départ. Ils sont dépendants.

Les Dépendances ont besoin de carburant. Je crains que des Réunions, un Dogme et un Dieu ne satisfassent pas les miennes. Si ce que le Médecin raconte dans sa préface est exact, et que je ne peux espérer me rétablir qu'en rejoignant les AA, alors je suis complètement foutu. Foutu foutu foutu. Je repose le livre sur l'étagère. Je me lève et je me dirige vers le Tableau de Tâches et je vois que mon nom est toujours accolé aux Toilettes Collectives. Je vais chercher le matériel de nettoyage, je me rends aux Toilettes Collectives, elles n'ont pas été lavées depuis plusieurs jours et elles sont dans un état répugnant. Il y a des crachats dans le lavabo, de la pisse séchée par terre, des bouts de papier cul sanguinolents dans les poubelles, des traces de merde dans les cuvettes. Je suis sûr que Roy y est pour quelque chose, mais comme je ne suis pas d'humeur à jouer à ses petits jeux ni à chercher à me venger, j'attrape le matos et je me mets à nettoyer. Une fois que j'ai fini, que les murs et les lavabos et le sol et les poubelles et la porcelaine sont étincelants, je n'ai pas la satisfaction du travail bien fait. Je ne referai jamais ça. Jamais de la vie, putain.

Je quitte les Toilettes Collectives, je rapporte le matériel de nettoyage et je me dirige vers ma Chambre. J'ouvre la porte, j'entre. Les meubles que j'ai détruits ont été remplacés. Larry, qui a disparu sans que personne sache encore où il est passé, a été remplacé. Il y a un Petit Homme Chauve dans son lit et le Petit Homme Chauve ronfle. Warren et John sont au lit. John grommelle et remue. Warren est calme. Mon lit est intact, bien qu'une Bible et qu'un nouvel exemplaire du *Gros Livre* aient été posés à côté, sur la table de nuit. Je m'approche de la table de nuit, j'attrape la Bible et le

Gros Livre, je vais à la fenêtre, je l'ouvre, et je balance les livres dehors, dans le noir. La Tempête gronde encore.

Je referme la vitre, je vais à la Salle de Bains, j'ouvre l'eau de la douche, j'enlève mes vêtements, je les pose en tas par terre. Je marche vers le miroir. Je veux me voir. Je veux observer le vert pâle de mes yeux, je ne cherche pas à apercevoir mon moi physique, mais le moi qui vit en dessous de la pellicule vert pâle. J'observe mes lèvres. Elles sont légèrement enflées, mais presque normales. J'observe les points de suture autour du trou. Le trou commence à cicatriser, les points de suture font un bon travail. J'observe mon nez. J'ôte le pansement et je jette le pansement à la poubelle. Mon nez est droit, mais il y a une nouvelle bosse sur l'arête. J'observe la région autour de mes yeux. Le noir disparaît et vire au jaune, ils ne sont presque plus gonflés. Je regarde plus haut. Je veux observer le vert pâle de mes yeux. Je veux apercevoir le moi qui vit sous la pellicule. Près. Plus près. Je n'y arrive pas. Y a pas moyen putain.

Je me détourne et je marche vers la douche et j'y entre et je suis matraqué par la chaleur. Ça me brûle, ça fait rougir ma peau, ça me fait mal mais je ne bats pas en retraite. J'ai mérité de souffrir car je n'ai pas été assez courageux pour me regarder dans les yeux. J'ai mérité de souffrir et je ne bougerai pas, je vais encaisser car je n'ai pas été assez courageux pour me regarder dans les yeux.

Lorsque je ne sens plus rien, je rajoute du froid et je m'assieds par terre et je laisse l'eau courir sur mon corps pour soulager les brûlures. Les brûlures me fatiguent mais le froid me fatigue encore davantage. Je ferme les yeux, je laisse mon corps se recroqueviller et mes pensées s'envoler. Elles voguent vers un endroit familier. Un endroit dont je ne parle pas, dont je n'avoue pas l'existence. Un endroit où il n'y a que moi. Un endroit que je hais.

Je suis seul. Seul ici et seul au monde. Seul dans mon cœur et seul dans mon esprit. Seul partout, tout le temps, d'aussi loin qu'il me souvienne. Seul avec ma Famille, seul avec mes Amis, seul dans une Pièce pleine de monde. Seul au réveil, seul toute la sainte journée, seul quand je finis par épouser le noir. Je suis seul dans toute mon horreur. Seul dans toute mon horreur.

Je ne veux pas être seul. Je n'ai jamais voulu être seul. Je déteste ça, bordel. Je déteste n'avoir personne à qui parler, je déteste n'avoir personne à appeler, je déteste n'avoir personne qui me tienne la main, me prenne dans ses bras, me dise que tout va bien aller.

Je déteste n'avoir personne avec qui partager mes espoirs et mes rêves, je déteste ne plus avoir d'espoirs ni de rêves, je déteste n'avoir personne qui me dise de m'accrocher, que j'en aurai de nouveaux. Je déteste, quand je gueule, et putain qu'est-ce que je peux gueuler, gueuler dans le vide. Je déteste que personne ne m'entende gueuler et que personne ne m'apprenne à cesser de gueuler. Je déteste que les choses vers lesquelles je me suis tourné dans toute ma solitude résident dans une pipe ou une bouteille. Je déteste que les choses vers lesquelles je me suis tourné dans ma solitude soient en train de me tuer, m'aient déjà tué, ou me tueront bientôt. Je déteste devoir mourir seul. Je mourrai seul dans toute mon horreur.

Ce que j'aurais aimé plus que tout, c'est être proche de quelqu'un. Ce que j'aurais aimé plus que tout, c'est sentir que je n'étais pas seul. J'ai essayé maintes fois, maintes fois j'ai essayé de tuer ma solitude auprès d'une fille ou d'une femme, et cela ne s'est jamais bien passé. On était ensemble, on était proches l'un de l'autre, mais on avait beau être très proches, je me sentais toujours seul. Elles percevaient ma solitude et voulaient alors être encore plus proches de moi. Lorsqu'elles s'y essayaient, je m'enfuyais à toutes jambes ou je faisais en sorte de détruire ce que l'on éprouvait l'un envers l'autre. J'arrive à courir vite quand j'en ai envie, et j'ai toujours été doué pour foutre les choses en l'air. Pas l'une d'entre elles ne voudrait m'adresser la parole aujourd'hui.

La dernière est la seule qui ait réussi à me faire sentir comme j'avais toujours eu envie de me sentir. Avec elle je me sentais mieux que je ne m'étais jamais senti, mieux que je n'aurais pu imaginer me sentir, et ça me faisait peur, peur à en être tétanisé. Lorsqu'elle s'est offerte à moi, j'ai échoué. Cet échec m'a mené à ma perte. Je l'ai perdue, je me suis perdu, je nous ai perdus tous deux. J'ai perdu l'espoir d'un avenir. Aujourd'hui elle refuserait de prononcer mon nom, ou de mentionner mon existence. Je ne lui en veux pas.

Je commence à parler à une amie, une vieille amie très chère. Je lui dis salut, comment vas-tu, qu'est-ce que tu deviens, quoi de neuf. Ma voix résonne dans la cabine de douche et je me sens idiot, mais je continue de parler. Je lui dis tu me manques, j'aimerais que tu sois ici. Mon amie s'appelle Michelle et je ne l'ai pas vue, je ne lui ai pas parlé depuis plus de dix ans. Je lui dis je pense beaucoup à toi ces derniers temps. Je lui dis je vais peut-être te revoir bientôt. Je lui dis s'il te plaît sois là quand je viendrai, il me tarde de passer du temps avec toi. Ça fait tellement longtemps. Plus de dix ans. Ça fait bien trop longtemps.

J'ai rencontré Michelle lorsque j'avais douze ans et que ma Famille venait de s'installer dans une petite Bourgade. J'avais passé toute ma vie dans une très grosse Ville et le changement ne s'est pas fait en douceur. Je n'avais rien en commun avec les Gosses de la Bourgade, ils n'avaient rien en commun avec moi. Je ne soulevais pas d'haltères, j'avais horreur du *heavy metal*, je trouvais que trimer sous des putains de bagnoles, c'était une perte de temps. Au début j'ai fait un effort pour m'intégrer, mais comme je n'arrivais pas à faire semblant, j'ai arrêté au bout de quelques semaines. Je suis ce que je suis, il fallait qu'ils m'aiment pour ce que j'étais ou qu'ils me haïssent. Ils m'ont haï avec une putain de ferveur.

Ils ont commencé à me chercher, à me bousculer et à me tabasser. Moi aussi je les ai cherchés, j'ai répondu à chaque bousculade par une bousculade, à chaque coup de poing par un coup de poing. Au bout d'un mois ou deux je m'étais taillé une solide réputation. Les Profs parlaient de moi, les Parents parlaient de moi, les Flics du coin parlaient de moi. Ils ne racontaient pas des trucs agréables. Je leur répondais en balançant des œufs sur leurs maisons, en faisant exploser leurs boîtes à lettres, en sabotant leurs voitures. Je leur ai répondu en leur déclarant la Guerre, à eux et à leur Bled, et je me suis lancé à corps perdu dans cette Guerre. Je me foutais pas mal de gagner ou de perdre, je voulais juste me battre. Allez-y bande d'enculés, montrez-moi ce que vous valez. Je suis prêt à me battre.

Au bout de six mois je suis devenu ami avec cette Fille qui s'appelait Michelle. Elle était populaire, belle, intelligente. Elle faisait du sport, c'était une Pom-Pom Girl et elle collectionnait les vingt sur vingt. Je ne sais pas pourquoi elle a voulu devenir mon amie, mais c'était comme ça. Ç'a commencé un jour où elle m'a fait passer un mot en cours d'anglais. Il disait : Tu n'as pas l'air aussi terrible que ce qu'il paraît. Je lui en ai renvoyé un : Fais gaffe, je suis aussi terrible et même pire. Elle a rigolé, j'avais gagné une amie. Elle n'est pas devenue mon Alliée, ce n'était pas ce que je lui demandais ni ce que je souhaitais, mais elle est devenue mon amie, et c'était bien plus que ce dont j'aurais pu rêver.

On passait des heures au téléphone, on échangeait des petits mots en classe, on prenait nos pauses déjeuner ensemble, on s'asseyait l'un à côté de l'autre dans le bus. Les autres se demandaient pourquoi elle s'embêtait avec moi, ce qu'elle pouvait bien me trouver, lui conseillaient de ne pas perdre son temps avec moi, mais elle faisait la sourde oreille. De toute façon elle était bien trop appréciée pour que quiconque lui crée des ennuis à cause de notre amitié, alors les autres se contentaient de faire comme si elle n'existait pas.

Au milieu de l'année de quatrième, Michelle s'est vu proposer un rendez-vous par un Mec du Lycée. Comme elle savait que ses Parents ne seraient pas d'accord pour qu'elle y aille, elle leur a raconté qu'elle allait au cinéma avec moi. Je ne leur avais jamais rien fait de mal, j'avais toujours été agréable et poli en leur présence, et ils ont accepté et nous ont accompagnés au Ciné. J'y suis allé, j'ai vu un film et bu une flasque de whiskey puis quand ça s'est terminé je suis rentré tout seul à la Maison, à pied. Le Mec a rejoint Michelle et ils sont partis. Ils ont garé la voiture et ils ont bu de la bière et tandis qu'il la raccompagnait au Ciné, il a essayé de dépasser un train sur la voie ferrée. Sa voiture a été écrasée et Michelle est morte. Elle était populaire, belle et intelligente. Elle faisait du sport, c'était une Pom-Pom Girl et elle collectionnait les vingt sur vingt. C'était ma seule amie. Elle s'est fait écraser par un Train et elle est morte. Elle s'est fait écraser par un putain de Train et elle est morte.

Je l'ai appris le lendemain. Ses Parents et ses Amis et les Habitants de ce putain de Bled infernal m'ont tout mis sur le dos. Si elle n'avait pas menti, si je ne l'avais pas couverte, ça ne se serait jamais passé. Si on n'était pas allés au Ciné, elle ne serait pas sortie avec le Mec. Il était indemne et c'était un héros local de football américain et tout le monde le plaignait énormément. Je me suis fait embarquer au Commissariat, j'ai été interrogé. C'est comme ça que ça se passait, là-bas. On met tout sur le dos du fouteur de merde, et on plaint de tout cœur le Héros Footballeur. On en calomnie un à tout jamais, et on oublie que l'autre était impliqué dans l'histoire. Je m'en suis pris des bourre-pifs à cause de ces conneries, et chaque fois que j'en rendais un, et je les rendais toujours, je le faisais pour elle. Je tapais aussi fort que je pouvais putain et je le faisais pour elle.

Je pense encore à Michelle et elle me manque encore. J'aimerais entendre sa voix, son rire, la regarder sourire. J'aimerais m'asseoir à côté d'elle, lui passer un coup de fil, échanger des petits mots.

J'aimerais sentir son odeur, toucher ses cheveux, la regarder dans les yeux. J'aimerais l'entendre me dire calme-toi, ça n'en vaut pas la peine. J'aimerais l'entendre me dire va-t'en, ne leur fais pas ce plaisir. J'aimerais l'entendre me dire ça va, Jimmy, ça va aller. J'aimerais lui dire que je l'aime parce que je l'aimais et que je l'aime encore et je ne le lui ai jamais dit lorsqu'elle était vivante. C'était ma seule amie. Elle s'est fait écraser par un Train et elle est morte.

Je ne crois pas qu'elle soit au Ciel et je ne crois pas que ça soit mieux là où elle se trouve maintenant. Elle est morte et quand on est mort, on n'existe plus. Il n'y a pas de lumières éblouissantes, il n'y a pas de musique gaie, il n'y a pas d'Anges qui vous attendent pour vous accueillir. Saint Pierre ne vous attend pas aux Portes du Paradis avec un gros livre épais, vos Amis et vos Parents ne vous tendent pas une chaise pour que vous preniez place à une divine table de banquet, vous n'êtes pas convié à faire le tour des Cieux. On est mort et c'est tout. Plus rien. Mais tout cela ne m'empêche pas de parler à Michelle. Je lui parle, je lui pose des questions, je lui raconte ma vie. Je lui dis qu'elle me manque et je lui dis que je pense à elle tous les jours et je lui dis que je l'aime. Je lui dis que je rends toujours les coups, toujours aussi fort, que je les donne toujours pour elle. Je les donnerai toujours pour elle. Toujours.

Je parle à Michelle et je lui dis tout ça au pire moment de ma vie. Je parle à Michelle et je lui dis tout ça au moment où je n'ai plus d'espoir. Je parle à Michelle et je lui dis tout ça au moment où j'ai l'impression que je vais mourir. Je sais que lorsque je mourrai je n'existerai plus et je sais que je suis proche de la mort. Je sais que c'est simple, lorsque je mourrai je ne serai plus rien. Je sais que je ne retrouverai jamais Michelle au Paradis ou nulle part ailleurs, mais je lui parle quand même. Je lui parle beaucoup ces derniers temps.

Soudain la porte de la cabine de douche s'ouvre, quelqu'un pénètre à l'intérieur et m'arrache à mes pensées et à ma solitude, pour me ramener à ce moment cet instant cette fichue douche. J'ouvre les yeux, John est planté devant moi. Je me lève et je le regarde. On est nus tous les deux. Je parle.

Qu'est-ce que tu fous ici ?

Ils ne sont pas encore debout.

Qu'est-ce que tu fous ici ?

Je t'ai entendu et je me suis dit que tu avais peut-être besoin d'un peu de compagnie.

Dégage.

Je ne dirai rien à personne. Promis.

DÉGAGE.

John sort de la douche, il referme la porte. Je sors de la douche après lui et j'attrape une serviette et je l'enroule autour de ma taille. La Salle de Bains est pleine de vapeur, le lavabo et les toilettes sont couverts de buée. John est assis sur le radiateur avec une serviette sur les genoux. Il a l'air nerveux et apeuré, comme un petit chiot qui s'attend à prendre une tape sur le museau.

Je suis désolé.

Ne refais jamais ça.

Beaucoup d'hommes se sentent seuls ici. Tu m'avais l'air de te sentir seul.

Tu te trompes.

Je suis désolé.

T'as pas à être désolé, ne refais jamais ça, c'est tout.

Tu me détestes ?

Non, je ne te déteste pas, et je me fous de ce que tu fais avec les autres. Mais ne compte pas le faire avec moi.

Est-ce que tu vas me frapper ?

Non, je ne vais pas te frapper.

Parfois les Gens me frappent.

Je ne vais pas te frapper.

Je suis désolé. Je suis tellement désolé.

T'as pas à être désolé, ne refais jamais ça, c'est tout.

Je prends mes vêtements, je sors de la Salle de Bains, je vais dans mon coin de la Chambre, je m'essuie, je m'habille. J'entends John qui pleure dans la Salle de Bains, Warren et le Petit Homme Chauve dorment encore, la Tempête est à son comble. Une fois habillé, je m'allonge sur mon lit et je suis étonné d'être si fatigué, je ferme les yeux et je m'endors.

Le rêve ne tarde pas. Je suis de nouveau dans la Chambre et je suis de nouveau devant la Table. Je gueule et je ris et je jure. Je brandis le poing vers le Ciel et je traite Dieu d'Enculé de sa Mère, je traite Dieu de salope. Je saute dans tous les sens, je cours autour de la table. Il y a tellement de picole, de coke, de crack, de colle et d'essence que je m'en badigeonne partout sur le corps et je m'en frictionne la peau. J'en ai partout, j'en suis complètement recouvert.

Je suis défoncé, complètement déchiré. Je me sens bien pour la première fois depuis des jours.

Je trouve un flingue caché sous un gros sachet de cocaïne. Je le prends, je le tiens dans ma main. C'est un trente-huit millimètres. C'est une arme que j'ai déjà tenue en main, une arme dont je sais me servir. Je m'assieds sur la chaise, j'ouvre le barillet. Le barillet est plein, il y a une balle par chambre. Je ferme le chargeur et je le fais rouler et les cliquetis qu'il fait en tournant me font sourire. J'ai déjà tenu ce genre de flingue auparavant et je sais m'en servir. Un trente-huit millimètres.

Je fourre le canon dans ma bouche. Le canon est froid et il est sale, j'aime bien le goût du métal dans ma bouche. Je fais rouler le barillet encore une fois. Les clic clic clic clic clic me font sourire. Les chambres sont pleines. Les dés sont jetés. Le barillet s'arrête. J'enroule mes pouces autour de la gâchette. Je suis défoncé, complètement déchiré. Mes pouces me grattent, grattent, grattent. Boum.

Je me réveille, les yeux braqués sur le plafond, tremblant et hors d'haleine. Je porte la main à mon nez, un filet de sang coule sous ma narine. La tête me tourne, j'ai le vertige. J'ai l'estomac en feu. Je suis défoncé, complètement déchiré.

Je sors du lit et je vais à la Salle de Bains. J'ai du mal à marcher, je tombe par terre. Warren est debout devant le lavabo, il se lave les dents et quelqu'un prend une douche. Je commence à avoir des haut-le-cœur, je rampe jusqu'à la cuvette des toilettes. Mon vomi est plein de bile et d'une saloperie brune que je n'ai jamais vue auparavant. Il est plein de sang. Ça me brûle l'estomac, la gorge et la bouche. Ça me brûle les lèvres et le visage. Ça n'arrête pas. Ça ne s'arrête pas bordel.

Warren s'approche, il s'agenouille, enroule les bras autour de moi et tente de m'aider à rester debout. Le Petit Homme Chauve est sorti de la douche, il me regarde avec de gros yeux, abasourdi par la violence de la crise. Ça continue de venir. Ça continue de venir, de venir. Je veux que ça s'arrête, mais ça ne s'arrête pas.

Mon cœur bat à se rompre et il bat de façon irrégulière et chaque battement me fait mal et chaque battement irrégulier me fait mal, la douleur se répand dans mon bras gauche, ma mâchoire gauche. J'ai l'impression que mon estomac et mon gosier sont en train de sortir, qu'ils essaient de sortir. J'ai l'impression que mon corps essaie de se débarrasser de lui-même. Il essaie de se débarrasser de moi.

Je ne peux plus continuer comme ça. Je ne peux plus vivre comme ça. Mon corps se désagrège et mon esprit s'est désagrégé il y a bien longtemps. Je veux boire, je veux fumer du crack et pourtant je sais qu'en buvant et qu'en fumant je me tue. Je suis seul. Je n'ai personne à qui parler, personne à appeler. Je me hais. Je me hais tellement que je ne peux plus me regarder en face. Je me hais tellement que le suicide m'apparaît comme la seule solution sensée. Je vomis pour la septième fois de la journée. La septième putain de fois. Je ne peux plus vivre comme ça. Je ne peux plus vivre comme ça.

Mes haut-le-cœur s'atténuent et je recommence à respirer. Warren me serre fort et le Petit Homme Chauve me dévisage. Je lève la main et je fais signe à Warren de s'écarter et il se lève et il s'écarte et je pose ma tête contre l'abattant des toilettes. Je respire. J'avale autant d'air que possible. Je sais que l'air fera ralentir mon cœur et me calmera, alors je respire. J'avale autant d'air que possible. Me calmer. Me calmer.

Warren parle. Le Petit Homme Chauve me dévisage.

Ça va ?

Je hoche la tête.

T'as besoin d'aide ?

Je secoue la tête.

Je vais aller chercher quelqu'un.

Non.

T'as besoin d'aide.

Non.

James, tu as besoin d'aide.

Je me lève. Je tiens à peine debout.

C'est moi qui décide de quoi j'ai besoin. Pas toi.

J'inspire une grande goulée d'air, je chancelle jusqu'au lavabo, j'ouvre le robinet, je me lave le visage, je nettoie le vomi autour de ma bouche. Une fois que c'est fini, je ferme le robinet et je me retourne. Warren a les yeux fixés sur moi, le Petit Homme Chauve a les yeux fixés sur moi. Je passe à côté d'eux et je sors de la Salle de Bains. Warren m'emboîte le pas, il se dirige vers son coin de la Chambre.

Laisse-moi au moins te prêter une chemise.

Je jette un coup d'œil à ma chemise. Elle est blanc et marron et rouge.

Voilà.

Warren m'envoie une chemise. Je l'attrape. C'est une chemise en oxford amidonnée. Je la regarde, je le regarde. Il parle.

C'est la seule chemise propre qu'il me reste.

Je regarde la chemise. Ce n'est pas le genre de chemise que je porte. Je ris et je lance un nouveau coup d'œil à Warren.

Merci.

Il rit.

De rien.

J'enlève mon T-shirt, je le jette par terre à côté de mon lit, j'enfile la chemise oxford, elle est gigantesque. Elle se drape autour de ma frêle carcasse comme une bâche et pend quasiment jusqu'à mes genoux. Je relève les manches jusqu'aux coudes, je fais glisser mes mains sur le devant. Elle est un peu rêche à cause de l'amidon, mais douce en dessous. Le coton est coûteux, finement tissé, sans doute fabriqué dans quelque Pays lointain. C'est la chose la plus jolie, la plus propre que j'ai portée depuis une éternité, et j'ai l'impression de ne pas mériter de la mettre sur mon corps malade. Warren est assis au bord de son lit, il se coupe les ongles des pieds, une paire de chaussettes à côté de lui. Je le rejoins, je m'arrête en face de lui, je fais glisser mes mains sur le coton. Je parle.

Elle est très belle. J'en prendrai bien soin.

Warren sourit.

Ne t'en fais pas.

Si, si je m'en fais, et je te suis très reconnaissant de me la prêter. Merci.

Ne t'en fais pas.

J'en prendrai bien soin. Merci.

Warren hoche la tête et je tourne les talons et je quitte la Chambre et je traverse le Service. Les hommes effectuent leur tâche du matin, se préparent, vont prendre leur petit déjeuner. Roy se tient devant le Tableau de Tâches avec son copain. Je passe à côté de lui.

James.

Je continue de marcher, ne me retourne pas.

Il faut que tu ailles nettoyer les Toilettes Collectives.

Je continue de marcher, je ne me retourne pas, je dresse le majeur par-dessus mon épaule pour qu'il le voie bien.

James.

Je garde le doigt dressé.

JAMES.

Je prends les Couloirs en direction du Réfectoire. À chaque nouvelle enjambée, un besoin profond de boire un verre, de prendre un truc plus fort ou les deux ou n'importe quoi m'envahit. Mes pieds sont lourds et mes pas lents. Mon esprit est obnubilé par une seule pensée et il la ressasse encore et encore et encore. Il faut que je me défonce la tête. Il faut que je me défonce la tête. Il faut que je me défonce la tête. Il faut que je me défonce la tête. J'entre dans le Hall Vitré qui sépare les femmes et les hommes, je fais la queue. Je sens l'odeur de la nourriture, c'est la nourriture du petit déjeuner. Des œufs et du bacon et des saucisses et des crêpes et du pain perdu. Putain qu'est-ce que ça sent bon. J'aperçois l'avoine dans un gros récipient sur le côté. Je l'emmerde, l'avoine. Bouillie grise dégueulasse à la con. Je sens la bouffe, c'est la bouffe du petit déjeuner. Des œufs et du bacon et des saucisses et des crêpes et du pain perdu.

Je me rapproche. De plus en plus près. Mon besoin de me défoncer la tête a pris des proportions démesurées. C'en est arrivé au stade où ce n'est même plus une pensée, au stade où je n'ai plus de pensées. Il ne reste plus qu'un vil instinct. Choper un truc. Me remplir. Choper un truc. Me remplir.

Quelqu'un me rentre dedans, je regarde, la Fille que j'ai rencontrée il y a quelques jours se tient devant moi, elle a fait tomber quelque chose. Choper un truc. Elle s'appelle Lilly. Me remplir. J'attrape ce qu'elle a fait tomber et je vois que c'est un petit bout de papier blanc plié. Choper un truc. Je le lui tends. Me remplir. Elle commence à me dire quelque chose. Choper un truc. Je fais la sourde oreille. Me remplir. J'avance d'un pas. Choper un truc. Me remplir.

J'attrape un plateau, je demande à la femme derrière le Comptoir en Verre des œufs et du bacon et des saucisses et des crêpes et du pain perdu. Elle ne m'en donne pas assez, alors j'en redemande. Elle me ressert, mais ce n'est toujours pas suffisant. Je lui en redemande. Elle me répond non, l'assiette ne peut pas en contenir plus.

J'attrape un tas de serviettes et des couverts, je trouve une table libre, je fourre les serviettes dans l'encolure de la chemise de Warren, je m'assieds, j'attrape une bouteille de sirop, j'en recouvre les œufs et le bacon et les saucisses et les crêpes et le pain perdu et je me mets à dévorer. Je ne regarde pas ce que c'est, je ne sens pas le goût et je me fous de la gueule que ça a ou du goût que ça a. Ça ne compte pas. Ce qui compte c'est que j'aie chopé un truc et je vais en prendre le plus possible le plus vite possible.

Je finis mon assiette. Mon visage, mes doigts, les serviettes qui protègent la chemise de Warren sont couverts d'œuf, de bacon, de saucisse, de crêpe, de pain perdu, de sirop. Je me lèche les doigts et je m'essuie le visage, je retire les serviettes de l'encolure de la chemise, je les roule en boule et je les jette sur le plateau et je me lèche les doigts une nouvelle fois. J'en veux encore, mais pour l'instant mes besoins ont été satisfaits. Je m'enfonce dans ma chaise et je regarde autour de moi. Des flots d'hommes et de femmes s'égaillent dans le Hall Vitré. Ils se bousculent, échangent des regards, partagent le même espace, mais ils ne se parlent pas. La tension est palpable.

La zone des femmes est quasiment remplie. Certaines ont pris une douche et se sont maquillées, d'autres non, et elles se répartissent selon leur Classe Socio-Économique. Les riches sont avec les riches, les normales avec les normales, les pauvres avec les pauvres. Il y a plus de riches que de normales, plus de normales que de pauvres. Les riches parlent, rient, elles touchent à peine à leur nourriture et se comportent comme si elles étaient dans une espèce de club de vacances. Les normales sont moins exubérantes, mais on dirait qu'elles s'amusent elles aussi. Les pauvres ne sont pas maquillées, elles ne parlent presque pas. Elles sont très concentrées sur leur nourriture, comme s'il s'agissait du meilleur repas qu'elles aient jamais eu et du meilleur repas qu'elles auront jamais.

Bien que ma table soit libre, la plupart des autres dans la zone des hommes sont combles. Les clivages parmi les hommes ne reflètent pas leur classe sociale, mais leur drogue de prédilection. Les Ivrognes restent ensemble, les Sniffeurs de coke restent ensemble, les Crackés restent ensemble, les Junkies restent ensemble, les Bouffeurs de cachetons restent ensemble. Dans chaque groupe, il y a des sous-divisions. Il y a les Gros Durs. Ce sont les plus gros consommateurs et ils sont sérieusement bousillés. L'autre groupe se constitue de Lavettes. Ils sont à peu près en état de marche et potentiellement récupérables. Les Gros Durs se foutent de la gueule des Lavettes en leur disant qu'ils n'ont rien à fiche ici. Les Lavettes ne répondent rien, mais leurs yeux disent Dieu soit loué je ne suis pas des vôtres. Ed et Ted et John figurent parmi les Gros Durs, Roy et son pote et Warren et le Petit Homme Chauve parmi les Lavettes.

Je suis tout seul et je les observe en me demandant ce que je fous ici, en espérant désespérément pouvoir choper un truc qui me défoncerait la tête. Pour l'instant la nourriture a étouffé mon instinct, mais je sais que ça va revenir, que ça va revenir encore plus fort. Choper un truc. Choper un truc fort et choper un truc vite. Me remplir. Me remplir jusqu'à ce que j'en meure.

Leonard vient s'asseoir à ma table. Il porte une nouvelle Rolex et une nouvelle chemise Hawaïenne. Son assiette déborde de saucisses et de bacon, rien d'autre.

Salut, Fiston.

Il déplie une serviette, la place sur ses genoux.

Salut.

Il en prend une autre et il essuie son couteau, sa fourchette et le rebord de son verre de jus d'orange.

Quand est-ce que t'as dégoté ces dents ?

Hier.

Qu'est-ce qu'ils t'ont fait ?

Mis une couronne sur les deux incisives latérales, comblé une cavité dans celle-là.

Je désigne mon incisive latérale gauche.

Traitement des canaux radiculaires pour ces deux-là.

Je donne un petit coup sur les deux du milieu. Elles ne bougent pas.

Ils t'ont filé de bons médocs ?

Ils ne m'ont rien filé du tout.

Tu déconnes.

Non.

Ils t'ont rien filé ?

Rien.

Ils t'ont fait un traitement des canaux radiculaires sur les quatre dents de devant sans te filer le moindre truc ?

Ouais.

Leonard me regarde comme si ce que je lui ai dit défiait l'imagination.

Putain c'est le truc le plus horrible que j'aie jamais entendu.

Ça m'a fait chier.

Chier... c'est pas le mot que j'utiliserais.

Ça m'a fait rudement chier.

Il rigole, pose sa fourchette.

Où est-ce que tu as été fabriqué, Fiston ?

Ça veut dire quoi ?

D'où est-ce qu'un mec comme toi peut bien sortir ?

J'ai baroudé un peu partout.

Où ça ?

Qu'est-ce que ça peut te faire ?

Pure curiosité.

Arrête d'être curieux.

Pourquoi ?

Je ne suis pas ici pour me faire des amis.

Pourquoi ?

J'aime pas les au revoir.

Pourtant il faut bien les faire.

Non, faut pas.

Je me lève, je prends mon plateau, je vais faire la queue, je reprends de la bouffe, je reprends des serviettes, je me dirige vers une table libre dans un coin, je m'assieds, je mange ma bouffe. Je mange plus lentement cette fois. À chaque nouvelle bouchée je sens mon estomac qui se dilate. C'est une sensation affreuse, insupportable, mais je ne peux pas m'arrêter. J'avale bouchée après bouchée, je me sens de plus en plus mal. Choper un truc. Me remplir. C'est tout ce qui compte. Me remplir.

Je finis mon assiette et je me lève et je traverse lentement le Réfectoire et je pose mon plateau sur le tapis roulant qui mène en cuisine. Lorsque je me retourne, Lilly est plantée devant moi. Bien que je l'aie vue il n'y a pas très longtemps, je ne l'ai pas vraiment vue, et bien que je l'aie déjà rencontrée deux fois, je ne l'ai jamais vraiment regardée. Elle a de longs cheveux bruns qui lui descendent jusqu'au milieu du dos et des yeux bleus. Pas bleus comme la glace, bleus comme l'eau. Bleus comme l'eau pure et claire. Elle est très pâle, très très très pâle, ses lèvres charnues sont rouge sang, mais elle ne porte pas de rouge à lèvres. Son jean est vieux et usé, son pull noir est vieux et usé, ses chaussures montantes sont vieilles et usées, tout est trop grand pour son corps, qui est petit et frêle. Elle porte un plateau et elle sourit. Ses dents sont droites et blanches, si elles sont droites ce n'est pas grâce à un appareil et si elles sont blanches ce n'est pas grâce au dentifrice. Je lui rends son sourire. Elle me parle.

Tu as des dents.

Ouais.

Elles sont bien.

Merci.

Tu vas bien ?

Carrément pas. Et toi ?

Ouais, ça va.

Bien.

Je passe à côté d'elle et je m'en vais. Je sais qu'elle me regarde, mais je ne me retourne pas. Je prends les Couloirs, je me rends dans la Salle de Conférences, je trouve un siège parmi les hommes de mon Service, je m'assieds. Leonard s'assoit à mon côté, je me lève et je me décale de façon à ce qu'il y ait un siège entre nous. Il m'observe en rigolant. Je l'ignore.

La Réunion commence. Il s'agit de se confier Aux Soins de Dieu. L'homme qui parle est abstinent depuis dix ans. Lorsqu'il se sent perdu, qu'il a des problèmes dans sa vie, il se confie aux mains de Dieu et va à une Réunion des AA. Ensuite Dieu fait ce qu'il veut de lui, pour le meilleur et pour le pire, l'homme ne se tracasse pas, il ne cherche pas à maîtriser quoi que ce soit. Il attend gentiment et il reste confiant, il attend gentiment et il va aux Réunions, il attend gentiment et il se dit que tout ce qui doit arriver arrivera. Lorsqu'il parle de Dieu et de sa confiance en ce Dieu mâle et tout-puissant, ses yeux brillent. D'un éclat que je connais, que j'ai vu de nombreuses fois, en général sur des gens complètement déchirés à une drogue bien forte, bien dure. Son Dieu est devenu sa drogue et il plane, il plane comme un Satané cerf-volant, et il s'échauffe, il fait les cent pas, et Dieu ci et Dieu ça, et patati et patata. Si j'étais plus près de lui ou si je pouvais me le faire, je lui collerais un pain en pleine gueule rien que pour lui clouer le bec.

Il cesse de parler, tout le monde est impressionné, tout le monde applaudit. Je me lève et je m'en vais. Lorsque j'atteins la porte, Ken m'attend.

Bonjour, James.

Bonjour.

Vous voulez bien venir avec moi un petit moment ?

Pourquoi ?

Nous avons reçu les résultats de vos examens et le Docteur Baker souhaiterait vous parler.

D'accord.

On reprend les Couloirs lumineux, je me sens mal à l'aise à cause de la lumière, Ken essaie de bavarder mais je fais la sourde oreille. Je fais la sourde oreille car mon envie de me défoncer la tête enfle, elle me crie dessus, c'est tout ce à quoi je peux penser et tout ce sur quoi je peux me concentrer. Je serais capable de tuer pour boire un verre. Tuer. Boire. Tuer. Boire. Tuer.

On entre dans le Secteur Médical, Ken m'accompagne jusqu'à la Salle d'Attente et il me dit de patienter. Il s'en va et je fume une cigarette et je regarde la télé. La cigarette a un bon goût, elle me brûle la gorge et les poumons et bien que ce soit la drogue la plus minable et la plus faible à laquelle je suis accro, c'est tout de même une drogue et putain ça fait du bien. Je me fous de ce que ça peut me faire, putain ça fait du bien.

Il y a une machine à café dans le coin, je me lève, je prends une tasse. Je verse des tonnes de sucre, j'avale une gorgée et c'est chaud, ça fait mal quand je bois et j'aime ça. Mon cœur s'accélère presque immédiatement, et bien qu'il n'accélère pas comme à l'accoutumée, et bien que je ne sois pas accro au café, c'est tout de même une drogue et putain ça fait du bien. Qu'est-ce que ça fait du bien putain.

Ken revient dans la Pièce, il me dit que le Docteur est prêt, je me lève, il m'accompagne au Secteur Médical jusqu'à une Salle d'Examen blanche, petite et propre. Il y a trois chaises, une fenêtre, plusieurs étagères d'acier rutilantes sur lesquelles reposent des instruments, une table d'examen contre l'un des murs, un appareil radiologique à côté de la porte. Le Docteur Baker est assis sur l'une des chaises, un dossier dans les mains. Il se lève lorsque nous entrons.

Bonjour, James.

Il me tend la main. Je la lui serre.

Bonjour, Docteur Baker.

Nous nous asseyons.

Vous me montrez vos dents ?

Je souris.

Ça m'a l'air d'aller. Le Docteur Stevens m'a dit que vous aviez été très courageux.

Le Docteur Stevens a été très gentil avec moi. Remerciez-le pour moi la prochaine fois que vous le verrez.

Je n'y manquerai pas.

Maintenant dites-moi pourquoi vous m'avez fait venir.

Le Docteur Baker ouvre le dossier.

J'ai les résultats des examens que nous vous avons faits il y a quelques jours.

Ils sont très mauvais ?

Il regarde le dossier, prend sa respiration. Il s'adosse à sa chaise et me regarde dans les yeux. Il parle.

Vous avez causé des dégâts considérables à votre nez, votre gorge, vos poumons, votre estomac, votre vessie, vos reins, votre foie et votre cœur. Je n'ai jamais vu autant de dégâts chez quelqu'un d'aussi jeune. Il faudrait que nous fassions de nouveaux examens pour en saisir l'étendue exacte, et si vous êtes d'accord nous nous en occuperons, mais d'après ce que je vois ici, il y a plusieurs choses importantes que je peux vous dire dès à présent. La première, c'est que vous avez de la chance d'être encore en vie. La deuxième, c'est que si vous reprenez un verre un jour ou n'importe quel type de drogue dure, il y a de grandes chances que vous mouriez. La troisième, c'est que si vous vous remettez à boire ou à vous droguer de façon régulière, vous mourrez d'ici quelques jours. Votre corps a été soumis à de si mauvais traitements, si sévères et si prolongés, qu'il ne tiendra plus.

Ken ne me quitte pas des yeux, le Docteur Baker ne me quitte pas des yeux. Je regarde par-dessus son épaule, par la fenêtre, la Tempête fait toujours rage. Je connais enfin avec une absolue certitude ce dont je me doutais depuis longtemps. Je suis presque mort.

Putain c'est pas mon jour.

Il n'y a pas de quoi rigoler, James.

Je le regarde.

Je sais, mais qu'est-ce que vous voulez que je fasse, bordel ? Le verdict est tombé.

Ken parle.

Qu'entendez-vous par là ?

À votre avis ?

Nous sommes ici pour vous aider, James. Nous sommes ici pour vous aider à vous rétablir et pour vous aider à apprendre à cesser de vous tuer. Si vous faites ce que nous vous disons de faire et si vous suivez la Cure que nous vous prescrivons, vous vivrez longtemps et heureux.

Le verdict est tombé.

Il ne va pas nécessairement être exécuté. Faites-nous confiance, c'est tout.

Je regarde le Docteur Baker.

Vous avez autre chose à me dire ?

J'espère que vous nous ferez confiance, j'espère que vous nous laisserez une chance de vous aider, j'espère de tout cœur que vous serez là demain.

Je le regarde fixement. Ses yeux sont brouillés et humides et pleins d'eau. Il est manifestement triste et manifestement déçu. J'en ai marre de rendre les gens tristes et j'en ai marre de les décevoir et j'en ai marre de les voir pleurer. J'ai vu ça trop souvent. C'est la dernière fois.

Je vous remercie de m'avoir consacré tant de temps et d'avoir fait tant d'efforts. Tous les deux. Merci beaucoup.

Je me lève et j'ouvre la porte et je sors de la Pièce. Je referme la porte derrière moi et je me dirige vers ma Chambre. Bien que l'on vienne de me dire que si je persiste à vouloir boire ou me droguer je vais me tuer, et me tuer bientôt, ce que je voudrais là, tout de suite, c'est un bon verre d'alcool fort et un bon caillou. J'en ai salement envie. Choper un truc. J'en ai tellement envie. Me remplir. Je serais capable de tuer pour ça. Choper un truc. Tuer pour ça. Me remplir. Je suis complètement foutu.

Partout autour de moi, les Gens continuent leur journée. Les Malades vont voir leur Psy et suivre leur Thérapie, les Médecins et les Psys leur donnent ce dont ils ont besoin. Leurs corps vont mieux, leurs esprits vont mieux, ils sont en train de reprendre leur vie en main, ils suivent la Cure, ils ont confiance en la Cure. Ils se sont confiés à Dieu, ils y croient et le fait que ça marche ou non à long terme ne compte pas. Pour l'instant, ils y croient. Je ne sais pas comment ils font.

J'entre dans ma Chambre et je vois que quelqu'un a récupéré la Bible et le *Gros Livre* que j'avais balancés par la fenêtre et les a replacés sur mon lit. Ils sont trempés, dégoulinants, les pages sont gondolées, les couvertures bombées. De les revoir ainsi, que quelqu'un les ait rapportés me met hors de moi. Je les attrape, je les emporte dans la Salle de Bains et je les fourre tout au fond de la poubelle, sous les rasoirs émoussés, les Cotons-Tiges marron et les mouchoirs sales pleins de morve. Si c'était possible, si mon organisme était prêt à coopérer, je les fourrerais dans les toilettes et je chierais dessus.

Je retourne au lit, je m'allonge, je ferme les yeux, je commence à comprendre le sens des paroles du Docteur Baker, le caractère définitif des mots m'éclaircit l'esprit et tue mes pulsions et apaise mon cœur. Le verdict est tombé. Plusieurs jours de consommation régulière d'alcool et de drogue vont me tuer. Je serai mort, parti, fini. Je cesserai d'exister sous quelque forme, de quelque manière ou façon que ce soit. Je disparaîtrai dans les ténèbres et les ténèbres sont éternelles. Au fond de moi, j'ai toujours su que je finirais comme ça. Au fond de moi, j'ai toujours su que j'allais me tuer avec l'alcool et la drogue. Je l'ai toujours su chaque fois que je buvais un coup, je l'ai toujours su chaque fois que je me faisais un rail, je l'ai toujours su chaque fois que je fumais une pipe ou sniffais un tube de colle ou gobais une pilule. Personne n'est à blâmer à part moi. Je l'ai su tout le temps, chaque fois. Je n'ai jamais pu arrêter.

J'imagine ma nécrologie. Ma véritable existence sera tronquée et remplacée par une existence meilleure, imaginaire. Ma façon de vivre sera escamotée et édulcorée, on lâchera des expressions telles que Fils Adoré, Frère Chéri, Ami Fidèle, Étudiant Sérieux. Les Gens changeront d'avis sur moi, je ne serai plus un Fouteur de Merde casse-cou mais un Martyr Condamné, je ne serai plus un Fou Dangereux mais une Pauvre Victime, je ne serai plus un Connard de Drogué mais un Malheureux Enfant. Ils diront des trucs du genre, Mon Dieu quel gâchis. Oh, ce qu'il aurait pu devenir. Il avait tant de qualités, que s'est-il donc passé ?

Et ce ne sera qu'un putain de tissu de mensonges, des mensonges de la première à la dernière ligne.

Je sais ce que je suis et je sais ce que j'ai fait et je sais pourquoi je suis sur le point de mourir. Je suis Alcoolique et je suis Toxicomane et je suis Délinquant. C'est ce que je suis, je suis comme ça et c'est ce dont on devrait se souvenir. Pas de gentils mensonges, pas de souvenirs fabriqués, pas de sentimentalisme bidon, pas de larmes. Je ne mérite pas de larmes. Je mérite d'être présenté de façon honnête et je ne mérite rien de plus et dans ma tête je me mets à écrire une nécrologie honnête. J'écris la nécrologie qui devrait être publiée, mais ne le sera jamais. Je commence par le début et je m'en tiens aux faits et je vais vers ce qui, je le sais, sera ma fin.

James Frey. Naît à Cleveland, Ohio, le 12 septembre 1969.

Commence à boire en douce dans les verres des grands à l'âge de sept ans. Première cuite à l'âge de dix ans. Vomit pour la première fois à dix ans. Fume de l'herbe à douze ans. Fume et boit régulièrement à partir de treize ans. Premier trou noir à quatorze ans. À quinze ans, se fait arrêter à trois reprises. Pour Conduite sans permis de conduire, Vandalisme et Destruction de Biens d'Autrui, Ivresse sur la Voie Publique, Détention d'Alcool par une Personne Mineure. Passe une nuit en Prison. Essaie pour la première fois la cocaïne, les acides et les amphétamines à quinze ans. Se fait arrêter encore trois fois pendant sa seizième année. Se met à boire et à se droguer avant d'aller à l'école. Se met à vendre de l'alcool et de la drogue à ses camarades. Trous noirs et vomissements réguliers. Trois nouvelles arrestations à l'âge de dix-sept ans. Première arrestation pour Conduite en État d'ivresse. Usage d'arme, un trente-huit millimètres, écope d'un casier judiciaire. Passe une semaine en Prison. Boit et prend de la drogue tous les jours. Au Lycée, à la Maison, n'importe où. Vomissements et trous noirs plusieurs fois par semaine. Essaie d'arrêter pour la première fois. Premières crises de Delirium Tremens. Boit pour que ça cesse. Deux arrestations à l'âge de dix-huit ans. Première overdose, premier coma éthylique. Essaie d'arrêter à nouveau, pendant deux jours. Vomissements avec sang pour la première fois, saignements du nez provoqués par la cocaïne pour la première fois. Dix-neuf ans. Trous noirs cinq jours par semaine, vomissements cinq jours par semaine. Pisse au lit pour la première fois. Tremble de façon flagrante lorsqu'il ne boit pas. Se réveille pour la première fois sans savoir où il se trouve ni comment il y a atterri. Vingt ans. Trous noirs sept jours par semaine. Vomissements plusieurs fois par jour, sept jours par semaine. Fume de la cocaïne pour la première fois, fume des amphétamines pour la première fois, fume du PCP pour la première fois. Vingt et un ans. Trois arrestations. Voies de Fait avec une Arme par Destination, Voies de fait sur Dépositaire de la force de l'ordre, Conduite en État d'Ivresse, Rébellion, Incitation à l'Émeute, Usage et Trafic de Stupéfiants, Coups et blessures volontaires. Ne se rend pas aux convocations du tribunal. Fume du crack pour la première fois, se met à fumer du crack régulièrement. Une overdose, trois comas éthyliques. Vingt-deux ans. Boit de plus en plus, fume de plus en plus de crack. Consomme tout ce qui lui tombe sous la main, dès qu'il peut. Toujours malade. Vomit et chie du sang tous les jours. Tente d'arrêter quatre fois. Ne tient jamais plus de douze heures. Vingt-trois ans. Boit encore davantage, sa santé se détériore encore. Deux overdoses, comas éthyliques à longueur de temps. Sait rarement où il se trouve et comment il y a atterri. Essaie d'arrêter à deux reprises, pour une durée totale de six heures. Tombe dans un escalier de secours et se détruit le visage. Commence une Cure de Désintoxication. Quitte le Centre de Désintoxication. Meurt deux jours après. Doses fatales d'alcool et de cocaïne retrouvées dans son corps. On déclare que la mort a eu lieu par overdose accidentelle. On aurait mieux fait de parler de suicide. Suicide pertinemment volontaire. Il ne manque à personne. Sa Famille a fait une croix sur lui, ses Amis ont fait une croix sur lui.

J'ai l'esprit clair, mes pulsions me laissent en paix, mon cœur bat lentement et régulièrement. La nécrologie est rédigée, dans ma tête. Elle est rédigée et elle est juste. Elle dit la vérité et, si horrible soit-elle, la vérité c'est tout ce qui compte. C'est ainsi qu'il faudra se souvenir de moi, s'il faut absolument que l'on se souvienne de moi. La vérité. C'est tout ce qui compte.

J'ai l'esprit clair, mes pulsions me laissent en paix, mon cœur bat lentement et régulièrement. Ma décision est prise et je me sens mieux. J'ai toujours su que ça se passerait comme ça, même si les détails ne m'apparaissaient pas avec autant de netteté. Je vais partir d'ici et je vais me tuer. Je vais partir d'ici, je vais trouver un truc à boire, je vais trouver un truc à fumer et je vais boire et je vais fumer jusqu'à ce que je meure. Je vais partir d'ici et je ne me retournerai pas, je ne vais pas dire au revoir. J'ai vécu seul, je me suis battu seul, je me suis débrouillé seul avec la douleur. Je mourrai seul.

Je pense au moment où je vais partir. Je ne veux pas être vu, je ne veux pas être suivi, je veux disparaître vite, doucement, sans drame, je veux passer le plus de temps possible dans l'obscurité. L'obscurité m'offre une couverture, l'obscurité m'offre des cachettes, l'obscurité m'offre du réconfort. L'obscurité vient généralement après le dîner, mais ce serait trop voyant. On nous demande de venir, on nous demande de manger, et bien que je ne profite pas du dîner pour tisser des liens, mon absence serait remarquée. Après le dîner il y a une Conférence, la Conférence ce serait mieux. Les Gens quittent tout le temps la salle pendant les Conférences. Ils se lèvent pour aller aux Toilettes, sortir fumer une cigarette, aller voir un Thérapeute ou un Psy, ou pour courir vomir. On ne me remarquerait pas si je partais, et le temps qu'on s'en rende compte, c'est-à-dire sans doute trois ou quatre heures plus tard, je serais tellement loin qu'ils n'auraient aucune chance de me rattraper. Je serais dans l'obscurité. Je serais seul. Je me sentirais bien. Ils n'auraient aucune chance de me rattraper.

J'ai l'esprit clair, mes pulsions me laissent en paix, mon cœur bat lentement et régulièrement. Je vais partir d'ici et je vais me tuer. Cette pensée me fait sourire. Elle me fait sourire car elle est triste, horrible. Elle me fait sourire car le mystère de ma mort a disparu et sans ce mystère elle ne me fait plus peur. Elle me fait sourire car je préfère sourire plutôt que pleurer. Elle me fait sourire car ce sera bientôt fini. Ce sera enfin fini. Ce sera enfin fini. Merci.

Je retiens mon souffle, je pense à mon dernier souffle. Je sens mon cœur qui bat, je pense à mon dernier battement. Je passe mes mains sur mon corps, mon corps est chaud et souple et je sais que bientôt il sera froid et rigide. Je me touche les cheveux, les yeux, le nez, les lèvres. Je sens les poils qui poussent sur mes joues. Je sens la peau sur mon cou, ma poitrine, mes bras. Bientôt tout cela pourrira. Se décomposera, se désagrégera. Disparaîtra. Chaque trace cessera d'exister. Tu es poussière et tu retourneras à la poussière. Nous retournons d'où nous venons. Bientôt je pourrirai et je me décomposerai et je me désagrégerai.

J'entends la porte qui s'ouvre et je m'assieds. Roy et Lincoln entrent. Roy a l'air de boire du petit-lait, Lincoln a l'air énervé. Lincoln parle.

Que faites-vous ici ?

Rien de spécial.

Pourquoi n'êtes-vous pas avec le groupe ?

J'avais besoin d'être seul quelque temps.

Vous auriez dû avertir quelqu'un.

Je n'avais envie d'avertir personne.

On ne fait pas toujours ce dont on a envie.

Si vous êtes venu pour me prendre la tête avec ces histoires de groupe, j'y vais tout de suite. Si vous êtes ici pour me prendre la tête avec autre chose, allons-y.

Lincoln se tourne vers Roy.

Roy.

Roy fait un pas en avant.

Tu n'as pas nettoyé les Toilettes Collectives ce matin.

J'éclate de rire. Roy regarde Lincoln. Lincoln parle.

Qu'est-ce qui est si drôle ?

Ses tentatives débiles pour me foutre dans la merde.

Roy parle.

Je ne fais aucune tentative. Tu n'as pas nettoyé les Toilettes Collectives ce matin.

Je rigole encore.

Va te faire foutre, Roy.

Roy regarde Lincoln. Lincoln me regarde.

Elles ne sont pas propres, James. Il vient juste de me les montrer.

Je le regarde.

Je les ai nettoyées vers les 4 heures du matin. Je les ai briquées jusqu'à ce qu'elles étincellent, putain. Si elles sont sales maintenant, c'est parce que quelqu'un les a utilisées, ou que quelqu'un, sans doute lui, les a salopées pour me foutre dans la merde.

Roy parle.

C'est pas vrai.

Je rigole.

Va te faire foutre, Roy.

Il se tourne vers Lincoln. Pleurniche comme un petit garçon gâté pourri.

C'est pas vrai.

Lincoln parle.

La question n'est pas de savoir si elles étaient propres tout à l'heure. Votre job, c'est de les garder propres tout le temps et là elles sont sacrément dégueulasses. Il faut que vous alliez les nettoyer à nouveau.

Jamais de la vie.

Bien sûr que si.

Jamais de la vie, putain.

Tout de suite.

Vous êtes complètement tarés si vous croyez que je vais toucher à ces chiottes. Je les ai nettoyées tout à l'heure et Roy les a salopées pour me foutre dans la merde. Que Roy se tape le nettoyage cette fois.

Lincoln fait un pas en avant, je m'appuie contre le dos du lit. Il fond sur moi, l'air du mec prêt à se battre.

Vous allez les nettoyer que vous le vouliez ou non et vous allez le faire tout de suite et je ne veux pas entendre un mot de plus à ce sujet. Vous m'entendez ?

Je me hisse du lit, je me lève, je le regarde droit dans les yeux.

Vous allez m'y forcer ?

Je le regarde droit dans les yeux.

Vous allez essayer de m'y forcer ?

Je le regarde droit dans les yeux.

Allez, Lincoln. Qu'est-ce que vous allez faire ?

On se toise mutuellement, on respire lentement, on serre les mâchoires, on attend l'assaut. Je sais que rien ne va se passer, ce qui me donne un avantage. Je sais que s'il lève la main sur moi, il perdra son boulot. Je sais que son boulot est trop précieux pour qu'il le risque pour moi. Je sais qu'il s'est ramolli après des années d'abstinence et je sais qu'à ce stade les vêtements noirs et les bottes et la coupe de cheveux ne sont rien de plus qu'un déguisement. Je sais qu'il ne va rien se passer et le fait que ça soit déjà allé aussi loin me semble comique. Je lui ris au nez. Il parle.

Il n'y a pas de quoi rire.

Je ne nettoierai pas tes saloperies de chiottes, Gros Dur. Jamais de la vie, putain.

Je passe à côté de lui.

James.

Je m'en vais.

Jamais de la vie, putain.

Je passe à côté de Roy, je sors de la pièce, je monte à l'Étage, je bois une tasse de café, je fume deux trois cigarettes, la nicotine et la caféine me font du bien. Elles font accélérer mon cœur, ralentissent mon cerveau, calment mes mains, me font remuer les pieds. C'est assez fort pour que je sente leur effet, mais pas assez pour que je sente vraiment quelque chose. Ça me plaît, la combinaison des deux me plaît. L'une excitante et hystéro, l'autre lente et déprimante. Elles vont et viennent et je les sens des deux côtés de l'éventail. Aussi speed que possible, aussi déprimé que possible, et toutes les gradations possibles entre les deux. C'est rigolo de jouer avec les doses, les paliers, c'est rigolo de manipuler ce petit frisson. Comme quand on vise une cible avec un flingue. J'ai les sensations, j'ai la montée, j'ai l'expérience, mais il n'y a pas de danger. J'ai le contrôle absolu de ce que je fais et de ce que je ressens. Comme dans un jeu, je sais que si je passais à la réalité il n'y aurait plus le moindre contrôle. Carrément pas. Le plus possible le plus vite possible. Jusqu'à ce que je meure.

Les hommes commencent à arriver avec leur groupe, ils se dirigent vers le Réfectoire pour le déjeuner. Je les suis, je mange avec Leonard. Il me pose plein de questions et je ne réponds à aucune. Il trouve ça drôle, je trouve ça drôle, au bout d'un moment il abandonne et il me raconte des histoires sur les autres Malades. C'est toujours la même chose. Ils avaient tout, se sont défoncés, ont tout perdu. Essaient de s'en sortir. Des histoires typiquement américaines, à vous tirer les larmes.

Après le déjeuner on va à la Conférence, qui traite du sport et de l'abstinence. Je n'en écoute pas un mot, je ne m'y intéresse pas une seconde, et Leonard jette des piécettes en direction du Petit Homme Chauve qui est mon nouveau Coturne. Il le vise à la tête et il est tout excité lorsqu'il touche le centre de la surface chauve au sommet de son crâne. Bizarrement l'homme ne bronche pas.

La Conférence prend fin et on rentre dans le Service et j'assiste à ma première Séance de Thérapie de Groupe. Le sujet c'est s'amender. Le Groupe est dirigé par Ken, tous discutent de la nécessité de s'amender. Ken pense que c'est impératif, de même que la plupart des membres du Groupe. Cela leur permet d'effacer leur ardoise, de changer de peau, de se débarrasser du sentiment de culpabilité que les Dépendants nourrissent en eux en agissant comme ils le font. Qu'ils soient pardonnés ou non ne compte pas. Ce qui compte c'est le fait qu'ils s'excusent, qu'ils reconnaissent leurs torts, qu'ils demandent pardon.

Les hommes qui ne croient pas en la nécessité de s'amender figurent parmi les pires éléments du groupe. Ils savent que la plupart des choses qu'ils ont faites ne devraient pas être pardonnées, qu'elles ne seront pas pardonnées. Ils ne veulent pas faire l'effort de demander pardon car la douleur causée par un refus éventuel et le souvenir de leurs actes leur feraient trop de mal. Ils veulent passer à autre chose et oublier, bien qu'il soit impossible d'oublier. J'appartiens à ce groupe. Je sais que je ne serai pas pardonné et je ne me donnerai pas la peine de demander pardon. Je m'amenderai en mourant. Aucune des personnes à qui j'ai fait du tort n'aura à me revoir, à avoir de mes nouvelles ou à penser à moi, plus jamais. Je ne serai plus en mesure de leur nuire ni de foutre à nouveau leur vie en l'air, je ne serai plus en mesure de leur faire le mal que je leur ai déjà fait. Oubliez-moi si c'est possible. Oubliez que j'ai existé, oubliez que j'ai fait ce que j'ai fait. En me suicidant je vous présenterai mes excuses. Même si c'est impossible, oubliez-moi s'il vous plaît. Oubliez s'il vous plaît.

Après la Séance les hommes du Service se rassemblent au Rez-de-Chaussée pour la Cérémonie de Remise des Diplômes. Roy et son ami s'en vont. Ils ont fait leur temps, suivi leur Cure et ils sont prêts à regagner le Monde extérieur. Ils reçoivent tous deux une Médaille et une Pierre. La Médaille symbolise leur sobriété actuelle, la Pierre leur promesse de rester abstinents. Tous deux font un petit discours. Environ la moitié des Hommes les méprise, pense qu'ils ne disent que des conneries, l'autre moitié les admire et leur souhaite tout le bonheur possible. Je m'assieds au fond de la Pièce avec Leonard, qui lit la page sports de *USA Today* et jure dans sa barbe.

La Cérémonie s'achève, tout le monde applaudit, Roy se promène dans les rangs pour serrer les gens dans ses bras et leur dire au revoir. Il m'évite, de même que son ami. Ils ont l'air très heureux et ils ont les yeux brillants des repentis. Ils s'agrippent à leur Médaille et à leur Pierre, font signer le dos de leur exemplaire du *Gros Livre* par leurs amis. Ils ont l'air effrayés et ils ont l'air fragiles. Ils ont l'air de fuir quelque chose et ils ont l'air de se cacher. Ils ont l'air de savoir qu'ils vont se faire prendre. Je leur laisse un mois avant qu'ils soient tellement défoncés qu'ils n'aient plus les yeux en face des trous. Je leur laisse un mois, dans le meilleur des cas.

La plupart des hommes se dirigent vers leur Chambre et se préparent pour le dîner. Je vais vers la mienne pour préparer mon départ. J'enlève la chemise en oxford de Warren, je passe mon T-shirt, j'écris un petit mot à Warren pour le remercier, je le glisse dans la poche de la chemise, je me dirige vers son coin et je plie la chemise et je la pose sur son lit. Je retourne vers mon lit, j'écris un autre mot où j'indique le nom de Hank, l'adresse du Centre et note Prière de lui Rendre Cette Veste et remerciez Hank pour sa gentillesse et son amitié. Je glisse le mot dans la poche de la veste qu'il m'a prêtée pour qu'on le trouve lorsqu'on me trouvera, j'enfile la veste, je jette un coup d'œil dans la pièce pour voir si j'ai oublié quelque chose mais il n'y a rien. Je regarde dans les tiroirs, sur le lit, sous le lit, sous les draps, dans l'armoire à pharmacie, dans la douche. Il n'y a rien. Je n'ai rien.

Je me dirige vers le Réfectoire, je fais la queue, je prends un plateau, je respire à fond, l'odeur de la nourriture submerge mon corps et j'ai faim, faim, faim, je veux manger, je veux manger beaucoup. Au menu du jour il y a un pain de viande, de la purée de pommes de terre en sauce, des choux de Bruxelles, de la tarte aux pommes. Ce menu me plaît, il convient très bien pour ce qui sera sans doute le dernier vrai repas de ma vie. Je prends tout ce que la femme derrière le comptoir veut bien me donner, j'attrape des couverts et des serviettes, je trouve une table libre, je m'y assois, je pose les serviettes sur mes genoux et je prends ma respiration. Cela sera sans doute le dernier vrai repas de ma vie.

Le pain de viande est bon et goûteux et juteux et les pommes de terre sont de vraies pommes de terre, la sauce est chaude et épaisse, elle a un bon goût de bœuf. Je mange lentement, savourant chaque bouchée, gardant chaque morceau en bouche jusqu'à ce qu'il fonde. Ma Mère faisait du pain de viande pour mon Frère et moi quand j'étais Petit, elle préparait exactement le même menu environ une fois par semaine. Le fait de manger la même chose tout en sachant que c'est mon dernier repas me rappelle les souvenirs de ces dîners et de bien d'autres encore. Mon Père était au travail ou en voyage d'affaires à l'étranger, mon Frère et moi étions à l'École ou on faisait les quatre cents coups dans le quartier où l'on habitait à l'époque. Tous les soirs à 6 h 30, on dînait avec ma Mère. Elle mitonnait de fameux repas, et elle adorait manger avec nous chaque soir. Après le dîner, on regardait la télévision ou on jouait ou ma Mère nous racontait des histoires. Quand mon Père rentrait à la maison, on passait du temps tous ensemble et puis c'était l'heure pour mon Frère et moi d'aller se coucher. Nous étions une Famille heureuse et nous le sommes restés jusqu'à ce que je commence à ne plus rentrer à la maison. Ce serait chouette d'avoir ma Famille auprès de moi, ici et maintenant. Ce serait chouette, bien que nos relations se soient dégradées au fil du temps, ce serait chouette de prendre mon dernier repas avec eux. Bien que je sache que nous ne parlerions pas à bâtons rompus, ce serait chouette de les regarder dans les yeux chacun à leur tour et de leur dire au revoir. Ce serait chouette de les tenir par la main chacun à leur tour, de leur dire que je suis désolé, que si je suis ce que je suis, ce n'est pas leur faute. Je voudrais leur demander de m'oublier.

Je finis de manger, je m'appuie contre le dossier de ma chaise et j'aperçois Leonard qui s'avance vers moi avec un plateau débordant de nourriture. Il le pose sur la table, il s'assied en face de moi et commence à déplier les serviettes et à essuyer ses couverts.

Comment ça va, Fiston ?

Ça va.

Ça va ?

Ouais, ça va.

C'est la première fois que tu me réponds comme ça.

Je suis en train de me dépatouiller de ma merde.

Comment ça ?

Ça ne te regarde pas.

Un de ces jours il va falloir que tu me parles.

Non.

Tu vas finir par en avoir ta claque de te comporter comme un Connard, tu vas finir par en avoir ta claque de ne pas avoir d'amis et tu vas venir me parler.

Non.

Moi, je persisterai à venir m'asseoir à côté de toi jusqu'à ce que tu t'y mettes.

Je ris.

Je persisterai à venir m'asseoir à côté de toi. Mets-toi bien ça dans ta putain de caboche.

J'attrape mon plateau, je me lève.

Que ta vie soit douce, Leonard.

Ça veut dire quoi, ça ?

Que ta vie soit douce.

Je tourne les talons, je porte mon plateau jusqu'au tapis roulant, je le pose, je traverse le Réfectoire pour sortir. Comme je passe dans le Hall Vitré qui sépare l'espace des hommes de celui des femmes, j'aperçois Lilly toute seule à table. Elle lève les yeux, elle me voit, elle sourit et nos yeux se rencontrent, je lui rends son sourire. Elle baisse les yeux, je cesse de marcher et je ne la quitte pas du regard. Elle relève les yeux et sourit encore. C'est la plus belle fille que j'aie jamais vue. Ses yeux, ses lèvres, ses dents, ses cheveux, sa peau. Les cernes noirs sous ses yeux, les cicatrices sur ses poignets, les vêtements ridicules qui sont dix fois trop grands, cette sensation de tristesse et de douleur qui se dégage d'elle et qui est encore plus grande. Je me lève et je la regarde la regarde la regarde. Les hommes passent à côté de moi, les autres femmes me regardent, Lilly ne comprend pas ce que je fais ni pourquoi je le fais et elle rougit et c'est beau. Je reste là et je regarde. Je regarde car je sais que là où je vais, je ne verrai pas la beauté. Ce n'est pas dans les belles Demeures ou les Magasins chics que l'on vend du crack et ce n'est pas dans les Hôtels de Luxe ni dans les Relais et Châteaux qu'on le fume. Ce n'est pas dans les Restaurants Cinq Étoiles ni dans les Bars Huppés que l'on sert de l'alcool fort bon marché et ce n'est pas dans les Épiceries Fines ni chez le Caviste qu'on se le procure. Je vais aller dans un endroit horrible dans un quartier horrible tenu par des gens horribles qui offrent les pires choses que l'on trouve dans cette Société. Il n'y aura pas de beauté là-bas, ni rien qui s'en approche. Il y aura des Dealers et des Toxicos et des Délinquants et des Putes et des Macs et des Tueurs et des Esclaves. Il y aura de la drogue et de l'alcool et des pipes et des bouteilles et de la fumée, du vomi, du sang, de la pourriture humaine, de la charogne humaine, de la déchéance humaine. J'ai passé tant de moments de ma vie dans ces endroits-là. Lorsque je m'en irai d'ici, j'en trouverai un nouveau et j'y resterai jusqu'à ce que je meure. Mais avant ça, je veux voir la beauté une dernière fois. Je veux la voir une dernière fois afin de garder quelque chose en mémoire lorsque je mourrai, afin de penser à quelque chose qui me fera sourire lorsque j'expirerai, qu'au milieu de toute cette horreur je puisse m'accrocher à une trace d'humanité. Une femme se dirige vers Lilly, elle se penche et elle lui murmure quelque chose à l'oreille, Lilly secoue la tête, hausse les épaules. La femme semble avoir une sorte d'Autorité et je ne veux pas attirer d'ennuis à Lilly, alors j'attends qu'elle me regarde à nouveau et je souris, elle me renvoie un magnifique sourire et j'ai l'image que je voulais. Au revoir, Lilly, je garderai en moi ton image, chère Lilly. Au revoir et merci.

Je me rends à la Conférence, je trouve un siège dans la dernière rangée de la Salle, je m'assieds, je regarde droit devant moi et j'ignore tout et tout le monde autour de moi. Dans quinze minutes je serai parti d'ici, parti pour de bon sur la route de l'Enfer. En principe, ce que je vais faire ne devrait pas être difficile. Me lever, sortir, continuer à marcher. Mais tout commence à devenir plus abstrait, et ça rend les choses plus difficiles pour moi.

Je vais mourir. Lorsque je mourrai, je disparaîtrai, parti, plus rien. Il n'y aura plus de pensées, plus de souffle, plus de sentiments d'aucune sorte que ce soit. Il y aura les ténèbres et les ténèbres seront éternelles. Il y aura le silence et le silence durera à tout jamais. Je vais mourir.

Je retiens mon souffle. Je fais ce que j'ai à faire. Je fais ce que j'ai à faire. Je fais ce que j'ai à faire. Il est temps de terminer la charade, il est temps que je m'en aille. Je n'arrive plus à supporter ma vie, je n'arrive plus à me supporter. Je n'arrive plus à me regarder dans les yeux, je n'arrive plus à affronter ma propre image. J'ai essayé de me soigner mais j'en suis incapable. Il ne me reste plus qu'à mourir.

Leonard s'assied à côté de moi et il me dévisage. Je garde les yeux braqués devant moi.

Pourquoi est-ce que tu portes ce gros manteau ?

Je fais la sourde oreille.

T'as froid ?

Je fais la sourde oreille.

Pourquoi est-ce que tu portes ce gros manteau ?

Il me regarde.

Réponds-moi, espèce de Petit Con.

Je garde les yeux braqués devant moi.

Pourquoi est-ce que tu portes ce gros manteau ?

Je fais la sourde oreille. Il tend le bras, pose sa main sur mon épaule, il me secoue.

Pourquoi m'as-tu souhaité une vie douce ?

J'enlève sa main de mon épaule, je la replace de force sur ses genoux, je me retourne et je le regarde dans les yeux.

Fous-moi la paix bordel.

Il me rend mon regard, dans les yeux.

Pourquoi m'as-tu souhaité une vie douce ?

Fous-moi la Paix, Vieux Schnock. Fous-moi la paix, bordel.

Je lui tourne le dos et je garde les yeux braqués devant moi. Sur l'Estrade, un homme qui a environ mon âge commence à raconter son histoire. Il a bu un peu de bière et fumé un peu d'herbe quand il était Petit et il s'est arrêté à l'âge de quatorze ans. Il a rejoint les AA, a découvert une Puissance Supérieure, elle lui a changé la vie. Il s'est mis à collectionner les bonnes notes au Lycée et il a fait Harvard. Il est désormais Banquier et il vient de se fiancer. Il continue d'assister aux Réunions, il s'est confié aux mains de la Puissance Supérieure, il s'agenouille tous les soirs pour prier avant d'aller se coucher. Lorsqu'il parle de son passé infamant, il dit fumette pour cannabis et bibine pour bière. Il raconte que la tête lui tournait tellement parfois qu'il devait chiper une ou deux gorgées dans une flasque à l'École de Danse. Il parle de la culpabilité et de la honte qu'il ressentait en agissant ainsi.

Je n'ai absolument rien à voir avec cet homme. Je n'ai rien à voir avec ses histoires de bibine et de fumette et ses vertiges et ses gorgées chipées dans une flasque à l'École de Danse. Je ne peux associer tout cela à une forme de Dépendance réelle et dangereuse, je ne peux associer tout cela à un réel besoin de rétablissement. Cet homme aurait été capable de rejoindre un Groupe pour suivre les Douze Étapes s'il avait eu l'impression de trop regarder la télévision, de manger trop de hot dogs, de trop jouer aux *Envahisseurs de l'espace* ou de se curer son fichu nez un peu trop souvent dans la journée. Je crois bien que s'il n'avait pas découvert les AA, il aurait rejoint les Témoins de Jéhovah ou les Chrétiens Pentecôtistes ou les Hassidim ou un Groupe de Rédemption par les OVNI. Je crois bien que son implication dans les AA n'a rien à voir avec la bibine, la fumette ou une quelconque Dépendance à l'une ou à l'autre, mais plutôt avec un besoin désespéré de faire partie d'un truc. Je ne me suis jamais préoccupé de faire partie d'un truc et je m'en bats les couilles. J'ai vécu seul. Je suis sur le point de mourir seul.

Je me lève, je marche dans le Couloir Central. Comme je passe devant Leonard, il m'attrape le bras. Je repousse sa main et je continue à marcher, longeant les hommes encore assis, en direction de la porte, du Couloir, et d'une autre porte qui mène à l'extérieur. Je l'atteins, je l'ouvre, je suis saisi par le froid et la pluie et le vent et la neige fondue, je suis saisi par l'obscurité, je suis saisi par ce qui vit dans l'obscurité.

Je boutonne ma veste jusqu'au cou, je remonte le col, j'inspire un grand coup et je regarde dans le noir. Ça n'attend que moi. L'alcool et la came et les Dealers et les Toxicos et les Putes et les Macs et les Tueurs et les Toxicos et les pipes et les bouteilles et la fumée, le vomi, le sang, la pourriture humaine, la charogne humaine, la déchéance humaine. C'est là dans l'obscurité et ça n'attend que moi. Je sors du porche et je me mets à marcher. Un pas après l'autre, plus loin, loin, loin. Le froid est saisissant et amer, la pluie et la neige fondue sont dures, mouillées, le sol n'est plus qu'une mosaïque de boue, de pierres et d'eau, l'obscurité la plus obscure des obscurités. Loin, loin, loin, un pas après l'autre, ça n'attend que moi, ça n'attend que moi. J'ai fait environ cinq mètres depuis la sortie lorsque j'entends la porte s'ouvrir, je me retourne et aperçois Leonard qui sort. Il ne porte pas de veste, se fait immédiatement tremper, il fonce vers moi d'un pas assuré.

Hé, Fiston.

Je me retourne, je continue de marcher. J'entends le bruit de ses pas dans la gadoue, je les entends qui accélèrent, je les entends qui se rapprochent. Je continue de marcher.

Attends une seconde, Fiston.

Je n'attends pas, ne m'arrête pas, ne me retourne pas.

Où tu vas ?

Une main sur mon épaule. Je la repousse.

Arrête-toi une seconde, Fiston.

Une main sur mon épaule. Je la repousse. Deux mains sur mes épaules. Plus fortes que je ne l'aurais cru. Elles m'immobilisent et elles me retournent. Leonard est trempé jusqu'aux os, dégoulinant. Il parle.

Où tu vas ?

Je repousse ses bras.

Fous-moi la paix.

Je me remets à marcher.

Où tu vas ?

Il me suit.

Loin d'ici.

Qu'est-ce que tu vas faire ?

Me défoncer la gueule.

Ne compte pas sur moi pour te laisser faire ça.

Tu crois que tu vas m'en empêcher ?

Ouais.

Je m'arrête, me retourne, je lui saute à la gorge, j'appuie sur sa pomme d'Adam. Je ne veux pas qu'il me suive, je ne veux pas qu'il essaie de m'en empêcher. Je me trouve dans la plus obscure des obscurités. Je retourne dans mon élément naturel.

Fous-moi la paix, Vieux Schnock.

Je le lâche, le pousse par terre. Il s'attrape la gorge, suffoque. Je me remets à marcher, les lumières de la Clinique commencent à s'estomper et la noirceur se drape à nouveau autour de moi. J'entends Leonard qui se relève et m'emboîte le pas, je serre les poings, j'essaie de trouver des moyens plus dissuasifs pour l'en empêcher.

Je vois ton poing, Fiston, et il va falloir bien plus que ça pour me rabattre le caquet.

Je continue de marcher.

Et même si tu me rabattais le caquet, je te ferais retrouver et demanderais qu'on te ramène ici illico.

Il me suit.

Et je ferai ça autant de fois que tu t'en iras, autant de fois qu'il le faudra pour que tu y voies assez clair dans ta petite tête de linotte pour essayer de te requinquer.

Je continue de marcher.

Tu ne me connais pas, tu ne sais pas qui je suis, mais j'ai le bras long et je compte bien m'en servir. Je te ferai ramener illico, encore et encore et encore.

Je m'arrête, je me retourne. Il est à quelques mètres derrière moi.

Il s'arrête, me dévisage.

Encore et encore et encore, Fiston. Sans relâche.

Je t'ai demandé de me foutre la paix.

Rentre.

Non.

Où tu vas ?

Je vais me défoncer la tête.

Et après ?

Je verrai bien.

Tu vas en crever.

Peut-être.

Une fois que tu seras mort, tu seras mort.

Je sais.

Pas question de revenir.

Je sais bien.

Ce n'est pas ce que tu veux vraiment.

C'est la seule solution.

Non, c'est faux.

Il s'avance.

Encore un pas en avant et je te pousse.

Je me relèverai.

Non.

De quoi est-ce que tu as peur, Fiston ?

Va chier.

Il s'avance.

131

De quoi est-ce que tu as peur ?

Recule-toi, Vieux Schnock.

Il garde les yeux braqués sur moi, je garde les yeux braqués sur lui. Il recule et parle.

Je n'ai peur de personne, pourtant tu me fous une sacrée pétoche. Ed et Ted ne veulent plus manger avec moi parce qu'ils ont peur que tu leur aboies dessus, et aujourd'hui les gens n'avaient qu'une chose à la bouche, la façon dont tu as cloué le bec à Lincoln en lui faisant les yeux noirs et en lui riant au nez lorsqu'il a essayé de jouer les gros durs avec toi. D'un certain côté j'admets que ça me laisse admiratif, mais c'est pas bien d'avoir l'attitude que tu as. C'est vraiment pas bien.

Je suis comme ça.

Tu n'es pas comme ça, au fond de toi.

Va chier.

À moi on me la fait pas.

Va chier.

À moi on me la fait pas.

VA CHIER.

Très bien, j'y vais. Et toi va picoler, va prendre les trucs que tu prends, défonce-toi bien et va crever dans le caniveau avec de la pisse sur ton froc et de la merde dans ton slibard. C'est une belle manière de partir, Fiston, une honorable manière de tirer sa révérence. Tu peux être fier de toi.

C'est mon choix.

Si tu crois que tu fais un choix, détrompe-toi. Tes choix sont faits par la merde qui te contrôle, cette merde dont tu n'arrives pas à décrocher. Si tu te casses d'ici, cette merde aura ta peau et putain c'est pas glorieux.

Peut-être, peut-être pas.

Peut-être pas, mon cul. Et si tu rentrais plutôt et essayais d'agir comme un homme, bordel ? Et si tu rentrais et retroussais tes putains de manches pour te battre ? Et si tu rentrais et te comportais correctement et justement et honorablement et en montrant un peu de fierté, juste un tout petit peu de fierté, bordel ?

Impossible.

Pourquoi ?

C'est comme ça.

Tu es assez fort pour te faire perforer la mâchoire sans anesthésie ni rien, tu es assez fort pour faire chier dans leur froc une bande de fouteurs de merde invétérés, tu es assez fort pour avoir fait tout ce que tu as fait pour finir dans cet état, mais tu ne peux pas rentrer dans cette Clinique pour tenter le coup ?

Non.

Pourquoi ?

J'ai déjà essayé. J'en suis incapable.

Pourquoi ?

C'est trop dur.

La vie est dure, Fiston, va falloir être plus coriace qu'elle. Va falloir t'accrocher et te battre et agir comme un homme pour la vivre, bordel. Si t'es une femmelette, que tu peux pas y arriver, alors il vaudrait peut-être mieux que tu te casses, parce que t'es déjà mort.

Je le regarde, il me regarde. Contrairement à la plupart des yeux qui se sont posés sur moi, je ne vois pas de pitié dans les siens, pas de tristesse, je n'ai pas l'impression qu'il pense que la partie est perdue d'avance. Il y a de la colère, il y a de la dureté, il y a de l'opiniâtreté. Il y a de la vérité, et c'est tout ce qui compte. La vérité. Je ne sais pas pourquoi il est là dehors ni pourquoi il fait ça mais je vois dans ses yeux qu'il pense sincèrement ce qu'il dit, qu'il fera ce qu'il dit.

Qu'est-ce que t'en as à foutre de moi ?

C'est mon problème.

Pourquoi ?

Ça me regarde. Tout ce qui compte c'est que je sois ici, que je ne te laisse pas faire tes conneries, que je n'écoute pas tes excuses foireuses. Tu peux essayer de tout faciliter, en rentrant sur-le-champ, ou tu peux nous compliquer la vie, et me forcer à appeler mes chiens. Dans les deux cas, tu resteras ici jusqu'à ce que tu ailles mieux.

Je ne peux rien promettre.

Promets-moi d'essayer.

Je l'observe.

Ça ne peut pas te faire de mal d'essayer, Fiston.

Il y a de la vérité dans ses yeux. La vérité, c'est tout ce qui compte.

Et il n'y a aucune raison d'avoir peur parce que tu vas essayer.

La vérité.

Essaie, c'est tout.

Je respire à pleins poumons. Je l'observe. Je me trouve dans l'obscurité la plus obscure et je m'y sens à l'aise. À part la fois où j'ai été en taule, ces dix dernières années j'ai dû être abstinent quatre jours en tout et pour tout. Les rares tentatives que j'ai faites pour décrocher ont été faiblardes, dans le meilleur des cas. Il y avait toujours de l'alcool qui traînait, il y avait toujours de la drogue qui traînait, et je traînais toujours avec des gens qui en consommaient. Je suis profondément, physiquement, mentalement et émotionnellement dépendant de ces deux substances. Je suis profondément, physiquement, mentalement et émotionnellement dépendant d'un certain mode de vie. Je ne connais rien d'autre, rien de plus, et je ne me souviens de rien d'autre. Je ne sais pas si je peux faire quoi que ce soit d'autre, à ce stade. J'ai la trouille d'essayer. J'ai une putain de trouille bleue. J'ai toujours cru que j'avais le choix entre la Prison et la mort. Je n'ai jamais songé que je pouvais avoir le choix d'arrêter parce que je n'ai jamais cru que je pouvais y arriver. J'ai une putain de trouille bleue.

Je regarde Leonard. Je ne le connais pas. Je ne sais pas qui il est ni ce qu'il fait ni ce qu'il a fait pour en arriver là. Je ne sais pas pourquoi il est ici ni pourquoi il m'a suivi ni ce qu'il en a à foutre, de moi. Ce que je sais se trouve dans ses yeux. Je sais qu'il y a de la colère, de la dureté, de l'opiniâtreté et de la vérité. Ce que je sais, c'est que je respecte ses yeux et je crois ses yeux. Ce que je sais, c'est que ce qu'il a dans les yeux est différent de ce qu'il y avait dans tous les autres yeux qui m'ont jamais regardé, jugé, pris en pitié ou dénigré ces dernières années. Ce que je sais c'est que je peux avoir confiance en ces yeux-là car ce qui vit en eux vit en moi.

Vingt-quatre heures.

Comment ça, vingt-quatre heures ?

Je vais rester ici pendant encore vingt-quatre heures. Si je me sens à nouveau comme je me sens actuellement, je me casse.

J'appellerai mes chiens.

Appelle-les. Je leur arracherai leur putain de tête avec mes dents.

Il sourit.

Tu me fous vraiment la pétoche, mon Salaud.

Ne l'oublie pas, Vieux Schnock.

Il rit.

Viens ici, que je te serre dans mes bras.

J'ai dit d'accord pour vingt-quatre heures. Ça ne veut pas dire que tu vas me serrer dans tes bras et ça ne veut pas dire qu'on est potes.

Il rit encore, fait un pas en avant, enroule ses bras autour de moi, me serre fort.

Tout ce qu'il faut, c'est essayer.

Je me dégage de son étreinte, il se dirige vers les lumières évanescentes de la Clinique.

Il fait froid dehors, je suis trempé, je n'ai pas envie d'attraper la crève. Rentrons.

Je ne retourne pas assister à cette Conférence.

Je me fiche que tu y ailles ou pas, tant que tu es à l'intérieur, je suis content.

On retourne vers la porte et je l'ouvre et on rentre. Les lumières brillent, je ne les aime pas, j'ai une trouille bleue.

J'ai une trouille bleue.

Une trouille bleue.

La trouille.

Une putain de trouille.

Je suis dehors. Je suis assis sur un banc de bois derrière le Pavillon Principal de la Clinique. De chaque côté se trouvent des bancs vides et, devant, un petit lac. J'ai froid, je tremble, la sueur dégouline sur mon front et mon torse et mes bras et mes jambes, mon cœur accélère puis ralentit, mes dents claquent, ma bouche est sèche, j'ai des bestioles dans mon manteau et dans mon pantalon et dans ma chemise et dans mes chaussures et dans mes chaussettes. Bien que je puisse les voir et les entendre et les sentir, je sais qu'elles ne sont pas vraiment là. J'ai froid. Je vois les bestioles et j'entends les bestioles et je sens les bestioles, mais je sais qu'elles ne sont pas vraiment là. J'ai froid.

Je n'ai pas dormi, et je ne risque pas de dormir de sitôt. J'ai essayé de dormir, Warren ronflait, le Petit Homme Chauve ronflait, John gémissait et se retournait et sursautait et criait dans son sommeil et je réfléchissais à ma décision de rester ici vingt-quatre heures de plus. Mon esprit était en accord avec cette décision, mon cœur était en accord avec cette décision, mon esprit et mon cœur étaient prêts à tenir parole, mais mon corps n'était pas d'accord, voire carrément en désaccord et il n'était pas prêt à tenir quoi que ce soit. Mon corps réclamait de la drogue et de l'alcool, il en réclamait des quantités énormes. Je me suis levé, j'ai fait les cent pas au rythme symphonique des ronflements et des gémissements et des pleurs, essayant de fatiguer mon corps pour qu'il aille mieux, mais ça n'a pas marché. Mon corps sait ce qu'il veut et il se fout pas mal de cette histoire de vingt-quatre heures. Il ne m'en reste que dix-huit à tirer. Je n'ai pas de montre et il n'y a pas d'horloge, mais je le sais. Il me reste dix-huit heures à tirer.

Je suis sorti de ma Chambre, je suis sorti du Service, je suis allé dehors, j'ai fait des va-et-vient entre le Pavillon Principal et les différents Services. Le Pavillon Principal et les Services étaient plongés dans l'obscurité et le calme, mis à part le Secteur Médical. Il était allumé, des cris provenaient de l'intérieur. Je suis resté immobile à écouter les cris et j'ai crié moi aussi. J'ai crié du plus fort que je pouvais. Personne ne m'a entendu et personne ne m'a répondu. J'ai crié du plus fort que je pouvais, mais personne ne m'a entendu.

J'ai vu le banc, je m'y suis assis, j'y suis resté un moment et le bois humide a détrempé le fond de mon pantalon. Là, je regarde le lac. L'eau est sombre et lisse, de longues plaques de glace, fines et fragiles, flottent à la surface parmi les feuilles mortes et les branches cassées. C'est le cœur de la nuit, juste avant l'aube, et l'orage est passé et le vent et la pluie et la neige ont cessé. Je regarde le Lac, je transpire, je claque des dents et mon pouls accélère puis ralentit, ça me fait mal, il y a des saloperies de bestioles partout. Il n'y a rien à faire pour qu'elles se cassent.

Je pense à elle. Je pense à elle bien que je ne veuille plus y penser. Je pense à elle parce que je n'arrive pas à l'oublier, parce que je continue de me retourner pour la regarder. Je n'ai qu'elle. Je n'arrive pas à renoncer à ce qui a été et ne sera plus jamais. Je n'arrive pas à accepter le fait qu'elle soit partie partie partie, je n'arrive pas à accepter le fait que ce soit moi qui l'aie poussée à s'en aller. J'étais avec elle. Je l'aimais. Je l'ai poussée à s'en aller. Je pense à elle bien que je ne veuille plus y penser.

Deux jours après m'être rendu chez elle pour la première fois, j'y suis retourné. Avant d'y aller, j'ai bu une bouteille de vin, fumé un paquet de clopes et j'ai répété ce que je lui dirais lorsqu'elle ouvrirait la porte. Une fois devant la porte, je suis resté planté là, à la regarder fixement. Mon cœur battait la chamade et mes mains tremblaient et j'étais pris de vertige.

J'ai frappé, une voix qui n'était pas sa voix a dit une minute s'il vous plaît, je suis resté planté là et j'ai attendu anxieux et apeuré anxieux et apeuré, la porte s'est ouverte et une grande Fille avec des lèvres rouges et charnues, un grand sourire, des cheveux bruns, des yeux noirs se tenait devant moi.

Ce n'était pas elle.

J'espérais que tu repasserais.

Tu es ?

Lucinda. La copine d'Ed. Tu veux entrer ?

Ouais.

Je suis entré dans une Chambre de Cité Universitaire typique avec deux bureaux, deux fenêtres, deux vieux canapés, des tas de paperasses et de livres, deux boîtes de pizza par terre, des canettes de bière vides, de la tapisserie aux murs, une chaîne hi-fi dans un coin couverte d'une pile de CD, une mezzanine équipée de deux lits qui surplombait le tout. En jetant un coup d'œil autour de la Pièce, je l'ai vue qui bouquinait sur l'un des lits. La lumière provenant d'une des fenêtres inondait son visage et je n'avais jamais vu rien ni personne d'aussi beau de ma vie. Si mon cœur s'était arrêté de battre à cet instant, je serais mort amoureux, heureux, je serais mort comblé, en ayant vu de la vie tout ce que j'avais envie d'en voir et tout ce que j'avais besoin d'en voir. Tomber amoureux. Laissez-moi tomber amoureux.

Lucinda a ouvert un petit frigo, en a sorti deux bières.

T'en veux une ?

Non merci.

Ça ne t'embête pas si j'en prends une ?

Fais comme tu veux.

Lucinda a ouvert une bière et la fille venue de l'Arctique a posé son livre et elles m'ont regardé toutes les deux tandis que je fouillais dans mes poches pour en tirer un petit sachet d'herbe. C'était de la bonne, la meilleure que j'avais pu trouver, meilleure que tout ce qui tournait dans la Fac. Verte, dense et odorante, un parfum si fort qu'on le percevait malgré le sachet en plastique transparent. Je l'ai lancé vers Lucinda.

Où c'est que tu l'as chopée ?

Elle a ouvert le sachet.

Un pote.

A respiré un grand coup.

Combien ?

L'a refermé.

T'en fais pas.

Hors de question.

Si.

Pourquoi ?

Je me sens d'humeur généreuse.

Merci.

Je te donnerai un numéro. Si tu en veux plus, appelle et dis-leur que tu es une amie à moi. Ils t'en fileront.

Merci.

Ne donne le numéro à personne. Je ne fais jamais ça d'habitude et ils ne veulent pas que des gens qu'ils ne connaissent pas les appellent.

OK.

Lucinda s'est levée du canapé, a attrapé quelques feuilles à rouler qui s'y trouvaient, les a posées sur ses genoux et a sorti une tête du sachet.

Tu veux fumer un joint avec nous ?

Je sentais qu'elle me regardait depuis la mezzanine. J'avais la trouille.

Je ne fume pas d'herbe.

Ah oui ?

Je me suis levé.

Oui.

J'ai ouvert la porte.

Salut.

Merci.

J'ai hoché la tête, j'ai fermé la porte, je l'ai regardée, elle me regardait, nos yeux se sont rencontrés, elle souriait et je savais que je n'étais pas le seul à être mal à l'aise, à avoir la trouille et les mains tremblantes. Je voulais tomber amoureux. Je voulais sacrément tomber amoureux. Je savais.

La nuit se retire, le Soleil se lève. Du rouge, du jaune et de l'orange se mêlent au bleu pâle, les doux cris aériens des oiseaux au petit matin se répercutent sur le miroir sombre du Lac, l'aube gazouillante repousse le froid rigoureux dans l'antre de la nuit. Je me lève et je rentre dans mon Service, la rosée sur l'herbe sèche me mouille les pieds malgré mes semelles, je les observe qui écrasent la perfection cristalline des gouttes matinales, encore une chose que je détruis, une chose que je ne peux préserver ou réparer, une belle chose ravagée par ma négligence. Je n'arrête pas. Je n'arrête pas de tout détruire, je ne change pas de chemin, j'avance sans me retourner. Cela me ferait trop mal de me retourner, alors je continue d'avancer.

J'ouvre la porte, je jette un œil à l'intérieur, tout est calme, personne n'est réveillé. Je marche jusqu'à ma Chambre, je vais dans la Salle de Bains, je me déshabille, j'entre dans la douche, j'ouvre le robinet d'eau chaude. Toujours les mêmes foutaises. L'eau me brûle et ma peau rougit et ça fait mal, ça fait mal, ça fait mal, et je reste là et j'encaisse parce que je l'ai mérité et parce que je sais rien faire d'autre. Ça fait mal et je l'ai mérité. Toujours les mêmes foutaises.

Je sors, je me sèche, je vais devant le miroir, j'essuie la buée, je me regarde. Le noir sous mes yeux devient plus clair. Le renflement autour de mon nez a disparu, mais la cassure est là et elle y restera. Mes lèvres ont dégonflé, et elles reprennent presque une allure normale. Les points de suture sont plus visibles. Ils sont vieux, noirs, pleins de croûtes, on dirait des fils barbelés, l'entaille s'est refermée et la plaie commence à cicatriser. Je retrousse ma lèvre inférieure pour observer les autres blessures, les autres points de suture. Ils sont noirs, ils s'entrelacent comme les croisillons d'une méchante clôture. Les entailles sont refermées, blanc brillant sur rouge clair. Il n'y a plus de sang, plus de pus, la plaie commence à cicatriser.

Je regarde plus haut. Je veux observer mes yeux. Je veux observer le vert pâle et voir ce qu'il y a en moi. Lorsque j'y suis presque, je détourne le regard. J'essaie de me forcer à recommencer, mais j'en suis incapable. Cela fait des années que je n'ai pas observé le fond de mes yeux. J'en ai eu l'envie, mais pas la force. J'ai essayé de me faire violence, mais je n'ai pas réussi. Je n'en ai pas la force maintenant et je ne sais pas si je l'aurai un jour. Je n'observerai peut-être jamais plus le vert pâle de mes yeux. Il y a des voyages dont on ne revient pas. Il y a des dégâts qui sont irréparables.

J'enroule une serviette autour de ma taille, je retourne dans la Chambre pour voir si quelqu'un s'est réveillé. Warren est assis dans son lit, le Petit Homme Chauve est assis dans son lit, ils bavardent. John dort encore, recroquevillé en position fœtale, les bras enroulés autour de son corps, il suce son pouce. Je m'avance vers Warren.

Bonjour.

Salut, James. Comment vas-tu ?

Ça va.

Tu as l'air crevé.

Pas beaucoup dormi.

Il hoche la tête.

Ça arrive.

Je me demandais si je pouvais t'emprunter quelque chose.

T'as besoin de quoi ?

Un couteau suisse ou des ciseaux à ongles ou un truc tranchant.

Pourquoi as-tu besoin d'un truc tranchant ?

Parce que.

Est-ce que tu veux te faire du mal ?

Je souris.

Si je voulais me faire du mal, j'utiliserais un truc qui fait un peu plus de dégâts qu'un couteau suisse ou qu'une paire de ciseaux à ongles.

Il me regarde, sourit.

Oui, sans doute.

Il se penche, ouvre son placard, en ressort une petite paire de ciseaux à ongles. Il me la tend.

Merci, Warren.

Je retourne dans la Salle de Bains. La buée s'est dissipée, le miroir est net. Je m'en approche et je regarde les points de suture autour de ma balafre. Ils sont noirs, pleins de croûtes, on dirait du fil barbelé. Je ne veux plus les voir. J'en ai marre d'avoir la tronche de Franken-stein. Si je les retire, la balafre sera plus moche, mais je me fous des cicatrices, une nouvelle cicatrice ne me fera pas de mal.

Je pose les ciseaux sur la faïence blanche du lavabo, j'ouvre le robinet d'eau chaude, j'attrape du papier toilette, je l'humecte et je commence à essuyer le sang séché sur les points de suture. Il faut les nettoyer avant de les retirer, il faut ôter les croûtes pour que le fil glisse mieux et n'élargisse pas les trous en les déchirant. J'ai déjà commis l'erreur de ne pas nettoyer correctement des points de suture et le résultat était plutôt répugnant, c'est pourquoi je prends mon temps cette fois-ci. J'humecte le papier, tamponne, recom-mence. Humecte, tamponne, recommence. Humecte, tamponne, recommence. Lorsque l'eau mouille les croûtes, elles fondent et deviennent du sang, le sang ruisselle sur mon menton et ma joue. Je le laisse couler parce que j'ai encore du travail.

Après avoir été tamponnés environ dix fois, les points de suture sont propres. Je prends les ciseaux, je les ouvre, je me coupe. Il y a douze points sur une balafre, ils se détachent aisément, sans aucun problème. Lorsqu'ils sont coupés, je les retire. Les petits trous restants sont propres, il y a un peu de sang. La cicatrice sera apparente, mais pas trop. Un petit arc de cercle sur le visage. Encore un rappel de la vie que je mène. J'ai encore du travail.

Je retrousse ma lèvre inférieure. Les entailles sont en mauvais état, les plaies ne cicatrisent pas aussi bien. La présence continuelle de salive, d'aliments, les mouvements de ma bouche et mon séjour dans le Cabinet du Dentiste ont empêché les points de suture de faire correctement leur travail. À ce stade, ils ne servent plus à rien. J'observe le point de suture qui est le plus près de la chair. Il est tout au fond de ma bouche, à la naissance de la gencive. Je tiens ma lèvre d'une main, utilisant l'autre pour fourrer les ciseaux au fond, en bas, je glisse la lame entre la chair et le fil et je referme les ciseaux, le fil se casse et je tressaille, un filet de sang s'écoule des petits points vides. Je répète consciencieusement la même opération avec les vingt-neuf autres points de suture dans ma bouche. Une fois que j'ai fini de les couper, je les arrache, le sang qui s'écoule des petits trous restants emplit ma bouche, et j'ouvre le robinet d'eau froide, j'en avale une gorgée, je la fais tourner dans ma bouche et je la recrache. L'évier est rose clair, j'ai le visage barbouillé de rouge, les fils sont posés sur la faïence et les ciseaux sont dans ma main. J'ai mal, mais pas trop.

La porte de la Salle de Bains s'ouvre, je me retourne, le Petit Homme Chauve entre et il me voit et il tombe à genoux et se met à hurler il se tue, il se tue et j'entends du raffut, la porte s'ouvre en grand et Warren se précipite dans la Salle de Bains.

Qu'est-ce que tu fabriques ?

J'enlève mes points de suture.

Warren s'approche de moi. Le Petit Homme Chauve rampe vers la cuvette.

Tu m'as dit que tu ne te ferais pas de mal.

Je ne m'en suis pas fait.

On dirait que si.

Tu aurais dû laisser le Docteur s'en occuper.

J'ai déjà fait ça, y a pas de quoi s'affoler.

Le Petit Homme Chauve se met à vomir. Warren se dirige vers lui, il s'agenouille. Je prends un peu de papier, je l'humecte, je m'éponge le visage. Je termine, je jette le papier ensanglanté dans la poubelle, je vais vers les W-C et je regarde le Petit Homme Chauve qui vomit. Même si, au fond de moi, j'ai envie de rire, je ne veux pas qu'il se sente encore plus mal par ma faute. Dès que ses haut-le-cœur lui laissent un peu de répit, je parle.

Je suis désolé.

Il lève les yeux vers moi, s'essuie le visage.

Je ne pensais pas que ça te ferait cet effet.

Tu es malade.

Je ne réponds pas.

Tu es malade, un vrai malade.

Je ne réponds pas parce qu'il a raison. Je suis malade, un vrai malade.

Je veux que tu t'en ailles.

Je ne pensais pas que ça te ferait cet effet.

Va-t'en.

Je tourne les talons, je sors de la Salle de Bains, je vais vers mon coin de la Chambre. John est debout et il roule de gros yeux.

Qu'est-ce qui s'est passé ?

Je commence à m'habiller.

J'étais en train de retirer mes points de suture, le Petit Homme Chauve est entré dans la Salle de Bains et il a vu le sang et il a cru que j'étais en train de faire une tentative de suicide, il a paniqué.

John sourit.

J'ai essayé de me suicider, une fois.

C'est horrible.

Ce n'était pas horrible, c'était marrant.

Ce n'est pas une chose marrante, le suicide, John.

Je m'étais pendu pour me masturber mais après avoir joui j'ai décidé de me laisser pendre pour de bon. Ma Mère est entrée, elle a hurlé.

C'est affreux.

C'était pas affreux, c'était marrant.

Ce n'est pas marrant, John.

Je finis de m'habiller, je laisse John à ses souvenirs et le Petit Homme Chauve dans les toilettes et Warren avec le Petit Homme Chauve et je me dirige vers le Placard où se trouvent les Produits d'entretien, je prends une serpillière, un seau, un flacon de produit nettoyant et des rouleaux de papier toilette et je marche vers les Toilettes Collectives. Je n'ai aucune envie de les nettoyer, mais je suis encore ici et tant que je serai ici j'assumerai mes responsabilités. J'irai prendre mes repas. Je me nourrirai. J'assisterai aux Conférences. J'accomplirai ma Tâche Quotidienne. Je ferai ce que je suis censé faire. Je ne boirai pas et je ne me droguerai pas. Il me reste quinze heures à tirer.

J'ouvre la porte des Toilettes Collectives, je pose le matériel. Il y a quelques taches sur les cuvettes, du papier par terre, mais à part ça, rien. Ça devrait se faire vite et bien.

Je commence à récurer les taches. Elles s'en vont facilement. Je jette les serviettes en papier usagées dans les W-C et je tire la chasse. Les serviettes s'engouffrent dans les tuyaux, les serviettes disparaissent dans les égouts. Ce sont mes amis. Ils auront ta peau, serviette.

Je brique les lavabos, les lavabos étincellent. Je passe la serpillière, le sol brille sous une fine couche d'eau et de savon. Je sors les poubelles, je les jette dans une plus grosse poubelle. Il y a une tonne de poubelles ici. Chaque jour davantage.

Je retourne dans les Toilettes. Je les examine. Elles me semblent propres, c'est fini. J'ai fini. J'attrape le seau et les serpillières, je remets le matériel à sa place et je me dirige vers le Réfectoire. Je fais la queue, je prends mon petit déjeuner, je trouve une table libre, je m'assieds et je me mets à manger. Cela fait maintenant deux semaines que je mange régulièrement. Trois repas par jour, chaque jour. Je sens que mon corps réagit favorablement à la nourriture. Je me sens plus fort. J'ai un peu plus d'énergie. Je prends du poids. Au bout de quelques heures j'ai faim. Je n'ai pas eu faim de nourriture depuis des lustres. J'ai eu faim d'autres choses, et j'ai satisfait ma faim impérieuse mais la nourriture passait toujours en dernier. Les êtres humains sont censés rechercher principalement de la nourriture, un abri, et un partenaire sexuel. Ces choses sont censées constituer les besoins primaires des êtres humains. J'ai vécu en me passant de tous, sans en chercher aucun. Je ne sais pas ce que ça m'a fait.

J'aperçois Leonard qui se dirige vers moi, je pose ma fourchette, il sourit et on dirait qu'il ne s'attendait pas à me voir ici, il me fait un signe de la main. Je lui fais un doigt et il me rit au nez en s'asseyant.

Ça me fait plaisir de voir que tu es toujours là.

Plus que quatorze heures à tirer.

Tu les comptes ?

D'un côté, oui.

De quel côté ?

Celui qui va te botter le cul si tu essaies de me mettre des bâtons dans les roues une nouvelle fois.

Il me faudrait bien autre chose que des coups de pied au cul pour que je ne te mette pas de bâtons dans les roues.

Et pourquoi ?

Parce que ça ne m'a jamais fait peur, les coups de pied au cul.

Et puis qu'est-ce que ça peut te faire ?

C'est mes oignons.

Comment ça.

Ça ne te regarde pas.

Tu essayes de me dominer, de me dire ce que j'ai le droit de faire ou pas et je crois que ça, ça me regarde.

Tu te trompes, Fiston. J'essaie simplement de t'aider.

Pourquoi ?

Leonard s'enfonce dans sa chaise.

On est copains ?

Non.

Il glousse.

Tu veux que je te raconte une histoire que je raconterais à un ami ?

Si ça m'explique pourquoi tu me fous pas la paix.

Il glousse à nouveau, me regarde un bon moment, parle.

J'ai grandi dans le Bronx, juste à côté d'Arthur Avenue, dans un quartier prolo de ritals. Mon Vieux gagnait sa croûte en tondant la pelouse et en cirant les pompes dans un Country Club à Westchester pour payer les factures, et ma Mère était femme au foyer, elle s'occupait de moi. On n'avait pas de blé, mais on s'aimait et on menait une vie agréable tous les trois. Quand j'ai eu onze ans, mon Vieux s'est fait écraser par une Bétonnière alors qu'il traversait la rue et il est mort. Ma Mère avait le cœur brisé, et deux mois plus tard elle s'est fait passer dessus par le Métro. La Police a dit que c'était un accident, qu'elle avait glissé ou quelque chose dans le genre, mais je n'étais pas dupe. Ma Mère était tout simplement incapable de vivre sans mon Père, alors elle l'a rejoint.

J'ai dû aller à l'Orphelinat, et c'était atroce. Tout le monde se fichait pas mal de moi là-bas. J'ai commencé à faire l'école buissonnière pour suivre un type de mon quartier partout où il allait. Il s'appelait Michelangelo mais on le connaissait surtout en tant que Mikey le Tarin. Mikey, c'était un dieu pour moi. Il se baladait en Cadillac, une belle pépée blonde à côté de lui, et se trimbalait avec de grosses liasses de biftons dans les poches. Il faisait de chouettes choses pour les gens du quartier qui étaient dans le besoin. Il payait leur loyer, leur filait des chapeaux, des manteaux, des gants pour l'hiver, il livrait de la nourriture à ceux qui avaient faim. Je savais qu'il faisait des sales coups mais j'étais trop jeune pour comprendre quel genre de conneries ça pouvait être.

Un jour, alors qu'il s'était arrêté, Michelangelo est sorti de sa voiture pour venir jusqu'à moi et il m'a demandé pourquoi je lui filais le train à longueur de journée. J'ai eu tellement peur que j'en ai perdu la langue. Il m'a reposé la question, cette fois il a ajouté qu'il ne voulait pas me faire de mal, mais juste savoir. Je lui ai répondu que j'avais envie de comprendre ce qu'il fabriquait et faire pareil pour ne plus avoir à vivre à l'Orphelinat. Il a éclaté de rire, m'a demandé mon nom, je le lui ai donné et il a dit c'est idiot de me suivre partout comme ça, si tu veux voir ce que je fabrique, viens donc faire un tour avec moi demain. Alors le lendemain, en guise de belle pépée blonde à côté de lui, c'était moi, et à partir de ce jour-là je n'ai plus fait que ça, des tours en voiture avec Michelangelo pour apprendre comment il gagnait sa vie.

Quelques mois plus tard, j'ai quitté l'Orphelinat et j'ai emménagé chez lui. Je ne crois pas que quelqu'un ait remarqué que j'étais parti. Un an plus tard, Michelangelo s'est marié avec une femme qui s'appelait Geena, c'était la femme la plus formidable que j'aie jamais connue. J'ai vécu avec eux comme si j'étais leur fils, mais je me disais que quand ils auraient des enfants, il faudrait que je parte. Il s'est avéré que Geena ne pouvait pas avoir d'Enfants, alors ils m'ont demandé si je voudrais bien rester avec eux pour toujours. J'ai dit oui, Michelangelo a fait jouer ses relations et Geena et lui m'ont adopté, et pendant le reste de mon enfance, ils m'ont traité comme si j'étais leur vrai Fils. Ils m'ont offert une vie, ils m'ont offert un foyer, ils m'ont offert un avenir, et ils m'ont offert leur amour. Ils m'ont donné des tonnes et des tonnes d'amour.

Leonard cesse de parler, baisse les yeux. J'attends qu'il reprenne, mais rien. Je parle.

C'est une histoire très touchante, Leonard, très douce et très tendre. Il lève les yeux vers moi.

Mais je ne suis pas ton Fiston, je ne suis pas orphelin et je ne veux

149

pas être ton putain de plan sur la comète. Tu comprends ce que je dis ?

Il sourit.

T'as besoin d'aide, Fiston ?

Trouve quelqu'un d'autre, Leonard.

T'aimes le foot ?

Trouve quelqu'un d'autre.

J'entends bien, je comprends bien, je change de sujet. T'aimes ça, le foot ?

Ouais.

C'est quoi, ton équipe ?

Les Cleveland Browns.

Vraiment ?

Ouais.

Pourquoi les Browns ?

Je suis né à Cleveland.

Il hoche la tête.

Ils jouent contre Pittsburgh, ça devrait être un beau match. Tu veux le regarder avec moi ?

Pas si ça fait partie de ton plan.

Non, non.

Alors peut-être.

T'as un truc de prévu ?

Non.

Alors viens le regarder avec moi.

On verra.

J'aperçois Lincoln qui traverse le Réfectoire. Il ne me quitte pas des yeux, il ne porte pas de plateau. Je soutiens son regard. Leonard me voit fixer quelque chose, il suit mes yeux.

Ça va encore chauffer.

Ça n'a jamais chauffé.

Lincoln arrive. Il regarde Leonard.

Ça ne vous dérange pas de nous laisser seuls une minute ?

Leonard me regarde.

C'est bon, Fiston ?

Ouais.

Il se lève, prend son plateau.

Je suis là si tu as besoin de quelque chose.

Il désigne la table d'à côté.

Je n'aurai besoin de rien, Leonard.

Leonard rit, se dirige vers la table d'à côté, s'assoit et observe ma table. La plupart des hommes du Réfectoire observent ma table. Lincoln tire une chaise et il s'assied.

Êtes-vous ami avec Leonard ?

Si on veut.

Vous savez des choses sur lui ?

Pas vraiment.

Ce n'est peut-être pas une très bonne idée que vous passiez trop de temps en sa compagnie.

C'est pour ça que vous êtes là ? Pour me dire avec qui j'ai le droit de passer du temps ou pas ?

Non.

Alors qu'est-ce que vous me voulez ?

Eric est venu me parler hier.

Qui c'est, Eric ?

Eric c'était l'ami de Roy. Il est parti hier juste après Roy.

Qu'est-ce qu'il avait à dire ?

Il m'a dit que Roy n'avait qu'une idée en tête, vous faire virer d'ici, qu'il lui semblait que Roy avait commencé à vous chercher des noises, qu'il avait vu Roy saloper les Toilettes Collectives après que vous les aviez nettoyées.

Intéressant.

C'est également ce que je me suis dit, et je vous dois des excuses. Roy était un Patient modèle et je ne sais pas comment il a pu faire une chose pareille, j'ai eu tort de penser qu'il disait la vérité et que vous mentiez. J'en suis désolé, et j'aimerais qu'on essaie de recommencer à zéro pour voir si on peut se comprendre un peu mieux.

Ça me convient.

Il se lève.

Compteurs à zéro, alors ?

Je me lève.

Bien sûr.

On se serre la main, il s'en va, je me rassieds devant mon petit déjeuner et comme je prends ma première bouchée, Leonard vient s'asseoir à ma table, il veut savoir ce qui s'est passé et je lui dis que ce n'était rien, il ne me croit pas, il commence à me taper sur les nerfs, je ne l'écoute plus, je finis mon repas. Une fois que j'ai terminé, je prends mon plateau, je le pose sur le tapis roulant et je rentre dans mon Service. Les hommes s'agglutinent au Rez-de-Chaussée autour de la télévision pour regarder l'émission d'avant match. Certains fument, d'autres boivent du café, certains semblent excités, d'autres semblent s'emmerder comme des rats morts. Quoi qu'ils fassent, quelle que soit leur attitude, ils observent les images sur l'écran. Les Dépendances ont besoin de carburant. Parfois il arrive que n'importe quoi, même de viles images sur un pauvre écran, fasse l'affaire. Du carburant. Il me reste treize heures et demie à tirer.

Je prends une tasse de café, je trouve une place sur un canapé, j'allume une cigarette et je regarde l'émission d'avant match. Je ne comprends pas vraiment ce que les hommes racontent sur le plateau et je crois qu'eux non plus, mais ils semblent penser que c'est important, alors je m'efforce d'écouter attentivement. Au bout de quelques minutes, je suis quasi catatonique. Je roule de gros yeux devant l'écran, je bois mon café. Je fume mes clopes. Je n'essaie même plus de piger les conneries que déblatèrent les mecs sur le petit écran.

Leonard arrive avec le Petit Homme Chauve et vocifère les affaires peuvent commencer, les hommes se mettent à placer des paris auprès de lui, le Petit Homme Chauve note les paris sur un petit bloc-notes, il empoche l'argent qu'il range dans un petit sac équipé d'une grande fermeture Éclair. Soudain, Lincoln traverse la Pièce et toutes les activités cessent. Lorsqu'il repart, ça recommence. Les hommes qui n'ont pas d'argent parient des cigarettes ou leur Tâche Quotidienne, l'un d'eux parie une paire de chaussons, un autre ses lunettes de soleil. Les Dépendances ont besoin de carburant. La télévision ne suffit pas.

Lorsque les matches commencent les hommes se disputent pour choisir celui que nous allons regarder et la dispute cesse quand Leonard déclare que nous regarderons le match Pittsburgh/Cleveland. Personne ne veut voir le match Pittsburgh/Cleveland, les protestations fusent, mais Leonard décrète que la décision est prise et tout le monde la ferme, on ne s'occupe plus que de l'écran.

Quand j'étais Petit, mon Père avait toujours des billets pour les matches des Browns. Il aurait pu les utiliser pour son boulot, mais il ne l'a jamais fait. Tous les dimanches d'automne, mon Frère, mon Père et moi revêtions nos pulls à l'effigie des Browns et nos casquettes à l'effigie des Browns et on prenait un Train de Banlieue qui nous menait de la Maison au centre-ville, puis on marchait de la gare jusqu'au Stade. Mon Papa nous tenait les mains pendant tout le trajet, mais comme il n'avait que deux places, je regardais le Match assis sur ses genoux. On beuglait et on hurlait et on poussait des hourras et on chantait des chansons lorsque les Browns gagnaient, on pleurait lorsqu'ils perdaient. Quand j'ai commencé à être trop grand pour qu'on me porte, on y allait chacun à notre tour mon Frère et moi. Une semaine lui, une semaine moi. Si mon Père était en déplacement, ma Mère nous y emmenait. Je les aimais. Qu'est-ce que je les aimais ces foutus Browns, lorsque j'étais petit. Et bien que je n'aie pas regardé de match de foot depuis une paye, au fond de moi je les aime encore. J'adorais ma Famille quand j'étais Petit, et bien que je ne les aie pas vus depuis une paye, le fond de moi qui aime encore les Browns, le fond de moi qui reste humain, le fond de moi qui se souvient de ce qu'est l'amour, ce fond de moi les aime encore eux aussi.

Je m'assieds, je regarde le match en silence, je revis les souvenirs des matches auxquels j'ai assisté avec ma Mère et mon Frère et mon Père. Autour de moi, les hommes crient et hurlent selon leurs paris. L'un d'eux râle parce qu'il doit se coltiner le match Cleveland/Pittsburgh et il traite Cleveland d'Erreur et il dit que c'est la Ville la plus merdique qu'il ait jamais vue, pleine des Gens les plus merdiques qu'il ait jamais eu la malchance de rencontrer, il n'arrête pas de la ramener en disant combien ça le fait chier d'avoir à se taper l'Équipe merdique de cette Ville merdique, etc., etc. Au bout d'une demi-heure les souvenirs et l'amour disparaissent et je me penche, je le dévisage jusqu'à ce qu'il se tourne vers moi et je lui dis que s'il ne ferme pas sa grande gueule, la seule erreur que l'on retiendra d'aujourd'hui sera le fait qu'il ait oublié de fermer son claque-merde. Au fond de moi j'aime encore. Mais vraiment très au fond.

C'est l'heure du déjeuner, la plupart des hommes vont au Réfectoire, ils prennent des sandwiches, les rapportent, continuent de regarder le foot à la télé. Alors que je m'apprête à les imiter, Ted vient me voir pour dire qu'un membre de l'Administration me cherche parce qu'on m'appelle à l'Accueil. Je lui demande s'il sait pourquoi, il répond qu'il n'en a pas la moindre idée.

Je me lève, je vais à l'Accueil, je donne mon nom à l'Hôtesse. Elle sourit, elle me dit que j'ai des Visiteurs, elle m'accompagne dans un petit Couloir jusqu'à une porte.

153

Ils sont là.

Qui, ils ?

Ils m'ont demandé de ne pas vous le dire.

Merci.

Elle s'en va, je regarde fixement la porte, je respire un bon coup. Je n'ai pas tellement hâte de revoir les Gens de mon passé. Ils ont rarement des choses gentilles à me dire, j'ai toujours fait un truc pour mériter leur mépris. Je respire un bon coup, j'ouvre la porte, j'entends des rires, les rires se taisent et j'entre dans la Pièce, mon Frère est assis autour d'une table avec un couple d'amis qui m'étaient chers et vivent à Minneapolis. Mon Frère se lève.

Quoi de neuf, mon Petit Père ?

Je souris.

Rien.

Il me prend dans ses bras, je le serre contre moi. Ça fait du bien.

Qu'est-ce que vous faites ici ?

On relâche notre étreinte.

C'est le Jour des Visites. Je n'aurais manqué le Jour des Visites pour rien au monde.

Je me tourne vers mes amis. Ils s'appellent Julie et Kirk.

Qu'est-ce que vous faites ici ?

Julie sourit.

On n'aurait manqué le Jour des Visites pour rien au monde.

Je souris.

Merci.

Kirk se lève, il me prend dans ses bras, Julie fait de même puis nous relâchons notre étreinte. De nombreux cadeaux sont posés sur la table. Mon Frère me les désigne du doigt.

Il est temps que tu ouvres tes cadeaux.

Je m'assois.

C'est toi qui m'as ramené tout ça ?

J'en ai fait quelques-uns, ils en ont fait quelques-uns.

Je regarde Julie et Kirk.

Je croyais que vous ne vouliez plus me parler après la dernière fois.

Kirk rit.

On fait tous des trucs débiles quand on est défoncé. N'en parlons plus.

Merci.

Il pousse une boîte dans ma direction.

Ouvre-la, maintenant.

La boîte est bien empaquetée. Le papier est magnifique, brillant et coloré, il est enrubanné et porte une carte sur laquelle est inscrit Bon Rétablissement. J'ouvre le paquet doucement, précautionneusement, j'aimerais presque ne pas avoir à l'ouvrir. Ce serait chouette de le trimbaler comme ça partout avec moi.

Sous le papier se trouve une boîte en carton. J'ouvre la boîte, à l'intérieur il y a trois petits paquets cadeaux. Je les retire, je regarde Kirk et Julie.

Il ne fallait pas.

Julie sourit.

Ça nous fait plaisir.

Je souris, je prends les paquets, je me mets à les ouvrir, je dois me retenir pour ne pas pleurer. Je ne mérite pas tant de gentillesse. Je ne mérite pas ça.

À l'intérieur des boîtes il y a une paire de pantoufles en laine, deux cartouches de cigarettes, une boîte de chocolat. Je regarde Julie et Kirk et je les remercie, la voix chevrotante, ils sourient, mon Frère pousse ses boîtes vers moi, elles ne sont pas aussi joliment empaquetées mais elles aussi elles sont belles.

Je les ouvre, il y a deux treillis, deux paires de chaussettes en laine, deux T-shirts blancs, deux caleçons, un pull noir en laine, un pyjama, une casquette noire à l'effigie des Cleveland Browns. Il y a une brosse à dents et du dentifrice et du shampoing et du savon et un tube de crème à raser et un rasoir. Il y a des livres.

Je regarde tous mes cadeaux, j'essaie de parler, mais j'en suis incapable. Je lève les yeux vers mon Frère. Il sourit.

Ça te plaît ?

Ouais.

T'as besoin d'autre chose ?

Non, c'est génial.

Je me lève, je vais vers mon Frère, je me penche, je le prends dans mes bras, je lui murmure merci à l'oreille et je fais pareil avec Julie et Kirk, puis je rassemble mes affaires et je me dirige vers la porte.

Vous voulez que je vous fasse visiter ?

Ils se lèvent. Mon Frère parle.

Formidable.

Ils me suivent, nous sortons dans le labyrinthe de Couloirs étincelants, lumineux, propres, inconfortables, Julie me dit qu'elle est déjà venue ici car une de ses meilleures amies y a séjourné il y a environ deux ans. C'était une sale époque, son amie était dans un sale état, mais elle s'est remise et elle va bien mieux aujourd'hui. Les souvenirs sont doux-amers.

Nous traversons le Service, je passe dans ma Chambre pour ranger mes affaires, mon Frère et Julie et Kirk m'attendent à l'Étage. Lorsque j'entre dans la Pièce, elle est vide. Je vais dans mon coin, je dépose mes affaires sur le lit, je m'assois sur mon lit et je les observe. Ce sont des trucs simples. Nécessaires pour la plupart des gens. Des vêtements, des objets de toilette. De la nourriture. Des livres pour me changer les idées. Des trucs simples. Je les touche et je les tiens et je les caresse. Ce sont les trucs les plus chouettes qu'on m'ait offerts depuis une éternité.

Je sais que mon Frère et Julie et Kirk m'attendent et je quitte la Chambre. Je monte à l'Étage, mais lorsque j'arrive, mon Frère et Julie et Kirk n'y sont pas. Ed et Ted jouent aux cartes autour d'une table en buvant du café et en fumant des cigarettes, je leur demande s'ils savent où ils sont passés, j'espère j'espère j'espère qu'ils n'ont pas changé d'avis et qu'ils ne sont pas partis, Ted me dit qu'ils sont allés regarder le foot, je regarde par-dessus la balustrade et je les aperçois assis sur les canapés avec Leonard et les autres, ils regardent la fin du match Cleveland/Pittsburgh. Je descends, je m'assieds par terre en face des canapés et je regarde le match avec eux, Cleveland gagne et les Gagnants empochent leur butin, les Perdants râlent et pleurnichent et augmentent la mise pour le pari suivant. L'homme qui a parié ses pantoufles les a perdues. Maintenant il veut parier son pull.

Julie en a marre de regarder le football, elle nous propose de faire une promenade. Tout le monde est d'accord, je vais chercher la veste de Hank et ma nouvelle casquette, je les mets, nous sortons, il fait beau, le soleil brille et l'air est vif et le sol mouillé, par cette saison on ne peut rêver d'une plus belle journée dans le Minnesota. La Clinique est bâtie sur un terrain de plusieurs milliers d'hectares. À part les Pavillons, qui sont reliés les uns aux autres et s'étendent sur environ trois hectares, le reste des Terres est dévolu à la marche et à la méditation et aux longues promenades en solitaire. Il y a des Sentiers qui traversent des Clairières, des bancs dans les Clairières. Il y a des étendues de forêt boisée, deux petits Lacs, plusieurs grands Pâturages à luzerne, des Marais avec une Passerelle. Comme Julie connaît les Sentiers grâce à ses visites antérieures, elle ouvre le passage. On ne parle quasiment pas sauf pour commenter le paysage. Les feuilles et les brindilles craquent sous nos pieds. Le Soleil est chaud et lumineux et brillant, le Ciel bleu bleu bleu. Les animaux et les oiseaux pépient et hurlent et jouent, ils fouinent dans les buissons à la recherche de nourriture. Une brise légère rafraîchit l'air, une autre le réchauffe. La Terre est endormie et restera ensommeillée jusqu'à la fin de l'hiver, mais elle remue et elle bouge. Nous croisons d'autres Malades et nous rencontrons d'autres Visiteurs, généralement nous échangeons un signe de tête mais rien de plus. La Terre montre des signes de vie, tout le monde veut s'en imprégner, les apprécier, se les rappeler. La Vie. Se rappeler de montrer des signes de Vie.

Notre promenade dure plus d'une heure, calme et tranquille, et s'achève derrière le Secteur Médical. Comme nous sortons du bois épais, nous sommes accueillis par des hurlements, de longs hurlements stridents. Mon Frère et Julie et Kirk scrutent les sombres fenêtres équipées de barreaux, mon Frère me demande ce qui se passe à l'intérieur, pourquoi ces gens hurlent. Je lui dis que c'est le prix à payer quand on fait certains trucs, j'augmente mon allure pour que nous ne les entendions plus, mais malgré cela les hurlements continuent de résonner dans nos têtes.

Nous nous dirigeons vers l'entrée du Pavillon principal, et Julie propose que nous nous asseyions sur les bancs, les mêmes bancs que j'occupais plus tôt. Comme nous nous approchons, Lilly se lève, accompagnée d'une Vieille Dame menue et frêle. Elle prend la main de la Vieille dame et elles se dirigent vers nous. Lilly me sourit.

Salut, James.

Salut, Lilly.

Voici ma Grand-Mère.

Je souris à sa Grand-Mère, qui a de longs cheveux blancs et les mêmes yeux bleus que Lilly.

Bonjour.

Elle me sourit. Un bon sourire.

Bonjour, James.

Je désigne mon Frère et Julie et Kirk.

C'est mon Frère Bob, et mes amis Julie et Kirk. Voici Lilly et sa Grand-Mère.

Lilly sourit.

Bonjour.

Bob et Julie et Kirk sourient, disent bonjour. La Grand-Mère de Lilly parle.

Qu'est-ce que vous vous êtes fait au visage ?

Je me suis fait mal.

Tout seul ?

On peut dire ça.

Pourquoi vous êtes-vous fait ça ?

Je ne l'ai pas fait exprès. C'est le prix à payer quand on fait certains trucs.

Sa Grand-Mère sourit, elle me caresse gentiment le visage avec sa main libre.

J'espère que vous ne ferez plus ce genre de trucs, James.

Je souris, savourant la chaleur de sa main.

On verra.

Elle acquiesce. Ses yeux et sa main comprennent le sens de mes mots, ont déjà vu, connu ce type de dégâts. Il n'y a ni jugement ni condescendance. Que de l'espoir.

Je suis très heureuse de vous avoir rencontré.

Moi aussi.

Elle regarde Lilly et elle sourit.

Allons-y, ma Chérie.

Lilly me regarde et elle parle doucement.

Au revoir.

Je lui rends son regard, parle sur le même ton.

Au revoir.

Elle regarde Bob et Julie et Kirk.

Enchantée de vous avoir rencontrés.

Bob et Julie et Kirk parlent en même temps.

Nous aussi.

Lilly et sa Grand-Mère s'en vont, je les observe, elles se tiennent la main et se dirigent vers les Pavillons. Pas de jugement, pas de condescendance, que de l'espoir. Lorsqu'elles sont hors de portée, Julie me donne une bourrade, taquine.

Qui c'était ?

C'était Lilly.

Je sais bien, mais qui c'est ?

Une fille qui est hospitalisée ici et qui se promenait avec sa Grand-Mère.

Julie me donne une nouvelle bourrade.

Arrête.

Je ris.

Je l'ai rencontrée le jour où je suis arrivé. Je ne la connais pas trop.

Tu lui plais.

Je me dirige vers le banc du milieu, m'assois.

Enfin bon.

Bob et Julie et Kirk me suivent, ils s'assoient.

Kirk parle.

Tu as eu des nouvelles de..

Je lui coupe la parole.

Non, et je n'en aurai pas.

Julie parle.

Ça s'est si mal passé que ça ?

Oui, très mal.

Bob sort une cigarette, m'en propose une.

Une clope ?

Je la prends, l'allume. La nicotine me fait du bien.

Petit Père ?

J'ai les yeux dans le vague, vers le Lac.

Je ne t'ai pas encore vraiment posé la question, mais ça va ?

J'ai les yeux dans le vague, vers le Lac.

Je n'en sais rien.

Silence gêné. Je ne les regarde pas, mais je sais que Bob et Julie et Kirk se jettent des coups d'œil. Julie parle.

Tu te sens bien ?

J'en sais rien.

Kirk parle.

Tu te sens mieux ?

J'en sais rien.

Mon Frère m'envoie un coup de poing dans l'épaule, pour blaguer.

Eh, Petit Père, qu'est-ce tu fous. Il faut que tu nous parles.

Je me tourne vers lui.

Je ne sais pas quoi dire.

Qu'est-ce que tu vas faire ?

J'en sais rien.

Julie parle.

Il faut que tu te rétablisses.

Je ne sais pas si j'en suis capable.

159

Bob parle.

Pourquoi ?

Parce que j'ai la tête à l'envers, je me suis salement bousillé. Je ne sais pas ce qui s'est passé ni comment je me suis débrouillé pour finir comme ça, mais c'est comme ça, j'ai des putains de problèmes énormes et je ne sais pas si je peux les arranger. Je ne sais pas si je peux m'arranger.

Julie parle.

Tout peut s'arranger.

C'est facile à dire, mais difficile à faire.

Mon amie a réussi.

Je ne suis pas ton amie.

Bob parle.

Faut essayer, Petit Père.

On verra.

Non, non, on verra pas. Faut essayer, putain.

J'ai les yeux dans le vague, vers le Lac. Je respire à fond.

Je ne veux plus parler de ça.

Silence gêné. Je ne les regarde pas, mais je sais que Bob et Julie et Kirk se jettent des coups d'œil, je sais qu'ils se demandent comment s'y prendre. Bob parle.

Tu as parlé à Maman et Papa ?

Je ris.

Je ne veux pas non plus parler de ça.

Rends-moi service, veux-tu, file-leur un coup de fil.

Où est-ce qu'ils sont ?

Dans la Maison du Michigan. Ils rentrent à Tokyo demain.

Très bien.

Julie parle.

Tu as parlé à quelqu'un d'autre ?

Anna, Lucinda et Amy.

Comment vont-elles ?

Ça va, je crois. Elles sont contentes que je sois ici.

Il y a plein de gens qui sont contents que tu sois ici.

Ça m'étonnerait.

Kirk parle.

On a reçu plein de coups de téléphone d'Amis qui voulaient avoir de tes nouvelles.

Qui ?

160

On a fait une liste.

Kirk regarde Julie. Julie tire une feuille de son sac à main, elle me la tend. Je la glisse dans ma poche. Julie parle.

Tu ne veux pas la regarder ?

Tout à l'heure. Je ne veux pas perdre le peu de temps qu'on peut passer ensemble à lire une putain de liste.

Elle rit, regarde sa montre.

Il commence à se faire tard.

Quelle heure est-il ?

15 h 15.

Quand se terminent les visites ?

Bob parle.

À 16 heures.

Je glousse.

Quoi ?

J'ai plus que cinq heures et demie à tirer.

Kirk parle.

Comment ça ?

Rien.

Je me lève.

Rentrons.

Ils se lèvent, on marche vers mon Service, mon Frère passe le bras autour de mes épaules et il me dit qu'il est fier de moi, je ris, il le répète, je le remercie et on rentre, je leur montre ma Chambre, leur présente Warren, qui lit un polar au lit. Julie a besoin d'aller aux toilettes alors je lui indique où se trouvent les Toilettes Collectives, elle s'y rend. Bob et Kirk et moi retournons à la Salle télé, où nous sommes convenus de retrouver Julie. On trouve un canapé libre, on s'assoit, on regarde le foot. Je fume une cigarette. Il me reste cinq heures et quinze minutes à tirer. Julie revient, elle tient une carte de visite à la main. Elle s'assied et me la tend et me demande si je connais ce mec. J'y jette un coup d'œil. Il y a écrit John Everett, Le Ninja du Sexe, San Francisco et le Monde.

Je lui rends la carte, je lui demande s'il l'a mise mal à l'aise ou s'il a fait quoi que ce soit de scandaleux et elle rit.

Il semblait très nerveux, il m'a maté le cul pendant tout le temps. C'était bizarre, plutôt rigolo.

Kirk prend la carte, il la lit, il éclate de rire, il la tend à Bob qui la lit et rit. Kirk me demande si je connais ce Ninja, je lui dis que c'est un des mecs avec qui je partage ma Chambre et Kirk hurle de rire, il arrache la carte des mains de Bob, y jette un nouveau coup d'œil et rit de plus belle. Il me demande si je peux lui présenter le Ninja et je lui dis peut-être, une autre fois, Julie jette un coup d'œil sur sa montre et dit il est temps qu'on y aille alors nous reprenons le labyrinthe de Couloirs lumineux et inconfortables, nous nous retrouvons devant l'Entrée Principale et je sors pour leur dire au revoir.

Merci d'être venus. Ça me touche beaucoup.

Julie parle.

On se faisait du souci pour toi.

Je ne veux pas que vous vous fassiez de souci.

Kirk parle.

On ne peut pas faire autrement.

Vous avez tort.

Bob parle.

On veut juste que tu te rétablisses, Petit Père.

Je sais bien.

Cette clinique, c'est la seule solution.

Il y en a d'autres.

Lesquelles ?

Tu sais très bien ce que je veux dire.

Bob pose sa main sur mon épaule, me regarde droit dans les yeux.

Rétablis-toi. S'il te plaît rétablis-toi.

Il se met à pleurer, et de le voir pleurer comme ça me donne envie de pleurer, et je ne supporte pas ça. Il fait un pas en avant, enroule ses bras autour de moi et il me serre, je le serre et ça fait du bien, c'est fort, c'est pur, c'est vrai. C'est mon Frère, mon Sang, la seule chose au Monde créée comme j'ai été créé, la Personne qui me connaît le mieux au Monde, celle à qui je manquerais le plus si je partais. Qu'il m'aime assez pour être venu et qu'il m'aime assez pour manquer de pleurer en face de moi compte beaucoup pour moi, mais au bout du compte ça ne compte pas tant que ça.

On relâche notre étreinte, il me repousse en me donnant une bourrade, à la façon dont les Frères se donnent des bourrades.

Je ne veux pas que tu meures, espèce de Petit Con.

Je lui rends sa bourrade.

Je t'entends. N'en parlons plus.

Il hoche la tête, il me connaît assez pour savoir qu'il n'obtiendra

162

rien de plus. Je serre Julie et Kirk, je les remercie pour les cadeaux et leur visite, ils me disent qu'ils reviendront la semaine prochaine, ils me disent que si j'ai besoin de quelque chose il faut que je les appelle et je les remercie encore. Ils se dirigent vers leur voiture. Je rentre. Je prends les Couloirs lumineux et inconfortables. Je rentre dans mon Service.

J'arrive, tous les hommes se sont assemblés au Rez-de-Chaussée. Leonard est debout sur un canapé et le Petit Homme Chauve se tient à ses côtés, il agite les bras, ils tentent de calmer les hommes autour d'eux. Leonard m'aperçoit, il sourit, jette un coup d'œil sur sa montre et me désigne du doigt.

J'ai cru que tu étais parti. Il te reste quatre heures à tirer.

Je ris.

Viens ici, Fiston, joins-toi à la fête.

Je m'approche, je trouve une place contre un mur, à l'écart des hommes, Leonard et le Petit Homme Chauve parviennent à les calmer. Le Petit Homme Chauve cesse d'agiter les bras, Leonard prend sa respiration et regarde les mecs en bas.

Eh bien, j'ai passé une sacrée belle journée.

Rires.

J'ai vu un superbe match de foot, j'ai gagné la majeure partie de mes paris et empoché la majeure partie de votre argent, et j'ai triomphé personnellement d'une situation qui me faisait redouter la défaite.

Nouveaux rires, quelques huées. Leonard rigole.

Je comprends vos huées, mais je vais transformer votre détresse et votre indigence en joie. J'aime partager mes richesses et fêter mes victoires, alors après m'en être référé aux Autorités compétentes, j'ai appelé Sam le Cajun à Minneapolis et j'ai demandé qu'on nous livre un banquet. Ce soir nous mangeons à la maison.

Les hommes poussent des hourras.

La nourriture arrivera aux alentours de 18 heures. Si vous n'aimez pas le *turducken*[1], le *jambalaya*[2], les *po'boys*[3], alors éclatez-vous bien à la Cafèt.

Les hommes poussent de nouveaux cris de joie.

---

1. De *turkey* (dinde), *duck* (canard) et *chicken* (poulet). Plat de banquet cajun. Poulet cuit dans un canard, lui-même cuit dans une dinde. (Toutes les notes sont de la traductrice.)
2. Classique de la cuisine créole.
3. *Poor boy* : pauv' gars : sandwich au beurre et à la viande.

Je vais faire une petite sieste avant le festin. Je vous revoie à 18 heures.

Leonard descend, les hommes le remercient, lui posent des questions, il va vers sa chambre, ils le suivent. Je me dirige vers la Cabine téléphonique, je m'assieds sur une chaise métallique glacée, je ferme la porte, je sors de ma poche la liste que Julie et Kirk m'ont remise et je la lis. Je suis étonné qu'une telle liste existe, que des gens aient appelé pour prendre de mes nouvelles. Je suis étonné de voir les noms qui figurent sur le papier.

Je prends le téléphone, je me mets à passer des coups de fil en PCV. Adrienne n'est pas chez elle, Eben n'est pas chez elle, Jody n'est pas chez elle, quelqu'un chez Matt refuse mon appel. Je parle à Kevin et je parle à Andy. Ils me disent qu'ils étaient avec moi la nuit de mon accident, ils me disent que j'étais dans un état lamentable. Kevin me dit qu'il ne se souvient pas de tout parce qu'il a eu un trou noir, mais il se rappelle qu'il était avec moi. Il me dit qu'il veut venir me voir, je lui dis que ce serait chouette s'il pouvait le faire, je le remercie. Andy me raconte qu'il m'a trouvé dans les pommes et en sang et qu'il m'a collé dans une voiture pour m'emmener à l'Hôpital. Il a supplié le Médecin de ne pas appeler la Police, il a supplié le Médecin de me mettre dans un avion. Il a appelé mes Parents, m'a emmené à l'Aéroport, m'a fait monter à bord de l'Avion. Je le remercie, je lui dis que si jamais je m'en sors ce sera en partie grâce à lui. Il me dit que c'est rien et il me dit que s'il le fallait il recommencerait, mais qu'il espère qu'il ne faudra plus jamais. Je lui demande s'il sait ce que j'avais pris ou ce que je foutais dans l'Ohio, il me dit qu'il a trouvé une pipe à crack dans ma poche et qu'il a aperçu un tube de colle ensanglanté à quelques mètres de moi, mais à part ça il ne sait pas. Il a entendu dire que je m'étais pointé à 10 heures du mat et que j'étais bourré, je racontais n'importe quoi et j'ai disparu toute la journée. Lorsqu'il m'a revu, je gisais à terre. Je le remercie encore une fois. On se dit au revoir. On raccroche.

J'appelle mes Parents. Ma Mère répond, elle accepte l'appel.

James.

Elle a l'air hystérique.

Salut, Maman.

Je te passe ton Père.

Elle s'écarte du combiné, appelle mon Père. Il décroche.

Comment vas-tu, James ?

Ça va, Papa.

Tout se passe bien ?

Ça va.

Ma Mère parle.

Tu vas mieux ?

J'en sais rien.

Tu te sens mieux ?

J'en sais rien.

Tu apprends des choses ?

J'en sais rien.

Elle soupire, un soupir de frustration. Mon Père parle.

James.

Ouais.

Ta Mère et moi avons parlé aux Psychologues, on veut venir te voir.

Non.

Pourquoi ?

Parce que je ne veux pas vous voir ici.

Pourquoi ?

C'est comme ça.

Ma Mère parle.

Ils ont parlé d'un Programme Familial, on pourrait venir passer trois jours, ils nous informeraient sur ta maladie et sur la façon dont on peut t'aider à la vaincre. On aimerait bien venir.

Ma maladie ?

L'Alcoolisme et la Toxicomanie sont une maladie, James.

Qui t'a dit ça ?

C'est dans tous les livres.

C'est ça. Dans les livres.

Il y a un malaise. Mon Père parle.

Nous aimerions vraiment suivre cette Cure, James. Nous pensons que ce serait vraiment bien, pour nous tous.

Je ne veux pas vous voir ici, si vous venez, ça va vraiment me foutre les boules.

Ma Mère parle.

S'il te plaît peux-tu nous épargner tes grossièretés.

Je vais essayer.

Nouveau malaise. Je parle.

165

Rentrez à Tokyo. Je vous appellerai la semaine prochaine pour vous dire comment ça va.

Mon Père parle.

Nous nous faisons du souci pour toi, James.

J'entends ma Mère qui se met à pleurer.

Je sais.

Nous voudrions vraiment venir te voir.

Pleurs.

Faites comme vous voulez, mais ne comptez pas sur moi pour participer si vous venez.

Tu as besoin de quelque chose ?

Pleurs.

Il faut que j'y aille.

On t'aime, James.

Je sais.

Ma Mère parle.

Je t'aime, James.

Elle a des sanglots dans la voix.

Je sais, Maman.

Mon Père parle.

Donne-nous un coup de fil s'il y a quoi que ce soit qu'on puisse faire pour toi.

Faut que j'y aille, Papa.

S'il te plaît, repense à cette histoire de Programme Familial.

Salut, Papa.

Salut, James.

Ma Mère sanglote.

Salut, Maman.

Ma Mère sanglote.

On t'aime.

Faut que j'y aille.

Je raccroche, je respire profondément, je fixe les yeux par terre. Ma Mère et mon Père se trouvent dans une Maison dans le Michigan que je n'ai jamais vue, ma Mère est en pleurs, mon Père tente de la consoler, ils ont le cœur brisé et veulent venir me voir, ils veulent essayer de m'aider mais je ne veux pas les voir ici et je ne veux pas de leur aide. Ma Mère pleure parce que son Fils est Alcoolique et Toxicomane et Délinquant. Mon Père tente de la consoler. Je leur ai brisé le cœur. Je fixe les yeux par terre.

Je rentre dans ma Chambre, je m'assieds sur le lit. John est dans son coin, lorsqu'il me voit il se lève et vient vers moi.

Je suis désolé d'avoir donné ma carte à ton amie.

Je ne t'en veux pas.

C'est pas grave si tu m'en veux.

On a trouvé ça rigolo.

J'ai trouvé un moyen de tout arranger.

Je ne t'en veux pas.

Laisse-moi tout arranger.

Il n'y a rien à arranger.

S'il te plaît.

Il s'assied au bord de mon lit, me lance un regard grave.

Quel âge as-tu ?

Vingt-trois ans.

Que tu es jeune.

Je ricane.

Qu'est-ce que tu me proposes, John ?

Il fouille dans sa poche, en sort une photo, me la tend. C'est la photo d'une belle jeune Fille en bikini.

Qu'est-ce que c'est ?

Ma fille.

Elle est belle, mais je ne veux pas de photo de ta Fille.

Ce n'est pas la question.

Qu'est-ce que c'est, alors ?

Je veux te donner ma fille. Tu peux faire tout ce que tu veux avec elle.

Bon sang, John.

Je lui rends la photo.

Elle ne te plaît pas ?

Tu ne peux pas me donner ta Fille, putain.

Elle vit aux crochets de ma Famille, qui lui paie tout ce dont elle a envie, et sa Mère aussi.

Et alors.

Elle fera tout ce que je veux qu'elle fasse.

Casse-toi, John.

Elle fera tout, je te dis.

Alors dis-lui d'aller à l'École, de ne pas toucher à la came et de ne pas s'approcher de ta putain de gueule.

C'est un bon conseil.

Casse-toi, John.

Je suis désolé.

Ne sois pas désolé, John. Casse-toi, c'est tout.

Il se lève.

OK.

Il se dirige vers son coin de la Chambre, il monte sur son lit, s'enfouit sous les couvertures et je l'entends qui se maudit. C'est un pauvre malade, un pathétique Connard, mais pourtant ç'a été un petit Garçon innocent, comme tout le monde. Un petit Garçon avec un avenir, un petit Garçon avec la vie entière devant lui. Son Père était riche et puissant, et un jour, un putain de sale jour horrible, son Père a décidé d'abuser de lui. J'imagine le petit John, seul dans sa chambre avec une armée de soldats de plomb ou une boîte de Lego ou un jeu de cartes, et j'imagine son Père qui entre puis referme la porte et annonce à John qu'il voudrait passer un petit moment d'intimité avec lui. Après, j'imagine John qui rampe vers son lit et s'enfouit sous les couvertures et se maudit.

Je m'assieds, j'écoute John qui pleure, j'aimerais pouvoir faire quelque chose pour l'aider. Je m'assieds, j'écoute John, j'aimerais pouvoir faire quelque chose pour qu'il aille mieux. Il n'y a pas d'espoir pour John, plus aucun espoir. Il pourrait faire cinq cents Cliniques et passer dix ans de sa vie à suivre les Douze Étapes, ça ne bougerait pas d'un poil. Il a été tellement brisé qu'il ne pourra jamais recoller les morceaux, tellement blessé qu'il ne pourra jamais cicatriser, tellement maltraité qu'il ne pourra s'en remettre. Il ne connaîtra jamais le bonheur ou la joie, la sécurité ou la normalité. Il ne connaîtra jamais le plaisir, la satisfaction, la sérénité, la clarté, la paix de l'esprit ni aucune espèce de stabilité mentale. Il ne connaîtra jamais la confiance ou l'amour. Pauvre malade, pathétique Connard. Tu ne connaîtras jamais tout ça. Je suis désolé.

J'entends des voix, il y a du raffut derrière la porte de la Chambre, c'est l'heure du dîner. Je vais vers le coin de John, je m'assois sur une chaise près de son lit. Il est toujours sous les couvertures, toujours en train de marmonner et de se maudire, toujours en train de se donner des coups de pied et des coups de poing.

John ?

Il arrête, reste immobile.

John ?

Immobile.

Faut arrêter.
Impossible d'arrêter.
Douleur.
Caniveau.
Curé.
Merde à Dieu.
Elle.
Merde à elle.
Pipe.
Lampe à souder.
Bouteille.
Impossible d'arrêter.
Douleur.
Encaisser.
Rage.
Rage meurtrière.
Incontrôlable.
Rage.
Péchés impardonnables.
Endroits dont on ne revient pas.
Dégâts irréparables.
Pleurer.
Se battre
Maman.
Papa.
Frère.
Pleurer.
Se battre.
Vivre.
Lampe à souder.
Pipe.
Bouteille.
Nausée.
Nausée.
Nausée.
Se rétablir.
Impossible.
Rester.
Impossible.

Merde à Dieu.

Merde à elle.

Merde à vous.

Rester.

Vivre.

Se battre.

Pleurer.

Décision.

Décision.

Décision.

Prendre.

Encaisser.

Encaisser.

Décision.

Les flots sont lucides et clairs et ils courent et s'en vont et ils courent et s'en vont et ils courent et se croisent et se perdent se vident s'oublient et soudain il y a quelque chose quelque chose quelque chose que je connais à peine le calme parfait. Lucidité. Sérénité. Paix. Mes besoins ont disparu. Mon cœur bat lentement, régulièrement. Tout ce que je sais tout ce que je suis tout ce que j'ai vu ressenti fait par le passé aujourd'hui par le passé aujourd'hui jadis avant maintenant vu senti fait saccagé éprouvé se concentre sur une chose qui transcende les mots elle les transcende les transcende et soudain elle me parle et elle me dit.

Reste.

Bas-toi.

Vis.

Encaisse.

Pleure.

Pleure.

Pleure.

La nausée me tire du sommeil, me sort du lit, me jette devant mon meilleur ami et mon pire ennemi, me jette devant la faïence. Elle se vide, se déverse, me fait mal, ne me lâche pas.

Je vais sous la douche, j'ouvre le robinet d'eau chaude, j'ôte les traces de nausée de mon visage et de mon corps. Ça s'engouffre dans le tuyau d'écoulement, je le piétine, je fais disparaître les preuves. Ça me rend malade d'être malade. Je veux qu'elles disparaissent. Je veux les piétiner.

Je me brosse les dents. Les nouvelles sont rigoureusement à l'identique des anciennes. Je les aime, je suis très heureux de les avoir.

Une cicatrice blanche se forme sur le trou dans ma joue. Encore un rappel de la vie que je mène.

Je ne me préoccupe même pas de mes yeux.

Je vais m'habiller, je fais le café, je m'en verse une tasse et je la bois. Il est fort, j'ai à nouveau la nausée, alors je reprends une douche et je me rebrosse les dents. Je n'essaie rien avec les yeux.

Je me change, j'avale une nouvelle tasse de café, je vais prendre mon petit déjeuner, je choisis des flocons d'avoine et je les couvre de sucre. Je m'assieds à table avec Leonard et Ed et Ted et un petit Black maigrichon.

J'ai déjà vu ce Noir, mais je ne sais plus où. Leonard parle.

Comment ça va, Fiston ?

Ça va.

Il désigne le Black.

Matty, voici James. James, Matty.

On se serre la main par-dessus la table. Je dis enchanté. Il dit enchanté de te rencontrer, Enfoiré. Je le regarde plus attentivement. Je parle.

Je t'ai déjà vu quelque part.

Il parle. Il a une voix haut perchée, il parle très rapidement.

Et où tu m'aurais vu, putain ?

Je ne sais pas trop. Où est-ce que tu habites ?

À Minneapolis.

C'est pas ça. C'est quoi ton nom de famille ?

Je croyais qu'on te demandait pas ton blase dans cette putain de Clinique de merde.

Ça fait tilt. Je sais où je l'ai vu.

Ton nom de famille, c'est Jackson.

Comment que tu sais ça, bordel à queues ?

Je te voyais tout le temps à la télé. Tu étais le Champion du Monde des Poids Plume.

Il sourit.

Un peu que je l'étais, putain.

Je souris.

Et personne ne voulait t'interviewer parce que tu jures comme un charretier.

Un peu que personne voulait, putain. Bande d'Enculés de Fils de Chienne qui bossent pour cette Pute de télé de merde.

Tout le monde rit, les assiettes du petit déjeuner ont été repoussées sur le côté, on reste là à boire le café en disant des conneries et en rigolant. Matty est une épave, l'ombre de celui qu'il était il y a deux ans, lorsqu'il était encore l'un des meilleurs boxeurs au Monde. À l'époque, il avait gagné deux fois le championnat, il était riche et célèbre, marié et Père de deux jeunes Garçons. Au cours d'une soirée donnée pour fêter l'une de ses victoires, il a fumé une pipe qu'il croyait pleine d'herbe, mais qui en réalité était bourrée de crack. Il est immédiatement devenu accro, il a disputé encore un combat et s'est fait laminer, puis il a disparu.

C'est bizarre de me retrouver en face de lui. C'est bizarre d'imaginer que l'homme que je regardais à la télé est le même que celui qui est devant moi. Au sommet de sa carrière, c'était une vraie machine à gagner. Il était rapide, malin, fort et imbattable dans la catégorie

Poids plume, soixante-trois kilos. Il était beau, il avait un beau sourire, il n'y avait pas un gramme de graisse sur son corps, et il avait une peau sombre, parfaite. Son assurance était suprême, lorsqu'il pénétrait sur le Ring il régnait comme s'il en était le maître. Il n'en reste rien. Il est très menu, pèse cinquante-cinq kilos maximum, ses cheveux en broussaille sont filasse, sa peau est constellée de plaies béantes, ses dents sont jaunes, marron et noires. Bien que son assurance semble demeurer la même, je doute fort qu'il puisse se retrouver sur un Ring de Boxe, et encore moins y régner et y mettre quelqu'un K-O. Je ne lui demande rien sur sa Femme ou ses Enfants parce que je ne veux pas savoir et qu'il ne veut sans doute rien m'en dire.

Le Réfectoire se vide. Nous ne nous en rendons pas compte, à cause de Leonard et de Matty et de nos éclats de rire. Comme l'un des Hommes de Service vient vers nous et nous demande de bien vouloir partir, nous nous rendons à la Salle de Conférences ensemble, Matty parle et jure comme un charretier et il nous fait rire. Une fois dans la Salle, nous nous asseyons ensemble, loin des autres hommes du Service, et avant que le Conférencier commence, Leonard sort un jeu de cartes et on commence à jouer au poker. On ne prend pas de paris, et mis à part les jurons que Matty grommelle dans sa barbe, on joue en silence, en se contentant de signes des mains et de la tête.

La Conférence s'achève, je dis au revoir à mes amis, je prends les Couloirs jusqu'à ce que je trouve la porte qui indique le nom de Joanne. Je frappe, je l'entends dire entrez, j'ouvre la porte et je pénètre dans son bureau.

Elle est assise sur le canapé avec Hank, ils boivent du café et fument des cigarettes.

Hank se lève lorsqu'il me voit, il me serre dans ses bras.

Comment tu vas, Fiston ?

On relâche notre étreinte.

Bien.

Fais-moi voir ces dents.

Je souris.

Elles sont bien.

Ma foi.

Ça valait le coup ?

J'ai survécu.

Je ne sais pas comment, mais on dirait que oui.

Ça valait le coup.

Il rit, se dirige vers la porte.

Passe me voir au Magasin, un de ces jours.

Il est où, ton Magasin ?

C'est le VSL garé devant l'Entrée.

Je ris. Il place la main sur la poignée.

Reste.

Vous avez sans doute des choses à vous dire, tous les deux.

J'aimerais bien que tu restes.

Il s'arrête, me regarde, retourne s'asseoir auprès de Joanne. Je prends un fauteuil en face d'eux.

Joanne parle.

Que puis-je faire pour vous ?

J'ai réfléchi à notre conversation d'hier.

Vous avez réfléchi à quoi ?

Je vais rester un petit moment ici. Pour voir comment ça se passe.

Un petit moment ?

Je ne peux rien promettre.

Elle sourit.

Je pense que c'est un bon début.

Ils sourient tous deux. Joanne parle.

Qu'est-ce qui vous a fait prendre cette décision ?

Je ne sais pas.

Il doit bien y avoir quelque chose ?

Je n'ai pas envie d'en parler.

Pourquoi ?

C'est comme ça.

Parce que vous vous sentez vulnérable.

Sans doute.

Et ça ne vous plaît pas, n'est-ce pas ?

Je secoue la tête.

Non.

Ça veut dire que vous commencez à aller mieux, il va falloir vous y habituer.

Vous avez certainement raison.

Hank et moi n'allons pas vous faire de mal.

Je sais.

Essayez. Soyez vulnérable.

Je les regarde, je retiens mon souffle, je parle.

Hier, j'ai vu un homme pleurer. J'ai déjà vu des hommes pleurer, et en général je les trouve faibles ou pitoyables. Mais l'homme qui a pleuré hier a pleuré parce qu'il était fort et j'admire sa force. Je sais que les gens pensent que je suis un dur, un mec fort, mais c'est complètement faux. Je suis un agneau déguisé en loup.

J'inspire un grand coup.

Alors je pensais à tout ça en me promenant et j'essayais d'oublier cet endroit, j'essayais d'oublier la merde dans laquelle je me suis foutu et je me suis couché dans l'herbe et je me suis senti serein, très serein, j'ai décidé de passer un petit moment ici.

Vous vous sentiez comment ?

Comme je vous ai dit. Serein.

Vous avez eu ce que l'on appelle un Éclair de Lucidité.

C'est un concept des AA ?

Oui.

Alors non, je n'ai pas eu d'Éclair de Lucidité. Je me sentais serein, c'est tout.

Ils rient tous deux. Joanne parle.

Ce n'était pas si dur que ça, n'est-ce pas ?

Probablement pas.

C'est tout ce que vous avez à faire pour aller mieux. Soyez sincère, soyez vulnérable, parlez-en.

Je crois que ça va être un peu plus difficile que ça.

Un peu, mais pas vraiment.

On verra.

Il y a un moment de silence. Je me lève.

Il faut que j'y aille. Je voulais juste passer vous voir pour vous faire part de ma décision.

Joanne parle.

On s'en félicite.

Je me dirige vers la porte.

À bientôt.

Ils me disent au revoir, je m'en vais, je prends les Couloirs qui mènent au Service. Je m'assieds par terre avec les hommes et je regarde la fin d'une cassette vidéo. C'est un reportage sur un célèbre Joueur de Football qui était Alcoolique, a cessé de boire en suivant les Douze Étapes et est devenu juge à la Cour Suprême. Il est très heureux. Il parle assis dans son fauteuil, depuis son Bureau très officiel, il porte une robe très impressionnante. Derrière lui on voit des photos où il pose en tenue de footballeur professionnel, tout est parfait et stimulant. On se croirait dans une série à la con, et bien que je m'efforce de garder l'esprit ouvert pendant mon séjour ici, je trouve que c'est une connerie sans nom, j'en arrive à me demander si d'avoir l'esprit ouvert reviendrait à ne rien avoir dans la tête. Esprit ouvert, tête vide. C'est pas ce Juge ex-Joueur de Foot qui va me convaincre du contraire. Carrément pas, putain.

La vidéo s'achève, tout le monde applaudit sauf moi. Je siffle et m'attire quelques regards noirs. Ces regards noirs me font rire, et je m'en attire encore davantage car je ris, ce qui me fait rire de plus belle. Un type que je ne connais pas me demande ce qu'il y a de si drôle, je lui réponds la vidéo, il me dit de grandir un peu, je lui dis que je n'ai pas l'intention de faire semblant de croire que ces conneries sans nom sont autre chose que des conneries sans nom, il s'en va en secouant la tête. Esprit ouvert, tête vide. Je me demande si ça revient au même.

Je vais déjeuner, je prends un plateau, je vais manger avec Ed et Ted et Matty et Leonard. Matty et Leonard n'arrêtent pas de tchatcher et nous n'arrêtons pas de rire. Lorsque nous achevons notre repas, la table s'est remplie d'hommes venus écouter Matty et Leonard.

Après le repas, il y a une Conférence, mais je n'écoute pas.

Après la Conférence Ken me demande de passer à son Bureau. Je le suis dans les Couloirs, et lorsque nous sommes dans son Bureau je m'assois dans le fauteuil en face de lui.

Ça faisait un bail.

Ouais.

Avez-vous réfléchi à ce dont nous avons parlé la dernière fois que vous êtes venu ici ?

Je ne me souviens pas de ce dont il s'agissait.

Êtes-vous prêt à faire tout ce qu'il faudra pour devenir abstinent et le rester ?

Ouais, j'y ai réfléchi.

Vous avez une réponse ?

Non.

Vous avez une réponse ?

Non.

Vous avez une réponse ?

C'est pas en me regardant méchamment et en me posant inlassablement cette fichue question qu'on va avancer.

Il garde les yeux braqués sur moi.

Vous avez une réponse ?

Je ris.

Non.

J'espère que vous en aurez bientôt une.

On verra.

Il soupire, secoue la tête, regarde les papiers sur son bureau.

Je voudrais commencer à attaquer sérieusement votre Cure.

Très bien.

Il sort un truc qui ressemble à un livre de coloriage pour enfants et me le tend.

Commençons par ça.

Je jette un coup d'œil sur le livre.

Qu'est-ce que c'est que ça ?

C'est le cahier d'exercices de la Première Étape.

Je rigole.

Putain c'est un livre de coloriage.

C'est simple, d'accord, mais nous pensons que l'approche la plus simple est la meilleure.

Vous voulez que je remplisse un livre de coloriage ?

Oui.

Je rigole.

Je peux vous emprunter votre boîte de Crayons de Couleur ?

Vous en trouverez dans le Service.

J'espère que personne n'a pris le Rose Bonbon.

Qu'est-ce donc ?

Mon crayon de couleur préféré. Il se trouve dans les boîtes de soixante-quatre crayons.

Vous avez fini ?

Vous en avez marre de moi ?

J'en ai marre de vos plaisanteries.

Vous ne les trouvez pas drôles ?

Non.

Alors je n'en ferai plus pendant un petit moment.

Bien.

C'est pour quand ?

Dans deux jours.

OK.

Vous trouverez également à l'Étage un Tableau des Objectifs. Je veux que vous y inscriviez votre nom et que vous indiquiez quel est votre objectif de vie et quel est celui que vous espérez atteindre en restant abstinent.

D'accord.

Vous avez des idées ?

De nouvelles dents de devant tous les ans.

C'est pas drôle.

Devenir Président des États-Unis.

Avec votre casier judiciaire, vous pourrez vous estimer heureux si vous conservez le droit de vote.

Faire en sorte que mon livre de coloriage de la Première Étape soit le plus joli au monde ?

Vous avez fini ?

Vous en avez marre de moi ?

Inscrivez un objectif. Ne prenez pas ça à la rigolade.

Je ferai de mon mieux.

Je pense aussi qu'un changement de décor vous ferait du bien. Je vais vous changer de Chambre cet après-midi.

Où ça ?

Dans une Chambre à deux lits. Warren et John s'en vont aujourd'hui, et je pense que le mieux serait que cette Chambre soit réservée aux nouveaux Arrivants.

Ça me semble bien.

Je m'occupe du transfert et je vous donne votre numéro de Chambre tout à l'heure.

Cool.

Vous m'avez l'air d'aller mieux et vous semblez faire des progrès, mais il faut que vous essayiez de prendre ce que vous faites un peu plus au sérieux. Nous cherchons le progrès, non la perfection. Faites de votre mieux, c'est tout.

J'essaierai.

Passez ici quand vous en aurez fini avec le livre. J'aimerais qu'on voie ça ensemble.

D'accord.

Je me lève, je pars, je rentre dans mon Service. Je cherche John et Warren et je ne les trouve pas, alors je vais dans ma Chambre, j'entre. John se tient à côté de sa fenêtre et Warren fait ses affaires. Je m'assieds sur mon lit.

Salut.

Warren parle.

Salut.

John regarde par la fenêtre.

Il paraît que tu pars aujourd'hui.

Warren parle.

Oui.

T'es content ?

Oui, mais un peu angoissé. J'ai picolé toute ma vie, et ça va être dur de ne pas boire un bon verre de scotch à la fin de la journée. Ou peut-être bien six bons verres de scotch.

Tu te porteras mieux sans.

Tu as absolument raison.

Je me lève, me dirige vers lui. Il cesse de ranger ses affaires.

Bonne chance, Warren.

Je lui tends la main. Il la serre.

Merci, James.

On échange une poignée de main. Forte et ferme. Je parle.

Je te suis vraiment reconnaissant d'avoir été aussi sympa avec moi.

Ça m'a fait plaisir, James, et si c'était à refaire, je recommencerais.

Nos mains se séparent, je vais vers le coin de John. Ses bagages sont faits, ils sont posés sur son lit. Il est debout à côté de la fenêtre en train de regarder fixement le néant gris.

John.

Il se retourne. Son visage est strié de larmes.

Salut, James.

Qu'est-ce qui ne va pas ?

J'ai peur.

Viens par ici.

Il s'approche. Je désigne le lit.

Assieds-toi.

Il s'assied sur le lit, il a l'air d'un petit Garçon fragile. Je m'assieds à côté de lui.

Pourquoi as-tu peur, John ?

Parce que je sais que je ne vais pas aller mieux.

Pourquoi est-ce que tu dis ça ?

Parce que je le sais au plus profond de mon être.

201

Alors pourquoi est-ce que tu ne restes pas jusqu'à ce que tu te sentes mieux ?

Parce que je sais que ça ne changera rien.

Pourquoi est-ce que tu dis ça ?

Parce que je ne pourrai jamais aller mieux. Je ne serai jamais normal, la douleur ne s'en ira jamais. Jamais jamais jamais.

Il ne faut pas dire ça, John.

Toi aussi tu dis ça.

J'essaie d'arrêter.

Comment ?

Je ne sais pas, j'essaie, c'est tout.

Il me regarde, baisse les yeux vers le lit et éclate en sanglots.

Je me sens en sécurité ici. Je ne risque rien ici, ni de personne, ni de moi.

Il lève les yeux vers moi. Un petit Garçon fragile.

Une fois que je serai dehors, je sais que je vais faire des bêtises et je sais que je vais finir en Prison, je sais ce qui m'attend là-bas, je ne veux plus que ça m'arrive.

Je lui prends la main, je la tiens, je ne sais pas quoi dire. Il pleure, sanglote, les larmes ruissellent sur son visage, sa poitrine se gonfle et s'affaisse, se gonfle et s'affaisse. Je lâche sa main, j'enroule mes bras autour de lui, je le serre contre moi, il pleure, je ne peux rien dire.

Il cesse de pleurer, se calme, je relâche mon étreinte, il s'essuie le visage.

Je suis désolé.

Ne sois pas désolé, John. Il n'y a pas de mal à pleurer.

Je pleure beaucoup.

Je sais. Je t'admire pour ça.

Vraiment ?

Ouais, vraiment. Je pense que les hommes qui pleurent sont des hommes forts.

Tu trouves que je suis fort ?

Je pense que tu es bien plus fort que tu ne le sais.

Merci, James.

Il s'essuie à nouveau le visage.

Ça va me manquer, d'être ici.

Toi aussi tu vas nous manquer.

Vraiment ?

Ouais.

Tu ne mens pas ?

Non, je ne mens pas.

Il me regarde, plonge une main dans un de ses sacs et en retire un stylo et une carte.

Tu voudrais bien faire quelque chose pour moi, James ?

Bien sûr.

Il se met à écrire sur la carte.

Quand tu sortiras d'ici, tu pourras appeler ma Fille ?

Ne recommence pas avec ça, John.

Non, c'est pas ça.

Il me tend la carte.

Tu pourras l'appeler et lui dire que cette fois j'ai vraiment fait tout mon possible, tout ce que je pouvais, que j'aimerais compter plus pour elle, que je ne suis pas un homme aussi infect que ce que tout le monde lui dit.

Je prends la carte et observe John.

Tu me fais honneur, John.

Et si un jour tu te retrouves par hasard dans le même endroit qu'elle, peut-être que tu pourrais l'emmener dîner ou autre, et…

Il s'interrompt, se remet à pleurer, prend sur lui.

Et sois gentil avec elle, et…

Il ne peut plus se contenir. Il pleure. Comme un petit Garçon fragile.

Et dis-lui que je suis désolé. Je suis tellement désolé.

Je tends les bras, je le serre, je le tiens contre moi et je le laisse pleurer pleurer pleurer et il me repousse, il me demande de le laisser seul et comme je sors de la Chambre je jette un coup d'œil dans sa direction, sa tête est enfouie dans son oreiller, je l'entends qui sanglote et qui pleure et qui répète.

Non.

Non.

Non.

Je le laisse seul face à son avenir et tandis que je marche dans le Service je m'assure que sa carte est bien en sécurité au fond de ma poche. Je passerai ce coup de fil lorsque je m'en irai d'ici. Je passerai ce coup de fil et je dirai à sa Fille que son Père était un homme bon. Elle ne me croira peut-être pas, et il n'y aura peut-être rien à faire pour qu'elle change d'avis, mais je le lui dirai.

203

Le Service est bondé, les hommes attendent John et Warren pour leur Cérémonie de Remise des Diplômes. Je ne veux pas voir ça ni y participer et je leur ai déjà fait mes au revoir, alors je sors me balader. Comme hier je veux oublier, c'est tout.

Impossible d'oublier aujourd'hui. Je le sais dès que je pénètre dans le Bois. La Fureur me submerge. Elle engloutit chacune de mes émotions, chacun de mes sentiments, chacune de mes pensées. Je suis incapable de gérer mes émotions, mes sentiments, mes pensées, alors je la laisse s'en charger. Elle les consume. Ma tristesse se transforme en rage, le calme en un besoin désespéré. Je veux détruire tout ce que je vois. Ce que je ne peux pas détruire, je veux l'ingérer. À chaque nouvelle enjambée, ça monte. La rage et le besoin. La rage et le besoin. La rage. Le besoin.

Je veux boire un verre. Je veux boire cinquante verres. Je veux une bouteille de l'alcool le plus pur, le plus fort, le plus destructeur, le plus dangereux de la terre. J'en veux cinquante bouteilles, je veux du crack, sale et jaune et bourré de formol. Je veux une montagne d'amphétamines à sniffer, cinq cents buvards d'acide, un sac-poubelle plein de champis, un tube de colle plus gros qu'un camion, une mare d'essence assez grosse pour m'y noyer. Je veux quelque chose, n'importe quoi, n'importe comment, n'importe où, le plus possible. Envie besoin envie besoin, j'ai envie besoin d'assez de trucs pour tuer annihiler me faire perdre me faire oublier étouffer cette salope de douleur donnez-moi l'obscurité la plus obscure la noirceur la plus noire le plus profond des plus profonds des plus profonds des plus horribles enculés de trous. Bon sang de merde de bordel à queues, filez-m'en. Mettez-moi dans ce putain de trou.

Je quitte le Sentier, m'enfonce dans les bois touffus, gelés. Je tremble, mon cœur bat à se rompre, je serre les poings, je serre les dents. Mes pieds foulent les brindilles et écrasent les jeunes arbrisseaux, mes mains écartent tout ce qui se trouve devant moi. Les craquements de la destruction, crac boum crac boum, me mettent en furie, me mettent hors de moi, me donnent envie de casser plus encore, de détruire plus encore, de tout saccager. Je veux tout saccager, partout. Je veux tout saccager bordel.

Je traverse un buisson touffu d'Arbustes à feuilles persistantes et je me dirige vers une petite Clairière étroite et circulaire. Je cesse de marcher, de fouler, d'écarter, de bousculer et je ferme les yeux et j'inspire une grande goulée d'air et j'espère que la goulée m'apaisera mais ce n'est pas le cas alors j'inspire encore mais en vain encore mais en vain encore mais en vain encore mais en vain. Je veux m'apaiser mais je n'arrive pas à trouver la paix.

Pourquoi je suis ici. Pourquoi je suis arrivé ici dans cet endroit en ce moment aujourd'hui avec ce sentiment cette histoire cet avenir ce problème cette vie cette horrible vie bousillée cet horrible gâchis de vie bousillée de bon à rien pourquoi. Il y a quinze minutes je tenais dans mes bras un type qui toute sa vie durant a été Délinquant et Cocaïnomane et qui a passé son enfance avec la bite de Papa dans la bouche et qui pleurait parce qu'il avait peur de retourner dans le Monde. J'ai pris mon déjeuner avec l'espèce de Sosie entre deux âges et vaguement effrayant d'un célèbre acteur et un Fugitif multirécidiviste et un Métallo qui s'est fait arracher ses implants capillaires et un Fantôme de cinquante-cinq kilos qui était Champion du Monde. On m'a refilé un livre de coloriage et on m'a dit que ça contribuerait à mon rétablissement. J'ai regardé la vidéo crétine d'un connard de Juge et on m'a dit que ça contribuerait à mon rétablissement. J'ai vomi comme j'ai coutume de le faire chaque chienne de journée, et je ne vais pas mieux. J'ai vingt-trois ans et je suis Alcoolique depuis dix ans et je suis Toxicomane et Délinquant depuis presque aussi longtemps, on me recherche dans trois États, je suis hospitalisé au fin fond du Minnesota et j'ai envie de boire et de me droguer et je n'arrive plus à me contrôler. J'ai vingt-trois ans.

Je respire, je tremble, je sens que ça vient, la rage, le besoin et le malaise, les regrets l'horreur la honte et la haine fusionnent dans une Fureur parfaite une grandiose et belle et terrible et parfaite Fureur et je ne peux endiguer la Fureur ou maîtriser la Fureur tout ce que je peux faire c'est la laisser venir. Qu'elle vienne cette saloperie. La Fureur est venue.

Je repère un arbre et je m'y colle. Hurlant frappant cognant griffant arrachant déchirant déchiquetant tirant détruisant cognant hurlant cognant hurlant cognant hurlant. C'est un arbrisseau, un petit Pin, assez petit pour que je le détruise, et j'arrache les branches de son tronc et je le réduis en miettes, une à une je les arrache et je les réduis en miettes, je les jette par terre et je leur saute dessus saute dessus saute dessus et lorsqu'il n'y a plus de branches j'entends une voix et je m'attaque au tronc, il est fin et je le casse en deux et j'entends une voix et je fais la sourde oreille, je jette le tronc brisé par-dessus les branches, il en reste la moitié plantée dans le sol,

205

j'entends une voix, je veux l'arracher de ce putain de sol, je l'attrape et je tire je tire je tire et il ne bouge pas d'un iota et j'entends une voix et je fais la sourde oreille, je tire je hurle je tire, cet enfoiré d'arbre ne bouge pas et je veux le détruire, j'abandonne et il y a une voix je fais la sourde oreille je donne des coups de pied et la voix dit arrête arrête arrête arrête. Arrête.

Je me retourne.

De longs cheveux bruns et des yeux d'un bleu clair et profond et une peau blanche et pâle et des lèvres rouges comme le sang, elle est petite et menue et fatiguée et abîmée. Elle se tient devant moi.

Qu'est-ce que tu fais là ?

J'étais en train de me promener et je t'ai vu et je t'ai suivi.

Qu'est-ce que tu veux.

Je veux que tu arrêtes.

Je respire fort, la regarde durement, tendu et prêt à mordre. Il y a encore des bouts d'arbre à détruire et je veux me le faire cet enfoiré d'arbre. Elle sourit, fait un pas vers moi, vers moi, et elle ouvre les bras et je respire fort je la regarde durement tendu et prêt à mordre, elle enroule ses bras autour de moi et glisse sa main derrière ma tête, elle m'attire dans ses bras et elle me serre et elle parle.

Ça va aller.

Je respire fort, ferme les yeux, me laisse aller.

Ça va aller.

Sa voix m'apaise, ses bras me réchauffent, son odeur me réconforte, je sens son cœur qui bat et mon cœur ralentit et je cesse de trembler, ma Fureur fond entre ses bras, elle me serre et elle dit.

Ça va.

Ça va.

Ça va.

Quelque chose d'autre se produit, je me sens faible et apeuré et fragile, je ne veux pas avoir mal, c'est le même sentiment que j'ai lorsque je sais que je risque d'avoir mal un mal bien plus profond et bien plus terrible que la douleur physique et je me bats toujours pour le contrôler et l'arrêter mais sa voix m'apaise, ses bras me réchauffent, son odeur me réconforte, je sens son cœur qui bat et si elle dénouait ses bras maintenant je tomberais à terre et le besoin et le malaise et les regrets et l'horreur et la honte et la faiblesse et la fragilité se dévoilent devant la douce force de ses bras ouverts, devant ces simples mots ça va et je me mets à pleurer. Je me mets à pleurer. Je me mets à pleurer.

Ça vient par vagues. Les vagues montent du plus profond, du plus profond de moi, je la serre, elle me serre plus fort encore, je la laisse et je me laisse et je laisse venir et je n'ai jamais rien ressenti de tel cette vulnérabilité je ne me suis jamais permis de ressentir une telle vulnérabilité depuis que j'ai passé mes dix ans et je ne sais pas pourquoi je ne l'ai pas fait et je ne sais pas pourquoi je le fais maintenant je sais seulement que c'est ainsi et c'est la chose la plus terrifiante la plus effrayante la plus épouvantable la pire et la meilleure que tout ce que j'ai jamais ressenti, pleurer dans ses bras simplement pleurer dans ses bras simplement pleurer.

Elle m'attire à terre mais ne me lâche pas. Les Vannes sont ouvertes et treize ans de dépendance, de violence, d'Enfer et tout le reste s'échappent en gros bouillons, en sanglots bruyants, dans un halètement, dans un profond sentiment de perte. La perte m'habite, me remplit, me submerge. C'est la perte d'une Enfance d'une Adolescence de la normalité du bonheur de l'amour de la confiance du sens de Dieu de la Famille des amis de l'avenir du potentiel de la dignité de l'humanité de la raison de moi de tout tout tout. J'ai tout perdu, je me suis perdu, réduit à une masse informe et endeuillée, triste, blessée, désespérée, le cœur brisé. Je me suis perdu. J'ai perdu. Tout. Tout.

C'est mouillé et Lilly me berce comme un Enfant brisé. Mon visage et son épaule et sa chemise et ses cheveux sont trempés par mes pleurs. Je m'apaise, je me mets à respirer doucement et profondément, ses cheveux sentent bon et j'ouvre les yeux pour les voir et je ne vois plus qu'eux. Ils sont noir corbeau presque bleus et scintillent d'humidité. Je veux les toucher, je tends la main, je la fais descendre depuis le haut de son crâne le long de son cou et de son dos jusqu'à ses côtes et je fais doucement glisser une fine mèche entre mes doigts et elle me manque lorsque je la laisse filer. Je recommence encore et encore et Lilly me laisse faire et elle ne dit rien elle se contente de me bercer parce que je suis brisé. Je suis brisé. Brisé.

Il y a du bruit, des voix, Lilly me serre de plus en plus fort, je la serre de plus en plus fort, je sens son cœur qui bat, je sais qu'elle sent mon cœur qui bat et ils parlent nos cœurs parlent une langue morte et inconnaissable et muette et vraie, nous nous serrons, nous

nous tenons, le bruit se rapproche et les voix sont plus fortes et Lilly murmure.

Ça va aller.

Ça va aller.

Ça va aller.

Et elle relâche son étreinte, je relâche mon étreinte, elle se lève et je reste assis par terre et elle me regarde.

Il faut que j'y aille.

Je ne la quitte pas du regard.

Je te passerai un coup de fil tout à l'heure.

Je ne la quitte pas du regard.

Au revoir.

Je ne la quitte pas du regard et elle s'en va vers l'autre côté de notre Clairière. Lorsqu'elle s'apprête à sortir, elle se retourne et disparaît dans les buissons et j'entends ses pas réguliers, ses pas sont doux, j'entends sa voix, sa voix est douce, je reste assis et je respire, je reste assis et je regarde. Je suis seul, perdu et brisé. Je regarde le buisson. Seul perdu brisé.

Le Soleil se couche, le froid arrive, la nuit s'abat, je suis fatigué, crevé, complètement vidé. Je me force à me lever, je marche à travers bois jusqu'à ce que je retrouve un Sentier, puis je laisse le Sentier me guider. Mes pieds sont lourds, mon corps est las et mon cœur bat lentement lentement lentement. Il faut seulement marcher une centaine de mètres, mais il me semble que je fais le tour de la Terre.

Je dois rassembler mes forces pour ouvrir la porte. J'entre, je traverse le Service, je vais dans ma Chambre. Je m'aperçois que toutes mes affaires, mes jolies affaires neuves ont été empilées sur une chaise près de mon lit. Cette vision me ragaillardit momentanément jusqu'à ce que j'aperçoive une lettre posée sur la pile de vêtements. Je la prends, je l'ouvre, je la lis, elle est de Ken et je lis suite à notre conversation vous êtes transféré dans une nouvelle Chambre et il m'indique le numéro de ma Chambre.

J'attrape mes vêtements et mes livres, ce sont mes seuls biens en ce Monde et je m'en vais. Je prends les Couloirs qui entourent le Service, à la recherche de ma nouvelle Chambre. Je la trouve, la porte est fermée et mes bras sont chargés alors je l'ouvre d'un coup de pied. J'entre. La Chambre est plus petite que l'autre, mais à part ça identique. Il y a deux lits et une Salle de Bains sur le côté. Il y a un homme noir d'une quarantaine d'années allongé sur l'un des lits. Je ne l'ai jamais vu. Il me jette un coup d'œil et me parle.

La plupart des gens frappent avant d'entrer dans une Pièce.

Il a un fort accent traînant, un accent du Sud.

J'ignorais qu'il y avait quelqu'un.

Je me dirige vers le lit libre.

Vous auriez tout de même pu frapper.

Je m'assois.

Désolé.

Je me mets à ranger mes affaires.

Vous vous installez ici ?

Ouais.

Comment vous vous appelez ?

James.

Salut James, moi c'est Miles.

Comme Miles Davis ?

Exactement comme Miles Davis.

Exactement ?

Oui.

Vous vous appelez Miles Davis ?

Eh oui.

Je ris.

Et vous jouez de la trompette ?

Non, je joue de la clarinette.

Il me montre du doigt une housse noire posée au pied de son lit.

Je jouais de la trompette quand j'étais plus jeune, mais quand l'autre Miles est devenu célèbre, j'ai arrêté. Ça faisait un peu trop.

D'où venez-vous ?

De La Nouvelle-Orléans. Et vous ?

J'habite en Caroline du Nord.

Où ça ?

Wilmington.

Vous aimez bien, Wilmington ?

Ça va, mais je m'en fous un peu.

Il rit.

Qu'est-ce que vous faites à La Nouvelle-Orléans ?

Je suis Juge.

Qu'est-ce que vous Jugez ?

Je suis Juge à la Cour d'Appel du Tribunal Fédéral.

209

C'est lourd comme boulot.

C'est comme ça.

Vous envoyez les gens à l'ombre ?

Ça m'est arrivé lorsque je faisais du Pénal mais ce n'est plus le cas.

Comment c'était ?

C'est dur d'envoyer un homme en Prison. Il n'y a rien de bon qui l'y attende, même s'il a mérité d'y aller.

J'acquiesce.

Et vous qu'est-ce que vous faites ?

Je cherche les ennuis.

Il rit.

Quel genre d'ennuis ?

Toutes sortes.

Vous avez des ennuis en ce moment ?

Oui, sinon je ne serais pas ici.

Il rit à nouveau.

Vous avez eu d'autres ennuis ?

Je peux me réfugier derrière le cinquième amendement ?

Si vous voulez.

Volontiers.

Il jette un coup d'œil sur sa montre.

Vous avez dîné ?

Non, pas encore.

Vous voulez dîner avec moi ?

Je me lève.

Allons-y.

Il se lève, on sort de la Chambre. On prend les Couloirs qui mènent au Réfectoire, on fait la queue, on prend notre nourriture. Une fois attablés, Miles m'apprend qu'il est Alcoolique, qu'il est marié et a deux Enfants, et qu'il est arrivé ici cet après-midi. Il parle doucement, avec application et choisit soigneusement ses mots, il en dit autant avec ses mains et ses yeux et les mouvements de sa tête qu'avec les mots eux-mêmes. Quand je parle, il m'écoute attentivement, intervenant d'un hochement de tête discret ou d'un gloussement ou d'un mot d'approbation. Je le considère tout de suite comme un ami, ce qui m'étonne. J'ai toujours détesté les Flics et les Juges ou n'importe quelle Figure d'Autorité et jamais je n'aurais pu me douter que je frayerai avec l'un d'eux en Centre de Désintoxication.

Au bout de quelques instants, nous sommes rejoints par Leonard et Matty et Ed et Ted. Nous prenons un repas typique. Ils rigolent, se moquent les uns des autres, racontent des anecdotes tirées de leur vie, des conneries sur les autres Malades du Centre. Outre Miles, quatre nouveaux hommes viennent d'arriver dans notre Service, Leonard et Matty et Ed et Ted les jaugent, décrètent quels sont ceux qui leur plaisent et ceux qui ne leur plaisent pas, élaborent des plans pour faire chier ceux qui ne leur reviennent pas. Il y en a un, un gros gars courtaud appelé Bobby, envers lequel ils semblent éprouver une hostilité toute particulière, mais j'ignore pourquoi. Tout ce que je sais, c'est que je suis content de ne pas être à sa place. On finit de manger, on se dirige en petit groupe vers la Salle de Conférences. On s'assoit tous ensemble. Je m'installe dans le couloir, je cherche Lilly. Lorsqu'elle arrive, mon cœur fait un bond, mes mains se mettent à trembler mais moi, mon moi intérieur s'apaise, et les choses pour lesquelles il n'y a pas de mots s'enflamment, se mettent à brûler brûler brûler. Je savais que ça m'affecterait de la voir, mais je ne m'attendais pas à ça, je ne sais pas ce que c'est, je suis surpris et la surprise me met mal à l'aise, pourtant je ne suis pas mal à l'aise d'habitude. D'habitude je suis simplement énervé. Là je ne suis pas énervé. Elles se sont enflammées et elles brûlent.

Un homme monte sur l'estrade et tout le monde se met à applaudir. Je reconnais cet homme, c'est un célèbre rocker et il a fait un séjour ici. Il lève les bras en signe de triomphe, il sourit et fait la révérence et sa tenue en cuir noir brille, ses longs cheveux noirs et graisseux volettent autour de lui, sa chemise en soie à motifs ondule, ses grosses boucles d'oreilles en argent remuent et tout le monde est ébloui. D'un geste de la main il demande le calme et les applaudissements cessent, et il se met à arpenter la Scène dans tous les sens, de façon théâtrale, dans tous les sens.

Il s'arrête et entreprend d'observer le plafond pendant un moment comme s'il y avait autre chose que le plafond puis il se retourne et se met à parler d'une voix grave et sérieuse. Ses premiers mots sont quand mon premier single a fait un carton et que je suis devenu célèbre j'ai commencé à faire une putain de bringue.

À partir de là, il retrace sa carrière avec force détails. Il parle du nombre de disques qu'il a vendus, du nombre de femmes qu'il a eues, du nombre de récompenses qu'il a obtenues. Il parle de sa vie sur la route, c'est pas facile tous les jours mec, même quand tu squattes au Four Seasons. Il parle du stress provoqué par l'enregistrement d'un album, il parle de la pression monstrueuse d'une vie de Star. Il parle de ce qu'il appelle l'obsession de tout un peuple pour ses lèvres et ses cheveux, il parle de la qualité mélodique de sa voix. Au bout d'un moment, au bout d'un moment bien trop long, il se met à parler d'alcool et de drogue. Lorsqu'il parle d'héroïne il se tapote l'intérieur du coude avec deux doigts, lorsqu'il parle de coke il renifle, lorsqu'il parle d'alcool il fait mine de s'en jeter un, lorsqu'il parle de médocs il feint de les gober. Il se vante du fait qu'au paroxysme de sa dépendance il pouvait prendre pour cinq mille dollars de cocaïne et d'héroïne par jour, plus quatre ou cinq litres d'alcool par soir et jusqu'à quarante cachets de Valium pour dormir. Il raconte tout cela avec une sincérité et un sérieux désarmants.

Je suis fatigué et je suis crevé. Je suis mal à l'aise et je suis heureux. Je suis calme. Si j'étais dans mon état d'esprit habituel, je me lèverais, lui ferais un doigt, crierais au Scandale et chasserais ce Connard à coups de pied au cul. Si j'étais dans mon état d'esprit habituel, après lui avoir donné une bonne correction, je le ramènerais par la peau du cou et le ferais s'excuser devant tout le monde de nous avoir fait perdre notre temps. Une fois qu'il se serait excusé, je lui signalerais que si j'entendais dire qu'il continuait à déblatérer ses conneries en Public, j'irais lui tondre ses précieux cheveux, lui entailler ses précieuses lèvres, et j'attraperais tous ses foutus disques d'or pour les lui fourrer dans le cul.

Je n'aime pas cet homme. Je n'aime pas ce qu'il dit ni la façon dont il le dit. Je n'y crois pas et ce n'est pas son statut de Rock Star qui va me faire gober ses conneries. Quatre ou cinq mille dollars par jour de quoi que ce soit, c'est assez pour tuer une seule Personne plusieurs fois. Cinq litres d'alcool fort engloutis en une seule nuit feraient plonger l'être humain le plus résistant de la Terre dans le coma. Quarante Valium pour dormir et il va te faire une de ces putains de sieste dont il ne reviendra jamais. Il n'en reviendra pas et ce n'est peut-être pas plus mal.

Un Drogué est un Drogué. Qu'importe que le Drogué soit blanc, noir, jaune ou vert, riche ou pauvre ou entre les deux, le type le plus célèbre de la planète ou le plus anonyme. Qu'importe que la drogue soit la dope, l'alcool, la délinquance, le sexe, le shopping, la nourriture, le jeu, la télévision, ou ces satanés Pierrafeu. La vie du Drogué est toujours la même. Il n'y a pas d'excitation, pas de charme, pas d'amusement. Pas de bons moments, pas de joie, pas de bonheur. Pas d'avenir et pas d'échappatoire. Il n'y a qu'une obsession. Une obsession insatiable, dévorante, absolument écrasante. La rendre légère, s'en vanter, ou la présenter comme un épisode glorieux n'est en aucun cas, d'aucune sorte et d'aucune façon proche de la vérité, et tout ce qui compte, c'est la vérité. Que cet homme se pavane en face de moi et de tout le monde pour nous mentir est une hérésie. Tout ce qui compte, c'est la vérité. C'est une putain d'hérésie.

La Conférence s'achève, les applaudissements fusent ainsi que les hourras et Monsieur Lèvres, Cheveux, Cuir et Soie sourit sur l'Estrade et fait des coucous resplendissants tandis qu'il envoie des baisers à ses Fans en adoration. Je suis fatigué. Je suis crevé. Je suis mal à l'aise et je suis heureux et je suis calme. Si j'étais dans mon état d'esprit habituel, j'en serais malade. J'entends Leonard qui grommelle, je lui demande ce qu'il vient de dire et il rit, il me dit qu'il envisage d'envoyer quelques-uns de ses associés pour qu'ils aillent dire deux mots à Monsieur Lèvres histoire de le convaincre de changer d'attitude. Je ris, je lui dis que ce serait merveilleux. Gloire à toi, Leonard. Ce serait merveilleux, putain.

On se lève, on commence à sortir, avant de m'en aller je me retourne pour apercevoir Lilly mais je ne la vois pas et je ne veux pas me faire remarquer alors je m'en vais. J'aimerais pouvoir la voir. J'ai envie de la voir. Je ne la vois pas. Je rentre dans mon Service, je vais dans ma Chambre, je m'allonge sur mon lit.

Miles arrive, il s'assied sur son lit, il attrape son étui de clarinette, l'ouvre et me demande si ça me dérange s'il joue et je lui réponds non, jouez aussi longtemps que vous voulez, tout ce qui vous plaira et je prends un livre, un des livres que mon Frère m'a donnés, je ne cherche même pas à voir ce que c'est parce que je m'en fiche, tout ce que je veux c'est lire, m'occuper l'esprit. La rage et le besoin sont revenus, ils sont bien vivants comme à leur habitude, vivants et acharnés et ils me rongent. J'ai besoin de m'occuper l'esprit. Je me fiche de savoir ce que c'est. M'occuper.

J'ai attrapé le livre chinois, le *Tao-tö-king*, le plus petit des trois et le seul que je n'aie pas déjà lu. C'est un petit livre de poche, mince. Le titre barre la couverture dans des lettres blanches et simples sur un fond noir. Je retourne le livre, je lis le texte au dos, je vois des citations tirées de trois sources que je ne connais pas mais qui m'ont l'air d'être des Revues Hippies pleines de foutaises *new-age*. En haut de la page, il y a une classification par genre. Religion.

Je suis immédiatement sceptique. Pas seulement à cause des citations et parce qu'il est classé en Religion, mais aussi parce que pour moi les livres de ce genre sont du même tonneau que ces livres de merde sur l'Astrologie, l'Aromathérapie, la Cristallographie, la Pyramidologie, la Guérison spirituelle, et le Feng Shui, des méthodes qui m'ont toutes été conseillées à différentes époques de ma vie. Que certains puissent réellement s'imaginer que ces trucs peuvent résoudre les problèmes, les résoudre pour de bon et non pas les masquer pendant quelque temps, est une aberration pour moi. Mais c'est mon Frère qui m'a offert ce livre, alors je le lirai. Si ce n'était pas mon Frère qui me l'avait donné, il serait déjà au fond de la poubelle.

Comme je l'ouvre, Miles se met à jouer de la clarinette. Il joue doucement et tranquillement. Les notes sont graves, il les tient tellement que je me demande comment il fait pour respirer. Les notes sont longues, il semble les jouer avec facilité, mais je sais que ce n'est pas le cas. Graves et tranquilles, douces et longues, faciles. Je ne sais pas ce que c'est, mais j'aime bien.

Je saute l'Introduction. Si le livre finit à la poubelle, je veux que ce soit à cause de ce que j'en aurai pensé, et non à cause de ce que le Connard qui a écrit l'Introduction en a pensé.

Le texte commence. Il se compose d'une série de brefs poèmes numérotés de un à quatre-vingt-un. Le premier dit que le Tao est ce qui n'a pas de nom, et qu'il est au-delà des noms. Il dit que les noms ne sont pas nécessaires à ce qui est vrai, à ce qui est éternel. Il dit que si nous nous affranchissons du désir, nous arriverons à connaître le mystère, et que si nous restons prisonniers du désir, nous n'en connaîtrons que ses manifestations. Il dit que le mystère et les manifestations naissent de la même source, l'obscurité. Il dit que l'obscurité tapie au sein de l'obscurité est la clé pour toute compréhension. Ça n'est pas assez pour que je le jette, mais je ne suis pas convaincu. Je continue de lire, j'écoute les notes graves et tranquilles, douces et longues, faciles. Je continue de lire et je me pelotonne dans la chaleur douillette de mon lit, je continue de lire en attendant que le téléphone sonne. Lorsque le téléphone sonnera, je sais que j'entendrai la voix de Lilly. Je veux entendre la voix de Lilly.

Numéro deux. Lorsqu'il y a beauté, il y a laideur. Lorsqu'il y a le bien, il y a le mal. Être et non-être, facile et difficile, haut et bas, long et court, avant et après, se rencontrent, se complètent, s'engendrent ou se définissent les uns les autres. Ceux qui vivent en suivant les principes du Tao agissent sans action et enseignent sans paroles. Ils laissent les choses venir et ils laissent les choses partir, et ils vivent sans posséder, ils vivent sans rien attendre. Ils ne s'alimentent, ne se complètent, ne s'engendrent ou ne se définissent pas les uns les autres. Ils ne voient ni beauté ni laideur, ni bien ni mal. Ils sont, c'est tout. Sois, c'est tout.

Numéro trois. Surestime les hommes et ils deviennent impuissants. Surévalue les biens matériels et les gens deviennent voleurs. Vide ton esprit et remplis ton être. Amoindris tes ambitions et renforce tes résolutions. Oublie tout ce que tu connais et tout ce que tu désires et ignore ceux qui disent connaître. Apprends à ne pas vouloir, ne pas désirer, juger, faire, disputer, savoir. Apprends simplement à être. Tout sera en ordre.

Quatre. Le Tao est utilisé, mais jamais épuisé. Néant éternel, il est comblé par d'infinies possibilités. Il n'est pas là mais il est toujours là. Il est plus vieux et plus puissant que n'importe quel Dieu. Il n'est pas là mais il est toujours là. Il est plus vieux, plus puissant que n'importe quel Dieu.

Je cesse de lire et je les relis. Du premier au quatrième, encore et encore. Les mots, les mots agencés, le sens, le contexte sont simples si simples et basiques si basiques et vrais, tout ce qui compte c'est la vérité. Ils me parlent, prennent sens, se réverbèrent en moi, me calment me soulagent me détendent me bercent et continuent de m'apaiser. Ils me semblent vrais, tout ce qui compte c'est la vérité. Bien que je ne sois pas expert dans ce domaine ou dans un domaine proche ou dans quelque domaine que ce soit, sauf pour me bousiller, j'ai l'impression de comprendre ce livre, ce que ce petit livre étrange et magnifique et éclairé me dit. Vis et laisse vivre, ne juge pas, prends la vie comme elle vient et laisse faire, tout se passera bien.

Je referme le livre et je laisse les notes de la clarinette m'emporter m'emporter m'emporter. Elles sont graves et tranquilles et douces et longues et faciles, tout comme les pensées dans ma tête. Elles m'emportent m'emportent m'emportent.

Vivre et laisser vivre.

Ne pas juger.

Prendre les choses comme elles viennent.

Laisser faire.

Tout se passera bien.

Des hurlements, longs et stridents et hideux, comme ceux d'un Enfant brûlé vif. Je me redresse dans mon lit. Tout est noir et silencieux. Je ne sais pas si c'est la réalité ou un rêve. Ça recommence. Comme un Enfant brûlé vif.

Je sors de mon lit, je sors de ma chambre, je me dirige vers les hurlements. Ils proviennent du Service, à chaque pas que je fais ils deviennent plus stridents, plus intenses. On dirait ceux d'un Enfant en train de brûler vif, putain.

J'ai peur. Mes poils sont dressés sur ma nuque et sur mes bras, mon cœur bat à se rompre, mes oreilles résonnent et c'est encore plus strident et plus intense à chaque pas. Je veux que ça s'arrête. J'ai peur. Pauvre Enfant. J'ai peur. Pauvre Enfant.

Je monte à l'Étage. Là-haut des hommes roulent des yeux effarés vers le Rez-de-Chaussée. Je suis leur regard et le bruit des hurlements qui se répercutent dans la pièce, j'aperçois Roy perché au sommet d'un canapé, muni d'un gros bout de bois semblable à une massue dont l'extrémité est endommagée et sanglante. Il agite son bâton autour de lui, le dirigeant vers des ennemis invisibles, il crie comme un damné. Ses vêtements, vieux et en lambeaux, sont couverts de terre et de sang, de même que ses bras et ses cheveux et ses yeux, écarquillés et vides, le blanc de ses yeux est rouge comme l'intérieur d'un four, ses pupilles sont d'un noir abyssal.

D'autres hommes arrivent, attirés par les horribles hurlements, et ils se rassemblent à l'Étage pour regarder Roy, ne savent que faire ni comment réagir, ne savent s'il y a un moyen de l'arrêter. Sa folie a redoublé et il bondit dans tous les sens sur le canapé, d'une main il se donne des coups de bâton dans le dos, de l'autre il se griffe le visage. Des postillons jaillissent de sa bouche, des gouttes de sang souillent la moquette et les murs, on dirait qu'il a pissé dans son pantalon ou qu'il est en train de le faire. Il ne semble pas remarquer qu'il y a d'autres gens dans la Pièce.

Lincoln arrive avec un homme massif qui porte une tenue grise et un talkie-walkie, il me semble que c'est une sorte de Vigile. Ils restent un moment en haut des marches, à regarder Roy et à discuter à voix basse. Lorsqu'ils cessent de parler, ils entreprennent de descendre l'escalier et Roy cesse de hurler, leur jette des regards furieux et brandit son bâton, l'agitant dans leur direction.

Pourquoi est-ce que vous voulez me tuer ?

Lincoln parle doucement, calmement.

Roy ?

Pourquoi est-ce que vous voulez me tuer ?

Nous ne voulons pas vous tuer, Roy.

Ils arrivent en bas des marches et s'arrêtent.

Qui est Roy ?

Lincoln fait un pas en avant, l'homme reste derrière.

Vous avez pris quelque chose, Roy ?

Roy bondit dans tous les sens sur le canapé. Il agite son bâton.

JE NE SUIS PAS ROY.

Lincoln fait un nouveau pas en avant.

Qui êtes-vous ?

Je m'appelle Jack et je vais te tuer. JE VAIS TE TUER, ESPÈCE D'ENCULÉ.

Lincoln se tourne, fait signe à l'homme, l'homme parle dans son talkie-walkie.

Lincoln se retourne vers Roy.

Salut, Jack.

Je vais te défoncer le crâne, espèce de Salopard à deux têtes.

Pourquoi ferais-tu une chose pareille, Jack ?

Parce que je suis un Tueur. Un Tueur mercenaire et sans pitié.

Deux nouveaux hommes en gris arrivent. Le premier se racle la gorge. Lincoln se retourne, d'un mouvement de tête il leur fait signe d'avancer et fait un pas vers Roy. Les hommes fourrent les mains dans leurs poches, en retirent des gants de latex qu'ils enfilent.

Et si tu me donnais ce bâton, Jack ?

Roy agite son bâton.

C'est pas un bâton, c'est un gourdin. Un brise-crâne.

Les hommes s'avancent.

Et si tu posais ce gourdin, Jack.

Faudra me passer sur le corps, Face de Gland.

Les hommes encerclent le canapé, Lincoln se plante devant Roy. Celui-ci grimace, il grommelle, il tourne sur lui-même pour se défendre.

Je vais vous défoncer le crâne, Suceurs de Pine.

Roy.

Je vous tuerai à mort jusqu'à ce que vous mouriez et restiez morts, Enfants de Catins.

Roy.

Les hommes regardent Lincoln, Lincoln regarde Roy. Roy tourbillonne, agite son bâton et beugle.

Je suis Jack le brise-crâne. Je vais vous écrabouiller.

Lincoln fait signe au premier homme, qui fait signe aux deux autres. Dès que Roy tourne le dos, l'un d'eux l'attrape par-derrière, envoyant valser son bâton dans les airs et entraînant son corps à terre. Les deux autres lui sautent immédiatement dessus, ils lui attrapent les bras et tandis qu'ils essaient de le mater, il les griffe et tente de les mordre. Lorsqu'il comprend qu'il est foutu, vaincu, il se met à hurler hurler hurler. À hurler. Comme un Enfant brûlé vif.

La plupart des hommes du Service se sont regroupés à l'Étage, ils observent les hommes qui emmènent Roy. L'un d'eux le tient par les jambes, l'autre par les bras et les hanches, un troisième par les aisselles et le torse. Ils le montent dans l'escalier et le font sortir du Service, ses hurlements continuent tandis qu'ils l'emmènent dans les couloirs. Ils le conduisent sans doute dans un endroit déplaisant mais ça m'étonnerait qu'il soit pire que celui d'où il vient. C'est impossible. Ses hurlements. Hors de question.

Lincoln, qui a observé la scène en silence, se tourne vers nous.

Le spectacle est terminé, les Garçons. Tout le monde au lit.

Personne ne bronche.

Tout le monde au lit.

Personne ne bronche. Ted parle.

Vous n'avez rien d'autre à nous proposer ?

Quelques rires. Lincoln jette un regard mauvais à Ted.

Ce n'est pas drôle, Ted.

Je trouve que si.

Lincoln l'ignore.

Tout le monde au lit. Nous reparlerons de ça demain.

Il reste là, à regarder les hommes jusqu'à ce qu'ils s'en aillent les uns après les autres. Alors il monte l'escalier et s'en va. Je suis complètement réveillé, je ne veux pas retourner me coucher. Même si je retournais me coucher, je n'arriverais pas à me rendormir. Les hurlements résonnent dans mon crâne. L'image du sang et des postillons ne me lâche pas. Les mots je ne suis pas Roy sont gravés en moi. Le néant, la folie dans ses yeux me taraudent. Je ne retournerai pas me coucher. Ses hurlements étaient comme ceux d'un Enfant brûlé vif.

Je vais à la machine à café, je prépare la première tournée de la journée. Je remplis le filtre de café bon marché, industriel, je remplis la cafetière d'eau du robinet, j'enclenche le bouton. Je reste planté là à attendre que le liquide marron translucide s'écoule en gargouillant gargouillant gargouillant. Lorsque l'eau cesse de couler, je me verse une tasse de café, j'en avale une gorgée, c'est chaud, c'est amer, c'est bon. Pas de sucre et pas de lait, c'est chaud, amer, bon. Je ne retourne pas au lit. Je vais avoir besoin de café. Je vais en avoir besoin.

Je fais quelques pas pour rejoindre une table. Des hommes s'y sont installés, ils parlent de ce qui vient de se passer. Je leur dis que le café est prêt, deux ou trois se lèvent pour aller prendre une tasse, je m'assieds, je les écoute. Ils spéculent sur les drogues qui auraient pu faire un tel effet à Roy. Ça pourrait être du crack, ça pourrait être des amphés, ça pourrait être du PCP ou une forte dose d'acide, mais aucun autre produit facile à trouver n'aurait été suffisamment puissant pour le mettre dans cet état. Ted pense qu'il s'agit de crack. Il a déjà fait plusieurs crises psychotiques induites par le crack, la dernière fois il a descendu la Grand-Rue d'une petite Ville du Mississippi déguisé en Père Noël en jetant des sacs plastique remplis de merde sur les voitures et les Piétons. Un homme que je ne connais pas pense que c'était des amphés et suppute que Roy n'a sûrement pas dormi depuis plusieurs jours et souffre d'un cas extrême de privation de sommeil. Tous les autres pensent qu'il était sous PCP ou sous acide. Ces substances sont assez puissantes pour vous voler votre raison, vous faire voir ou entendre des choses qui n'existent pas, vous faire perdre la tête. Ces substances peuvent avoir cet effet à court ou à long terme. Elles peuvent avoir cet effet dès la première fois. Le Petit Homme Chauve dit que Roy était un Buveur, qu'il détestait les drogues, détestait les gens qui en consommaient et qu'il n'aurait pas fait ça. Il pense simplement qu'il est devenu fou. Sans rime ni raison, juste un esprit troublé qui finit par perdre les pédales. Je n'ai pas de théorie. Je reste assis avec eux et j'écoute et je bois mon café, j'attends que les hurlements s'en aillent.

Les hommes retournent se coucher, un à un, fatigués et fatigués de bavarder. Ils partent et je suis le dernier et le seul à rester debout, moi et mon café industriel, les murs pâles et silencieux, les lents moments de solitude, la noirceur vivante et changeante du cœur de la nuit. Je reste à table, je fume des cigarettes, je sirote mon café. J'écoute le tic-tac d'une horloge invisible, je pense à la façon dont un esprit troublé peut perdre les pédales. Il a tout perdu. Souviens-toi.

Je me souviens d'elle. Je me souviens d'elle, grande et mince et longue et blonde comme la soie la plus épaisse et ses yeux, des yeux bleus, des yeux comme l'Arctique, je me souviens d'elle. Je me souviens l'avoir laissée l'après-midi où je suis allé déposer le sachet d'herbe pour Lucinda. Je me souviens l'avoir revue le lendemain. Je me souviens ne pas lui avoir parlé et en avoir eu envie, mais j'en étais incapable. Je me souviens l'avoir dévorée des yeux, imprudemment, ostensiblement, mes yeux fixes et troubles et braqués, mes yeux qui la pénétraient. Je me souviens n'avoir pas su si elle avait remarqué. J'étais tombé raide dingue, j'étais tombé amoureux. Je ne savais pas si elle avait remarqué.

J'ai continué à la regarder pendant toute une année. Dans la Rue, dans les Couloirs, sur les trottoirs, à table, devant un Café, à l'intérieur d'un Bar, le matin l'après-midi la nuit. Dès que je me retrouvais au même endroit qu'elle je la regardais. Je voulais lui parler, mais je n'en ai rien fait. Jamais bonjour, jamais comment ça va, jamais quoi de beau, jamais quoi de neuf. Je n'ai jamais dit un mot, je me suis contenté de la regarder. Au bout d'un moment je savais qu'elle m'avait repéré, mais elle ne m'a jamais demandé d'arrêter. Je me contentais de la regarder.

Elle a disparu en début de troisième année. Je ne savais pas où elle était passée et je n'ai rien demandé à personne. Il était fréquent que les Étudiants passent du temps à l'étranger ou partent travailler quelque temps et je me suis dit qu'elle reviendrait. Si elle n'était pas revenue, je serais allé la chercher. Elle était partie et si elle n'était pas revenue, je serais allé la chercher au bout du Monde. Je l'aurais cherchée jusqu'à ce que je la retrouve.

Je l'ai revue en Cours. C'était le premier Cours du premier Semestre, quinze mois après sa disparition. Je suis arrivé encore ivre de la nuit précédente, nauséeux, déshydraté, fatigué et je me suis assis au fond de la Classe à l'écart des autres Étudiants, aussi loin que possible. J'ai posé les bras sur mon bureau, j'ai niché ma tête au creux de mes bras, j'ai fermé les yeux, ma tête tournait et mon estomac et mon corps tournaient, et je m'efforçais de rester éveillé, je m'efforçais de ne pas vomir, je ne voulais pas vomir le jour de la Rentrée. J'ai relevé la tête lorsque j'ai entendu le Professeur nous dire bonjour et bienvenue pour cette nouvelle année et elle était là, au premier rang, avec Lucinda et une autre fille que je ne connaissais que de vue. Elle était là. Je ne l'avais pas vue depuis plus d'un an. Je serais allé la chercher au bout du Monde. Elle était là.

Je l'ai regardée. J'ai oublié mon ivresse, j'ai oublié ma nausée, j'ai oublié que j'étais en Cours, j'ai oublié que j'étais à la Fac, j'ai oublié que j'avais des amis, une Famille, une vie, un nom, un visage, une raison. J'ai tout oublié, tout oublié tout oublié, et je l'ai regardée. J'étais derrière elle, mais je voyais qu'elle avait changé depuis la dernière fois. Elle s'était étoffée, ses cheveux avaient poussé, elle était bronzée et elle dégageait une impression d'assurance tranquille et calme que je ne lui connaissais pas auparavant. Elle était vêtue de noir, le noir faisait ressortir ses cheveux blonds, et bien que je ne puisse pas le voir je savais que cela faisait ressortir ses yeux bleus. Je serais allé la chercher au bout du Monde.

Je ne voulais pas que le Cours s'achève, tout ce que je voulais c'était la regarder, et lorsqu'il s'est achevé elle s'est levée et elle s'est retournée comme si elle avait su que j'étais là, deux yeux fixes et troubles derrière elle, elle m'a regardé et j'ai soutenu son regard, Bleu Arctique contre vert pâle. Elle m'a regardé, j'ai soutenu son regard jusqu'à ce que la Salle se vide, elle s'est retournée et elle est sortie. J'ai pris ma respiration et je l'ai suivie.

Elle s'est enfoncée dans les Couloirs. On se trouvait dans le Bâtiment des Lettres et il débordait de l'excitation et du bruit de la

Rentrée. Elle marchait rapidement mais traînait suffisamment long-temps aux carrefours et dans les escaliers pour que je puisse voir dans quelle direction elle allait, suffisamment longtemps pour que je sache qu'elle voulait que je voie où elle allait. Bleu Arctique contre vert pâle. On se tenait. Nous le savions tous les deux.

Je l'ai perdue près de l'Entrée Principale du Bâtiment et j'ai paniqué. Je ne voulais pas la perdre, je me suis précipité à l'extérieur, la cher-chant du regard pour voir où elle était passée, je voulais la voir, la regarder où était-elle donc passée Bleu Arctique où où où et soudain j'ai entendu une voix dire mon nom, le dire d'une façon claire, cris-talline, forte, simple, tel le soleil sur une pierre affleurant à la surface de l'eau. Claire cristalline simple et forte la voix disait mon nom James.

Je me suis arrêté, je me suis retourné, elle se tenait sur la première marche d'un gros escalier en pierre. Elle se tenait là, elle m'attendait.

James.

Quoi ?

Pourquoi est-ce que tu me regardes ?

Quoi ?

Tu me regardes. Je veux savoir pourquoi.

Tu sais déjà pourquoi.

Non.

Si.

Non.

Si, tu veux juste m'entendre te le dire.

Dis-moi pourquoi tu me regardes.

J'ai respiré un grand coup.

La première fois que je t'ai vue, mon cœur a succombé. La deuxième fois que je t'ai vue, mon cœur a succombé. La troisième fois la quatrième fois la cinquième et toutes les fois depuis, mon cœur a succombé.

Je l'ai regardée.

Tu es la plus belle femme que j'aie jamais vue. Tes cheveux, tes yeux, tes lèvres, ton corps qui n'est pas encore tout à fait un corps de femme, la façon dont tu marches, souris, ris, la façon dont ton front se plisse lorsque tu es en colère ou triste, la façon dont tu traînes les pieds quand tu es fatiguée. Tout est beau en toi.

Je l'ai regardée.

Lorsque je te vois le Monde s'arrête de tourner. Le monde s'arrete, plus rien n'existe pour moi que toi et mes yeux qui te regardent, il n'y a rien d'autre. Pas de bruits, pas de gens, pas de pensées ou de soucis, pas de passé, pas d'avenir. Le Monde s'arrête, c'est tout, et c'est un bel endroit, où il n'y a que toi. Seulement toi, et mes yeux qui te regardent.

Je l'ai regardée.

Quand tu t'en vas, le Monde se remet à tourner, mais ça ne me plaît plus autant. J'arrive à y vivre, mais ça ne me plaît pas. Je m'y promène, j'attends de te revoir, j'attends qu'il s'arrête à nouveau. J'adore ça, quand il s'arrête. Putain c'est la plus chouette chose que j'aie jamais connue ou ressentie, la plus chouette chose et voilà, belle Fille, pourquoi je te regarde.

Nous étions séparés de quelques centimètres, à nous regarder, Arctique et pâle, fixes et troubles. Le Monde s'était arrêté et il n'y avait rien d'autre. Rien que moi et elle. Arctique et pâle, fixes et troubles.

Elle a souri.

C'était beau.

C'était sincère.

Merci.

De rien.

Tu fais quoi maintenant ?

Je vais en Cours. Et puis j'irai me saouler.

Vraiment ?

Ouais.

Alors c'est vrai ce qu'on raconte ?

Je ne sais pas ce que tu as entendu, mais sans doute.

J'espérais que non.

Je ne sais pas quoi te dire.

J'ai reculé d'un pas, descendu une autre marche.

Je te reverrai bientôt ?

Elle a souri et elle a acquiescé.

Oui.

J'ai tourné les talons, je suis parti et j'ai descendu les marches de l'escalier sur des jambes flageolantes. Je savais qu'elle me regardait descendre et qu'elle attendait que je me retourne pour lui faire un sourire, j'aurais aimé lui faire ce sourire et j'aurais aimé que le Monde s'arrête, elle attendait mais je ne me suis pas retourné. J'ai continué à marcher, une image gravée dans mon esprit, Arctique et

224

pâle, fixes et troubles, belle magnifique mystérieuse et merveilleuse. C'était gravé dans mon esprit. Je savais que ça ne risquait pas de s'échapper.

J'écoute les tic-tac d'une horloge invisible qui signale les instants d'un temps révolu depuis longtemps. Les tic-tac me captivent et m'emportent et me transportent et me capturent, tel un pendule qui oscille lentement devant les yeux d'un imbécile. Le Monde s'est arrêté, mais pas comme avant, pas pour de bonnes raisons. Il s'est arrêté, il n'avance plus de même que ma vie s'est arrêtée et qu'elle n'avance plus. Elle n'avance plus, ne recule plus, elle ne bouge pas, elle s'est tout bonnement arrêtée. Elle s'est tout bonnement arrêtée. L'horloge ne me retient nulle part. Nulle part. Nulle part. Il n'y a rien d'autre que l'instant présent et la profondeur changeante de la nuit. Je suis seul à table, à fumer des cigarettes et à boire du café, à écouter et à survivre. Je ne devrais pas être ici ni ailleurs. Je ne devrais pas respirer ou occuper l'espace. Je ne devrais pas jouir de ce moment ou de quoi que ce soit d'autre. Je ne devrais pas avoir la chance de vivre à nouveau. Je ne l'ai pas méritée et je n'ai rien mérité, pourtant c'est ici, je suis ici et tout se présente à nouveau à moi. Cela ne se reproduira pas. Cet instant ou cette chance, c'est la même chose. Cet instant ou cette chance, c'est la même chose et c'est à moi de décider de les accepter et c'est ce que je fais. Je les veux. Maintenant et aussi longtemps que je pourrai les avoir ils sont précieux et fugaces et ils peuvent disparaître en un clin d'œil, ne les gâche pas. Un instant et une chance et une vie, cachés dans le tic-tac d'une horloge invisible qui ne me retient nulle part. Mon cœur bat. Les murs sont pâles et silencieux. Je survis.

L'obscurité recule, la lumière l'envahit et la conquiert. Mise à part ma présence, le Service est désert et silencieux. Je me lève, je respire à pleins poumons, je respire sans limites, je me dirige vers la porte, je l'ouvre, je sors. Je marche vers le Lac couvert d'une brume froide qui naît de la différence de température entre l'air et l'eau. La brume plane sur la surface claire calme noire de l'eau, semble s'élever dans les airs mais ne s'élève pas, changeant d'allure tout en restant la même. J'aime la brume, je veux l'absorber, la laisser devenir moi. Je veux la boire et m'en gorger. Faire de moi ce que je devrais être.

Je m'assieds sur le banc du milieu. Ça me fait froid aux jambes et au dos mais le froid neutralise le café et les cigarettes et la nuit. Je garde les yeux dans le vague, immobile et fort, jusqu'à ce qu'un oiseau plonge et fende la brume telle la Grêle du Nord qui dérive vers le sud. Il vole dans la brume, au-dessus, il trouve un arbre et il s'y pose et il reste perché là sans faire attention à moi à regarder ce qu'il cherchait. Ce n'est plus là ou pas encore alors il reste l'oiseau reste perché sur la branche de l'arbre droit et réel. Regardant, cherchant, fouillant, attendant. Il reste droit et réel.

Il y a un bruit derrière moi, je me tourne vers le bruit. Une Silhouette franchit les portes vitrées de l'Entrée. La Silhouette est emmitouflée sous des couches de coton et de nylon bleu étincelant, elle porte des lunettes et un chapeau. Elle ferme la porte et elle m'aperçoit et elle se dirige vers moi pas à pas prudents dans la rosée scintillante. Je n'en veux pas, de cette Silhouette et de ce qu'elle a à m'apporter, alors je lui tourne le dos et je plonge les yeux dans l'eau, immobile et fort, l'oiseau est toujours là. Regardant, cherchant, fouillant, attendant. Bien droit et bien réel.

Les pas se rapprochent, j'entrevois le coton et le nylon du coin de l'œil. J'essaie de ne pas y prêter attention mais j'entends une voix.

Salut, Fiston.

Je connais cette voix.

Salut, Leonard.

Il se plante devant moi.

Ça t'ennuie si je m'assieds ?

Je regarde la brume.

Les bancs ne m'appartiennent pas.

Il rit et il s'assoit.

Qu'est-ce que tu fais debout si tôt ?

Je regarde la brume.

Impossible de dormir.

Roy ?

Entre autres.

Quoi d'autre ?

Rien dont je vais te parler.

Tu es sûr ?

Ouais, je suis sûr.

Leonard se lève.

Allons marcher un peu.

Je reste sur le banc.

Non merci.

Allez.

Non.

Pourquoi.

Je lève les yeux.

Je ne crois pas qu'il soit bon pour moi d'être vu en ta compagnie quand tu portes ce survêtement.

Il baisse les yeux sur lui, les repose sur moi.

Qu'est-ce qui cloche avec ce survêtement ?

Il est en quoi ?

Il le caresse, sourit.

C'est un mélange rayonne-nylon-satin.

Je ris.

Eh bien pour commencer, il y a ça qui cloche.

Et ensuite ?

Tu portes ta montre en or.

Je l'adore, cette montre.

Et tes lunettes débiles.

C'est des Gucci.

Je me fous de leur marque, elles sont ridicules.

Il les enlève, les observe, les glisse dans sa poche.

Et maintenant ?

Ça va mieux.

Il sourit, fait un geste vers le bois.

Allons marcher un peu, Fiston.

Je me lève, on commence à marcher et on trouve un Sentier dans les Bois. Leonard me demande comment je vais, je lui dis que je vais bien. Il me repose la question, je lui redis que je vais bien. Il me la repose, je lui redis que putain je vais bien et il me dit que bien, ce n'est pas une réponse satisfaisante, il veut savoir comment je vais réellement. Je lui dis que je n'en sais rien, il me demande ce que cela signifie, je lui dis que je n'en sais rien, que parfois je vais bien et que parfois je me sens vraiment vraiment vraiment moins que bien. Il dit que si je me sens comme je le dis alors je vais bien il faut que je continue comme ça et j'irai mieux ma vie ira mieux, tout ira mieux et je lui ris au nez. Il me demande pourquoi je ris et je lui dis que je ris parce que je ne pense pas qu'en tant que Cocaïnomane, Patient du Centre de Désintoxication au même titre que moi et Déjanté de Première Catégorie il soit bien placé pour me donner des conseils. Il rit et il dit trouvons un endroit où nous asseoir, Fiston. Il faut que je te raconte une histoire.

Nous marchons jusqu'à ce que nous trouvions un banc le long de l'un des plus petits Lacs. C'est un banc en bois tout simple qui semble avoir été sculpté à partir d'un seul morceau de bois. Ses angles sont saillants, sa surface est irrégulière et comme tous les bancs à cette heure de la journée, il est froid. Le Soleil a commencé à se lever, des rayons jaunes et blancs chassent la brume. Des plaques flottantes de glace grise dérivent et craquent, leurs craquements semblables à des tirs d'arme à feu, les stalactites qui pendent aux longues branches des chênes et des pins fondent, les gouttes d'eau en tombant font fondre la pellicule de givre par terre. Bien que je sois légèrement vêtu, j'ai chaud. Mon cœur bat, je survis, j'ai chaud.

Leonard a les yeux perdus dans le vague, en direction du Lac. Jamais je ne l'ai vu aussi calme, la violence, la maîtrise et la force qui émanent d'ordinaire de lui ont disparu. Ses mains reposent sagement sur ses genoux, sa respiration est profonde et lente, ses yeux fixent quelque chose au loin sans vraiment le regarder. Ses yeux regardent à l'intérieur, revoient, se souviennent, cherchent à trouver une façon de raconter. Sans bouger, il se met à parler.

Je t'ai raconté la façon dont mon Père était mort. Dont il a été renversé et tué par un camion. Avant de mourir, sur son lit d'Hôpital, il m'a pris la main et m'a dit que tout ce dont il rêvait, c'était qu'un jour je réussisse assez bien dans la vie pour faire le Parcours de Golf qu'il avait tondu pendant quinze ans comme si j'étais l'un des Membres du Country Club. Je lui ai promis qu'un jour je le ferais.

Leonard inspire une grande goulée d'air.

Je t'ai raconté comment ma Mère est morte, que Michelangelo et Geena m'ont adopté et élevé comme si j'étais leur fils. Non content de m'élever, Michelangelo m'a initié à ses affaires. Ce dont il s'agit n'a aucun intérêt. Ce qui en a, c'est de savoir qu'il m'a appris à faire comme lui, qu'il m'a lancé. Je réglais certaines bricoles pour lui, il prenait soin de moi et me protégeait. Puis Michelangelo et Geena ont eu l'occasion d'aller vivre à Las Vegas. Ils ont sauté dessus, et je suis parti avec eux. Tout a très bien marché pour nous, très vite. Vegas se développait, la ville était en pleine expansion, et nous aussi. Nous avions de l'argent, des Maisons, des voitures, tout ce qu'on voulait. Tout était là, tout ce dont on avait toujours rêvé.

Leonard cesse de parler, baisse les yeux. Il prend sa respiration, relève les yeux.

Et puis Geena a eu un cancer. C'était un sale cancer, un cancer des os, et il l'a emportée rapidement et brutalement. En l'espace de trois putains de mois cette femme qui était la plus belle femme au Monde est devenue un putain de squelette, et lorsque la maladie l'a tuée, d'une certaine façon, elle nous a aussi tués, Michelangelo et moi.

Il secoue la tête, le regard perdu sur le Lac.

Plus rien n'a jamais été pareil. Michelangelo s'est désintéressé de nos affaires, il m'a tout confié. Je ne l'ai plus beaucoup vu après cela. Je pense que lorsque nous nous voyions, ça nous rappelait ce qu'on avait perdu. C'était de sales années de dépression. Chacun de son côté, on s'est mis à boire de plus en plus, à prendre trop de cocaïne, mais Michelangelo a complètement perdu les pédales.

Un jour j'ai eu besoin de le voir, je devais lui parler d'un truc, alors je suis allé chez lui. Je n'y avais pas été depuis des mois, et lorsque je suis entré, j'ai failli vomir. Il y avait des miroirs pleins de coke sur les tables, des bouteilles et des canettes partout, des piles d'ordures dans toutes les pièces, des Blondasses aux gros seins siliconés endormies sur les canapés ou se prélassant à côté de la Piscine. Je suis monté dans sa Chambre, il était là-haut avec deux trois jeunes Filles et tout un tas de drogues. J'ai demandé aux Filles de partir, je l'ai emmené au bord de la piscine. Je l'ai fait asseoir, je l'ai regardé dans les yeux, je lui ai dit Mikey, tu devrais avoir honte de toi. Putain, tu devrais avoir honte de ton mode de vie, honte de déshonorer la mémoire de ta femme. Geena aurait pensé que tu méritais mieux que ça, et si elle te regarde de là-haut, elle doit pleurer toutes les larmes de son corps.

Il ne m'a pas dit un mot. Il m'a simplement tourné le dos et il a quitté la Maison. Je ne savais pas où il était passé, je n'avais pas la moindre nouvelle de lui et j'ai commencé à faire mon deuil. J'ai fait exactement comme lui. Je buvais trop, je prenais trop de coke et je faisais plein de grosses conneries. Un jour, environ un an plus tard, je dormais au fond de mon lit lorsque j'ai entendu quelqu'un dans la maison. Je dors toujours avec un revolver sous mon oreiller, je l'ai attrapé et je me suis levé. J'ai entendu du bruit dans ma cuisine, j'y suis allé et j'ai vu Michelangelo, avec vingt-cinq kilos en moins, en meilleure forme et en meilleure santé que je ne l'avais jamais vu.

Il m'a regardé et m'a demandé pourquoi mon foutu frigo était vide à ce point.

Je l'ai serré dans mes bras, je lui ai demandé où il était passé et il m'a dit qu'il avait fait un séjour dans la Clinique où nous nous trouvons aujourd'hui. Il m'a dit que lorsqu'il avait quitté sa Maison ce jour où je l'avais pris entre quat'z'yeux, il avait l'intention de prendre la voiture et de rouler jusqu'au Désert pour s'y faire sauter le caisson, mais qu'une fois là-bas il en a été incapable. Alors il s'était dit que s'il devait mourir, il voulait que ce soit dans la dignité et l'honneur, comme il avait vécu la majeure partie de sa vie. Il avait entendu parler de cet endroit et avait décidé de venir y passer quelque temps. Il s'est acheté une carte, il a fait la route depuis Las Vegas et il est resté ici jusqu'à ce qu'il sente que ça allait mieux. Puis il est remonté dans sa voiture et il s'est baladé plusieurs mois, il a vu la Maison-Blanche et Key West et Bourbon Street et l'Alaska. Il a vu tout ce qu'il avait toujours rêvé de voir.

Il était revenu pour me dire qu'il se retirait des affaires et qu'il voulait que je vienne faire un séjour ici. Il a dit que ce centre avait changé sa vie. Il a dit que jamais il n'avait fait une chose aussi difficile que d'apprendre à rester abstinent, mais qu'outre son mariage et la vie qu'il avait vécue avec Geena, c'était la meilleure chose qu'il ait jamais faite. Il voulait que je fasse pareil, il m'a dit qu'il ne partirait pas et qu'il ne mourrait pas avant que je l'aie fait.

On a passé le reste de la journée à jouer au golf et à parler de la Clinique. À son arrivée, il s'était dit qu'il avait fait une énorme bêtise. Il avait pensé s'en aller mais il était resté. Au bout de quelques jours il se sentait mieux, et il avait compris que ça marchait. Au bout d'un mois il savait qu'il allait se rétablir. Il passait encore des mauvais moments, des moments durs, des moments où il pensait qu'il n'allait pas s'en sortir mais dans ces cas-là il s'accrochait. Il s'est accroché de toutes ses forces jusqu'à ce que ça commence à aller mieux. Et lorsqu'il s'est enfin senti prêt à partir, il m'a dit qu'il savait qu'il ne boirait plus, qu'il ne se droguerait plus jamais, et il m'a dit qu'il s'en était allé heureux et fier.

Les jours suivants on a reparlé de l'effet que ce centre avait eu sur lui, et on a reparlé du fait que je puisse venir y séjourner. Environ une semaine plus tard, il est passé me prendre chez moi et m'a dit qu'il voulait m'emmener manger dans mon Restaurant préféré. Je ne sais pas comment il s'était débrouillé pour faire ça dans mon dos, mais il avait organisé un dîner avec tous nos amis, même les anciens de New York. Quand on est entrés, ils nous attendaient tous. On a mangé, bu, sniffé de la coke. Michelangelo m'avait dit qu'il me mettrait dans un avion le lendemain alors je me suis laissé aller. Au bout de quelques heures, il m'a dit qu'il rentrait chez lui. Il ne se sentait pas encore assez à l'aise pour passer toute la soirée au milieu de tant d'alcool et de tant de drogue. Il m'a serré dans ses bras, m'a dit qu'il viendrait me chercher vers midi pour me mener à l'Aéroport. Moi aussi je l'ai serré fort, je lui ai dit que je me sentais prêt, qu'il pourrait être fier de moi. Il m'a répondu qu'il en était convaincu.

Leonard respire un grand coup.

Il m'a tourné le dos et s'en est allé, se dirigeant vers le voiturier. Je l'ai observé depuis le perron tandis qu'il attendait sa voiture, espérant qu'il se retournerait pour que je puisse lui faire au revoir. Une Lincoln noire s'est arrêtée, les vitres se sont baissées. J'ai immédiatement compris ce qui se passait et j'ai voulu hurler, mais avant que j'aie pu faire quoi que ce soit les canons étaient pointés. Ils ont tiré. Les Enculés. Ils ont tiré.

Michelangelo s'est écroulé sur-le-champ, et lorsqu'il était à terre les putains de flingues ont continué de tirer. Quand je l'ai rejoint, c'était fini, il avait été touché seize fois, deux dans le thorax, quatre dans l'abdomen, le reste dans les bras et les jambes. Les gens couraient dans tous les sens, il y avait du sang partout, et c'était fini, il avait été touché seize fois par une bagnole bourrée de sales Lâches. Les Enculés.

La voix de Leonard se brise, des larmes coulent le long de ses joues. Je le tenais dans mes bras, il saignait. Je le tenais dans mes bras, c'est tout, et je lui ai dit combien je l'aimais. Il était encore conscient, il arrivait encore à parler mais il savait qu'il était foutu, et juste avant de s'en aller, il a levé sa main ensanglantée et m'a caressé la joue. Il m'a regardé dans les yeux et il m'a dit, vis dans l'honneur et dans la dignité, honore la mémoire de tous tes Parents. Je veux que tu fasses le Parcours de Golf de ton premier Père et que tu joues comme si tu étais l'un des Membres et je veux que tu vives en restant abstinent et en homme libre. Fais ça pour moi, Leonard. Vis en restant abstinent et en homme libre. Ça va être difficile, effrayant, ardu, mais si tu t'accroches, ça va aller. Accroche-toi. Et

231

alors il est mort, dans mes bras, abattu comme un putain de clébard. Il est mort dans mes bras.

Leonard craque, il se met à pleurer. Il pleure à gros bouillons, secoué par les sanglots et les tremblements, ses larmes s'échappent d'une blessure qui jamais ne cicatrisera. Je le laisse pleurer, je le laisse à ses souvenirs, sa perte, sa douleur. Je pourrais tenter de lui offrir un peu de réconfort mais cela ne servirait à rien. On ne peut pleurer que seul sur des blessures qui jamais ne cicatriseront.

Il se reprend et, ce faisant, retrouve sa contenance et, ce faisant, sa violence, sa maîtrise et sa force. Ses yeux se promènent sur le Lac, la brume qui disparaît, la glace qui flotte et se craquelle, mais l'image du mort reste gravée dans son esprit.

Le lendemain je n'ai pas pris mon Avion, je ne l'ai pas pris pendant un bon bout de temps. J'ai fait enterrer Michelangelo au côté de Geena, j'ai pleuré sur leur tombe tout comme je pleurais tout à l'heure et tout comme je pleure chaque fois que je pense à eux. Puis j'ai passé une semaine cloîtré chez moi, dans la schnouff jusqu'aux yeux et complètement imbibé. Quand j'ai fini par émerger je n'avais qu'une idée en tête, me venger. J'ai passé l'année suivante à traquer les Enculés responsables du meurtre de Michelangelo. Et puis j'ai trouvé les Enculés pour qui ces Enculés bossaient. Ce que je leur ai fait subir ne mérite pas qu'on en parle, mais je peux te dire que je ne leur ai pas laissé le luxe d'être dans les bras de quelqu'un qui les aimait lorsque je les ai refroidis. J'ai passé l'année suivante à boire et à sniffer et à essayer de me débrouiller pour m'incruster sur ce satané Parcours de Golf à Westchester. Comme je n'ai pas réussi, j'ai décidé de faire une pause et de venir ici, si j'étais incapable de rendre mon premier Père fier de moi, j'y arriverais au moins avec le second.

Ç'a été incroyablement difficile de rester ici et de faire ça, bien plus difficile que je le croyais. Quand je suis arrivé, j'étais une vraie loque. Pas aussi loque que toi, mais très mal en point. Chaque seconde était un véritable Enfer. Maintenant ça commence à devenir plus facile, mais putain c'est encore horrible et il reste bien plus de mauvais moments que de bons moments et bien plus de mauvaises choses que de bonnes choses. Je ne sais pas exactement ce que je pense des Puissances Supérieures et des Douze Étapes et de tout ce dont il est question ici, mais par contre je sais que quand les choses vont mal, quand je pense que je ne vais pas tenir une minute de plus, si je m'accroche, si je m'accroche de toutes mes forces, toute cette saloperie prend meilleure tournure. Le Vieux avait raison, comme toujours, et ses dernières paroles disaient la vérité. Accroche-toi, c'est tout, accroche-toi.

Leonard se retourne et il me regarde dans les yeux. Je lui rends son regard.

Si je t'ai raconté cette histoire c'est pour plusieurs raisons. La principale c'est que quand tu es déprimé ou quand tu penses que tu ne peux plus supporter toute cette merde, accroche-toi, tout simplement, et tôt ou tard, toute cette saloperie prendra meilleure tournure.

Nous nous regardons dans les yeux.

Comme je t'ai déjà dit, Fiston, si tu te casses d'ici, je te fais ramener illico. Autant de fois qu'il le faudra, je te ferai ramener. Si tu veux me tester, je t'en prie vas-y, mais je te le déconseille. Le truc malin ça serait de suivre mon avis. Je suis peut-être Cocaïnomane, Patient du Centre de Désintoxication, et Déjanté de Première Catégorie, n'empêche que je te donne un bon conseil. Sois malin, sois fort, sois fier, vis dans l'honneur et dans la dignité et accroche-toi.

Nous nous regardons dans les yeux. Je l'écoute et je le respecte, je respecte ses paroles. Elles sont vraies. Elles naissent de son expérience, de ses sentiments. J'arrive à croire ces choses-là. La vérité, l'expérience, les sentiments. J'arrive à y croire. Accroche-toi.

Tu crois que tu vas y arriver ?

Je fais signe que oui.

Ouais, je pense.

Il sourit.

Tu ne vas pas te chamailler avec moi pour ça.

Je secoue la tête.

Non, je ne vais pas me chamailler avec toi.

Tu commences à aller mieux, Fiston.

J'émets un petit rire. Je me détourne et je regarde en direction du Lac. La brume s'est évaporée, les plaques de glace se sont affinées, les stalactites fondent vite, abondamment. Le Soleil s'est levé, le Ciel est bleu vide bleu lumineux clair bleu. Je boirais le Ciel si je le pouvais, je le boirais et le célébrerais et le laisserais me remplir et devenir moi. Je commence à aller mieux. Vide et clair et lumineux et bleu. Je commence à aller mieux.

Leonard parle.

Il est temps d'aller prendre notre petit déjeuner.

Ouais.

Leonard se lève. Je lève les yeux vers lui.

Merci, Leonard.

Il sourit.

De rien, Fiston.

Je me lève. Je cherche à dire quelque chose d'autre, mais je ne connais pas de mots pour exprimer la forte, simple et profonde reconnaissance que je ressens. Je tends les bras, les enroule autour de Leonard, je le serre contre moi. Je ne connais pas de mots, alors je laisse parler mes gestes. Forte, simple et profonde reconnaissance. Mes gestes sont vrais.

Nous relâchons notre étreinte, nous nous mettons à marcher en direction de la Clinique. Comme nous marchons le long du Sentier nous croisons d'autres Malades, nous leur disons bonjour ou nous leur faisons un signe de tête ou échangeons de brèves amabilités. La plupart d'entre eux semblent marcher pour faire du sport, la plupart d'entre eux semblent savoir où ils vont. Seuls quelques-uns marchent pour marcher. D'autres semblent perdus.

On arrive au Réfectoire, on prend des plateaux, on prend de la nourriture, on s'attable avec Matty et Ed et Ted et Miles et un homme qui s'appelle Bobby. Bobby, qui est petit, gros et a la peau rose et les cheveux roux d'un Irlandais, a posé une énorme assiette de nourriture en face de lui. Entre deux bouchées gargantuesques d'œufs brouillés baveux, il raconte des histoires. Matty et Ed et Ted le font parler. Miles l'écoute attentivement.

Il ne nous salue pas lorsque nous les rejoignons. Il ne cesse pas de manger ni de parler, son menton ne cesse pas de trembloter. Il raconte une histoire sur des Mafieux qu'il connaît à Brooklyn, se vantant de gérer leur argent et leurs Portefeuilles d'Actions et qu'ils lui donnent de la drogue et des femmes et tout ce qu'il veut en retour. Lorsqu'il parle des quantités de drogue, Matty rigole et lui dit qu'il aurait dû en demander davantage. Alors Bobby se corrige et dit qu'effectivement il en a obtenu davantage. Lorsqu'il parle des femmes, Ed lui dit que quatre d'un coup ça ne casse pas des briques et Bobby répond que la fois suivante il en a eu huit. Il parle de crack, des quantités qu'il se vante de fumer et Ted lui demande l'effet que ça fait parce qu'il a toujours voulu essayer. Bobby répond que c'est comme de l'herbe vraiment très puissante. Ted se moque de lui, feignant d'être époustouflé.

Leonard écoute attentivement et tranquillement, il l'observe. De temps en temps il pose des questions à Bobby sur les gens qu'il se vante de connaître et la façon dont il se vante de les avoir connus. Je ne sais pas si Leonard connaît tous les gens concernés, mais je vois bien qu'il est en train de jauger Bobby. Il n'a pas l'air tellement impressionné.

Je finis par me lasser de Bobby et de ses foutaises et je ricane lorsqu'il mentionne ses revenus considérables qui, se targue-t-il, avoisinent le million de dollars annuel. Il cesse de parler, me jette un sale regard et il me demande pourquoi je me fends autant la poire. Je lui rends son regard et je lui dis que je trouve ses bobards amusants, Miles parle pour la première fois depuis que le petit déjeuner a commencé, il dit pour sûr ils le sont. Bobby, comme tout Menteur démasqué, est immédiatement sur la défensive et se met en colère. Il me demande pour qui est-ce que je me prends bordel, et où est-ce que ça me mène de l'accuser comme ça, bordel. Je rétorque que je ne me prends pour personne et que ça me mène où je veux. Il me dit qu'il n'est pas homme à se laisser manquer de respect et que je ferais mieux de ravaler mes paroles ou qu'il faudra que j'en assume les conséquences, et l'image de cet homme en train d'essayer de me faire quelque chose, avec ses cent cinquante kilos de saindoux tremblotant vers moi, en proie à une crise de rage sauvage, est comique. J'éclate de rire, il se lève, il me demande si je veux y aller, viens là espèce de petit Merdeux, allons-y tout de suite, je me lève et je lui fais OK, allons-y tout de suite. Il jette un coup d'œil vers Lincoln et Keith qui mangent à quelques tables de nous et il me dit tu as de la veine qu'ils soient ici sinon je te botterais le cul. Je lui ris au nez, j'attrape mon plateau et je m'en vais.

Je pose mon plateau sur le tapis roulant. En me retournant je bouscule Lilly. Elle fait tomber son plateau par terre, c'est la pagaille, elle se baisse pour tout nettoyer et je me baisse pour l'aider. Comme je tends la main pour attraper une tasse de café vide, elle glisse la sienne dans la mienne et je sens un bout de papier contre ma paume. Quand elle retire sa main le papier reste dans la mienne. Exactement comme si j'avais chopé de la came dans la Rue. Deux mains qui s'échangent un petit bout de papier plié dans un geste a priori anodin. Sa main qui touche la mienne. Le bout de papier au creux de ma main.

On ramasse l'assiette, le bol de céréales vide, la fourchette, le couteau, la cuillère. On les replace sur le plateau, elle le pose sur le tapis roulant et je m'en vais. Tout comme ça se passe dans la Rue, je veux ce qu'il y a dans ou sur ce bout de papier, je le veux immédiatement. Comme dans la Rue, je sais qu'il faut que j'attende d'être seul. Comme dans la Rue, je sais que je ne devrais pas avoir ça en ma possession.

Je fourre le bout de papier dans la poche de devant de mon pantalon, je me rends à la Salle de Conférences, je trouve un siège dans la rangée du fond. Je suis en avance, la Salle est presque vide. Je glisse la main dans ma poche, j'en retire le bout de papier. Comme dans la Rue, mes mains tremblent et mon cœur bat à se rompre, mes yeux voient trouble, il faut que je me concentre pour y voir clair, si je ne chope pas ce qu'il y a sur ce truc et si je ne le chope pas tout de suite putain je vais péter les plombs. Mes mains tremblent. Je le déplie. Il n'y a rien à l'intérieur, bien que je ne sois pas sûr que je m'attendais à y trouver quelque chose. S'il y avait eu de la drogue, je ne sais pas ce que j'en aurais fait. D'un côté j'aurais voulu la prendre immédiatement, comme si j'en avais le plus grand besoin, de l'autre j'aurais couru vers les toilettes les plus proches pour m'en débarrasser. Je ne sais pas ce que j'en aurais fait.

Je retourne le bout de papier et il y a des mots. J'aperçois des mots il faut que je me concentre regarde sois suffisamment calme pour lire les mots j'arrive à les lire. Ils me disent rendez-vous à 16 heures dans notre Clairière. Je les relis. Rendez-vous à 16 heures dans notre Clairière. Je les lis encore et encore et ils disent la même chose encore et encore. Rendez-vous à 16 heures dans notre Clairière. Mes mains tremblent tremblent et mon cœur cogne cogne et mes yeux y voient trouble et je dois me concentrer pour y voir clair. Rendez-vous à 16 heures dans notre Clairière. Encore et encore. Encore et encore.

Les Patients arrivent par petits groupes dans la Salle de Conférences. Je replie soigneusement le bout de papier, je le replace dans ma poche. Je regarde droit devant moi en pensant à 16 heures jusqu'à ce que je sois rejoint par Leonard et Ed et Ted et Matty et Miles. Ils rient, ils sont d'humeur joviale, ils parlent de Bobby, comment ils se sont amusés en jouant avec lui. Ils me disent

236

qu'après que je suis parti, Ted lui a dit que j'étais Prof de Yoga à San Francisco et que j'étais accro à une drogue indienne et rare appelée shampoing, qui se prononce exactement comme le produit capillaire mais s'écrit chenpuhin. Bobby s'est empressé de dire qu'il avait déjà filé une bonne trempe à un Prof de Yoga et que ça ne lui faisait pas peur de recommencer.

La Conférence débute et tourne autour de la Cinquième des toutes-puissantes Douze Étapes. Elle est assurée par un Curé. Je n'en écoute pas un mot. Je ne bouge pas, je regarde de l'autre côté de la Salle de Conférences. Je ne bouge pas, je regarde Lilly.

La Conférence s'achève. Je me lève et je suis les autres Malades, noyé dans les flots de personnes qui se dirigent vers les portes, noyé dans les flots de mes souvenirs. Alors que je sors dans le Couloir, Ken m'attend, il m'attend comme il le fait toujours, on dirait qu'il est toujours là à m'attendre.

James ?

Qu'est-ce qu'il y a, Ken ?

Je viens voir si vous avez rempli le cahier d'exercices de la Première Étape.

Je ne l'ai pas fait.

Vous y avez jeté un coup d'œil ?

Pas depuis que vous me l'avez donné.

J'aimerais que vous travailliez dessus ce matin.

D'accord.

Prenez votre temps mais quand vous aurez terminé rapportez-le dans mon Bureau. Si je n'y suis pas, posez-le sur ma table.

Je n'y manquerai pas.

Des progrès en ce qui concerne le Tableau d'Objectifs ?

Non.

Pensez-y aussi.

D'accord.

Je vous vois plus tard ?

J'ai hâte.

Ken rit, il s'en va. Je pars dans la direction opposée, je me dirige vers le Service. Je descends au Rez-de-Chaussée, je prends une boîte de crayons de couleur, je cherche le Rose Bonbon. Il est bien là de même que soixante-trois magnifiques crayons de couleur. Comme je remonte les escaliers j'aperçois le Tableau d'Objectifs accroché sur un mur de l'Étage. Je me dirige vers lui, je me plante devant lui et je le regarde. C'est un tableau plastifié divisé en cases par des traits horizontaux et verticaux. Dans chacune des cases apparaît un nom, écrit au feutre effaçable, et à côté du nom se trouve un objectif. Certains des objectifs sont simples, des choses telles que Trouver un Boulot et le garder, Rester abstinent pendant soixante jours, Être un Maillon Utile de la Société. Certains des objectifs sont tristes, comme Faire en sorte que ma Femme me parle à nouveau, Regagner le respect de mes enfants, Passer six mois hors de Prison. La plupart des objectifs touchent à des trucs style Parfaire ma relation avec mon Ami et Sauveur Notre-Seigneur Jésus-Christ, Suivre ma Cure à la Lettre et vivre en pensant constamment aux Douze Étapes, Me Remettre sur Pied : Être bien dans ma Tête, Être bien dans mon Esprit, Être bien dans mon Corps. L'objectif accolé au nom de Matty indique Arrêter de Dire des Saloperies de Gros Mots, ce qui me fait rire. À côté du nom de Leonard il y a M'Accrocher, ce qui me fait sourire. À côté du nom de Miles est inscrit Vivre, ce qui me semble le plus sensé. L'espace à côté de mon nom est encore vierge.

Lorsque l'on doit réussir à survivre assez longtemps pour survivre à plus long terme, il me semble impossible de penser à un objectif qui signifie quoi que ce soit. Je pourrais écrire Survivre mais je préfère garder ce mot dans mon cœur plutôt que de l'écrire sur un foutu tableau. Lorsque je riais tout à l'heure à l'idée d'être un Prof de Yoga accro au chenpuhin, ça me faisait du bien de rire. Lorsqu'il m'arrive de rire ici, ce qui ne m'arrive pas assez souvent, cela me fait toujours du bien. Sur le tableau je pourrais écrire Rire mais je préfère écrire quelque chose qui me fera rire chaque fois que je passerai devant. Alors je prends un marqueur et j'inscris à côté de mon nom, Je vais aller à L.A. pour que tous mes Rêves deviennent Réalité. Je serai Pom-Pom Girl pour les Lakers. Une fois que j'ai fini, je ris. Quand je me recule pour me relire, je ris. Comme je quitte l'Étage pour prendre le Couloir qui me mène à ma Chambre, je ris. Ça me fait du bien de rire. Je ne ris pas assez, je veux rire plus. Je vais à L.A. pour devenir une Saloperie de Pom-Pom Girl.

Je vais dans ma Chambre, je m'assois sur mon lit, j'ouvre la boîte de Crayons de Couleur, j'ouvre mon cahier d'exercices, je sors le crayon Rose Bonbon de la boîte, je commence à lire. La première partie du livre raconte l'histoire de Joe. Joe est un ivrogne qui perd sa Femme, son Boulot, tout son argent et finit à la Rue à boire du gros rouge au goulot. Joe a toujours refusé d'admettre qu'il avait un problème ou ne maîtrisait plus la situation. L'histoire est racontée avec des mots simples et des images simples faites de contours vides de silhouettes et de lieux, l'intérieur des contours étant la partie à colorier. L'idée, me semble-t-il, c'est que tandis que je passe du temps à remplir les images je suis censé prendre toute la mesure de l'horreur de l'histoire de Joe et ensuite je suis censé superposer cette horreur sur des situations que j'ai vécues. Si Joe ne maîtrise plus la situation, je ne dois donc pas la maîtriser non plus. Si Joe finit à la Rue, il vaudrait mieux que je fasse gaffe sinon je finirai à la Rue avec lui. Au dos du livre, après l'heureuse fin de l'histoire, puisque Joe reconnaît qu'il a perdu la maîtrise et rejoint les AA, apparaît un questionnaire de vingt-sept questions sur le rapport qu'un individu entretient avec l'alcool. Les questions sont simples, on y répond par oui ou par non. Vous est-il déjà arrivé de vous réveiller le matin après une nuit d'ivresse et de découvrir que vous aviez oublié une partie de la soirée de la veille ? Oui. Vous est-il déjà arrivé de vous sentir mal à l'aise dans certaines situations où vous ne pouviez pas boire d'alcool ? Oui. Lorsque vous êtes à jeun vous arrive-t-il de regretter d'avoir fait certaines choses quand vous étiez ivre ? Oui. Vous arrive-t-il de vous réveiller après une nuit d'ivresse et de trembler ? Oui. Vous arrive-t-il de vous enivrer plusieurs jours d'affilée ? Oui, oui, oui, oui, oui. Je réponds oui à chacune des vingt-sept questions, ce qui selon le résultat à la fin du questionnaire signifie que j'ai atteint le stade ultime d'un Alcoolisme dangereux et chronique. Ça alors, pour une nouvelle, c'est une putain de nouvelle.

Je repose le crayon Rose Bonbon dans sa boîte, je sors le crayon Noir. Contrairement aux autres, le Noir n'a presque pas été utilisé. Les gens l'évitent certainement parce que le Noir n'est pas considéré comme une couleur joyeuse, et ici toute forme de joie, même si c'est aussi dérisoire que la couleur d'un crayon, est convoitée. Mais moi, j'aime le Noir. C'est une couleur dans laquelle je me sens à l'aise, celle que je connais le mieux. Dans l'obscurité la plus obscure, tout est noir. Dans le trou le plus profond, tout est noir. Dans la terreur de mon esprit Dépendant, tout est noir. Dans le néant de mes souvenirs perdus, tout est noir. J'aime le noir nom de Dieu, et je vais lui rendre hommage.

Je tourne les pages du livre à rebours jusqu'à ce que j'atteigne la première. Je prends le beau crayon Noir et j'écris **Je** dans de grosses lettres simples, qui commencent en haut de la page et finissent en bas, barrant et ignorant tous les contours des silhouettes. Sur la page suivante j'écris **N'ai Pas**. Sur chacune des pages suivantes j'écris **Besoin de ces Conneries pour Savoir que j'ai Perdu la Maîtrise.** Une fois que j'ai fini j'étudie le résultat de mon travail. Chaque page est parfaite, ça me plaît. Je referme le livre. Bon boulot, James. Je n'ai pas besoin de ces conneries pour savoir que j'ai perdu la maîtrise de la situation. Bon boulot.

Il me reste une heure avant le déjeuner, alors je jette le livre de coloriage par terre, à sa place, et j'attrape le *Tao-tö-king*. Je le scrute, devant, derrière, les citations crétines et la typo débile et le nom bizarre. Je me demande si je faisais un épisode psychotique quand je l'ai lu. Je me demande si j'étais simplement fatigué ou vulnérable après ma rencontre dans la Clairière avec Lilly. Je me demande si les notes de clarinette de Miles m'auraient quelque peu hypnotisé. Je scrute le livre et je me demande comment il a pu m'affecter à ce point. Je n'en ai lu que quatre pages.

Je l'ouvre au numéro cinq, page cinq. Je laisse mes yeux parcourir les mots. Je laisse mon cerveau les mémoriser. Je laisse mon cœur les ressentir. Le numéro cinq est semblable aux autres. Il n'y a ni bien ni mal, ni Pécheur ni Saint. Il y a ce qu'il y a et c'est tout. Il suffit de te servir de tout cela pour être, et c'est suffisant. N'en parle pas et ne le remets pas en question. Laisse-le être. Sois.

Cela m'affecte encore, cela me parle. Cela m'émeut encore et cela me semble encore vrai. C'est tout ce qui compte. La vérité. Est-ce que cela sonne vrai, oui. Je le sens.

Numéro six. Le Tao est la Mère Suprême le Père Suprême le Néant Suprême. Il est vide et inépuisable. Il est toujours présent. Tu peux t'en servir ou pas. Est-ce que cela sonne vrai, oui.

Sept. Infini et éternel. Jamais il n'est né et jamais il ne mourra. Il est juste là. Il ne veut rien, il ne demande rien. Il est là, c'est tout. Reste derrière et avance. Détache-toi et deviens. Laisse-toi aller complètement et tu seras comblé. Laisse-toi aller complètement et tu seras comblé.

Huit et neuf disent le bien est semblable à l'eau qui nourrit sans le vouloir. Ils disent lorsque tu penses reste simple, dans le conflit reste juste. Ils disent ne te compare pas, ne rivalise pas, sois toi-même, tout simplement. Ils disent remplis ton bol à ras bord et il débordera, continue d'aiguiser ton couteau et il s'émoussera. Ils disent cours après l'argent et jamais ton cœur ne s'ouvrira.

Soucie-toi de ce que les autres pensent et toujours tu resteras leur prisonnier.

Ces choses, ces poèmes, ces mots, ces significations, tout cela me parle. Ils ne me disent pas ce que je dois faire, ce que je dois être, ce en quoi je dois croire, ce que je dois devenir. Ils ne me jugent pas, n'essaient pas de me convaincre. Il n'y a ni vertu ni arrogance. Ils ne me combattent pas, me m'insultent pas, ne me disent pas que j'ai tort. Il n'y a pas d'Autorité, il n'y a pas de Règles. Il n'y a que des mots assemblés sur une page qui attendent patiemment que je les accepte ou que je les rejette. Il leur est égal que je fasse l'un ou l'autre, ou rien du tout. Ils ne me diront jamais que j'ai tort. Ils ne me diront jamais non plus que j'ai raison. Ils sont juste là, à attendre.

Je ne les relis pas. Je ferme le livre, je laisse reposer. Je suis allongé sur mon lit et j'aime mon lit. Il est doux et chaud, je ne suis ni doux ni chaud mais je me dis que ça serait chouette d'être comme ça. Je n'ai jamais connu ça. Je connais une Fureur froide, dure, enragée tout au fond de moi et j'en ai marre. J'en ai marre de ce sentiment, je veux mourir pour ne plus avoir à l'éprouver. J'aimerais être doux et chaud. Je serais terrifié de l'être. Je pourrais être blessé si j'étais doux et chaud. Je pourrais être blessé par quelqu'un d'autre que moi-même. Il est plus dur d'être doux que d'être dur. Je pourrais être blessé par quelqu'un d'autre que moi-même.

Il est bientôt midi. J'entends des hommes qui bavardent derrière la porte de ma Chambre. Ils marchent dans le Couloir, ils rient, je me demande ce qu'ils ressentent lorsque leurs rires se taisent. Ici il n'y a pas d'autre drogue que le rire. Le rire ou l'amour. Ce sont des drogues.

Je sors du lit, j'apporte mon livre de coloriage dans le Bureau de Ken. Il n'y a personne, alors je pose le livre sur sa table. Je vais au Réfectoire, je prends une assiette de macaronis et de bœuf, je m'assieds avec les hommes avec lesquels je prends tous mes repas. Matty, Ed, Ted, Leonard, Miles. C'est un repas classique. Des anecdotes, des gros mots, quelques rires. Comme nous finissons, Lincoln vient nous voir et nous annonce que nous n'avons pas à nous rendre en Salle de Conférences, mais qu'il faut rentrer dans notre Service pour assister à une Réunion. Ed lui demande pourquoi, il répond ne vous en faites pas, faites simplement en sorte d'être là. Je finis mon repas, je dépose mon plateau sur le tapis roulant. Je rentre dans le Service, je rejoins le reste des hommes au Rez-de-Chaussée. Ils sont assis sur les canapés, à fumer des cigarettes et à boire du café. La conversation tourne autour de Roy. La dernière théorie en vogue est qu'il était bourré. L'alcool peut avoir des effets puissants sur un individu, mais comme différents experts en matière de drogue le font remarquer, Roy n'avait pas l'élocution bredouillante ni la lenteur de réaction révélatrices d'une sévère ivresse. Bobby, qui n'était pas là lorsque l'incident s'est produit, tente de mettre un point final à la discussion en proclamant que Roy devait utiliser un certain type de pilules amaigrissantes car il a assisté à ce genre de crise des douzaines de fois à Wall Street. Matty lui dit qu'il déconne à pleins tubes que c'est pas des pilules amaigrissantes à la con qui peuvent faire ce putain d'effet au premier connard venu. Bobby demande à Matty s'il sait ce qu'est Wall Street et où cela se trouve. Matty dit à Bobby qu'il s'en branlera bien de savoir où cette salo-perie de Wall Street se trouve lorsqu'il se fera latter son gros cul à coups de taloche. Bobby rigole et lui dit vas-y je t'en prie, Petite Pointure, et ça sera la dernière erreur que tu commettras de ta vie. Matty se lève et fait un pas en avant mais Leonard lui dit de se rasseoir, que Bobby n'en vaut pas la peine. Matty s'assied.

Lincoln arrive, il tire une chaise, s'assied face au groupe. Tout le monde se tait en attendant qu'il prenne la parole. Il s'assoit, baisse les yeux un moment puis les relève. Il parle.

La plupart d'entre vous connaissent Roy et ont été témoins de son comportement hier soir. Pour ceux qui ne le connaissent pas ou ne sont pas au courant, voici ce qui s'est passé. Roy est un ancien Patient. Il a été exemplaire. Il a travaillé dur sur lui-même, a fait de gros efforts pendant sa Cure, a écouté et suivi toutes nos Règles. Lorsqu'il nous a quittés il y a environ une semaine, l'ensemble de l'Équipe ainsi que moi-même étions très confiants en ses chances de rétablissement à long terme.

La nuit dernière, à environ trois heures et demie, il a déjoué l'atten-tion des Vigiles, a pénétré dans cette Enceinte et s'est introduit dans le Service. Il tenait une grosse massue et il a grimpé au sommet de ce canapé.

Il désigne l'un des canapés.

Il s'est mis à hurler. Nous avons appelé les Vigiles, j'étais de service, et lorsque nous sommes arrivés ici et lui avons parlé, il a affirmé qu'il s'appelait Jack et nous a menacés avec sa massue. Il a été neutralisé et emmené dans le Secteur Médical où il a subi des examens. Ensuite, il a été transféré en Hôpital Psychiatrique. Roy souffre de TPM, ce qui signifie Trouble de la Personnalité Multiple. Pour ceux d'entre vous qui ne savent pas ce qu'est le TPM, il s'agit d'un état psychologique dans lequel cohabitent chez un même Individu deux ou plusieurs Identités distinctes, chacune ayant ses propres schémas de perception, son rapport à soi et au monde extérieur. Bien que certaines des personnalités se connaissent entre elles, ce n'est souvent pas le cas, et elles peuvent exister entièrement indépendamment les unes des autres, parfois pendant de très longues périodes. La nuit dernière, nous avons observé au moins quatre, peut-être même cinq personnalités distinctes chez Roy. L'une d'elles était celle du gars que nous avons connu lorsqu'il séjournait ici.

Ce qui s'est passé la nuit dernière est très triste, c'est bouleversant. J'étais le Thérapeute de Roy, j'étais très fier de lui et du travail que nous avions fait tous les deux pendant qu'il était ici. J'espère que vous ferez tous une petite prière pour lui, quelle que soit cette prière. Des questions ?

Le Petit Homme Chauve parle.

Comment est-il possible que vous ne vous soyez aperçu de rien avec tous les examens et le reste ?

Mis à part quelques incidents, que je vois d'un œil différent avec le recul, sa personnalité principale et dominante était celle de la personne qui était ici. S'il s'agissait de cette Personne qui passait les examens et effectuait le travail, il nous était impossible de savoir ce qui se tramait.

Un des nouveaux arrivants parle. Il est grand, maigre, il porte des lunettes noires de créateur.

Est-ce que c'est fréquent ?

Non. Je n'ai jamais vu ça auparavant, que je sache, personne d'autre ici.

Miles parle.

Y a-t-il un traitement ?

Des soins psychiatriques à long terme, des groupes de soutien, une thérapie médicamenteuse lourde. La plupart des méthodes de traitement s'apparentent à celles qui sont utilisées pour d'autres maladies mentales sévères et incurables.

Ted parle.

J'ai une question.

Laquelle ?

Ted parle.

Je n'ai jamais aimé Roy, alors je me demandais si vous pouviez le ramener ici avec sa personnalité de Chieur pour que je puisse lui filer quelques bons coups de pied au cul.

Tout le monde rit. Lincoln lui jette un regard noir, il parle.

C'est pas drôle, Ted.

Je cherche pas à être drôle. Je veux juste lui botter son cul de Chieur à cet Enfoiré.

Nouveaux rires. Lincoln secoue la tête, tente d'ignorer Ted.

D'autres questions ?

Personne ne parle, Lincoln se lève.

Eh bien attaquons le programme de l'après-midi. Le Groupe Quatrième Étape, vous restez ici. Groupe Troisième Étape, vous montez à l'Étage, quant aux autres, vous pouvez vaquer à vos tâches individuelles. James, suivez-moi, nous allons dans le bureau de Joanne.

Les hommes rejoignent leur groupe ou partent dans leur coin. Je me lève, je suis Lincoln jusqu'au bureau de Joanne. Il ne me parle pas, je ne lui parle pas. Nous n'échangeons pas un regard. Nous arrivons devant la porte et il frappe. Nous entendons la voix de Joanne.

Entrez.

Il ouvre la porte, on entre. Joanne est assise à son bureau, elle nous fait signe de nous asseoir. Lincoln prend le canapé. Je m'assieds sur un fauteuil entre le canapé et le bureau. Joanne parle.

Bonjour, James. Comment allez-vous ?

Très bien. Et vous ?

Ça va.

Elle me tend mon livre d'exercices de la Première Étape.

Vous pouvez m'expliquer ?

Je ris.

Je pense que c'est assez évident.

Lincoln parle, de la colère dans la voix.

C'est totalement inacceptable. Ceci et votre objectif constituent une insulte à ce que nous essayons de faire avec vous.

Moi, je trouve que ce putain de livre est une insulte à mon intelligence, et mon objectif n'est qu'une plaisanterie. J'ai écrit ça parce que ça me faisait rire, lorsque je ris je me sens bien, et mon seul objectif c'est de me sentir bien. Quand je me sens bien, j'ai l'impression que je commence à me rétablir.

Joanne parle.

Je comprends bien vos intentions, James, mais je ne suis pas sûre qu'elles puissent nous convenir.

Lincoln parle.

Certainement pas.

Joanne parle.

Nous essayons de mettre en place une Cure de Désintoxication pour les Patients et d'œuvrer pour leur avenir une fois qu'ils seront sortis, et pour ce faire nous leur attribuons des tâches et des travaux à effectuer. À ce stade, vous n'avez pas fait autant de chemin que nous l'aurions souhaité. Toutefois, vous semblez avoir plus ou moins franchi la Première Étape.

Je ris.

Pourquoi riez-vous ?

Je parle.

La Première Étape, si je me souviens bien, consiste à dire que nous admettons que nous sommes impuissants devant l'alcool et la drogue et que nous avons perdu la maîtrise de nos vies. Je crois que je saisis parfaitement le concept.

Lincoln parle.

Vous en êtes sûr ?

Je suis recherché dans trois États. Je suis dépendant à l'alcool et au crack. Je n'ai pas de boulot, pas de qualifications, pas un sou. D'aussi loin que je me souvienne, j'ai eu un trou noir par soirée et depuis que j'ai fêté mes dix ans, je n'étais jamais resté à jeun aussi longtemps qu'ici. J'ai perdu la maîtrise de la situation. Si ça peut vous faire plaisir de me l'entendre dire, écoutez-moi. J'ai complètement perdu les pédales. Ma vie est devenue ingérable.

Joanne parle.

Nous ne sommes pas vos ennemis, James.

Je sais bien.

Lincoln parle.

Alors arrêtez de faire comme si c'était le cas.

Alors arrêtez de faire comme si j'étais débile, arrêtez de me parler comme si j'étais un Bébé, putain, arrêtez de me faire perdre mon temps avec des livres de coloriage, et je ne vous traiterai pas comme mes ennemis.

Lincoln secoue la tête. Joanne parle.

Pour en revenir où nous étions, vous n'avez pas fait autant de chemin que nous l'aurions souhaité. Vous résistez à tout ce que nous vous disons. Nous ne pensons pas que vous serez prêt à reprendre une existence plus normale une fois que votre Cure sera achevée. Si vous n'êtes pas menacé d'être envoyé en prison, et c'est un sujet sur lequel nous aimerions nous pencher en contactant les Autorités des États qui posent problème, nous aimerions vous inscrire sur une liste d'attente pour un Centre de Réinsertion.

Et qu'est-ce que j'y ferais ?

Ça serait très semblable à ce que nous faisons ici, à part que vous devriez travailler la journée.

Hors de question.

Lincoln parle.

Pourquoi ?

Parce que ça ne marchera pas avec moi.

Pourquoi ?

Je commence à avoir une idée de la manière dont il faut que je m'y prenne pour y arriver. Mais je ne serai fixé qu'une fois que je serai dans la vraie Vie et que je pourrai faire un test. Ce test ne me semblera pas réel si je sais que je me réfugie bien en sécurité dans un Centre de Réinsertion.

Joanne parle.

Il n'y a pas de sécurité lorsqu'on parle d'une dépendance profonde et incurable. Les Centres de Réinsertion vous offriraient un soutien dont vous aurez grandement besoin. Vous aurez besoin de soutien en sortant d'ici, un mois plus tard, un an plus tard, et probablement pour le restant de vos jours.

Je ne recherche pas la sécurité ou le soutien. Je veux simplement me coltiner tout ce que je dois affronter, qu'il s'agisse d'alcool ou de drogue ou de quoi que ce soit d'autre. Je veux qu'il y ait une bagarre parce que je suis un bon bagarreur. Après cette bagarre il y aura un Gagnant. Si c'est moi, je m'en irai en ayant vaincu cette saloperie que je ne pensais pas pouvoir vaincre un jour et je recommencerai ma vie à zéro. Si ce n'est pas moi, j'en aurai au moins fini avec tout ça.

Lincoln parle.

Si vous ne réussissez pas votre petit test, vous allez mourir. C'est ça que vous voulez, mourir ?

Si je n'arrive pas à rester abstinent, oui.

Vous ne parviendrez pas à rester abstinent si vous continuez d'agir comme vous le faites.

Qu'est-ce qui vous fait penser ça ?

Il ne s'agit pas de ce que je pense, mais de ce que je sais. Je le sais parce que chaque fois que quelqu'un arrive ici en croyant qu'il sait mieux que nous comment s'y prendre, il rechute à sa sortie et ne se relève jamais.

Vous avez peut-être raison, mais au moins lorsque je tomberai je saurai que j'ai fait du mieux que je pouvais en restant fidèle à mes convictions.

Joanne parle.

Je n'aime pas du tout votre idée de test. Je trouve qu'elle est dangereuse, sotte, bornée. Si ça ne marche pas, le prix que vous aurez à payer sera trop élevé. Je veux que vous y réfléchissiez. Que vous réfléchissiez vraiment au fait que votre résistance à ce que nous essayons de faire avec vous risque de causer votre mort. Passez me voir demain après la Conférence du matin, et nous reparlerons de tout cela et j'espère que nous pourrons avancer.

Je me lève.

Dois-je faire quelque chose d'autre, cet après-midi ?

Réfléchissez, ça suffira.

À demain.

Je me dirige vers la porte, je sors, je la referme derrière moi, je rentre dans mon Service. Je vais dans ma Chambre, je jette un coup d'œil sur le réveil à côté du lit de Miles. Il affiche 15 h 42. J'ai rendez-vous avec Lilly dans dix-huit minutes.

J'attrape la veste de Hank. Je l'enfile et je traverse le Service. J'ouvre l'une des portes vitrées et je sors. Je marche dans l'herbe il n'y a pas de rosée, je trouve le Sentier et j'entre dans le Bois, le Soleil qui filtre à travers les trous des feuillages dessine des faisceaux de lumière. Je continue à marcher sur le Sentier. J'aperçois des branches brisées et je vois les feuilles arrachées éparpillées comme des miettes et les feuilles arrachées me guident. Les signes de ma destruction me guident.

Je fends les fourrés et je pénètre dans la Clairière. Elle est vide. Je m'assieds par terre, je m'allonge, je ferme les yeux. Je n'ai pas assez dormi, je suis fatigué. J'ai besoin de plus de sommeil et je suis fatigué. Fatigué. Je suis fatigué.

Je sens une main sur mon visage. Elle est douce et chaude, posée sur ma joue, elle la caresse sans bouger. Des lèvres la suivent sur l'autre joue, pleines et mouillées et douces et tendres. Une haleine fruitée derrière elles, une haleine fruitée après elles. Elles quittent ma joue je voudrais qu'elles restent. J'ouvre les yeux, je m'assieds lentement. Lilly se trouve à côté de moi, emmitouflée dans une grande veste de l'Armée, ses cheveux noirs tressés, sa peau pâle éclairée par un rayon de Lumière. Elle sourit et me parle.

Salut.

Quelle heure est-il ?

Elle jette un coup d'œil à la montre en plastique bon marché de Superwoman qu'elle porte au poignet. J'aperçois des cicatrices sous le bracelet.

16 h 10.

Je me frotte le visage.

Je me suis endormi.

Elle sourit à nouveau.

Je t'ai réveillé.

Je souris.

C'est chouette.

Elle se penche, elle m'embrasse sur la joue. Elle plaque ses lèvres douces humides chaudes et tendres. Mon premier réflexe est de me dégager, mais je n'en fais rien. S'écartant de moi, elle laisse son haleine fruitée derrière elle.

J'ai une question à te poser.

D'accord.

Tu as une Petite Amie ?

J'hésite, souvenir d'elle, Arctique et blonde.

Non.

Pourquoi est-ce que tu hésites ?

J'ai hésité mais plus maintenant. J'ai pensé à elle pendant une seconde.

Où est-elle ?

Je n'en ai pas la moindre idée.

Quand est-ce que tu lui as parlé pour la dernière fois ?

Il y a environ un an.

Tu as réglé le problème ?

Non.

Lilly sourit, se penche vers moi et m'embrasse sur les lèvres.

Quel dommage.

Je souris. Je ne dis pas un mot. Les mots n'auraient aucun sens.

Tu veux une clope ?

Elle fouille dans une des poches de sa veste et en retire un paquet de cigarettes.

Ouais.

J'en prends une.

Tu as du feu ?

Je glisse la main dans ma poche, sors un briquet.

Ouais.

Je l'allume, ainsi que sa cigarette, et la mienne.

Tu passes une bonne journée ?

J'avale une bouffée. Je sens instantanément les effets de la nicotine.

Ce n'est pas aussi bon que le baiser de Lilly.

Elle a été longue.

Elle avale une bouffée, pose les yeux sur moi.

Le temps semble toujours long ici.

Mon premier réflexe est de détourner les yeux, mais je n'en fais rien.

Ouais.

Dis-moi quelque chose.

D'accord.

Pourquoi es-tu ici ?

Ici dans ce Centre ou ici avec toi ?

Les deux.

Je ne sais pas.

Elle sourit.

C'est une bonne réponse.

Mon premier réflexe est de détourner les yeux, mais je n'en fais rien.

Je parle.

Pourquoi es-tu ici ?

Elle sourit.

Ici dans ce Centre ou ici avec toi ?

Je souris.

Les deux.

Je suis venue ici à cause de ma Grand-Mère.

Elle t'a fait entrer ?

Elle m'a convaincue d'y entrer.

Comment est-ce qu'elle a fait ?

Elle m'a toujours aimée et elle s'est occupée de moi même quand j'étais dans un état catastrophique, et chaque fois que je faisais un truc idiot, c'est-à-dire quasiment tous les jours, elle me disait que le jour où je serais prête à en savoir un peu plus sur la liberté, il faudrait que je lui fasse signe. Il y a quelque temps un truc vraiment horrible m'est arrivé. Ça m'a complètement foutue en l'air, je suis allée la voir, je lui ai demandé ce qu'elle voulait dire. Elle m'a dit que j'étais Prisonnière de ma Mère et de tous ses problèmes, Prisonnière de mon Père dont je ne me souviens pas, elle m'a dit que j'étais Prisonnière de la drogue et du sexe et de moi-même. Elle m'a dit que vivre sa vie comme une Prisonnière c'était du gâchis et que la liberté, ne serait-ce qu'une seule seconde de liberté, valait plus que toute une vie d'asservissement. Elle m'a dit que si je voulais en savoir plus, il faudrait que je revienne bavarder avec elle le lendemain. J'y suis retournée, et elle m'a répété la même chose. Ne serait-ce qu'une seule seconde de liberté vaut plus que toute une vie d'asservissement. Puis elle m'a dit de revenir le lendemain. J'y suis retournée et elle m'a donné une carte routière, elle m'a dit montons en voiture, mets-toi au volant. Huit heures plus tard la carte nous a menées ici. Elle m'a dit qu'elle économisait de l'argent depuis trois ans, que si je voulais connaître la liberté il faudrait que je franchisse la porte d'entrée et qu'elle paierait pour tout. Elle m'a dit que si je ne voulais pas on pouvait rentrer à la Maison. Ma vie me fait horreur. Je n'ai jamais voulu que ça se passe comme ça, c'était ma seule chance de m'en sortir. J'avais entendu parler de cette Clinique et je savais que c'était la meilleure dans le genre et qu'elle était vraiment très chère, je savais que si Grand-Mère avait économisé pour m'envoyer ici c'est qu'elle avait envie que j'y aille, et du coup moi aussi j'en ai eu envie. Être libre, ne serait-ce qu'une seconde. Alors j'ai franchi la porte d'entrée et me voici.

Ça y est, tu es libre ?

Non, mais je m'en rapproche.

Elle sourit.

Maintenant raconte-moi une histoire.

Quel genre d'histoire ?

Parle-moi de ta Petite Amie.

Je n'aime pas en parler.

Pourquoi ?

Parce que ça me fait trop mal.

Très bien. Parle-moi d'autre chose.

Choisis.

Comment as-tu perdu ta virginité ?

Pourquoi est-ce que tu veux savoir ça ?

Ça en dit beaucoup sur quelqu'un.

Ça ne t'apprendra rien de bon sur moi.

Je ne suis pas ici pour te juger.

Pourquoi est-ce que tu es ici ?

Pour te connaître. Ou essayer.

Je la regarde. Je regarde ses yeux bleus comme l'eau claire et ses cheveux tressés noirs comme le jais. Je regarde sa peau blanche pâle, ses lèvres rouge sang, je regarde son corps sous la veste, elle est tellement menue. Je regarde ses poignets et la montre Superwoman et les cicatrices qui strient ses bras. Je me regarde mais ce n'est pas moi. Je vois les dégâts et la douleur causés par des années difficiles. Je vois le néant et le désarroi d'une existence sans espoir. Je vois une jeune vie qui a été trop longue. Je me vois mais ce n'est pas moi. Je me fais confiance. Je peux lui faire confiance.

Je n'ai jamais raconté ça à personne.

Ne me le raconte pas si tu n'en as pas envie.

Non, non.

Arrête-toi quand tu veux.

Je la regarde. Je me vois mais ce n'est pas moi. Je peux lui faire confiance. Je parle.

J'avais seize ans, c'était ma première année de Lycée. J'étais rentré à la maison un week-end, et il y avait un Match de Foot et un Bal. Je détestais la Ville dans laquelle on vivait, mes Parents savaient que je la détestais et ils se sentaient mal à cause de ça. Ma Mère n'arrêtait pas de me poser des questions sur mes amis et mes Copines parce qu'elle espérait que je rencontrerais des gens et que je serais plus heureux. Je lui mentais tout le temps, je lui disais que j'avais plein d'amis, que je plaisais à plein de Filles pour qu'elle se sente moins mal. Mais en réalité personne ne m'aimait. Comme le Bal approchait, ma Mère n'arrêtait pas de me demander si je comptais y aller. Je lui disais que je ne m'étais pas encore décidé, qu'il y avait deux trois filles qui voulaient que je les y accompagne et que je n'arrivais pas à décider laquelle me plaisait le plus, je voulais vraiment qu'elle arrête de me poser des questions. Elle n'en a rien fait. Chaque jour c'était le même refrain. Qui est-ce que tu accompagnes, il faut que tu te décides vite, il faut que tu laisses le temps à la Fille

251

de se préparer, c'est une soirée particulière, il ne faut pas que tu la rates. J'ai fini par lui mentir et lui dire que j'y allais avec quelqu'un. Elle était tout excitée, elle m'a acheté un costume, elle m'a acheté une rose pour que je l'accroche au revers de ma veste, elle a nettoyé sa voiture, elle m'a dit que je pouvais l'emprunter, elle m'a donné de l'argent pour qu'on aille au Restaurant avant le Match. Ça me faisait sacrément chier parce que c'étaient que des conneries, je lui avais menti.

Quand le jour du Match est arrivé, j'ai mis le costume et mon Père et ma Mère ont pris des photos de moi et je leur ai fait au revoir par la fenêtre de la voiture en m'en allant. J'ai garé la voiture à côté du Stade du Lycée et je suis resté à l'intérieur à regarder les autres Gamins, ceux qui étaient accompagnés, tandis qu'ils arrivaient en voiture et traînaient autour des Buvettes et de la Ligne de Touche dans leur costume et leur robe, j'ai regardé la Cérémonie de Mi-Temps et j'ai regardé le Roi et la Reine se faire couronner, j'ai vu tout le monde les applaudir et crier de joie et j'ai vu tout le monde être heureux. Quand le Match a été terminé, je n'avais plus rien à faire et je ne risquais pas d'aller au Bal tout seul alors je suis allé dans les bas-fonds de la ville pour essayer de trouver de la drogue parce que je me sentais minable d'avoir menti à ma Mère, parce que je n'avais pas d'amis, parce que je voulais que la douleur s'en aille. Pendant que je tournais en voiture, j'ai repéré une pute qui marchait dans la rue à côté d'une Maison où j'allais souvent m'approvisionner. Elle m'a regardé, m'a fait signe quand je suis passé près d'elle et comme je n'arrivais pas à trouver de dope j'ai fini par m'arrêter. Elle s'est dirigée vers ma voiture, m'a demandé si je voulais faire un Tour avec elle et je lui ai dit c'est combien et elle m'a répondu et c'était un tout petit peu moins que ce que ma Mère m'avait donné alors j'ai dit oui. Je ne sais pas pourquoi. Sans doute simplement parce que je me sentais seul et triste et que j'espérais trouver un peu d'amour pour me sentir mieux. Ce qui s'est ensuite passé était maladroit et stupide et dégoûtant. La femme sentait mauvais, elle disait des choses cochonnes qui sonnaient faux et au bout de deux secondes c'était fini. Je suis retourné la déposer dans la rue et j'ai passé les deux heures suivantes dans la voiture à essayer de me raisonner pour ne pas foncer à toute vitesse dans un arbre. Quand je suis rentré à la maison, j'ai dit à ma Mère et mon Père que j'avais passé un moment merveilleux, je les ai remerciés pour tout ce qu'ils avaient fait pour moi et je suis allé dans ma chambre. Une fois qu'ils ont été endormis, j'ai volé une bouteille dans le buffet à alcool et je l'ai bue et j'ai sombré dans le sommeil en pleurant.

J'inspire un grand coup, les yeux fixés au sol.

Ça faisait chier, et pour parler franchement, même maintenant, rien que d'y penser, j'ai envie de me flinguer. Ce qui s'est passé me fait horreur, et comme presque toutes les autres choses de ma vie, ce n'était pas ce dont j'avais rêvé.

Je garde les yeux rivés au sol. S'il y avait un trou assez grand pour moi, je m'y glisserais. S'il y avait un médicament qui pouvait tout effacer, je le prendrais jusqu'à ce que tout soit effacé. Même maintenant, rien que d'y penser, j'ai envie de me flinguer.

Je relève la tête. Des larmes coulent sur les joues de Lilly, elle me sourit. C'est un sourire profond, pas cette sorte de bonheur passager, plutôt cette espèce rare qui vient lorsque quelque chose d'intérieur et d'indicible est tiré du sommeil et ramené à la vie. Bien que je sache qu'il disparaîtra de son visage, il restera en elle et avec elle bien longtemps après. Il s'est réveillé et il vivra. Je tends la main, j'essuie doucement ses larmes. Sa peau est douce et l'humidité chaude sur ma main. Comme mes doigts glissent sur son menton elle les prend et les tient. Elle me regarde avec ses yeux bleus comme l'eau claire, désormais troublés par le chagrin. Elle parle, gardant son sourire.

C'était magnifique.

Elle me tient la main.

Non, pas du tout.

Si elle la lâche, je vais m'écrouler.

Je t'assure. C'était magnifique parce que c'était sincère et c'était magnifique parce que ça faisait mal et c'était magnifique parce que tu n'étais pas obligé de me le dire.

M'écrouler.

Je me sens complètement minable.

Et si je te disais que moi j'ai perdu ma virginité en tant que pute, et pas avec.

Je te dirais que je suis désolé.

Eh bien c'est le cas.

Je suis désolé.

Elle sourit.

Merci.

Elle jette un coup d'œil à sa montre, me regarde.

Il faut qu'on y aille.

Elle se lève et me tire pour m'aider à me relever. Nous nous regardons un instant, puis elle place sa main libre sur ma joue. De l'autre, elle me tient la main et je suis heureux qu'elle ne me lâche pas.

Je te donne un coup de fil ce soir.

Bien.

Tu n'es pas obligé de le faire mais j'aimerais bien que tu répondes, cette fois.

Je souris.

Je me suis endormi hier soir.

Ce soir aussi tu peux t'endormir si tu veux, mais j'espère que ce ne sera pas le cas.

Pas de risque.

Elle se penche, elle m'embrasse. Bien que son baiser soit le même que tout à l'heure, ce n'est pas du tout le même. Il est plus, plus fort, plus faible, plus profond, plus calme, plus bruyant. Il est plus, plus vulnérable, plus impénétrable, plus fragile, plus sûr, plus vulnérable, plus sur la défensive. Il est plus, plus ouvert, plus profond, plus plein, plus simple, plus vrai. Il est plus. Vrai.

Elle se détache, ses lèvres se détachent. Sans un mot nous traversons le Bois dense main dans la main. Près des buissons bordant le Sentier elle s'arrête et me pousse en avant et nos mains se séparent lentement jusqu'à ce qu'il ne reste plus que deux doigts un doigt chacun qui se touchent sans vouloir se lâcher ou se séparer. Je m'arrête. Je laisse mon doigt le bout de mon doigt toucher le sien le bout de son doigt. Nous nous regardons. Son sourire ne l'a pas quittée et le mien ne me quittera pas non plus. Il sera encore là lorsque je ne sourirai plus il sera encore là. Un sourire et un baiser et le bout de deux doigts. Qui se touchent.

Elle fait un mouvement de tête, je sais que ce mouvement signifie qu'il est temps qu'on se lâche, je m'exécute. Je tourne les talons et je m'en vais. Je sais qu'elle m'observe m'éloigner, souriante, et je sais qu'elle veut que je me retourne. Je m'exécute. Je me retourne, elle est là, elle sourit. Je lui souris moi aussi, c'est plus qu'un simple sourire. C'est plus.

Je rentre dans mon Service. Je prends les Couloirs pour aller dîner. Les repas sont tous semblables désormais.

Après le dîner il y a une Conférence. Un homme nous raconte son histoire. C'était un mauvais bougre mais il a rejoint les AA et maintenant c'est un chouette gars. J'ai déjà entendu la chanson. Suffit.

Je rentre dans mon Service, je m'assois devant la télé. Il y a une série sur un groupe de New-Yorkais très spirituels qui passent tout leur temps dans un Appartement. L'un des hommes vante les mérites de l'émission et s'émerveille que ça fasse si vrai. Les seules gens que je connaisse qui passent autant de temps dans un Appartement ont généralement du plastique noir collé aux fenêtres, des revolvers dans leur placard, des brûlures aux lèvres et aux doigts et d'énormes verrous aux portes. Ce ne sont pas des gens très spirituels, bien que leur paranoïa puisse être amusante. Je ne vois rien de tel dans cette émission mais elle est censée faire vrai. Je ne sais peut-être plus ce qu'est la réalité.

Le téléphone sonne, le téléphone a sonné toute la soirée. Cette sonnerie-ci, toutefois, attire mon attention. Bizarrement, je sais que c'est Lilly, pourtant je n'ai aucun moyen de savoir si c'est elle. Je me lève, je suis déjà en train de marcher lorsque l'homme m'appelle. Je le remercie en prenant le combiné et je le plaque contre mon oreille et je parle.

Allô.

Allô.

Comment ça va ?

Bien, et toi ?

Ça va bien.

Tu me manques.

Je ris.

Je te manque ?

Ouais, tu me manques. En quoi c'est drôle ?

Je n'ai jamais manqué à personne. En général, les gens sont plutôt soulagés lorsque je ne suis plus avec eux.

Elle rit.

Pas moi.

C'est bien, ça me plaît de te manquer.

À moi aussi ça me plaît.

Je souris.

Qu'est-ce que tu as fait ce soir ?

Je suis restée ici à regarder l'heure jusqu'à ce que je me dise que je pouvais t'appeler sans avoir l'air trop désespérée.

Je ris.

Elle rit, parle.

Pourtant on doit l'être, désespérés.

Sans doute un peu.

Pourquoi ?

La liberté. On cherche à la trouver par tous les moyens.

Et tu penses qu'un de ces moyens, ça pourrait être nous deux ?

Peut-être.

Je ne m'attendais pas à ça en venant ici.

Il ne faut plus s'attendre à quoi que ce soit maintenant. Il faut juste laisser les choses arriver et voir ce qui se passe.

Bien dit.

Merci.

Tu veux qu'on se revoie demain.

Évidemment.

Tu pourras me raconter une autre histoire.

Je crois que c'est ton tour.

Je crois que tu as raison.

Tu as une idée ?

Pose-moi une question, comme je l'ai fait avec toi, et je te donnerai une réponse.

Et quelle que soit cette réponse je ne te jugerai pas.

Merci.

On se voit demain.

Tu me manques.

Ça me plaît de te manquer.

Ça me plaît que ça te plaise.

Salut.

Salut.

Je pose le combiné sur son socle, je regarde le téléphone et je souris. Ce sourire ne naît pas d'un moment de bonheur passager. Lorsqu'il disparaîtra de mon visage, il restera avec moi.

Je tourne les talons, je traverse le Service, je prends le Couloir qui mène à ma Chambre. Comme je m'en approche, j'entends les douces notes de la clarinette de Miles qui passent à travers la porte. Je m'arrête et j'écoute. Il joue des notes graves comme à son habitude. Il tient les notes plus longtemps que je l'en aurais cru capable. Il refait sans cesse la même mélodie mais avec des variations. C'est une musique simple faite par un seul homme avec ses poumons et un bout de métal troué et ses doigts qui bouchent les trous. Rien que du son grave puis plus aigu lent puis plus rapide lent à nouveau et grave, qui se répète avec des variations. Pas de mots ni de chant, mais la musique a une voix. C'est une voix ancienne et grave, pareille au mégot d'un cigare doux ou à une chaussure trouée. C'est une voix qui vit et a vécu, dans le chagrin et la honte, l'extase et la félicité, la joie et la peine, la rédemption et la damnation. C'est une voix avec et sans amour. J'aime la voix, et bien que je ne puisse pas lui parler, j'aime la façon dont elle me parle. Elle dit tout est pareil, Jeune Homme. Prends-le et laisse-le être.

Le chant la mélodie la voix ancienne, grave et lente se tait. Elle se tait et s'évanouit dans le silence du Couloir endormi. J'ouvre la porte, j'entre dans ma Chambre. Miles est assis sur son lit, ses lèvres collées à l'anche. Il me fait un signe de tête et je le lui rends. Je me dirige vers mon lit. Je me déshabille, je me glisse sous les couvertures, elles sont chaudes, je les aime, je ferme les yeux, je me recroqueville en moi-même la tête dans l'oreiller je me recroqueville en moi-même et la voix recommence. Le chagrin et la honte et l'extase et la félicité et la joie et la douleur et la rédemption et la damnation avec et sans amour.

Tout est pareil, Jeune Homme.

Prends-le et laisse-le être.

Je tiens une bouteille vide dans une main. Je tiens une pipe vide dans l'autre. Je me trouve dans une Rue jonchée d'ordures. Des chaussures sont accrochées aux lignes téléphoniques. Les fantômes des cailloux me hurlent aux oreilles. Les dealers refourguent leur marchandise. Je tiens une bouteille vide dans une main, je tiens une pipe vide dans l'autre. J'en veux encore.

Je me réveille tremblant et secoué. Je sais que c'était un rêve, mais ça ne compte pas. L'alcool était réel. Le crack était réel. Les fantômes étaient réels et les dealers étaient réels. Tout était réel. Je suis tremblant et secoué.

J'enroule mes bras autour de moi. Je me roule en boule. Je pense à tout ce qu'il y a de bien dans ma vie. Je tente de m'occuper l'esprit. Je n'ai rien consommé depuis deux semaines. J'ai des amis. Matty et Ed et Ted. Miles et Leonard et Lilly. J'ai un Frère, Bob. J'ai des vêtements et j'ai des livres. C'est bien plus qu'il ne me faut.

Des pitbulls en fureur tirent sur leurs chaînes. Un jardin à l'abandon. Des rats courent sur le sol et mordent des visages endormis. Une Maison vide ni meubles ni rien. Vide à part les gens vides. Les fantômes des cailloux. De la fumée dans les airs mêlée à de l'essence et des vapeurs de formol. Je hurle. Je hurle je supplie j'implore pour en avoir encore. Je vous donnerai ma vie mon cœur mon âme mon argent mon avenir tout s'il vous plaît donnez-m'en encore. Donnez-m'en encore et je ferai tout ce que vous voudrez.

Je me réveille tremblant et secoué. Je sais que c'était un rêve, mais ça ne compte pas. C'était réel. Les chiens les rats la Maison les Gens les cailloux. Les formidables et terribles cailloux. C'était réel et je les ai fumés. Je suis tremblant et secoué.

Je me roule plus en boule, j'essaie de penser à tout ce qu'il y a de bien. J'ai plus qu'il me faut, plus qu'assez. Plus en boule. À tout ce qu'il y a de bien. À tout ce qu'il y a de bien.

Encore un rêve.

Encore un rêve.

Chaque fois que je dors.

Encore un rêve.

Ils sont réels.

Réels.

Encore un rêve.

Je suis tremblant et secoué. J'aperçois la lumière par la fenêtre. Je me lève. Je me dirige vers la Salle de Bains sur des jambes flageolantes. J'ouvre la porte et je tombe à genoux et je rampe jusqu'aux W-C et je vomis. Un nouveau rappel de la vie que j'ai vécue.

Je me relève, je vais sous la douche, j'allume le robinet d'eau chaude. Je me place sous le jet, je laisse l'eau courir partout sur mon corps puis tomber de mon corps. Je lutte contre l'envie de vomir à nouveau putain qu'est-ce que j'en ai marre d'être malade. Ce n'étaient que des rêves. Ça ne peut pas continuer à m'arriver. Ce n'étaient que des rêves.

Je sors de la douche, j'attrape une serviette, je l'enroule autour de ma taille, je me dirige vers le lavabo, je me brosse les dents. Le goût de mon vomi se mêle au goût du dentifrice. Je me lave la bouche, mais le goût ne s'en va pas. Je la lave à nouveau et ça ne s'en va pas. Je la lave à nouveau. Ça ne s'en va pas.

Je cesse de me laver la bouche, je me rase. Tandis que je me tiens devant le miroir avec mon rasoir, j'observe mon corps. Je commence à me remplumer. J'ai plus de chair. Les veines sur mes bras sont encore bleues mais d'un bleu moins prononcé. Les os de mes pommettes et de ma mâchoire sont moins saillants, les ecchymoses dont j'étais couvert ont disparu. Une légère couche de graisse s'est déposée sur tout mon corps et je commence à avoir un peu de ventre. Je ressemble moins à ce que je suis et davantage à un être humain. Je commence à ressembler davantage à un être humain.

Je finis de me raser et je rince les restes de savon sur mon visage. Je

respire un grand coup, je regarde en bas du miroir et je relève lentement les yeux. Je regarde ma poitrine, mes clavicules, la base de
mon cou. Je veux regarder mes yeux. Je regarde ma gorge, ma
pomme d'Adam, la courbe de mon cou qui remonte vers mon
menton je veux regarder mes yeux. Je regarde mes lèvres elles sont
guéries. Je regarde ma joue elle est cicatrisée. Je regarde mon nez il
n'est plus gonflé. Je regarde la zone sous mes yeux. Il y a des poches
mais ce sont les poches grises de la fatigue pas les poches noir et
jaune de la violence. Au-dessus d'elles il y a du vert. Vert pâle. Je
m'interromps comme j'approche, je prends mon souffle. Je reste
juste sous le vert pâle. J'aperçois les cils. J'aperçois le blanc en
dessous. Je reprends mon souffle. C'est là. Je m'accroche et c'est là.
Vert pâle.

Je me retourne. Je sors de la Salle de Bains. Miles dort encore,
j'essaie de ne pas faire de bruit. Je m'habille, je sors de la Chambre
le Couloir est encore ensommeillé. Je monte à l'Étage, je fais le café.
J'attends qu'il passe. Une fois qu'il est prêt je m'en verse une grande
tasse fumante, chaude et noire. Je m'assieds à une table, j'allume
une cigarette. Je suis seul. Je reste assis et je bois et je fume. Je ne
pense pas à ce que je fais ni pourquoi je le fais. Je me contente de
rester là, tout seul. Je bois et je fume.

L'une des portes vitrées coulissantes s'ouvre. Je jette un coup d'œil
dans sa direction, et j'aperçois Leonard qui descend vers le Rez-
de-Chaussée du Service. Il porte un survêtement, son visage est
cramoisi et dégoulinant de sueur. On dirait qu'il est en meilleure
forme que lorsque je l'ai rencontré. Il est mince, la ligne de sa
mâchoire est apparente, ses joues sont roses. Il ressemble à un Père
de Famille en parfaite santé qui vient de faire son jogging matinal
dans sa banlieue pavillonnaire et rentre chez lui. Il me voit, vient à
ma rencontre.

Qu'est-ce que tu fais, Leonard ?

Viens d'aller courir.

Comment c'était ?

Chiant.

Il prend une tasse de café, s'assied à ma table.

T'en aurais une pour moi ?

Je ne savais pas que tu fumais.

Je viens de faire du bien à mon corps. Maintenant je veux lui faire
du mal.

263

Je ris, lui tends une cigarette, l'allume. Il avale une grosse bouffée, me regarde.

Il paraît que tu fréquentes cette Fille aux cheveux bruns.

Quelle Fille ?

La Crackée.

Qui t'a dit ça ?

Je ne trahis jamais mes Sources.

Nous sommes amis, mais c'est pas ça qui va m'empêcher de te botter le cul si tu ne me dis pas qui t'a raconté ça.

Il rit.

Ted.

Comment est-ce qu'il sait ?

Il sort chaque nuit en douce pour aller voir une Fille dans les Bois. Il me semble que cette Fille est dans le même Service que la tienne, et au cas où tu ne le saurais pas encore, les Filles ont tendance à parler de ces conneries.

Il n'y a pas grand-chose à dire.

Pas grand-chose, ça veut dire qu'il y a quelque chose.

On s'est filé rencard là-bas quelques fois. On discute. Il n'y a pas de quoi casser des briques.

Elle te plaît ?

Ouais.

Elle te fait du bien ?

Ni du bien ni du mal, on parle, c'est tout.

Tu m'as l'air changé. C'est bon signe.

Je souris.

Tu en fais beaucoup pour pas grand-chose, Leonard.

Tout ce qui m'intéresse, c'est ton bonheur, Fiston. Si tu es heureux, je suis heureux.

Je ne suis pas heureux, mais je ne suis pas malheureux.

Tu seras heureux bientôt. Accroche-toi, c'est tout.

On verra.

Il prend sa cigarette, l'observe.

C'est vraiment dégueulasse, cette merde.

Je ris.

C'est tout ce qu'il me reste.

Il l'écrase et se lève.

Je vais prendre une douche. Attends-moi et on ira déjeuner ensemble.

Il s'en va. Je reste assis, j'attends, je fume des cigarettes, je bois du café. Je regarde les hommes qui entrent et sortent du Service. Certains accomplissent leurs Tâches matinales, d'autres prennent le café, d'autres encore achètent des confiseries ou des canettes de soda dans les distributeurs. Je ne parle à aucun d'entre eux. Je reste assis, je regarde par la fenêtre. Je ne sais pas ce qu'il y a derrière la fenêtre et je ne m'y intéresse pas particulièrement, mais je regarde un point pendant que je bois et que je fume. Je bois et je fume.

Leonard revient à l'Étage. Il est tout propre, ses cheveux sont mouillés. Il dit j'ai faim allons manger et nous nous dirigeons vers le Réfectoire. Je rejoins la queue, je prends une assiette d'œufs au bacon, il prend une assiette de crêpes et nous trouvons une table. Nous sommes rejoints par nos amis. Tout en mangeant, nous discutons du prochain Championnat de Poids Plume. Matty connaît tous les boxeurs, il parle du combat avec un grand enthousiasme, s'interrompant pour lâcher un chapelet d'injures parce qu'il a juré, donnant des droites et sautillant comme s'il était sur un Ring. On le regarde, on rit et après quelques instants, tout le monde excepté Matty cesse de parler. Il parle pour nous tous.

Après le petit déjeuner on assiste à une nouvelle Conférence. On joue aux cartes dans la rangée du fond.

Après la Conférence, Joanne m'attend dans le couloir. Elle m'apprend que je vais passer la matinée avec elle et nous prenons les Couloirs qui mènent à son Bureau. Les Couloirs sont lumineux mais ça m'est égal. Lorsque nous entrons dans son Bureau, elle s'assied sur l'un de ses confortables fauteuils et moi sur le canapé. Elle allume une cigarette, j'allume une cigarette. Elle s'appuie contre son dossier, se met à l'aise et parle.

Vous avez réfléchi à notre petite conversation d'hier ?

Non.

Pourquoi ?

Parce que je ne vais pas changer d'avis et que je ne vais même pas m'embêter à envisager de changer d'avis.

James, vous êtes un individu extrêmement Dépendant. Des Médecins qualifiés vous ont dit que si vous preniez n'importe quelle drogue ou que si vous buviez de l'alcool, vous alliez en mourir. D'après mon expérience, je n'ai jamais vu quiconque rester abstinent et vivre longtemps autrement qu'en ayant recours aux AA et aux Douze Étapes. Certains restent abstinents une semaine ou un mois ou un an dans le meilleur des cas, mais sans le soutien nécessaire ils rechutent tous au bout d'un moment et meurent pour la plupart. Est-ce vraiment ce que vous voulez ?

Je préfère ça plutôt que passer toute ma vie assis dans le sous-sol d'une Église à écouter les Gens pleurnicher, geindre et se plaindre. Ça ne me semble pas très productif, ni très encourageant. Il s'agit de remplacer une Dépendance par une autre. S'il faut absolument que je sois accro à quelque chose, vaut mieux que ce soit d'un truc que j'aime.

Les AA ne remplacent pas une Dépendance par une autre. Il s'agit d'un groupe de soutien fondé sur les Douze Étapes.

Vous pouvez appeler ça comme vous voulez, mais lorsque quelqu'un cesse de faire une chose pour se mettre à en faire une autre, pour moi c'est troquer une Dépendance contre une autre.

Elle lâche un soupir d'énervement.

Préférez-vous être dépendant d'une chose qui vous rend meilleur et plus solide chaque jour ou d'une chose qui va vous tuer ?

Vous pouvez essayer toutes les tactiques que vous voulez, adopter mon point de vue ou renverser les rôles, essayer n'importe quel tour de passe-passe, mais je n'ai pas l'intention de croire aux AA ni aux Douze Étapes. Et en plus de tout, c'est fondé sur la Foi. Je ne crois pas en Dieu et je n'y croirai jamais.

C'est fondé sur une croyance en une Puissance Supérieure, pas Dieu. C'est kif-kif.

Dans notre Société, Dieu est un homme avec une longue barbe blanche assis sur un fauteuil dans les Cieux. Il ne s'agit pas de croire en cela. Une Puissance Supérieure ça peut être tout ce que vous voulez et tout ce qui peut vous aider à vivre une nouvelle journée.

Ça peut être le Ciel, ça peut être Bouddha. Ça peut être la Force de *La Guerre des Étoiles*. Les AA ne veulent pas vous imposer une Puissance Supérieure ou une Religion ou une quelconque Croyance.

Mettons les choses au clair avant qu'on continue à parler davantage de tout ça.

Quoi ?

Lorsque vous parlez de Puissance Supérieure ou lorsque vous parlez de Dieu, vous parlez de la même chose.

Je pense que c'est un jugement à l'emporte-pièce. Il nie la richesse des Pensées Spirituelles du Monde Entier.

À mon avis, toutes les Religions et les Croyances Spirituelles se valent. Elles sont là pour faciliter la vie des gens, pour leur donner une sorte de Code Moral à suivre, et les aider à mieux supporter l'idée de la mort en leur promettant quelque chose de meilleur lorsque leur vie s'arrêtera, pourvu qu'ils obéissent aux Règles de Dieu.

Qu'y a-t-il de mal à cela ?

C'est que des conneries. Je n'ai pas besoin qu'un truc qui n'existe pas me dicte ma conduite.

Comment pouvez-vous être si sûr qu'il n'existe pas une Chose Supérieure à nous ?

Comment pouvez-vous être si sûre que ça existe ?

Parce que j'y crois.

Pas moi.

Elle s'interrompt, soupire, parle.

C'est quoi, la foi, à votre avis ?

Je réfléchis quelques instants. Je parle.

La foi est la croyance en quelque chose dont on ne peut pas prouver l'existence.

Y avez-vous déjà réfléchi ?

Oui.

Et pourquoi n'avez-vous pas la foi ?

Je pense que les Gens se servent de Dieu pour échapper à la réalité. Je pense que la foi permet aux Gens d'éviter de voir ce qui se trouve sous leurs yeux, c'est-à-dire que ce truc, cette vie, cette existence, cette conscience, ou quel que soit le terme que vous employez, c'est tout ce que l'on a, tout ce que l'on aura jamais. Je pense que les Gens ont la foi parce qu'ils veulent l'avoir et qu'ils ont besoin de croire en quelque chose, n'importe quoi, sinon la vie est trop dure, trop déprimante, trop violente.

Vous avez peut-être raison, mais que diriez-vous d'accepter l'idée que la foi puisse rendre votre vie meilleure ? Je sais que ma foi rend ma vie meilleure et peu m'importe que la chose en laquelle je crois existe ou non, car tant que j'ai la foi, j'en tire avantage.

Je n'aurai jamais la foi en Dieu ou en quoi que ce soit.

Avez-vous foi en l'amour ?

Qu'est-ce que vous voulez dire ?

Est-ce que vous croyez en l'amour ?

Ouais.

267

Est-ce que vous croyez que l'amour peut rendre votre vie plus douce ?

Ouais.

Est-ce que vous croyez en d'autres choses ?

L'amitié.

Vous croyez en l'amitié ?

Énormément.

Quoi d'autre ?

Où est-ce que vous voulez en venir ?

Vous ne pouvez pas prouver que l'amour ou l'amitié existent, cependant vous avez foi en eux. Je vous demande d'essayer d'appliquer le même principe à une Chose Supérieure à vous-même.

J'arrive à éprouver de l'amour ou de l'amitié. J'arrive à voir et toucher et parler aux Gens que j'aime et aux Gens que j'ai décidé de prendre comme amis. L'idée de Dieu me laisse complètement indifférent, je ne peux pas voir Dieu ni toucher Dieu ni parler à Dieu.

Avez-vous déjà essayé de vous ouvrir à l'idée de la foi ?

J'ai lu la Bible. Pour moi, ça ne sonnait pas juste. Je connais des Gens qui se sentent proches de Dieu, mais je n'ai jamais compris leurs sentiments. J'ai déjà passé du temps dans des Églises, et j'apprécie leur beauté et leur majesté, mais il ne m'est jamais rien arrivé de bon dans une Église.

Qu'est-ce à dire ?

Exactement ce que je viens de dire.

Y a-t-il quelque chose que vous ne me dites pas ?

Rien qui ait un rapport avec ce dont nous parlons à présent.

Elle me regarde, je la regarde. Elle parle.

Je veux que vous réfléchissiez davantage à tout cela et que vous essayiez de l'accepter. Je veux que vous cessiez de tout intellectualiser, que vous essayiez de vous ouvrir un peu à cela.

Je n'ai jamais cru en Dieu, même pas quand j'étais petit. Ce n'est pas aujourd'hui que je vais commencer.

Réfléchissez-y.

Très bien.

Elle se lève, je me lève, on se dirige vers la porte, elle l'ouvre.

Il va y avoir quelques changements dans votre Cure, dont Ken vous parlera cet après-midi. Revenez me voir quand vous serez prêt.

Je sors, je marche dans les Couloirs. Comme je me dirige vers le Service, j'aperçois Leonard qui vient vers moi. Il me dit que c'est l'heure du déjeuner alors nous allons vers le Réfectoire, nous prenons une table. Nous sommes rejoints par Ed et Ted et Matty et Miles et Bobby.

Bobby raconte des histoires et dit des tonnes de conneries. Je possède ceci, je connais Untel, il me doit tant, etc., etc. Au bout d'un moment il se met à parler de Las Vegas et d'un voyage qu'il y a fait pour rencontrer Mikey le Tarin. Leonard, qui a ignoré Bobby pendant la quasi-totalité du repas, se met soudain à tendre l'oreille. Il ne dit rien, ne trahit pas sa curiosité mais je remarque qu'il est plus attentif. Bobby dit que Mikey était un gros porc d'alcoolo, un crétin qui ne savait pas fermer sa gueule ni son porte-monnaie, et que lorsqu'il a enfin fini par être liquidé, on a fêté ça dans tout New York. Bobby dit qu'il devait une sacrée somme d'argent à Mikey, et que grâce à sa mort l'ardoise a été effacée. Bobby dit que la dernière fois qu'il est allé à Las Vegas, il a cherché la tombe de Mikey et il a pissé dessus. J'observe Leonard pendant que Bobby parle. J'observe le masque impassible qu'il affiche, j'observe ses mains calmement posées sur la table. Si Bobby parlait ainsi de quelqu'un que j'aime, je lui aurais déjà sauté à la gorge. Leonard ne bronche pas, il écoute. Leonard ne bronche pas, il regarde.

Nous terminons de déjeuner, nous nous levons et nous marchons en groupe jusqu'à la Salle de Conférences. On s'installe au fond et on joue aux cartes. Pour la première fois depuis que je le connais, Leonard perd toutes ses donnes. Ted gagne trois fois, Ed et Matty deux, Miles et moi aucune. Lorsque la Conférence s'achève, tout le monde rend son argent à Leonard. On s'en va.

Comme nous marchons dans les Couloirs, vers le Service, Ken sort de son Bureau et demande à me parler. J'entre, je m'assois, il fait de même.

Nous avons besoin d'aborder plusieurs points aujourd'hui.

Il prend une feuille de papier et me la passe.

Voici une décharge pour que nous puissions faire en sorte que l'Avocat qui travaille pour nous contacte les États avec lesquels vous avez des problèmes afin de tenter de les résoudre. Il faut que vous la lisiez, que vous inscriviez le nom des États et des Villes qui selon vous posent problème, et que vous la signiez. Vous n'êtes pas obligé de le faire mais nous vous le recommandons vivement.

Vous avez un stylo ?

Bien sûr.

Il sort un stylo et me le tend. Je le prends, commence à lire le document.

Par ailleurs, mais les deux problèmes sont en quelque sorte liés, nous avons remarqué que vous fréquentiez Leonard. Cela nous préoccupe un petit peu.

Je relève les yeux.

Pourquoi ?

Vous êtes un jeune homme qui avez un rapport difficile à la loi. Nous ne pensons pas qu'il puisse avoir une bonne influence sur vous.

Et pourquoi ça ?

Avez-vous la moindre idée de la façon dont Leonard gagne sa vie ?

C'est une espèce d'Homme d'Affaires.

Ken éclate de rire.

Quel genre d'affaires ?

Je ne lui ai pas demandé.

Avez-vous remarqué que les gens ont peur de Leonard ?

Ouais.

Pourquoi, à votre avis ?

Parce qu'il n'a peur de rien. Ça a tendance à effrayer les gens.

Ce n'est pas la bonne raison, James.

Qu'est-ce que c'est alors, Ken ?

J'imagine que vous en savez plus que ce que vous me dites, mais je vais quand même vous le dire. Leonard est impliqué dans le Crime Organisé. C'est une figure majeure dans le Milieu. On lui a demandé de ne pas parler de ce qu'il fait ni de l'afficher ouvertement, et comme il a de graves problèmes de Dépendance, nous l'avons accepté dans le Centre, mais nous gardons un œil sur lui.

Je hausse les épaules.

Il faut bien gagner sa vie.

C'est tout ce que ça vous inspire ?

C'est tout ce que ça m'inspire.

Nous pensons que vous ne devriez pas passer trop de temps avec lui. Nous pensons que cela pourrait avoir un effet négatif sur votre rétablissement.

Leonard est mon ami. Je l'aime beaucoup, je lui fais confiance, je le respecte. Je ne vois pas en quoi le fait d'avoir un ami peut être nocif pour moi.

Vous a-t-il déjà demandé de faire quoi que ce soit d'illégal ?

Je ris.

Non.

Vous a-t-il déjà dit comment il gagnait sa vie ?

Il m'a dit qu'il était un Homme d'Affaires, il n'a pas vraiment précisé.

J'aimerais justement que vous soyez plus précis.

Je ne veux plus parler de ça, Ken.

C'est pour votre propre bien, James.

Changeons de sujet, Ken.

Il prend une grande inspiration et baisse les yeux vers une pile de papiers posés sur son bureau. Il me regarde.

Vos Parents vont venir ici. Ils se sont inscrits pour suivre le Programme Familial. Tout le monde ici trouve que c'est une excellente idée.

Et personne ne m'a consulté ?

Nous nous doutions de votre réaction.

Quand est-ce qu'ils arrivent ?

Demain.

Ils viennent du Japon ?

Oui.

Je secoue la tête, je regarde par terre. Je laisse venir et ça vient vite. La colère, la rage, la haine, la honte et l'horreur fusionnent dans la Fureur la parfaite la belle la terrible Fureur. Je ne peux rien y faire, je ne peux rien faire pour la mater sauf boire ou me droguer pour que ça cesse ou les deux, pour que ça cesse. Je serre les dents, je serre les poings, je lutte contre moi-même. J'ai envie de me défoncer la tête.

Ça va ?

Je regarde Ken.

Non.

Qu'est-ce que vous ressentez ?

Je suis en colère.

Quoi d'autre ?

J'ai envie de boire.

Quoi d'autre ?

De me défoncer la tête.

Quoi d'autre ?

J'ai envie de sauter sur votre satané bureau et de vous enfoncer vos putains de dents dans le gosier.

Faut-il que j'appelle les Vigiles ?

271

Je respire un grand coup.

Que va-t-il se passer une fois qu'ils seront ici ?

Je serre les mâchoires.

Vous passerez les nuits dans votre Service et vous prendrez vos repas comme à l'accoutumée, mais vous passerez les journées au Centre Familial.

Je serre les poings.

Et qu'est-ce qu'on va faire, là-bas ?

Vous débuterez une Thérapie de Groupe avec des Familles et des Patients et vous passerez un peu de temps avec vos Parents en privé.

Je m'accroche.

Putain ça a l'air génial, votre truc.

Pourquoi ne voulez-vous pas qu'ils viennent ici ?

Parce que.

Parce que quoi ?

Je ne veux plus vous parler de ça.

Je regarde la décharge qu'il m'a donnée, j'inscris le nom des Villes et des États, et je la lui rends.

Autre chose ?

Je pense qu'il faudrait qu'on commence à travailler pour trouver la source de votre colère.

Je le regarde, je ris, je me lève, je sors de son Bureau. Les Couloirs sont lumineux et la Fureur à l'intérieur de moi veut les abattre les détruire les réduire en poussière. Je les hais ces putains de Couloirs je veux les détruire me détruire tout détruire. Je respire bruyamment et je m'accroche et je me dirige vers mon Service. Il faut que je sorte, que je respire de l'air frais. J'ai besoin d'un air qui ne vienne pas d'ici, d'un espace qui ne soit pas celui-ci. Il ne me faut plus de murs, plus de Couloirs, plus de Services, plus de Thérapeutes, plus de règles, plus de Dieu, plus de Puissances Supérieures, plus de Groupes, plus de Conférences, plus de Réfectoire, personne pour me voir me parler me gêner. Il faut que je respire. L'air libre.

Je traverse l'Étage, je descends au Rez-de-Chaussée et je passe à côté d'un groupe rassemblé pour une Séance de Thérapie menée par Lincoln, il me demande ce que je fais, je fais la sourde oreille, j'ouvre les portes vitrées coulissantes et je sors et je respire je respire je respire et l'air est libre.

Je me mets à marcher. Je n'ai pas la moindre idée d'où je vais, je marche. Je prends un Sentier, je le suis et il me mène jusqu'aux arbustes protecteurs. Il fait plus sombre là-bas, je me sens moins vulnérable, plus à l'aise. Je respire profondément, aussi profondément que je le peux, l'oxygène m'apaise. La Fureur s'est dissipée, elle n'est plus qu'une rage ambulatoire, une colère semblable au feu, maîtrisable, et il est aisé de l'empêcher de brûler ou de détruire.

Le Soleil est haut, sa lumière est diffractée par les branches des arbres, ses rayons illuminent le sol, les feuilles mortes et les plantes pourrissantes tuées par la froidure de l'Hiver. Le Givre étincelle dans l'ombre en attendant de fondre. Dans une heure il ne sera plus là. Dans dix heures il sera de retour. Un nouveau jour un nouveau cycle maintenant parti revenu demain parti à nouveau. J'ai froid. La Chaleur se diffuse dans la lumière mais je m'en écarte. Je me réchauffe en marchant. Je ne suis pas pressé.

Je suis le Sentier et le Sentier me mène jusqu'au Lac. Le Lac est le même chaque jour le même. Plaques de glace, la vie en dessous, les oiseaux au-dessus. Le bruit détruit le silence, le silence submerge le bruit. Des ombres se reflètent lentement sur l'eau, déformant la réalité, l'objet ou l'image. Les deux sont réels et tout est réel. Tout est là en face de moi la vie est là face à moi, derrière moi, au-dessus de moi, en dessous de moi, autour de moi. Je la vois et je la sens, je l'entends et je la touche. Dedans et dehors. Là.

J'avise un banc libre. Je m'assieds je ferme les yeux j'ouvre mon être. Je ne sais pas à quoi je m'ouvre. Est-ce à Dieu ou à une Chose Supérieure. Est-ce à moi ou à ce qui m'entoure. Est-ce important faut-il vraiment que je sache. C'est important, c'est ce qui me garde en un seul morceau. Cette ouverture me permet de ramasser les morceaux d'une vie brisée. J'ai besoin d'y croire pour continuer à croire en moi. J'ai besoin de savoir ce que c'est. Ce que c'est qui m'ouvre.

Je me lève, je me dirige vers le bord de l'eau jusqu'à ce que j'atteigne une Mer d'herbes jaunes. L'herbe est morte aujourd'hui mais elle renaîtra au Printemps, c'est ainsi. Les choses meurent et renaissent. Est-ce la biologie, Dieu ou une Chose Supérieure. Sommes-nous des êtres biologiques, le fruit de Dieu ou d'une Chose Supérieure. Je sais que mon cœur bat, je l'écoute. Les battements sont un fait biologique, mais quelle est donc la musique. La musique existe-t-elle lorsque le cœur cesse de battre. Reste-t-on lorsque l'on part, l'un peut-il subsister sans l'autre. Est-ce important. Oui. Il faut que je croie en quelque chose. Ça me tient en un seul morceau.

Sur la Passerelle en Pin, au-dessus de la désolation boueuse du marécage et de la pourriture et de la vie nourrie par la mort. En contrebas parmi les Chênes touffus et les Buissons. Le Soleil reste haut et chaud ses rayons éparpillés dansent sur la surface de la terre, mes pieds me portent facilement. La Fureur a disparu, remplacée par l'air libre, le vide tranquille d'une solitude sereine. Je suis tranquille, libre. Je suis serein.

Si je recherche quelque chose, c'est cela. La sérénité. S'il y a un Dieu ou une Chose Supérieure, c'est cela. La sérénité. S'il y a une chose qui me tient lorsque j'ai besoin de tenir c'est la sérénité. Il n'y a pas de colère, pas de rage, pas de Fureur. Il n'y a pas d'envie pas de besoin pas de désir. Il n'y a pas de haine pas de honte pas de regrets. Il n'y a pas de chagrin, pas de tristesse, pas de dépression. Il n'y a pas de peur. Absolument aucune peur. Lorsque l'on n'a peur de rien, rien ne peut nous briser. Lorsque l'on a peur de tout, on est brisé avant même d'avoir commencé à vivre. La sérénité que j'éprouve maintenant. Qu'est-ce donc ?

Je suis perdu dans les Bois mais je reste sur un Sentier. Je recherche ce que j'ai déjà mais vais bientôt perdre. Je l'ai déjà recherché, comme s'il s'agissait d'un remède au mal dont je souffre. Cela n'est pas venu quand j'étais petit, dans l'Église. Je tenais les mains de mes Parents et je n'ai rien ressenti. L'amour ne m'apportait que de la solitude et de l'horreur. Dans les bouteilles et les pipes j'ai trouvé le néant et la douleur. À vingt-deux ans après la Prison, la caution et la fuite je suis retourné dans une Cathédrale où j'ai recherché la sérénité. La sérénité n'est pas venue. Maintenant je l'ai. Sans Dieu. Maintenant je l'ai.

Le Bois disparaît dans les herbes brunes et friables, une côte m'entraîne vers un point d'où je vois tout ce qui m'entoure. Je vois les Arbres et les Bois, les Marécages et les Lacs, les oiseaux et les animaux, les hommes, les femmes, les Pavillons de la Clinique et le Ciel **et** tout ce qui se trouve au-delà du Ciel. J'entends le vent, l'eau, les cris des oiseaux qui volent dans les airs et les hurlements des Malades enfermés pour se désintoxiquer. Je les sens, je me sens. Je sens la vie en eux et la vie autour de moi. Je la sens dans les battements calmes de mon cœur. Ce n'est pas Dieu, ce n'est pas un Truc Supérieur. Ce sentiment de calme est en moi, dans moi, de moi et créé par moi. Ce n'est pas Dieu. Ce n'est pas une puissance Supérieure

Je suis assis et j'observe le Monde. Je le regarde, je l'entends, je le touche, je le sens. Il est comme il est, fait de terre et de pierres et d'eau et de Soleil et d'air et de vagues de lumière et de vagues de sons composées d'éléments distincts. L'homme peut les créer ou les reproduire à sa guise. La science nous a donné ce pouvoir. Il n'y a pas de mystère. Nous pouvons tout créer en laboratoire. Il n'y a plus le mystère qu'il y avait à l'aube de l'humanité lorsque personne ne savait ni quoi ni comment ni pourquoi. Nous avons des réponses maintenant. Des réponses qui révèlent la vérité. La vérité ce n'est pas Dieu, ce n'est pas une Puissance Supérieure. Il n'y a pas de Dieu. Il n'y a pas de Puissance Supérieure.

Je le laisse pénétrer par l'ouverture de ma sérénité. Il n'y a pas de Dieu. Il n'y a pas de Puissance Supérieure. Je le laisse pénétrer au centre de mon être, dans les simples profondeurs de la biologie et de l'énergie, vers un cœur palpitant qui chante dans une langue que moi seul connais. Je le laisse pénétrer, il se mêle à la sérénité, s'y love, il n'y a rien d'autre. Je ne me battrai plus contre Dieu. Je ne me battrai plus contre quoi que ce soit de Supérieur, se battre c'est reconnaître leur existence. Je n'ai plus besoin de me battre ou de reconnaître ce qui, je le sais, n'existe pas. Il me reste des combats à mener, et je les mènerai, mais je refuse d'être poussé par une foi aveugle, une prétendue conversion à une croyance en un Dieu ou un truc Supérieur qui n'existe pas, n'a jamais existé et n'existera jamais. Je me battrai avec moi, mon cœur, ma volonté, mon être, mon chant, je me battrai avec moi. Il se peut que je gagne, il se peut que je perde. Cela ne compte pas. Ce qui compte c'est la façon dont je procède. Il n'y a pas de Dieu et il n'y a pas de Puissance Supérieure. Je me débrouillerai moi-même. Tout seul. Je me débrouillerai moi-même.

C'est presque l'heure de mon rendez-vous avec Lilly. Je me lève, je descends la colline en longeant les hurlements qui s'échappent des Pavillons. Je reprends le Sentier, le Sentier me ramène là où je l'ai quitté et je m'en écarte pour aller à la Clairière. Elle est là qui m'attend. Elle m'attend, elle vient à ma rencontre, elle m'embrasse elle m'embrasse elle m'embrasse. Elle se dégage et elle sourit.

Salut.

Je souris.

Salut.

Allons nous asseoir.

D'accord.

On s'assoit.

Tu m'as manqué.

Je souris.

C'est bien.

Elle sourit. C'est un sourire doux, léger. Le genre de sourire à vous fendre le cœur si vous le regardez trop longtemps. Elle me tient toujours par la main, je suis toujours serein, je plane. Je me fais planer, elle me fait planer. Elle parle.

Je peux t'embrasser encore ?

Ouais.

Elle se penche. M'embrasse elle m'embrasse je plane. Elle m'embrasse. Elle se dégage, me parle.

Raconte-moi une histoire.

C'est ton tour.

Je veux que ça soit toi qui commences.

Pourquoi ?

Parce que tu es plus courageux que moi.

Qu'est-ce qui te fait dire ça ?

Je veux juste que tu me racontes une histoire.

Qu'est-ce que tu veux que je te raconte ?

Quelque chose qui parle d'amour.

Je ne suis pas spécialiste en matière d'amour, mais je veux bien essayer.

Merci.

Je la regarde dans les yeux. Ils sont bleus comme l'eau claire. Je m'y abreuve comme si j'avais soif. Je parle.

J'allais à la fac avec cette Fille. J'ai passé trois ans à la regarder et à penser à elle et à attendre qu'elle vienne me parler. La dernière année, nous avions quelques Cours en commun, et le jour de la rentrée, après le premier cours, elle m'a attendu et on a bavardé. Je lui ai dit ce que j'avais envie de lui dire depuis le premier jour, qu'elle était la plus belle Fille que j'aie jamais vue. Après cela nous n'avons pas parlé pendant un moment, et j'ai cessé de la regarder, mais je savais que mes regards lui manqueraient, et que tôt ou tard elle viendrait vers moi. J'avais raison. Au bout de deux mois, elle m'a demandé si je voulais réviser les examens avec elle. Après avoir travaillé, nous sommes sortis boire un verre avec ses amis. Je n'ai pas pris de drogue avec moi, j'ai bu juste assez pour maîtriser mes tremblements et mes tremblotements et tout s'est bien passé. On s'est mis à traîner ensemble tout le temps, pour travailler, pour aller en Cours, prendre la Pause Déjeuner, boire le café et fumer des clopes, boire des bières, ou n'importe quoi d'autre, et on est devenus vraiment proches. Je ne buvais plus que la nuit et j'ai arrêté de me droguer.

J'inspire, regarde par terre, me souviens. Ce sont de bons souvenirs, les rares que j'ai. Je pose à nouveau les yeux sur Lilly.

Et puis Noël est arrivé, elle est rentrée chez elle dans le Connecticut, je suis allé au Brésil, mes Parents y vivaient à l'époque. Elle m'a donné le numéro de téléphone de ses Parents et m'a demandé de l'appeler et bien que j'en aie eu envie, je n'en ai rien fait. Je pensais qu'il valait mieux me laisser désirer. L'idée étant que si je lui manquais, ça ferait peut-être bouger les choses entre nous. J'en voulais plus, beaucoup beaucoup plus. Je pensais que je serais heureux si elle m'aimait, je pensais que son amour m'aiderait à résoudre mes problèmes, mais surtout je l'aimais et je voulais qu'elle ressente les mêmes choses que moi.

Lilly sourit, secoue la tête, parle.

Mal joué.

Quoi ?

En pensant que l'amour t'aiderait à résoudre tes problèmes.

J'acquiesce.

Ouais.

Tu m'en veux d'avoir dit ça ?

Je secoue la tête.

Difficile d'en vouloir à quelqu'un qui dit la vérité.

Elle sourit.

J'aimerais entendre la suite.

Je ris.

Lorsqu'on est retournés à la Fac, elle m'a demandé pourquoi je n'avais pas téléphoné. Je lui ai dit que j'avais pensé qu'elle était très occupée avec sa famille et que je ne voulais pas m'imposer. Elle m'a souri et m'a répondu qu'il faudrait désormais que je m'impose chaque fois que j'en aurais envie. J'ai souri, j'ai essayé de rester calme mais j'étais loin d'être calme, mon cœur battait la chamade et mes mains se sont mises à trembler. Elle ne m'en a rien dit mais je le savais. Je lui avais manqué.

Deux jours plus tard, nous sommes allés dans un Bar pour rejoindre certains de ses amis. Elle s'est assise plus près de moi qu'à l'ordinaire, a ri un peu plus fort à mes plaisanteries stupides, m'a touché plus affectueusement la jambe, l'épaule, la nuque, la main. Elle me touchait, me traitait comme si j'étais son petit ami, et j'adorais ça.

Au bout d'une heure, des Flics se pointent avec un Mec que je n'avais jamais vu. C'étaient des Flics de Province, de Gros Connards adipeux avec moustache et ventre à bière, un flingue et un insigne. Je les connaissais, ils me connaissaient. Pendant toutes les années que j'avais passées dans cette ville, je les avais ouvertement nargués, je les avais mis au défi de me coincer, et ils n'avaient jamais réussi. Ce jour-là, ils étaient avec un nouveau mec et ils se sont dirigés vers moi avec cet air de bravade à la con qu'arborent les Poulets, ils ont sorti un mandat et ils m'ont dit qu'il fallait que je les suive au Commissariat pour répondre à quelques questions. Ils ont ajouté qu'une autre équipe fouillait ma maison avec des chiens. J'ai ri, je leur ai dit de me lâcher la grappe et le Nouveau a brandi un insigne et m'a dit Fiston, je fais partie du FBI et on t'a dans le collimateur, et il m'a attrapé par le colback et m'a foutu dehors. Ça s'est passé sous ses yeux et sous les yeux de ses amis. Qu'est-ce que j'étais humilié, putain. Ça faisait des années que j'étais amoureux de cette Fille, et j'étais persuadé qu'elle ne m'adresserait plus jamais la parole.

Ça a déconné sérieusement pendant le trajet en voiture jusqu'au Commissariat. Je beuglais l'Hymne National, et entre deux couplets, je demandais aux Flics quand on irait acheter des beignets. L'interrogatoire était encore plus ridicule. L'agent du FBI n'a pas arrêté de me poser des questions au sujet de mes voyages au Brésil, qui n'avaient rien à voir avec la drogue, et sur les gens que je connaissais en Amérique latine et moi j'alternais entre deux types de réponse. Je ne parlerai qu'en présence de mon Avocat. Qu'est-ce que ça donne l'air con, la moustache. L'Équipe qui fouillait ma Maison est revenue bredouille, il n'y avait plus rien à trouver, et les flics ont été obligés de me relâcher. Je suis sorti, et sur le chemin de la sortie, j'ai dit à tous les Flics que je croisais d'aller se faire foutre.

Lilly rit.

Qu'est-ce qu'ils t'ont dit ?

Certains m'ont ignoré, d'autres m'ont répondu la même chose, et l'un d'eux m'a balancé une tasse de café.

Il t'a eu ?

Non.

Tu es retourné voir la Fille ?

Quand je suis sorti du commissariat, elle était assise sur le pare-chocs de sa voiture, elle m'attendait.

Elle n'était pas contente ?

Je hoche la tête.

Non. Elle avait pleuré.

Qu'est-ce que tu as fait ?

Elle fumait une cigarette en matant par terre, elle ne m'avait pas vu, alors j'ai marché vers elle et je lui ai demandé si elle attendait quelqu'un. Elle a levé les yeux, elle m'a souri, elle a passé ses bras autour de mon cou et elle s'est mise à pleurer sur mon épaule. Après avoir fini de pleurer, elle m'a demandé si j'avais des ennuis et j'ai dit non et elle m'a demandé si j'allais bien et j'ai dit oui. Et puis elle m'a regardé dans les yeux, elle m'a pris la main, elle m'a dit si tu veux qu'on soit ensemble, il faut que je sois avec le Garçon que je connais et pas avec celui dont j'ai entendu parler. Je ne pourrai pas supporter ces histoires de Police et de drogue et d'alcool et je ne sais quoi encore, alors décide-toi maintenant, choisis celui que tu veux être. J'ai souri et je lui ai répondu je veux être le genre de Garçon dont tu seras fière. Je vais faire tout ce que je peux pour l'être. Si tu penses que tu peux le supporter, hoche la tête. Si tu ne peux pas, va-t'en. Mais si tu hoches la tête, je vais t'embrasser, là, tout de suite et sur les lèvres et ce baiser scellera ma promesse de devenir meilleur. Elle m'a regardé et elle a souri, elle a fait oui, j'ai ôté mes mains des siennes, je les ai placées sur ses joues et je l'ai embrassée et pendant un instant, au moins, ce baiser m'a trans-formé, et pendant un instant, au moins, nous avons été amoureux.

Et puis tu as tout bousillé ?

Ouais.

Qu'est-ce que tu as fait ?

Je n'ai pas envie d'en parler maintenant.

Pourquoi ?

C'est comme ça.

Qu'est-ce que tu veux faire ?

Je veux t'embrasser encore une fois.

Parce que tu penses à elle ?

Non, parce que je pense à toi.

Lilly sourit, elle me lâche la main et elle enroule ses bras autour de mon cou, elle me serre, elle m'embrasse doucement dans le cou. Dans ses bras, je me sens plus en sécurité que jamais, la sérénité et le pouvoir de la sérénité sont encore en moi. Elle relève la tête doucement elle la relève et elle m'embrasse doucement sur les lèvres elle me serre plus fort, je me sens plus en sécurité et serein que jamais. Dans ses bras. À l'embrasser.

Elle relâche son étreinte, se dégage. Elle me sourit et me caresse la joue.

Je voudrais être à sa place.

Pourquoi ?

Parce que j'aimerais bien que quelqu'un éprouve de tels sentiments envers moi.

Tu n'as jamais été amoureuse ?

Ça risque pas.

Et personne n'a jamais été amoureux de toi ?

Les hommes ont toujours envie de me baiser, mais jamais personne ne m'a aimée.

Je ne te crois pas.

C'est vrai.

Je ne te crois pas.

Elle me regarde.

C'est vrai.

Je lui rends son regard.

Si ça peut te rassurer, je ne veux pas te baiser.

Elle rit.

Merci.

Je trouve que tu es belle, mais je ne veux pas baiser avec toi parce que je ne veux pas qu'une fois qu'on aura fini, tu te sentes baisée. J'aimerais essayer de te faire l'amour, et je serais sans doute embarrassé et maladroit, mais je voudrais qu'une fois qu'on aurait fini, tu te sentes aimée.

Elle sourit.

Merci, James.

Je souris.

Merci, Lilly.

Nous nous sourions, nous nous regardons dans les yeux, nous nous parlons malgré le silence qui s'est installé entre nous. Il est fort, sécurisant et serein. Le silence entre nous.

Lilly jette un coup d'œil à sa montre.

Il commence à se faire tard.

Ouais.

On se voit demain ?

Je ne sais pas.

Pourquoi ?

Je ne sais pas si je peux.

Ça te fait peur ?

Un petit peu, mais ce n'est pas pour ça que je ne peux pas te voir.

Alors pourquoi ?

Mes Parents arrivent demain. Je dois suivre le Programme Familial avec eux et je ne sais pas quels seront mes horaires.

Tu es content ?

Non.

Pourquoi ?

Je ne m'entends pas avec mes Parents, et je ne veux pas les voir ici.

Change d'attitude, mon Pote.

Je ris.

Quoi ?

Je dis change d'attitude, mon Pote.

Qu'est-ce que tu racontes ?

Putain, t'es sacrément veinard d'avoir des Parents. T'es encore plus veinard qu'ils t'aiment vraiment. Et s'ils sont prêts à prendre du temps pour venir ici, essayer de comprendre pourquoi tu es tel que tu es, essayer d'apprendre à t'aider, alors t'as touché le jackpot, bordel. Sois cool avec eux, essaie de te mettre à leur place, de penser à ce qu'ils doivent ressentir en venant ici, comme ils doivent être tristes.

Ils ont toujours été tristes à cause de moi. Ça fait partie du problème.

D'après ce que je sais de toi, ils avaient d'excellentes raisons de s'en faire.

Peut-être.

Peut-être, mon cul. Change d'attitude et essaie d'être un peu cool avec eux, n'oublie pas la veine que tu as de les avoir.

Je baisse les yeux, je regarde par terre, hoche la tête. Elle m'attrape par le menton, me relève le visage pour me regarder dans les yeux.

Je veux que tu me dises d'accord Lilly chérie, j'essaierai d'être un peu plus cool avec mes Parents.

Je souris.

Tu joues les dures avec moi ?

Elle opine.

Je suis une Dure à Cuire, mon Pote. T'avise pas de l'oublier.

Je ris.

D'accord, Lilly chérie. J'essaierai d'être un peu plus cool avec mes Parents.

Elle rit.

Merci.

Je la regarde, je laisse mon sourire disparaître, il ne disparaîtra pas à l'intérieur. Je me sens plus serein, plus en sécurité que jamais. Cette fille abîmée, Toxico, Dure à Cuire, assise en face de moi avec ses cheveux noirs et ses tresses et ses yeux bleus comme l'eau claire et ses cicatrices ses cicatrices les cicatrices sur son poignet nues sous sa montre en plastique me sécurise et m'apaise.

Je voudrais te voir demain, mais je ne sais pas à quoi va ressembler ce Truc avec mes Parents. Quand tu iras déjeuner, assieds-toi dans un coin d'où tu pourras observer l'Espace réservé aux Hommes. Si je te tourne le dos, c'est que je ne peux pas te voir. Si je te fais face, on peut se voir, et le nombre d'assiettes sur mon plateau indiquera l'heure à laquelle je te rejoindrai ici.

Et si tu ne peux pas venir avant minuit ?

Alors je vais avoir l'air d'un sacré goinfre.

Elle rit.

Embrasse-moi avant de t'en aller.

Je me penche et je l'embrasse, j'embrasse ses lèvres douces et humides et chaudes. J'enroule mes bras autour d'elle et je la serre fort, ma petite Dure à Cuire.

Elle se dégage, on se lève. Elle me parle.

Passe une bonne nuit.

Oui.

Elle se tourne, commence à s'en aller. Je parle.

Lilly.

Elle s'arrête, se retourne.

Quoi ?

Tu vas me manquer.

Elle sourit.

Bien.

Elle tourne les talons et disparaît dans la verdure. Je prends la direction opposée, je me fraye un chemin, et je retrouve un Sentier, je rentre en marchant. Je me sens serein, en sécurité, et je veux conserver cette impression le plus longtemps possible. Je m'arrête devant les portes vitrées. J'observe à travers la vitre les hommes qui ne sont ni sereins ni en sécurité. Ils regardent la télévision, jouent aux cartes, fument des cigarettes et boivent du café. Ils disent des conneries et racontent des histoires. Ils ne sont ni sereins ni en sécurité. Les Dépendances ont besoin de carburant. Ils font le plein.

Je sais que je n'arriverai pas à ressentir ça très longtemps, ça s'en ira tôt ou tard. Le plus tôt sera le mieux. J'ouvre la porte, je rentre dans le Service. Je me dirige vers ma Chambre. La porte est fermée et je frappe doucement, il n'y a pas de réponse. J'ouvre, je rentre, Miles est assis sur son lit. Il se tient la tête entre les mains et il pleure. Je suis sûr qu'il m'a entendu entrer mais il n'en montre rien. Il se tient la tête entre les mains et il pleure.

Je recule, je referme la porte. J'arrive dans le Couloir, les lumières sont allumées, les murs sont blancs, j'aimerais qu'ils soient bleu clair, bleus comme l'eau claire.

Je vais au Réfectoire. Je suis en avance, il est vide. Je prends un plateau, une assiette de bâtonnets de poisson et de sauce tartare, je choisis une table et je m'assieds. Je mange. Je mange lentement. Les bâtonnets de poisson sont chauds et juteux, la panure a un goût de sable mouillé. À chaque bouchée une partie de moi s'enflamme et en veut plus, elle veut tout le bâtonnet d'un coup elle hurle et supplie pour avoir cinq cents bâtonnets d'un coup avec la panure sablée et tout le reste. Tant pis s'ils sont dégueulasses, putain je les veux. Je reste assis et je respire et je serre les dents. Je regarde droit devant moi. Bouchée par bouchée. Accroche-toi. Bouchée par bouchée. Ce n'est pas si compliqué. Bouchée par bouchée. Ce ne sont que des bâtonnets de poisson, putain. Accroche-toi.

Je finis de manger. Les hommes commencent à arriver. Ils ne me rejoignent pas. Je veux encore de la bouffe, encore plus de bouffe, mais je ne quitte pas la table. Je reste assis et je m'accroche, je reste assis et je m'accroche, je reste assis et je m'accroche. J'ai conscience que le combat auquel je me livre est minable mais j'ai également conscience que pour gagner celui qui est plus grandiose, il faut d'abord gagner le plus médiocre. Une Dépendance, c'est une Dépendance et un combat, c'est un combat. Ils obéissent aux mêmes règles. Accroche-toi.

Je vois Leonard qui sort de la queue. Il a pris du bœuf et des

283

nouilles au lieu des bâtonnets de poisson. Il sourit, me fait signe de la tête, vient à ma table, s'assoit. Il vient de prendre une douche, ses cheveux sont mouillés et son visage est rouge.

Ça roule, Fiston ?

Ça va. Et toi ?

J'ai passé une excellente journée.

Pourquoi ?

Ce ne sont pas tes oignons.

Pourquoi ?

Arrête de demander pourquoi.

Je peux demander comment ?

Peut-être.

Comment est-ce que tu gagnes ta vie, Leonard ?

Il rit.

Tu sais comment je gagne ma vie, Fiston.

Je veux t'entendre me le dire.

Quelqu'un t'a parlé ?

Ouais.

À moi aussi ils m'ont parlé.

Qu'est-ce qu'ils t'ont dit ?

Ils m'ont dit qu'ils ne voulaient pas que j'aie une mauvaise influence sur toi.

Je leur ai dit que ce n'était pas le cas.

Merci.

Comment est-ce que tu gagnes ta vie, Leonard ?

Tu le sais, Fiston.

Je veux te l'entendre dire.

Leonard prend une bouchée de bœuf et de nouilles. Il sourit en mâchant.

Je suis le Directeur d'une Grande Entreprise Italienne de Finances sur la Côte Ouest.

Je ris.

Tu veux en savoir plus ?

Non.

C'est sans doute mieux comme ça.

Ouais.

Tu as vu ta Copine aujourd'hui ?

Ouais.

Alors tu reconnais que c'est ta Copine maintenant ?

À peu près.

Elle est bien ?

Oui, vraiment.

Elle te plaît ?

Oui.

Tu l'aimes ?

En quelque sorte.

Fais gaffe à toi, Fiston. Ils m'ont posé des questions à son sujet.

Comment est-ce qu'ils savent ça ?

Ils savent tout.

Comment ?

Ce n'est pas difficile de savoir lorsqu'on veut savoir.

Sans doute.

Tu sais ce que je pense ?

Quoi ?

Je pense que l'amour est une chose rare en ce Monde. S'il te semble que tu peux vivre une histoire d'amour avec cette Fille, alors emmerde tous ceux qui essaieront de t'en empêcher, emmerde leurs Règles. Prends le risque et fais tout ton possible et tâche de ne pas te faire prendre. Si tu te fais prendre, recommence.

Je ris.

Tu as une mauvaise influence sur moi, Leonard.

Il sourit.

Non, pas du tout, Fiston.

Je souris. Leonard sourit. On mange en silence sans que personne nous rejoigne. On finit de dîner et on se dirige vers la Salle de Conférences et on s'assoit avec Ed et Ted et Matty, à nos places habituelles. On joue aux cartes, et les scores redeviennent normaux, Leonard gagne et tous les autres perdent. Les mises sont tellement dérisoires que tout le monde s'en fiche, le temps passe lentement, en jouant le temps passe plus vite. On sait que Leonard partagera les gains lorsque la partie sera finie. Gagner deux trois dollars, perdre deux trois dollars. Ignorer la personne qui se trouve sur l'estrade. Je ne me donne même plus la peine de regarder.

La Conférence s'achève et on rentre dans le Service. Je prends une tasse de café et je trouve une place sur l'un des canapés, au milieu de plusieurs autres hommes et je regarde la télé. Il y a une série sur un groupe de Médecins Urgentistes qui travaillent dans les bas-fonds d'un centre-ville. L'épisode tourne autour d'une Junkie qui est arrivée à l'Hôpital après une overdose.

C'est une belle jeune femme dont le corps est dépourvu de bleus, de cicatrices, de traces d'aiguille. Elle porte des vêtements sales qui semblent être en lambeaux parce que c'est la mode. Elle fond en larmes dès qu'on lui adresse la parole, elle a de grosses poches noires sous les yeux, bien que ses larmes soient manifestement fausses et que ses poches aient une taille différente chaque fois qu'on l'aperçoit à l'écran. Elle a commencé à fumer du cannabis pour se donner du style, a rencontré un homme dont elle est tombée follement amoureuse, et il s'est trouvé que l'homme était un Dealer d'héroïne qui l'a fait tomber dans la dope. Maintenant elle est accro, et après s'être injecté une dose particulièrement forte, elle s'est réveillée aux Urgences, ce qui représente sans doute la partie du scénario la plus vraisemblable. Elle refuse de reconnaître qu'elle est responsable de ce qui lui arrive. Elle hurle c'est pas ma faute, encore et encore et encore.

Pendant qu'on regarde la série, certains hommes huent la Fille à chacune de ses apparitions, deux d'entre eux applaudissent et rient aux éclats, un autre grogne et jette sa chaussure sur la télé, puis va la récupérer et la tient dans la main en attendant qu'elle revienne à l'écran. S'il avait un flingue, il réduirait probablement la télévision en cendres.

La série continue laborieusement, la Fille, épaulée par un beau et fringant Médecin, affronte ses problèmes. Il l'aide à décrocher de la came, la fait rentrer aux AA. Il l'accueille chez lui, la console quand elle pleure, lui ramène des jus de fruits nutritionnels à la maison tous les soirs après le boulot. Ils tombent amoureux et après un lacrymogène dîner aux chandelles, ils se livrent aux joies glorieuses, romantiques et multiorgasmiques de l'amour. À la fin de l'épisode, elle a changé du tout au tout. Elle est complètement clean, a recommencé sa vie de zéro. Ça se termine sur une scène où elle marche dans la rue avec le Médecin, tandis qu'un jeune Retriever à poils dorés gambade à leurs côtés.

Si c'était possible, je retrouverais les auteurs de cette saloperie de conte de fées merdique et je les enfermerais dans une pièce, je leur ferais bouffer de la drogue jusqu'à ce qu'ils soient complètement et sévèrement accros. Je leur provoquerais une overdose et je les emmènerais dans la Salle des Urgences de l'hôpital du Ghetto le plus proche, je les abandonnerais sur le perron juste à côté des SDF armés de couteaux, des Toxicos sidéens, des Flics et des Ambulanciers en train de fumer leur clope. Je les laisserais y passer quelques jours, et puis je reviendrais pour voir comment ils iraient. S'ils étaient encore vivants ou encore dans le coin, ce qui serait très improbable, je leur demanderais si leur expérience a quoi que ce soit de commun avec celle qu'ils ont présentée au Public. Je leur demanderais s'ils ont achevé leur Cure de Désintoxication et s'ils se sentent bien. Je leur demanderais s'ils sont allés à leur première Réunion des AA, s'ils ont trouvé un nouveau Boulot et un nouvel Appartement. Je leur demanderais s'ils sont tombés amoureux autour d'un dîner aux chandelles, s'ils ont connu l'extase physique comme jamais ils ne l'avaient connue. Je leur demanderais s'ils ont acheté leur nouveau Retriever à poils dorés. Quand ils auraient répondu, non non non je vous en prie qu'est-ce que je fais maintenant non merde alors je suis foutu non je vous en prie aidez-moi non non non non, je leur demanderais comment ils comptent parler de leur Dépendance au Public. Je leur demanderais s'ils ont l'intention de la rendre romantique, de la glorifier, de la minimiser, ou de la dépeindre le plus faussement possible. Non non non je vous en prie qu'est-ce que je fais maintenant non merde alors je suis foutu non s'il vous plaît aidez-moi non non non non. C'est bien ce qu'il me semblait, espèces d'Enfoirés. Non.

Je me lève, je retourne dans ma Chambre. Je n'ai pas vu Miles depuis tout à l'heure, je marque un arrêt, je colle l'oreille contre la porte avant d'ouvrir. J'entends des pleurs, des sanglots longs et discrets, des mots étouffés, murmurés dans le vague, un poing qui bourre un oreiller de coups. J'aimerais bien être dans mon lit sous mes couvertures, au chaud, mais je ne veux pas le déranger, alors je lâche la poignée et je retourne dans le Service.

Je reprends une tasse de café, je me rassois sur le canapé. Le Rez-de-Chaussée est désert, excepté ma présence et celle de deux hommes. Je ne les connais pas, je ne leur adresse pas la parole. Il y a un talk-show à la télé, une Star de Cinéma évoque son amour pour les courses automobiles, l'Animateur feint d'être intéressé. Il sourit, hoche la tête quand il doit hocher la tête, met en avant les remarques de la Star par des réponses spirituelles. L'assistance est éblouie, et j'ai beau savoir que c'est une émission débile, je suis ébloui moi aussi. Je suis Alcoolique et Toxicomane. J'ai besoin de carburant. Je prends ce que je trouve.

Je bois une nouvelle tasse de café, je regarde une autre émission, somnole plus ou moins. Le café ne me fait plus d'effet et la télé est soporifique. Sa lueur terne me nourrit, me remplit, me tue, me garde, me tient ici et me donne un objet sur lequel me concentrer. Les deux hommes à côté de moi dorment à poings fermés sur les canapés. L'un d'eux remue, il gémit. Il crie doucement un mot bien trop banal il crie stop stop stop. L'autre ronfle, impassible. J'aurais pu croire qu'il était mort s'il n'avait pas fait tant de bruit. Je somnole plus ou moins.

La télé est soporifique.

Plus ou moins.

Plus.

Moins.

Plus.

Moins.

Un homme qui vend des produits pour faire pousser les cheveux hurle achetez achetez achetez ils vont pousser pousser pousser. Une magnifique chevelure voilà ce dont vous avez toujours rêvé. Je peux vous l'offrir si vous achetez achetez achetez ils vont pousser pousser pousser. Il marche sur la plage. Il a une belle blonde accrochée à chaque bras. Il porte un costume bon marché.

J'éteins. Je me dirige vers ma Chambre, j'ouvre la porte. J'entre. Miles est éveillé, assis sur son lit. Il lit la Bible. Il me fait un signe de tête, je lui fais un signe de tête. Je grimpe sur le lit et je me glisse sous les couvertures et je me recroqueville en moi-même.

Je me réveille. La lumière grise filtre par la fenêtre, je plisse les yeux pour m'en protéger. Ma première pensée va à mes Parents. Putain ça fait chier. Je sors du lit, me douche, me rase, me brosse les dents. Je ne peux pas me payer le luxe de m'occuper du miroir, de ma personne, ou de mes yeux aujourd'hui. Certainement pas.

Pendant que je m'habille, Miles arrive avec deux tasses de café. Il m'en tend une.

Je t'ai apporté du café.

Merci.

Tu l'aimes noir, c'est ça ?

Ouais.

Je prends une gorgée, pose la tasse sur la table de nuit, continue de m'habiller. Miles retourne à son lit, il s'assied, il parle.

Merci de m'avoir laissé la Chambre hier.

Je t'en prie.

Je me débattais avec certains trucs.

Ça va, maintenant ?

Ça va mieux.

Il y a un silence pesant. Un moment. Miles regarde par terre, repose les yeux sur moi.

C'était la honte, James.

Quoi ?

J'affronte un terrible sentiment de honte, James. C'est pour ça que j'ai passé toute la journée d'hier enfermé ici. À cause de la honte.

Si tu as besoin d'en parler à quelqu'un, je ferai de mon mieux pour t'écouter.

Merci, James. Je sais bien.

Je finis de m'habiller, m'assieds sur mon lit.

Miles regarde par terre.

Ça va ?

Il fait oui.

Ça n'a pas l'air d'aller très fort.

Je me lève, me dirige vers lui, m'assieds sur son lit, passe mes bras autour de lui, le serre contre moi. Lui aussi me serre fort, je sens la honte qui passe dans ses bras. Je suis Délinquant, il est Juge, je suis Blanc, il est Noir, mais à cet instant plus rien de tout cela ne compte. C'est un homme qui a besoin d'un ami et je peux être cet ami. J'attends qu'il me relâche, j'attends qu'il se débarrasse de cette chose, quelle qu'elle soit, ça prend de longues minutes. Je me lève et je parle.

Si tu as besoin de quoi que ce soit, viens me voir. Je ne suis pas bon à grand-chose, mais je ferai de mon mieux.

Il fait oui de la tête.

Merci, James.

Je sors de la Chambre, je prends le Couloir et le Couloir me ramène à ma colère. Colère parce que mes Parents sont ici. Colère parce que je ne veux pas les voir. Je marche dans le Service, je vais pour faire le café, mais il est déjà fait. Je regarde le Tableau de Tâches. À côté de mon nom je lis Famille.

Je quitte le Service, je vais au Réfectoire. J'attrape un plateau, une assiette, un *burrito* pour le petit déjeuner. Je m'assieds à une table libre. Je suis en colère, je veux rester seul.

Je mange rapidement. Le *burrito* est fourré aux œufs, au bacon, au fromage, avec des petits bouts de légumes méconnaissables. C'est dégoûtant mais je le mange quand même. Je voudrais en manger une centaine. La colère se mue en Fureur. La Fureur monte.

Je finis de manger, je m'en vais, je me dirige vers la Salle de Conférences. Des hommes se tiennent devant moi, d'autres derrière moi. Je ne fais pas attention à eux. Je marche. Joanne m'attend devant la porte de la Salle de Conférences. Elle me demande de bien vouloir l'accompagner à son Bureau. Nous traversons les Couloirs côte à côte.

Comment allez-vous aujourd'hui, James ?

Ça va.

Vous avez l'air en colère.

Effectivement.

Pourquoi ?

Parce que.

On arrive à son Bureau. On entre. Elle s'assied sur le fauteuil, je m'assieds sur le canapé.

Vos Parents sont arrivés tôt ce matin. Ils sont allés poser leurs affaires au Centre Familial. Nous allons les voir dans quelques minutes.

Formidable.

Vous n'êtes pas content, n'est-ce pas ?

Non.

Pourquoi ?

Parce que je ne veux pas me les coltiner.

Pourquoi ?

Ils me mettent hors de moi.

Pourquoi ?

Je ne sais pas.

Il doit bien y avoir des raisons.

Quelles que soient ces raisons, c'est des conneries. Du style ils ne me lâchent pas la grappe, se font tout le temps du souci pour moi, le genre de conneries que j'ai bien méritées.

Vous pensez que vos sentiments puissent avoir une quelconque légitimité ?

Je ne sais pas.

Ça fait combien de temps que vous éprouvez cela ?

J'ai toujours été en colère contre mes Parents.

Peut-être pourrions-nous chercher pourquoi pendant qu'ils sont ici.

J'en doute.

N'oubliez pas qu'ils sont ici parce qu'ils vous aiment et qu'ils veulent vous aider. Ce n'est pas facile pour eux.

J'essaierai.

D'ordinaire nous commençons par regrouper tout le monde dans une même Pièce. Pour que vos Parents arrivent à comprendre où vous en êtes et ce qu'ils peuvent faire pour vous, il faut qu'ils sachent ce que vous avez fait, jusqu'où vous êtes allé. Nous voudrions que vous leur racontiez.

Ça va être cauchemardesque, bordel.

Pourquoi dites-vous ça ?

Mes Parents savent que je bois trop, ils savent que je me drogue, mais ils n'ont aucune idée des doses, et ils ne savent rien de mes problèmes avec la Justice.

Comment cela se fait-il ?

Je ne leur en ai jamais parlé.

Vous pensiez qu'ils allaient mal réagir ?

Je ris.

Mal ne me semble pas être le terme le plus approprié.

Quelle que soit leur réaction, nous nous en occupons. C'est pour cela qu'ils sont ici, et c'est pour cela que nous sommes ici.

Sans doute.

Je pense que vous pourriez avoir des surprises.

Ça me trouerait le cul.

Elle jette un coup d'œil à sa montre.

Il faut qu'on y aille.

Elle se lève. Je me lève.

D'accord.

Elle ouvre la porte, on quitte son Bureau, on prend les Couloirs. Ils sont lumineux et ils me mettent en colère, à chaque nouvelle enjambée je me sens davantage en colère. Je ne veux pas voir mes Parents. Je ne veux pas me retrouver dans la même Pièce qu'eux. Je ne veux pas leur parler, je ne veux pas qu'ils me parlent. Ç'a toujours été comme ça. Ce sont mes Parents. Je ne veux pas qu'ils m'approchent.

Mes mains se mettent à trembler et mon cœur se met à battre, tels les roulements d'un Tambour sur un Champ de Bataille. Joanne le sent, elle me prend la main, la main qui est près d'elle, elle la tient et elle sourit. J'essaie de lui rendre son sourire, mais j'en suis incapable. La fureur monte. Je ne veux pas voir mes Parents.

Nous arrivons devant une porte. Joanne frappe, une voix répond entrez. Elle me regarde et me serre la main très fort. Je braque les yeux au sol. Je tremble, mon cœur mon cœur mon cœur. Je relève la tête, j'inspire un grand coup, je fais oui de la tête. Joanne ouvre la porte.

Nous entrons. Ma Mère et mon Père sont assis à une table de réunion à l'autre bout de la pièce. Je tremble. Ils se trouvent avec un homme d'une trentaine d'années, entièrement chauve, qui porte un pull noir et un jean noir. Mon cœur mon cœur mon cœur. Comme il se tourne pour me regarder, ma Mère se lève. Elle porte un treillis, une chemise blanche, une veste bleue, une écharpe en soie, sa coupe de cheveux est impeccable, son maquillage est impeccable, elle a des diamants aux doigts et des diamants aux oreilles. Elle accourt à ma rencontre. La Fureur monte. Je veux me casser d'ici. Me barrer me barrer me barrer.

James.

Elle me serre dans ses bras. Je n'aime pas qu'elle me touche, je ne lui rends pas son étreinte. Elle me libère, mais garde la main posée sur mon épaule.

Que tu as bonne mine.

Je veux que sa main me lâche.

Tu t'es remplumé.

Que ses yeux me lâchent.

Et ton visage et tes dents sont en bien meilleur état. Tu as tellement meilleure mine.

Elle me resserre dans ses bras. Je veux qu'elle me lâche. Qu'elle me lâche putain.

Oh, James.

Elle me libère, me regarde. Mon Père fait un pas en avant. Treillis, chemise oxford bleue, veste bleue. Une grosse montre coûteuse. Il me serre dans ses bras. Je veux qu'il me lâche.

Comment vas-tu, James ?

Il me libère.

Ça va.

Tu as bien meilleure mine.

Il paraît.

Joanne fait un pas en avant.

Monsieur Frey ?

Elle lui tend la main. Il la serre.

Appelez-moi Bob.

Joanne acquiesce.

Bob, je suis Joanne. Je suis Psychologue et je m'occupe de votre Fils.

Papa sourit.

Il a meilleure mine.

Joanne sourit.

Il va mieux, et il est en voie de rétablissement.

Papa sourit.

Nous sommes très fiers qu'il soit ici.

Joanne sourit.

Vous avez raison.

Il opine, me regarde. Je détourne les yeux. Joanne parle.

Et si on s'asseyait, pour commencer.

Ma Mère sourit, elle acquiesce. Mon Père dit d'accord. Ils regagnent leurs sièges, les mêmes sièges. Je m'assois de l'autre côté de la table, le plus loin possible. Je pose mes mains sur mes genoux, elles tremblent. Je regarde devant moi, les yeux braqués sur un mur blanc éclatant. Joanne s'est assise entre nous, elle jette un coup d'œil à l'homme en noir et lui fait signe.

L'homme parle.

Bonjour, James. Je suis Daniel, et je suis Thérapeute au Centre Familial.

Je regarde le mur.

Je vais travailler avec vous et vos Parents pendant leur séjour ici.

Mes mains tremblent.

Comme vous devez le savoir, nous aimons aborder le travail dans le cadre du Programme Familial en incitant les individus Dépendants à parler à leur Famille de leur quotidien et de leur consommation.

Mon cœur mon cœur mon cœur. Un Tambour sur un Champ de Bataille.

Soyez le plus sincère possible et prenez tout le temps dont vous aurez besoin.

Je fais oui.

Commencez quand vous le sentez.

Je regarde de l'autre côté de la table. Ma Mère et mon Père attendent que je me lance.

Avant de commencer, je voudrais juste vous dire que je ne voulais pas faire ça, que j'aimerais que vous ne soyez pas venus, et que je suis désolé que vous ayez à entendre ce que je vais vous dire.

Mon Père acquiesce, il serre la main de ma Mère.

J'ai l'impression d'avoir bu toute ma vie. Quand j'étais petit, je buvais en douce, je chipais des gorgées dans vos verres lorsqu'on allait aux matches de foot et je buvais dans les verres de vin laissés à l'abandon quand vous invitiez des amis. Je ne sais pas pourquoi je faisais ça, c'était comme ça. Ça m'aidait à me sentir mieux, bizarrement, et j'aimais ça, j'aimais ça plus que tout ce que je connaissais. Je l'ai fait le plus de fois possible, le plus souvent possible, et c'était assez souvent. On allait voir de nombreux matches de foot et vous faisiez plein de fêtes. Quand je me suis saoulé la première fois, j'avais dix ans. Vous étiez allés à un concert ou à une fête caritative et je m'étais fait la malle dans le dos de la baby-sitter, j'étais allé à une fête organisée par des Lycéens qui vivaient dans notre rue. Ils trouvaient que c'était cool qu'un gosse traîne avec eux et ils m'avaient fait boire jusqu'à ce que je sois malade. Puis j'étais rentré tant bien que mal à la Maison, la baby-sitter dormait, j'étais allé me coucher.

Ma Mère s'essuie les yeux, mon Père lui presse la main.

J'ai fumé du cannabis pour la première fois à douze ans. Pareil. Je m'étais incrusté à une fête et les Grands m'en avaient filé. Je n'avais pas beaucoup aimé, mais j'aimais bien le fait qu'ils me trouvent sympa comme môme. Je fumais le plus possible, et comme vous sortiez beaucoup, que vous étiez souvent en voyage, c'était facile. Les baby-sitters s'en foutaient complètement, des fois elles fumaient même avec moi.

Ma Mère porte la main à son visage, mon Père garde les yeux braqués sur la table.

La première fois que j'ai eu un trou noir, c'était à quatorze ans. J'avais bu et fumé dans la cave de la maison d'un copain, et puis je me suis réveillé le lendemain matin à la Maison. À l'époque, je me défonçais la tête trois quatre fois par semaine. À quinze ans je me suis mis à prendre des trucs plus forts, de la coke et des acides et des amphétamines. J'aimais ça beaucoup plus que le cannabis, alors j'ai arrêté de fumer, et c'est la seule drogue que j'aie jamais abandonnée. À quinze ans, je me suis mis à revendre de la drogue et de l'alcool. J'allais dans ce Quartier Pourri au-dessus du Port, j'avais un contact avec un mec qui s'appelait Freddy. C'était un dealer à la petite semaine et si je lui filais une poignée de dollars, il me trouvait tout ce que je voulais. Les gens savaient que j'arrivais à me procurer de la came, alors ils m'emmenaient là-bas en voiture. En échange, ils devaient m'acheter un truc. Quand je n'avais pas d'argent, Freddy me faisait crédit. Il m'aimait bien, il m'appelait James le Blanc-bec, et les gens du coin se sont mis à m'appeler comme ça. C'était de la pure connerie et c'était dangereux, mais ça me plaisait, je trouvais ça cool, et ça me permettait de choper tout ce dont j'avais envie quand j'en avais envie. J'en avais tout le temps envie.

Ma Mère se met à pleurer, mon Père me dévisage.

Quand j'ai eu seize, dix-sept ans, ç'a été le même topo. J'achetais et je revendais de l'alcool et de la drogue, pendant l'école, après l'école. Je me déchirais tous les jours. Je buvais et je prenais surtout des amphés, et j'ai fait cette overdose, car c'était ça, à cause d'un cocktail d'amphés et d'alcool. Je n'ai jamais su ce que j'avais pris exactement parce que j'ai eu un trou noir. Vous n'avez jamais su ce qui s'était passé parce que j'ai refusé de voir un Médecin. Je sais que vous êtes en train de vous dire que vous auriez dû en savoir plus, que vous auriez dû m'empêcher de faire tout ça, mais j'étais doué pour cacher les choses et vous avez vraiment essayé, vous vous êtes donné beaucoup de mal. Je ne sais pas si vous vous rappelez, mais vous m'avez menacé de m'envoyer en Cure de Désintoxication plusieurs fois et je vous ai dit que si vous le faisiez je m'en irais et vous ne me reverriez jamais. Il n'y avait aucun moyen de me faire changer. Je ne me serais pas arrêté.

Je respire un grand coup. Ma Mère s'est rapprochée de mon Père et elle pleure, la tête entre les mains. Son maquillage dégouline entre ses doigts. Mon Père ne me quitte pas du regard, et ses yeux sont mouillés. Je ne l'ai jamais vu pleurer auparavant, jamais de ma vie.

Dix-huit ans. Même chanson, mais un cran au-dessus. Je suis parti à l'Université à l'Automne. Pas de Règles, vous n'étiez pas là, vous m'envoyiez un chèque tous les mois. J'étais aux Anges. Je faisais un trou noir par soir, je saignais tout le temps du nez à force de prendre de la coke, je pissais au lit trois ou quatre fois par semaine parce que j'étais trop bourré pour me lever. Dix-neuf ans, pareil, en pire. À vingt ans je me suis mis à fumer de la coke. Tout l'argent que vous me donniez passait dans l'achat de came et la revente. Le FBI a commencé à s'intéresser à moi parce que je dealais et je me suis fait interroger au commissariat du coin cinq ou six fois. Ils n'ont jamais réussi à me coincer. Vingt et un ans. Sale année. Je me suis mis à fumer du crack, et j'en raffolais. J'en fumais le plus possible, en gros tous les jours. Le crack, c'est une sale drogue, et ça m'a bien foutu en l'air. Je vomissais du sang, je pissais du sang, je chiais du sang. Je ne sais pas comment j'ai réussi, mais j'ai fini la Fac, vous m'avez trouvé un job et vous m'avez envoyé en Europe. Je sais que vous avez agi comme ça parce que vous vous disiez que ça me ferait du bien d'avoir un boulot et de m'en aller, mais vous vous trompiez. En fait je n'avais pas tant de boulot que ça, je passais le plus clair de mon temps à me défoncer et à me fourrer dans les pires situations. Là-bas il n'y avait pas de crack, mais il y avait de la *freebase*, et il y avait de la poudre, et j'en prenais des tonnes.

Ma Mère sanglote dans ses mains, les larmes ruissellent sur les joues de mon Père. Il ne s'essuie pas, il garde simplement les yeux braqués sur moi.

Pendant que j'étais là-bas je suis revenu une fois pour voir ma Petite Amie de l'Université. Je sais que vous vous souvenez d'elle, parce que vous l'aimiez beaucoup, et vous espériez que ça marcherait entre nous. On avait rompu à la fin de la dernière année puis on s'était réconciliés en s'écrivant des lettres et en parlant au téléphone, et elle avait l'intention de venir me rejoindre pour vivre avec moi. J'étais fou de joie à cette idée, et je pensais que c'était peut-être ma dernière chance d'être sauvé. Je savais que si elle venait, il faudrait que je me reprenne en main parce qu'elle en avait marre de se fader toutes mes conneries. J'étais plein d'espoir et c'était chouette et j'étais tellement fou de joie que je n'ai pas respecté une de mes règles, qui était de ne jamais l'appeler lorsque j'étais bourré. Je l'ai appelée trois nuits d'affilée et je ne sais pas ce que je lui ai dit car j'ai tout oublié. Lorsque je l'ai rappelée le quatrième jour, sa Mère a répondu, elle m'a demandé de ne plus jamais appeler, parce qu'elle ne voulait plus jamais entendre parler de moi. J'ai pété les plombs et j'ai décidé de rentrer aux États-Unis car je savais qu'elle avait l'intention d'aller rendre visite à quelques amis à l'Université.

Je n'arrive plus à regarder mes Parents, alors je regarde la table.

J'ai pris un avion de Paris à Chicago, une voiture de Chicago jusqu'à l'Ohio. Quand je suis arrivé là-bas je n'ai pas bu jusqu'à ce que je la trouve et lorsque je l'ai trouvée, elle a refusé de me parler. Elle m'a dit de m'en aller, qu'elle ne voulait plus me voir, plus me parler, plus avoir le moindre contact avec moi. J'étais effondré. Je suis sorti et j'ai bu le plus possible et j'ai fumé le plus de crack possible et quand j'ai commencé à être sérieusement attaqué, j'ai décidé d'aller la chercher pour m'expliquer à nouveau avec elle. Je suis allé dans un Bar où on avait l'habitude de traîner, et où je savais que je la trouverais. Comme j'arrivais en voiture, je l'ai vue devant le bar avec un groupe d'amis. J'avais les yeux braqués sur elle et je ne regardais pas la route, je suis monté sur le trottoir, j'ai embouti un Flic qui était planté là. Je ne lui suis pas rentré dedans violemment parce que je devais faire du huit kilomètres à l'heure à tout casser, mais je lui suis rentré dedans. Elle m'a vu, et plein d'autres gens aussi m'ont vu. Le Flic a appelé des renforts, je suis resté dans la voiture, je l'ai regardée, j'ai attendu. Les renforts sont arrivés et ils ont encerclé la voiture, ils m'ont demandé de sortir, je leur ai dit si vous voulez que je sorte alors sortez-moi, bande de sales Keufs. Ils ont ouvert la portière, je me suis débattu, ils m'ont latté à coups de matraque et ils m'ont arrêté. Comme ils essayaient de m'emmener, je donnais des coups de pied et je hurlais en tentant de pousser la foule à les attaquer pour me libérer, mais en vain. Une fois que j'ai été dans le panier à salade, elle est venue vers moi en pleurs et je lui ai demandé si elle viendrait payer ma caution, elle a hoché la tête et elle m'a dit oui je viendrai. J'ai passé cette nuit-là dans une cellule et le lendemain matin on m'a inculpé de Voies de Fait avec une Arme par Destination, Voies de fait sur Dépositaire de la force de l'ordre, Conduite en État d'Ivresse, Trouble de l'ordre public, Rébellion, Conduite sans Permis, Conduite sans Assurance, Incitation à l'émeute, Usage et Trafic de Stupéfiants, Coups et blessures volontaires. Le seul truc bidon c'était la connerie sur les stupéfiants, c'était de la connerie parce que j'avais l'intention de les consommer et non de les vendre. Elle n'est jamais venue, alors un pote à moi a payé la caution à crédit et je suis rentré à Paris. Pour autant que je sache, les charges sont toujours retenues contre moi.

Je relève les yeux. Mes Parents se taisent et ils pleurent. Les larmes coulent sur leur visage, et ma Mère a du mal à respirer. Elle craque, se met à sangloter. J'attends qu'elle s'arrête, mais elle ne s'arrête pas. Elle sanglote, sanglote, sanglote, c'est tout ce qu'elle fait. Mon Père passe ses bras autour d'elle et il murmure à son oreille, il murmure doucement, mais ça ne change rien. Ma Mère sanglote. Je la regarde et j'attends que ça s'arrête. Ça prend des plombes. Ça prend vraiment des plombes. Lorsqu'elle se calme, je reprends.

Je suis resté à Paris, je me suis défoncé, sachant que j'étais en train de me tuer mais je m'en foutais. Puis je suis allé à Londres et j'ai fait la même chose. Lorsque je suis rentré aux États-Unis et que je suis allé en Caroline du Nord, je me suis remis au crack. Le crack est une drogue nocive et dangereuse et j'en fumais le plus possible. Je buvais aussi le plus possible et à ce stade ça commençait à faire pas mal. Je ne me rappelle plus ce que j'ai fait là-bas parce que j'étais défoncé à longueur de journée mais je me rappelle que je me suis encore fait arrêter. J'ai aussi été arrêté dans le Michigan mais je n'ai aucune idée de ce que j'y fabriquais. Je ne me suis pas présenté au Tribunal de ces deux États, alors je dois sans doute être aussi recherché là-bas. Ces six derniers mois, je n'ai fait que boire et fumer du crack en attendant de mourir.

Ma Mère sanglote et mon Père la tient dans ses bras. Je ne l'attends pas cette fois, je veux juste en finir.

Je ne vous reproche rien, et je ne pense pas que vous auriez pu faire quelque chose pour empêcher que ça arrive. Je suis ce que je suis, je suis Alcoolique, Toxicomane et Délinquant, je suis comme ça parce que c'est ce que j'ai fait de moi, vous avez agi du mieux que vous pouviez, vous m'avez aimé autant que vous pouviez, je n'aurais pas pu attendre davantage de votre part. Je n'ai pas d'excuses pour ce que j'ai fait, pour ce que je suis, pour ce que je vous ai fait subir pendant toutes ces années.

Ma Mère se remet à sangloter. Plus fort qu'auparavant. Un vrai crève-cœur. Son maquillage a dégouliné partout sur ses mains et son visage et ses vêtements. Elle s'agrippe à mon Père, qui la serre contre lui et regarde par terre. Les larmes ruissellent sur ses joues et sur son pantalon, je vois que ses lèvres tremblent. Il secoue la tête et tente de lever les yeux vers moi, mais il en est incapable.

Je les regarde. La Fureur est en moi, elle atteint son apogée. Je ne comprends pas comment ça se fait, mais dès que je les vois, c'est ainsi. Ils essaient de m'aimer, je leur fais du mal. Ils essaient d'être dignes et raisonnables, je refuse d'être digne et raisonnable. Ils essaient de m'aider, je leur en veux de le faire. Je ne sais pas pourquoi. Ce sont mes Parents. Ils font de leur mieux.

Ç'a toujours été comme ça avec moi. Donnez-moi quelque chose de bien, je le détruirai. Aimez-moi, je vous détruirai. Jamais de ma vie je n'ai eu l'impression de mériter quoi que ce soit. Jamais je n'ai eu l'impression que je valais l'espace malsain que j'occupe. Ce sentiment a contaminé tout ce que j'ai jamais fait, vu, ou tout ce dans quoi j'ai été impliqué, et il a infecté toutes les relations que j'ai eues avec ceux que j'ai connus. Je ne comprends pas. Je ne comprends pas pourquoi c'est comme ça. Ça me fait horreur autant que je me fais horreur, et pour une raison obscure, la présence de mes Parents a toujours aggravé la situation. Ils ne cherchent qu'à m'aimer, mais ils ont toujours aggravé cette putain de situation.

Joanne se lève, elle vient vers moi, elle se penche vers mon oreille.

Je crois qu'il faut qu'on y aille.

Je regarde mes Parents. Ils pleurent encore. Les larmes ruissellent sur le visage de mon Père et ma Mère a du mal à respirer. J'aimerais faire quelque chose pour qu'ils se sentent mieux, mais j'en suis incapable. Je me déteste bien trop pour faire quoi que ce soit.

Je me lève, je sors de la pièce. Joanne me tient la porte et elle la referme derrière moi. Dès qu'elle se ferme, dès que je ne peux plus voir entendre sentir toucher ou blesser mes Parents, je commence à me sentir mieux. Nous marchons. Joanne ne dit rien, moi non plus. Nous marchons dans les Couloirs. Je pense à mes Parents qui pleurent par ma faute, dans cette Salle, on va vers le Bureau de Joanne. Une fois que nous sommes arrivés, elle ouvre la porte. Nous entrons et je m'assieds sur le canapé, elle s'assied en face de moi.

Comment vous vous sentez ?

Suicidaire.

Quoi ?

C'est le seul mot qui convient.

Vous avez envie de vous tuer ?

Je ne vais pas le faire mais à cet instant précis, ça me semble être une solution sensée.

Pourquoi ?

C'est mes Parents. Quand je suis avec eux je suis tellement en colère que je n'arrive plus à me contrôler. Cette colère me fait me détester encore plus que d'ordinaire, et le suicide m'apparaît alors comme une solution sensée.

Vous avez besoin d'être pris en charge ?

Non, je suis bien trop lopette pour passer à l'acte.

Vous pensez que le suicide est un acte courageux ?

Non, je pense qu'on fait ça par lâcheté, de même que je pense qu'on se drogue par lâcheté. Mais je crois aussi que pour faire ces deux choses il faut avoir une sorte de force pitoyable.

De la force ?

Il faut être plutôt fort pour ressentir quelque chose d'aussi puissant que la haine ou la haine de soi. La Dépendance et le suicide, ce n'est pas pour les faibles.

Votre théorie me semble ridicule.

Les choses ridicules sont parfois vraies.

Pourquoi est-ce que vos Parents vous font sortir de vos gonds ?

Je ne sais pas.

Avez-vous été victime de mauvais traitements lorsque vous étiez enfant ?

Pas que je sache.

Vous pensez que c'est possible ?

Non.

Pourquoi ?

J'ai été élevé dans un environnement sécurisant et protecteur. Mes Parents m'ont toujours aimé, ils ont toujours essayé de me protéger, ils ont toujours fait de leur mieux. Ils me foutent les boules, mais ils ne m'ont certainement pas infligé de mauvais traitements.

Quelqu'un d'autre, peut-être ?

Non.

Vous êtes sûr ?

Oui.

Je tire une cigarette de ma poche, l'allume, prends une bouffée. La nicotine fait ralentir mon cœur, elle m'apaise.

Qu'est-ce qui se passe maintenant ?

C'est l'heure du déjeuner, et après vous retournez au Centre Familial. Vous passerez l'après-midi en Thérapie de Groupe avec d'autres Familles, jusqu'à l'heure du dîner. Après le dîner, nous retournerons voir vos Parents.

Pourquoi ?

Pour parler de ce qui s'est passé ce matin.

On va bien rigoler.

Vous avez été courageux. Vous avez été très sincère et très direct, vous avez dit des choses qui ne devaient pas être faciles à dire. Vos Parents ont réagi de façon très normale, très naturelle, et s'ils n'avaient pas réagi ainsi, je serais inquiète quant à nos possibilités de progression avec eux. Maintenant qu'ils savent ce qu'ils doivent

301

savoir, nous pouvons commencer à travailler pour panser nos plaies et comprendre comment faire pour mieux vous entendre.

À quelle heure est-ce que ça sera fini ce soir ?

Ça dépend de ce qui se passe avec vos Parents.

Donnez-moi une idée.

Vous voulez donner rendez-vous à Lilly ?

Quoi ?

Vous m'avez très bien comprise.

Ouais, j'essaie de filer rencard à Lilly.

N'en faites rien.

Pourquoi ?

Si vous vous faites surprendre, vous allez avoir de gros ennuis.

On dirait que c'est trop tard.

Nous avons l'impression que quelque chose se trame. Nous ne vous avons pas encore attrapé.

Comment l'avez-vous su ?

Je ne peux pas vous le dire.

Vous voulez que je vous dise des choses mais vous refusez de m'en dire d'autres. Ça déconne à pleins tubes, Joanne.

Vous trouvez ?

Ouais, tout à fait. Soyez franche avec moi, et je serai franc avec vous. C'est comme ça que ça marche, bordel. Sinon, je vous emmerde.

Je ne suis pas votre ennemie.

Vous le serez si vous n'êtes pas franche avec moi.

Lilly est complètement mordue. Une Thérapeute de son Service l'a entendue parler à une de ses Copines. Elle l'a entendue parler de vous plusieurs fois. On dirait que Lilly ne veut parler que de vous.

Je souris.

Pourquoi est-ce que vous souriez ?

Je suis content qu'elle soit mordue.

C'est une très mauvaise idée, James.

Pourquoi ?

Vous devriez plutôt vous concentrer sur les raisons pour lesquelles vous êtes ici, c'est-à-dire pour arrêter la drogue et l'alcool et reprendre votre vie en main. Lilly est une distraction qui vous écarte de tout cela. Vous êtes tous les deux très fragiles et très vulnérables en ce moment, et si quelque chose se passait mal entre vous, cela pourrait mettre votre Cure en danger.

Je suis un grand garçon.

L'excès de confiance en soi tue beaucoup de Gens.

Avec elle je me sens bien, mieux qu'avec n'importe qui.

Je n'en doute pas, mais cela ne modifiera pas nos Règles.

Je ne veux pas renoncer à elle.

Cela vaudrait mieux pour l'un comme pour l'autre.

Je prendrai votre avis en considération.

Prenez-le plus au sérieux que ça.

Je me lève.

Je vais manger.

Elle hoche la tête.

À ce soir.

Je tourne les talons, j'ouvre la porte, je sors du Bureau de Joanne. Je me dirige vers le Réfectoire. Comme je prends le Hall Vitré qui sépare les hommes des femmes, j'aperçois Lilly assise à une table. Elle me regarde et je lui rends son regard, sans autre signe de connivence. C'est difficile de la regarder, difficile parce que ce n'est plus cette fille qui me sourit au loin. Elle est devenue bien plus que cela, bien plus que ce que je pensais qu'elle allait devenir, et bien plus que ce que je voulais qu'elle devienne. Elle est devenue ce que je voulais qu'elle, la dernière, avec les yeux Arctique, devienne, c'est-à-dire quelqu'un qui m'aime. Simplement, sincèrement, comme moi je l'aime. C'est difficile de la regarder parce que de même que je sais qu'elle commence à m'aimer, je commence à l'aimer. Je me fiche de ce qu'elle a fait et avec qui, je me fiche des démons qu'elle cache en elle. Ce qui m'intéresse, c'est ce que je ressens lorsque je suis auprès d'elle, le fait que grâce à elle je me sente fort, en sécurité, serein, chaud, vrai. C'est difficile de la regarder alors qu'on veut me forcer à envisager de renoncer à tout cela. C'est difficile de la regarder, mais je le fais quand même.

Je prends un plateau, je fais la queue, je prends une assiette de nouilles au thon. J'en demande dix, mais la dame qui a un filet dans les cheveux me dit non. Je vais au Comptoir à Salades et je prends cinq assiettes. Je mets de la laitue sur l'une, du fromage sur l'autre, de la betterave sur une troisième, du maïs sur une quatrième, des croûtons sur la cinquième. Mon plateau déborde alors j'en prends un autre. J'y place quatre assiettes, chacune croulant sous des monceaux de pudding, de pêches, de parts de tarte aux pommes et de gâteau à la carotte. Je traverse lentement le Réfectoire avec mes deux plateaux. Ils sont lourds et j'entends quelques rires moqueurs, d'autres amusés. Une voix que je ne connais pas dit ça c'est triste comme Drogue. Je ris sous cape. Je retrouve mes amis Ed et Ted et Leonard et Matty et Miles et je m'assois avec eux. Leonard me parle.

Où étais-tu passé aujourd'hui ?

Mes Parents sont arrivés.

Miles parle.

Ils sont venus suivre le Programme Familial ?

Ouais.

Comment ça se passe ?

Mal.

Pourquoi ?

J'ai dû passer à confesse ce matin et leur raconter toutes les conneries que j'avais faites.

Ed parle.

Qu'est-ce qu'ils ne savaient pas ?

Ils ne savaient pas grand-chose.

C'était quoi le pire ?

Le crack, et le fait que je sois recherché dans trois États.

Leonard parle.

Pourquoi est-ce que tu es recherché ?

Des conneries.

Miles parle.

Ils ont émis des mandats d'arrêt contre toi, James ?

Oui.

Où ?

Dans le Michigan, l'Ohio, et la Caroline du Nord.

Tu vas t'en occuper ?

Il y a quelqu'un ici qui va essayer de faire quelque chose.

Ted parle.

Quand j'ai dit à ma vieille que je fumais des cailloux elle m'a demandé si je pouvais lui en choper.

Tout le monde éclate de rire.

Je vous jure. Elle m'a dit j'en ai entendu de belles sur ces histoires de crack et ça me déplairait pas d'essayer un petit bout. Alors j'ai chopé un sachet de cinquante et j'ai fumé avec elle jusqu'à ce que ses yeux s'enfoncent au fond de son crâne. Après ça, elle n'en a plus jamais réclamé.

À nouveau tout le monde éclate de rire, bien que l'image de la maman de Ted avec les yeux enfoncés au fond de son crâne ne soit pas réjouissante. Nous passons le reste du déjeuner à rire de plus belle, surtout à cause de Matty, qui persiste à essayer de ne plus parler grossièrement. Tous les trois ou quatre mots il place un merde ou un chier immédiatement suivi par un flot de jurons destinés à lui-même. Il finit par ne plus ouvrir la bouche. Les hommes dévorent la nourriture sur mes assiettes, une fois que le déjeuner est terminé, tout a disparu. Comme nous nous levons pour partir, je regarde de l'autre côté du Réfectoire pour voir Lilly à travers la vitre. Elle me sourit et son sourire me fait mal. Jamais je ne voudrai ni ne pourrai renoncer à ce sourire. Je n'y renoncerai pas. Hors de question.

On sort du Réfectoire, mes amis se dirigent vers la Salle de Conférences, je prends les Couloirs vers des coins que je ne connais pas, suivant les pancartes qui me conduisent au Centre Familial. J'arrive devant une porte. Un écriteau indique Bienvenue. J'ouvre et j'entre. Les murs blancs sont plus blancs les ampoules plus lumineuses les tableaux plus gais. Ils représentent des scènes de pique-nique en Famille dans de grands champs verts parsemés de fleurs sauvages. Les Familles sur les tableaux sont souriantes, les gens mangent du pain, épluchent des fruits, jouent au backgammon. On les voit sous toutes leurs coutures. Je les suis, ils m'emmènent vers une grande pièce. D'un côté de la Pièce se trouve une baie vitrée qui donne sur le Lac. Il y a des fauteuils, des fauteuils partout. De gros fauteuils luxueux qui semblent confortables avec leur capitonnage aux motifs gais. Des Gens y sont assis, ils parlent, fument, boivent du café, ils attendent. Ils attendent les Familles, ils attendent de se rétablir.

Il est facile de dire qui est là pour suivre le Programme Familial et qui suit sa propre Cure. Les Gens venus pour le Programme Familial portent des vêtements plus propres, ont des cheveux plus soignés des montres plus jolies des bijoux étincelants. Leur peau a plus d'éclat, leur corps sont radieux, ils sont bien en chair. Leurs yeux sont pleins de vie. Nous autres fumons des cigarettes et buvons du café, nos mains tremblent, nous avons des cernes sous les yeux. Nous marchons lentement et la seule chose qui brille dans nos yeux, c'est la terreur.

Je jette un coup d'œil circulaire. Mes Parents sont blottis l'un contre l'autre dans un coin, ils se parlent doucement à l'oreille. Ils me voient. Je lève la main, mon Père me fait un signe de tête, je me dirige vers la machine à café. Je prends une tasse, noire et fumante, et je les rejoins.

Ils se lèvent quand je m'approche. Ils sourient, ils ont changé de vêtements, bien qu'ils portent plus ou moins la même chose. Ma Mère s'est recoiffée, remaquillée, c'est à nouveau impeccable, la veste de mon Père est amidonnée et repassée. Je vois les efforts qu'ils font pour sourire, et à chaque pas que je fais, j'ai envie de m'enfuir à toutes jambes. Mon Père parle.

Comment vas-tu, James ?

J'ai été mieux. Et vous ?

Nous aussi on a été mieux, il me semble.

Du silence, des sourires. J'aimerais que les sourires disparaissent. Ma Mère parle.

Tu veux venir t'asseoir avec nous ?

Je fais signe que oui, on s'assoit. Ils sont côte à côte, je suis en face d'eux. Il y a une table entre nous, sur laquelle est posée un cendrier. Je glisse la main dans ma poche pour prendre mes cigarettes et je les sors. Ma Mère fait la grimace.

Pourrais-tu t'abstenir de fumer s'il te plaît ?

Pourquoi ?

Je viens de me changer et je n'ai pas envie que mes vêtements empestent le tabac.

Très bien.

Je remets les cigarettes dans ma poche. Ma Mère m'observe.

Est-ce que tu vas profiter de ton séjour ici pour arrêter ce truc ?

Non.

Pourquoi ?

Parce que je n'ai pas l'intention d'arrêter ce truc.

Et pourquoi pas ?

Je te laisse le choix, Maman. Soit je fume des clopes, soit je fume du crack. C'est toi qui choisis.

Elle a un mouvement de recul, manifestement peinée. Je savais que cela se produirait mais je n'ai pas pu tenir ma langue. Mon Père parle.

Je ne crois pas qu'il soit nécessaire que tu parles à ta Mère sur ce ton, James. Évidemment qu'on préfère que tu fumes des cigarettes plutôt que du crack.

Alors ne me faites pas chier.

Ne nous parle pas sur ce ton.

J'attrape ma tasse de café et je la bois d'un coup. Il est chaud et fumant et il me brûle, mais je m'en fiche. Je repose la tasse, je parle.

Je retourne chercher du café. Vous en voulez ?

Mon Père regarde ma Mère. Ma Mère secoue la tête et à en juger par son expression elle est toujours peinée. Mon Père me regarde.

Ça va aller.

Je me lève et je me dirige vers la machine à café. Tandis que je remplis une tasse, un homme grand et mince, vêtu comme mon Père, appuie sur une sonnette à côté de la porte. Tout le monde se tourne vers lui. Il annonce que nous allons nous diviser en plusieurs groupes et que les groupes se réuniront dans des Salles différentes. Il désigne deux portes en face de la baie vitrées et commence à lire des noms à voix haute. Lorsque les Gens entendent le leur, ils se lèvent et quittent la Pièce. Comme je me dirige vers le coin où sont assis mes Parents, l'homme m'appelle. Je continue à marcher vers mes Parents et lorsque j'arrive, je parle.

On dirait qu'il faut que j'y aille.

Mon Père hoche la tête, ma Mère semble sur le point de fondre en larmes. Je me tourne, je m'en vais. Mon Père parle.

James ?

Je m'arrête.

Nous sommes désolés d'avoir fait ces remarques sur tes cigarettes.

Ma Mère acquiesce. Des larmes commencent à couler sur ses joues.

On sait que tu as beaucoup de choses à affronter en ce moment. Alors si ça t'aide, ça ne nous pose pas de problème que tu fumes quand on est là.

Je souris. Ce petit geste me crève le cœur.

Merci.

Mon Père sourit, et sous ses larmes ma Mère sourit. Son sourire me réconforte un peu.

À ce soir.

Je tourne les talons, je me dirige vers la porte. Je la franchis et j'entre dans une autre Salle. Elle est grande, blanche, lumineuse et gaie. Sur le mur se trouvent des images destinées à nous stimuler, accompagnées de phrases telles que À chaque jour suffit sa peine, Confiez-vous aux mains de Dieu, Allez-y doucement. Le sol est couvert d'une épaisse moquette, des chaises pliantes forment un large cercle autour de la Pièce. Des Gens sont assis dessus. J'en trouve une à l'écart, je m'assieds. Je reste seul pendant un moment, puis une femme enceinte vient s'asseoir à ma gauche et un homme grisonnant à ma droite. La Salle se remplit, pour chaque Malade il y a environ trois Membres de la Famille. Tout le monde a l'air anxieux.

Une femme entre dans la Salle, elle a une trentaine d'années, elle porte un treillis, des sandales, des chaussettes en laine et un pull tressé. Elle a des cheveux châtains, des yeux verts, et l'allure d'un mannequin. Elle s'assied sur la seule chaise restante et elle sourit.

Bienvenue à votre première Séance de Thérapie de Groupe dans le cadre du Programme Familial.

Quelques signes de tête, quelques mercis.

Au cours de cette Séance, nous allons nous présenter et nous poser des questions les uns aux autres. En général, les Familles nous demandent souvent, à nous qui sommes en cure, ce que nous prenons, pourquoi nous le prenons, l'effet que ça nous fait, et nous leur demandons fréquemment en quoi cela les affecte, ce qu'ils ressentent lorsqu'ils s'occupent de nous pourquoi ils s'occupent de nous comme ils le font ou pourquoi ils s'occupent de nous tout court. N'hésitez pas à poser toutes les questions que vous avez envie de poser, tant que vous n'avez pas l'intention de froisser les autres. Commençons par nous présenter. Elle sourit.

Je m'appelle Sophie, et je suis Toxicomane et Alcoolique.

Tout le monde dit Bonjour, Sophie. L'homme assis à côté d'elle sourit, parle.

Je suis Tony, et je suis le Mari d'une Alcoolique.

Tout le monde dit Bonjour, Tony, puis chacun se présente à son tour. Mère d'un Héroïnomane, Dépendant aux Amphétamines, Femme d'un Dépendant au Crack, Alcoolique, Fils et Fille d'Alcoolique, Dépendante aux Tranquillisants, Femme Enceinte d'un Dépendant au Crack. Il y a tous les types de relation, tous les types de Toxicomanie et d'Alcoolisme. Après les présentations, on est censé poser des questions. Au début, personne ne parle, les Gens baissent les yeux, regardent leurs mains, se jettent des coups d'œil. Il y a des sourires maladroits et des soupirs embarrassés. Au bout d'un moment, l'homme qui s'est présenté en tant que Dépendant aux Amphétamines demande combien de temps va durer la séance. Tout le monde éclate de rire. Une femme qui s'est présentée en tant que Femme d'Alcoolique repose la question. Combien de temps est-ce que ça va durer ? Sophie sourit, lui demande si elle fait référence à la Dépendance. La femme opine, dit oui. Sophie dit que la Dépendance dure toute une vie. Ça dure toute une vie.

À partir de là, les questions fusent. Qu'est-ce que ça fait d'être dépendant de quelque chose. C'est horrible. Pourquoi ? Parce qu'on est conscient de ce qu'on se fait à soi-même et de ce qu'on vous fait, mais qu'on n'arrive pas à s'arrêter. Ça fait quoi quand vous en avez envie. Besoin, besoin irrépressible, besoin incontrôlable, besoin inimaginable. Ça fait quoi quand vous en prenez. Soulagement suivi d'horreur, suivi par besoin encore plus impérieux. Pourquoi n'arrivez-vous pas à vous arrêter. Je ne sais pas. Pourquoi n'arrivez-vous pas à vous arrêter. Je ne sais pas. Pourquoi n'arrivez-vous pas à vous arrêter. Je ne sais pas.

Il y a d'autres questions plus simples, plus techniques. Qu'est-ce que le crack, comment ça se consomme. Le crack c'est de la cocaïne brûlée avec de l'alcool éthylique de l'essence et de la levure. Ça se fume avec une pipe. Où est-ce qu'on achète de l'héroïne, combien ça coûte. Ça s'achète à un dealer et ça coûte très cher. Qu'est-ce que le speed, comment est-ce que ça se fabrique. Le speed, c'est des amphétamines et ça se fabrique en faisant chauffer un médicament contre l'asthme qui s'appelle de l'éphédrine, avec du formol, parfois de l'essence ou de l'engrais, et de la levure. Qu'est-ce que ça fait. Te dérobe ton cœur, te dérobe ton âme, te dérobe la capacité de manger et de dormir, te dérobe la raison.

Les Toxicomanes et les Alcooliques donnent des réponses franches et simples. Nous ne posons pas de questions, contrairement aux Familles, nous connaissons déjà les réponses. Nous foutons vos vies en l'air. Nous détruisons chacune de vos journées. Nous sommes votre pire cauchemar. Vous ne savez plus que faire de nous. Vous êtes au bout du rouleau. Vous ne savez plus que faire. Vous êtes au bout de votre putain de rouleau. Vous ne savez plus que faire.

À la fin de la Séance, Sophie demande à tout le monde de se tenir la main. Une intimité est née, nous nous y prêtons de bonne grâce. Elle nous fait dire une Prière qu'elle appelle la Prière de la Sérénité. Elle dit une phrase, nous reprenons. Seigneur donne-nous la sérénité d'accepter les choses que nous ne pouvons changer telles qu'elles sont, le courage de changer celles qui peuvent l'être, et la sagesse de les différencier. Elle sourit nous sourions tout le monde sourit. Lorsque nous cessons de dire cette prière elle nous la fait répéter. Seigneur donne-nous la sérénité d'accepter les choses que nous ne pouvons changer telles qu'elles sont, le courage de changer celles qui peuvent l'être, et la sagesse de les différencier. Elle nous fait répéter encore et encore.

Lorsqu'elle se lève, tout le monde se lève. Elle nous dit que nous avons fini et tout le monde s'étreint. Ces étreintes scellent notre lien, ces étreintes soignent nos blessures, ces étreintes témoignent de notre gratitude de partager notre connaissance et notre expérience, ces étreintes symbolisent notre compréhension mutuelle, et ces étreintes expriment notre compassion. Après ces effusions, Sophie ouvre la porte et nous sortons en souriant et en riant, nous sommes de bien meilleure humeur qu'en arrivant. Tout le monde dit au revoir merci au revoir merci.

Les Patients prennent les Couloirs en direction du Réfectoire. Nous avançons en groupe, les hommes parlent aux hommes, les femmes parlent aux femmes. Ils échangent des banalités, des conneries futiles du style d'où venez-vous, depuis combien de temps êtes-vous ici, quelle est votre drogue de prédilection. On continue de bavarder en longeant le Hall Vitré et en faisant la queue. Ça continue pendant que l'on prend les plateaux et la nourriture.

Les bavardages cessent lorsqu'il est temps de décider où s'asseoir. Chacun cherche une table libre. Les autres Malades ne sont pas encore arrivés, il y a le choix. Je trouve une table sans personne autour, je m'assois. Je mange lentement. Je regarde mon assiette, dirige ma fourchette vers elle, recueille la nourriture, approche la fourchette de ma bouche. Je mâche. Je ne fais pas attention à ce que je mâche, et au bout de quelques bouchées, ça n'a plus d'importance. Tout a le même goût. De la fourchette à l'assiette, de la fourchette à la bouche. Mâcher. Tout a le même goût.

Mon assiette est vide. Les autres Patients arrivent, et le Réfectoire se remplit progressivement. Je me lève, je pose mon plateau sur le tapis roulant, je sors. Je rentre dans mon Service et je vais dans ma Chambre. J'ai un peu de temps devant moi avant de revoir mes Parents. Je dois m'y préparer. Je m'efforce de rester calme de façon à maîtriser la Fureur, elle ne saurait tarder. Lilly m'apaise, mais Lilly n'est pas ici, l'air libre m'apaise. Le petit livre, le *Tao*, m'apaise, il est à côté de mon lit. Je m'assieds sur mon lit, j'ouvre le livre au hasard, je commence à lire.

Quinze. Sois aussi prudent que si tu traversais un lac gelé, vif comme un Guerrier en terrain ennemi. Sois aussi courtois qu'un Hôte, aussi fluide qu'un Torrent. Sois aussi malléable qu'un bout de bois, aussi accueillant qu'un verre. Ne cherche pas et n'attends rien. Sois patient, attends que la vase redescende, ton eau s'éclaircira. Sois patient et attends. Ta vase redescendra. Ton eau s'éclaircira.

Soixante-trois. Agis sans agir, travaille sans effort, pense au grand comme au petit, et au beaucoup comme au peu. Affronte la difficulté tant qu'elle se montre aisée, accomplis les grands projets par petites étapes. Ne tends pas les bras et tu trouveras, si les ennuis arrivent, cours vers eux. Ne t'attache pas au confort et tout sera confortable.

Soixante-dix-neuf. L'échec est une chance. Si tu as du ressentiment envers les autres, ton ressentiment sera infini. Remplis tes obligations, rectifie tes erreurs. Fais ce que tu dois faire et reste en retrait. Ne demande rien et donne tout. Ne demande rien et donne tout.

Vingt-quatre. Dresse-toi sur la pointe des pieds et tu perdras l'équilibre. Cours à toute allure et tu n'iras pas loin. Essaie de briller et tu n'éclaireras pas. Essaie de te définir toi-même et tu ne sauras pas qui tu es. N'essaie pas de contrôler les autres. Laisse-les, laisse-les être.

Lorsque je lis ce livre il m'apaise tout naturellement, remplit les cases encore blanches de ma stratégie de survie. Contrôle en laissant s'échapper le contrôle, règle tes problèmes en oubliant que ce sont tes problèmes. Traite-les et le Monde et toi-même avec patience et simplicité et compassion. Laisse les choses être, laisse-toi être, laisse tout être, accepte ce qui est. Rien de plus. Rien de moins. Rien de plus.

Je suis prêt. Je suis serein. J'accepterai ce qui vient. Je sors de ma Chambre. Mes Parents m'attendent de l'autre côté de la Clinique.

Je traverse les Couloirs. Je regarde devant moi et nulle part. Chaque pas est un pas et rien de plus qu'un pas, un moyen d'aller d'un point à un autre. Lorsque je tourne aux croisements, j'entends des bruits. Le *Tao* m'a dit ce que j'avais besoin d'entendre et je l'ai écouté. Le *Tao* m'a enseigné ce qu'il fallait m'enseigner et j'ai appris. Les bruits font du bruit, simplement.

Je m'arrête devant la porte du Bureau de Joanne. Je frappe. Sa voix dit entrez alors j'ouvre la porte et j'entre. Ma Mère et mon Père sont assis sur le canapé. Ils se sont encore changés, ils se tiennent les mains. Leurs yeux sont secs et leurs lèvres ne tremblent pas. Ils se lèvent pour m'accueillir, mais ils n'essaient pas de me serrer dans leurs bras. Je les salue mais je n'essaie pas non plus de les serrer dans mes bras. Je m'assieds sur le fauteuil en face d'eux, ils se rassoient. Joanne se tient derrière son bureau. Elle fume une cigarette.

Vos Parents m'ont parlé de leur changement de politique vis-à-vis du tabac et j'en bénéficie moi aussi. J'espère que ça ne vous dérange pas.

Je sors une cigarette.

Pas du tout.

Je tends la main vers un cendrier.

Nous parlions de la Séance de ce matin. Vos Parents voudraient vous dire ce qu'ils éprouvent et ce qu'ils pensent mais on s'est dit qu'il valait mieux que vous commenciez.

J'allume ma cigarette, j'avale une bouffée. Je la recrache.

J'ai détesté la Séance de ce matin.

Joanne me regarde.

Il me semble que vous devriez être plus précis et que vous devriez vous adresser à vos Parents, pas à moi.

Je regarde mes Parents. Ils se tiennent la main et ils me regardent.

Je suis désolé de vous avoir dit tout ça ce matin. Ç'a dû être terrible pour vous de subir ça. Pendant que je vous parlais, j'ai ressenti pas mal de choses. La principale c'était de la colère. Une énorme colère. Je ne sais pas pourquoi mais chaque fois que je suis avec vous, je ressens une colère incroyable, c'est incontrôlable. Mon deuxième sentiment, c'était l'horreur. L'horreur parce que en prenant un peu de distance, je réalise quel Individu horrible je suis. Je vous ai caché beaucoup de choses, le plus possible, et je n'ose pas imaginer ce que ça a dû être pour vous d'avoir à supporter de m'écouter vous raconter par le menu ma monstrueuse existence.

Je tire une nouvelle fois sur ma cigarette. Ma Mère se rapproche de mon Père. Mon Père la serre un peu plus fort.

J'ai éprouvé de la honte, une honte incommensurable. J'ai éprouvé de la honte d'être celui que je suis, d'avoir agi comme je l'ai fait, d'avoir vécu ainsi, d'avoir commis ces crimes. J'ai éprouvé de la honte parce que vous êtes des Gens bien et que vous méritez mieux que moi. J'ai éprouvé de la honte parce que je vous ai fait du mal, je vous ai fait du mal sans relâche, et chaque fois, y compris ce matin, je savais ce que je faisais.

J'avale une nouvelle bouffée.

J'ai éprouvé des regrets pour les mêmes raisons qui m'ont amené à éprouver de la honte. Mais aussi parce que j'ai tellement gaspillé ma vie et j'ai tellement gaspillé la vôtre, et parce que d'un certain côté, ça aurait pu se passer autrement. Je ne sais pas comment ça aurait dû se passer ni comment j'aurais pu changer, mais je sais que ma vie n'aurait pas dû se dérouler comme elle s'est déroulée. Je sais que c'est entièrement ma faute.

Une autre bouffée.

J'ai éprouvé l'envie de boire. J'ai éprouvé l'envie de me droguer. J'ai éprouvé l'envie d'en prendre des quantités considérables. Cela dit j'éprouve ce genre de choses à longueur de temps, je ne sais pas si c'est imputable à notre conversation. J'ai éprouvé de l'humiliation, du déshonneur, de la gêne, des remords et de la tristesse.

J'ai fini, je tire une dernière bouffée sur ma cigarette, je l'écrase dans le cendrier.

Mon Père serre ma Mère contre lui et ma Mère pleure. Les larmes coulent le long de ses joues mais sa respiration est régulière et elle ne sanglote pas. Joanne observe mes Parents.

Vous êtes prêts ?

Mon Père parle.

Oui.

Pourquoi ne dites-vous pas à James ce que vous avez ressenti.

Mon Père respire un grand coup, il me regarde, il parle. J'aimerais qu'il regarde ailleurs.

C'était bouleversant. Très bouleversant, forcément. La première chose que j'ai ressentie c'était de la surprise, et après la surprise, j'ai ressenti un choc. Je sais que je travaille beaucoup, ça a toujours été comme ça, et je ne suis pas aussi présent que j'aimerais l'être, mais je n'avais pas la moindre idée que tu faisais les choses que tu nous as décrites, et je n'avais pas la moindre idée de leur étendue. Pour moi, le crack c'est une horrible drogue, une drogue de miséreux que fument les Clochards, les fous et la racaille. Je n'aurais jamais pu me douter que tu en prenais, et rien que d'y penser ça me fait peur et ça me bouleverse. L'alcool. Je savais que tu avais un problème avec l'alcool, c'était flagrant depuis très longtemps, mais si tu es malade et si tu as des trous noirs depuis aussi longtemps que tu le dis, et je te crois, tu es gravement, très gravement Alcoolique. Tes histoires de trafic m'ont choqué. Choqué, horrifié et déçu. Si tu t'étais fait prendre tu aurais passé un bon moment en Prison, et tu as de la chance d'être passé entre les gouttes. Tu aurais pu te faire tuer, et d'un certain côté je trouve que c'est un miracle que tu ne sois pas mort. En ce qui concerne ta situation actuelle vis-à-vis de la Justice, je ne sais vraiment pas quoi dire. Évidemment, ta Mère et moi ne voulons pas que tu ailles en Prison, et nous ferons tout ce que nous pourrons pour t'aider à rester libre. Outre le choc et la surprise, j'ai été déçu et blessé et très peiné. Tu m'as déçu, je me suis déçu, ta Mère m'a déçu. Il faut que quelque chose ne tourne pas rond entre nous pour que les choses en soient arrivées là. J'ai été blessé parce que ça fait mal d'apprendre des choses telles que celles que tu nous as dites. J'ai été blessé parce que j'ai l'impression que tu nous as menti et dupé pendant de nombreuses années, et ça fait mal de savoir que tu as pensé qu'il valait mieux nous mentir et nous cacher les choses. Mais surtout, je me suis senti triste pour toi. Triste parce que tu as traversé des épreuves terribles, et qu'aucun Parent, et surtout pas ta Mère ou moi, ne souhaiterait que de telles choses arrivent à leur Enfant.

Il baisse les yeux, reprend son souffle, me regarde.

Ce matin j'avais presque envie de te tordre le cou et d'ailleurs j'en ai encore envie. Mais d'un autre côté, et c'est ce côté que je veux privilégier, j'ai envie de te serrer dans mes bras et de te dire que ça va bien se passer. Il m'arrive de me dire que je devrais tout laisser tomber, et te laisser faire à ta guise.

Mon Père me dévisage, je regarde ailleurs. Il se tourne vers ma Mère, qui a les yeux rivés sur le sol. Il la serre contre lui, la rassure avec ses bras.

Je parle.

Papa.

Il me regarde.

Je suis désolé.

Moi aussi, James. Moi aussi.

Il repose ses yeux sur ma Mère. Ses larmes ont cessé, mais elles ont laissé des traces sur ses joues.

Lynne.

Ma Mère hoche la tête.

Tu es prête ?

Ma Mère hoche à nouveau la tête, elle semble sur le point d'éclater en sanglots.

Prends ton temps.

Elle s'écarte un peu de lui, se redresse. Elle s'essuie le visage avec un kleenex et elle respire à fond.

Excepté les jours où sont morts mes Parents et mon Frère et ma Sœur, ce matin a été le pire matin de ma vie, ça m'a fait horreur. Ça m'a fait horreur d'entendre toutes ces histoires. Ça m'a fait horreur de penser à ce que tu avais fait. Ça m'a fait horreur de penser à tes mensonges, tes tromperies. Ça m'a fait horreur de penser à la drogue. Tes histoires avec la Police m'ont fait horreur. La boisson m'a fait horreur. Le fait que tout cela dure depuis tellement longtemps m'a fait horreur. Tout ce qui s'est passé ce matin m'a fait horreur.

Elle pleure. Elle s'essuie à nouveau le visage avec son kleenex, elle respire à fond.

Je ne sais pas pourquoi tu fais tout ça. Je ne sais pas ce qui te pousse à faire des choses aussi horribles. Je me dis que je suis une Mère horrible, une horrible bonne femme, que j'ai tout fait de travers. Je me déteste.

Sa respiration devient plus difficile. Elle s'essuie à nouveau le visage. J'ai été choquée, j'ai eu mal, j'ai eu peur. J'ai l'impression de ne plus savoir qui tu es. Je ne sais plus qui tu es et ça m'est odieux. Tu es mon Fils. Tu es mon Fils.

Elle respire, pleure, essuie.

Je suis en colère contre toi. C'est un tel gâchis. Le crack et les trous noirs et le trafic de drogue, les ennuis avec la Police et la Justice. C'est un tel gâchis. Un vrai cauchemar.

Ses pleurs se muent en sanglots. Ses larmes, en torrent.

Je me sens complètement conne d'avoir laissé tout ça se produire, de t'avoir défendu pendant toutes ces années. Chaque fois que quelqu'un me disait un truc pas gentil à ton sujet, je te défendais, je disais qu'il se trompait. Mais en fait, c'est moi qui me trompais.

Elle ne tente même plus d'essuyer ses larmes.

J'avais tant de rêves pour toi.

Elle sanglote.

Tu aurais pu faire tout ce que tu voulais. Tout.

Sanglots.

Et voilà le résultat.

Sanglots.

Ça.

Mon Père enroule ses bras autour d'elle. Elle enfouit le visage dans sa poitrine. Elle pleure, elle hoquette, elle s'accroche aux manches de sa chemise. Je reste là, à les regarder et à attendre. Je ne sais pas quoi faire. Je voudrais serrer mes Parents dans mes bras et leur dire que je suis désolé, mais j'en suis incapable. Je voudrais implorer leur pardon, mais je n'en ferai rien. Je voudrais leur tenir la main et leur dire que tout va bien se passer, mais c'est une promesse que je ne peux pas leur faire. Je reste là, à les regarder et à attendre. Je ne sais pas quoi faire. Je voudrais les toucher, mais j'en suis incapable. Ma Mère continue de pleurer. Elle ne peut pas ne sait ne veut ne peut s'arrêter. Mon Père la serre contre lui et il regarde par terre par-dessus son épaule. Joanne se lève, elle marche vers moi, elle se penche vers mon oreille.

Je crois qu'il faudrait que vous vous en alliez.

Je me lève.

Il y aura une réunion avec Daniel et vos Parents demain matin. Dans la même Salle que celle de tout à l'heure.

Je me dirige vers la porte. Avant d'y arriver, je me retourne et je regarde ma Mère et mon Père. Ma Mère pleure, mon Père a les yeux baissés. Joanne est à genoux, elle leur murmure des mots gentils, des mots que je ne mérite pas d'entendre.

J'ouvre la porte, je m'en vais. Je rentre dans mon Service. La Nuit est tombée, les Couloirs sont sombres. Les néons les illuminent. Je hais ces lumières je voudrais qu'elles disparaissent. J'aimerais que les Couloirs soient plus obscurs. Je désire ardemment l'obscurité l'obscurité la plus obscure un trou profond et horrible. Je voudrais que les Couloirs soient noirs. Mon âme est noire mon cœur est noir je voudrais que les Couloirs soient noirs. Si c'était possible, je détruirais les néons à coups de batte de base-ball. Je les réduirais en bouillie. Je voudrais que les Couloirs soient noirs.

J'ouvre la porte de ma Chambre. Je me dirige vers mon lit et je m'assois. Miles n'est pas là, je suis seul. Mon âme est noire, mon cœur est noir et je suis seul.

J'ôte mes chaussures, j'ôte mes chaussettes. Je pose le pied droit contre l'intérieur de ma cuisse gauche. Je regarde mes orteils. Ils sont sales et noueux et ils puent la transpiration. Je suis seul, la Fureur est en moi. Elle ne fait pas rage, n'a pas atteint son paroxysme, mais elle est là. Elle se répand dans mes veines tel un virus lent et paresseux, me pousse à faire des dégâts, mais pas assez pour me détruire. Je veux qu'elle s'en aille. Je veux qu'elle me laisse.

Lorsqu'elle est à son apogée, le plus souvent, je suis à sa merci, mais pas là. Je sais ce que je dois faire pour qu'elle s'en aille, je sais comment la faire partir. Donnez-lui de la douleur et elle me laissera. Donnez-lui de la douleur et elle s'en ira.

Avec le pouce et l'index de la main droite, je me mets à tirer sur l'ongle du deuxième orteil de mon pied gauche. Je sais que c'est un truc de malade, le putain de symptôme d'un esprit malade et infecté, mais je le fais quand même. Je tire. Je tire sur mon ongle.

C'est toujours le même orteil, toujours le même ongle. Il a repoussé depuis ma dernière crise, la manière dont il pousse me permet de recommencer facilement. Il remonte un peu plus haut que les autres, sa forme est plus irrégulière. Je peux l'attraper par en dessous, aux endroits où il est aisé de faire levier. Je tire. Je tire sur mon ongle.

Il commence à se fendre. Ça fait mal. La Fureur en moi hurle de plaisir. J'en veux encore. J'en veux encore.

Je tire et l'ongle se casse encore davantage. Il déchire la peau qui l'entoure, tranche les veines qui l'irriguent. Le sang coule. La douleur se déplace. La douleur est rouge comme le sang. Elle passe de mon orteil à mon pied, elle danse autour de ma cheville. La Fureur s'y abreuve. J'en veux encore. J'en veux encore.

Je baisse les yeux. Mes doigts et mon pied sont couverts de sang. J'aperçois l'ongle à travers le rouge, il pendouille, retenu par sa base. Je suis sûr que la Fureur l'a vu, je le sens. On dirait que je présente de la nourriture à un putain de démon affamé. Nourris-moi. Nourris-moi. Nourris-moi avec ce satané ongle. Nourris-moi espèce d'Enculé ou je te détruirai.

Je place mon index sur l'ongle et le pouce contre la partie de chair rose exposée de mon orteil. Mon pouce effleure la chair et la douleur rouge devient blanche, elle se diffuse dans ma jambe et mon abdomen. Elle est instantanément dévorée et il en faut instantanément encore. Nourris-moi espèce d'Enculé ou je te détruirai. Nourris-moi avec ce satané ongle.

Je tire. Je tire sur mon ongle. Une moitié s'arrache à la base. Je ferme les yeux et ma main est couverte de sang et je serre les mâchoires et je crie doucement, je pleure. La douleur me submerge et m'envahit. Depuis le bout de mes cheveux jusqu'en bas, traversant tout mon corps, la douleur est partout. La Fureur fait ripaille. Le Démon étanche sa soif. Encore un petit coup et ça sera fini.

Je tire. Je tire sur l'ongle. Il s'arrache et je crie mon cri n'est pas doux cette fois. La douleur est partout, blanche et brûlante et froide comme l'Enfer. Chaque cellule de mon corps s'électrise, parcourue de soubresauts, pleine de haine et reconnaissante d'être soulagée. La Fureur monte brièvement elle monte dans un sourire et hurle merci bon sang. Elle avale la douleur. Elle la boit. Elle l'absorbe par tous les moyens possibles. Ça la fait partir, ça la fait partir maintenant. Je t'ai donné ce que tu voulais, va-t'en maintenant.

Je pousse un profond soupir pareil à ceux qui suivent l'extase, ceux qui s'échappent lorsque votre vie vient de défiler sous vos yeux. Je regarde mon pied. Il est couvert de sang, ma main aussi. Je me lève et je me dirige vers la Salle de Bains. Lorsque je marche sur mon pied blessé, je pose uniquement le talon par terre. Chaque fois qu'il touche le sol, ça fait comme une décharge électrique, un éclair rouge et blanc qui m'élance. Chaque fois qu'il touche le sol, la décharge est engloutie.

J'ouvre la porte. Je marche vers le lavabo, évitant soigneusement le miroir. Lorsque j'atteins le lavabo, je fais couler l'eau froide. J'attends que ce soit le plus froid possible. Lorsque l'eau est glacée, je lève le pied et je le place sous le robinet. Des gouttelettes de sang tombent par terre et je me penche pour les essuyer avec la main.

L'eau rencontre la chair et tout devient rose. Le rose s'écoule par le siphon suivi par plus de rose encore. Le froid stoppe la douleur, la Fureur la nettoie, se lèche les babines une dernière fois et disparaît. Je reste debout à attendre. Je me lave la main. Tout est rose. Le sang coule à flots.

Après quelques brefs instants, la pression de l'eau cautérise les plaies sur mon orteil et cicatrise les chairs déchirées, les vaisseaux tranchés. L'orteil m'élance. Ce n'est pas si méchant. Je préfère les élancements à l'autre solution. Je préfère la nourrir plutôt que la voir se déchaîner.

Je ferme le robinet et j'enlève mon pied du lavabo et je retourne vers mon lit. Je mets ma chaussette et je mets ma chaussure. Je quitte la Chambre.

Il est presque temps que j'y aille, presque 10 heures. Je me dirige vers le Service. Les Hommes s'égaillent dans la Salle. Ils regardent la télé, jouent aux cartes, fument des cigarettes et racontent des histoires, en attendant le téléphone. Leonard occupe la Cabine, j'entends des plaintes au sujet du temps qu'il y passe. Des plaintes, mais pas de représailles. Il y aurait eu des représailles envers presque n'importe qui d'autre.

Je vais prendre une tasse de café. Un homme en survêtement noir et T-shirt noir se tient contre un mur au Rez-de-Chaussée. Il a une vingtaine d'années et bien qu'il soit mince, il a l'air fort. Il fume une cigarette, il me dévisage. Je suis frappé par son air familier, bien que j'ignore d'où cela vient, et je suis frappé par son allure menaçante, bien que j'ignore pourquoi. Il reste planté là, à me dévisager. Je ne me laisse pas démonter et je lui rends son regard. Son regard n'est pas feint, il montre simplement le fond de ses pensées. Il est familier et menaçant. J'ignore pourquoi.

Il lâche un petit rire, se détache du mur, détourne les yeux, se dirige vers l'un des canapés face à la télé et s'assied. Je ne le quitte pas des yeux pendant tout le trajet. Je ne me suis pas démonté, et j'ai le sentiment que j'aurai bientôt besoin de refaire la même chose.

Je retourne dans ma Chambre avec mon café. Miles est assis sur son lit en train d'astiquer sa clarinette. Il lève les yeux vers moi lorsque j'entre.

Quoi de neuf, Miles ?

Rien du tout, James. Comment ça va ?

Ça va.

Je m'assieds sur mon lit, commence à enfiler des vêtements plus chauds.

Comment ça s'est passé avec tes Parents ce soir ?

Plutôt bien, on dirait.

Comment est-ce qu'ils ont réagi ?

Pas aussi mal que ce à quoi je m'attendais, mais plutôt mal.

Et toi, comment te sentais-tu ?

Pareil qu'eux.

Mais plus honteux qu'autre chose ?

Sans doute.

La honte est une chose terrible. Nécessaire, mais terrible.

Tu te dépatouilles toujours avec ?

À mon avis c'est parti pour durer un bon moment.

Pourquoi ?

Je ne suis pas un type bien, James.

Tu es Juge. Tu ne peux pas être si mauvais que ça.

Je suis Juge, mais au fond de moi, je sais que je ne mérite pas d'émettre le moindre jugement sur quiconque.

Tu es trop dur avec toi-même.

Il secoue la tête.

Je n'ai jamais raconté ça à personne, bien que l'Équipe le sache, mais je suis déjà venu ici. C'est mon deuxième séjour dans cette Clinique.

Quand as-tu fait le premier ?

C'était il y a des années. Je suis venu parce qu'à l'époque, comme maintenant, j'avais de gros problèmes d'alcoolisme, des problèmes qui ont failli me détruire. Ça a failli détruire ma carrière et on peut dire que, sur bien des points, ça a détruit mon premier mariage, alors que j'avais une épouse merveilleuse et un fils adorable.

Quel âge a-t-il ?

Il a douze ans maintenant. C'est un beau jeune homme. J'aimerais pouvoir le voir plus souvent.

Et alors, tu es revenu ici, il n'y a aucune raison d'avoir honte.

Il pose sa clarinette.

Si, James, pour moi, si.

Pourquoi ?

Il m'a fallu des années et des années pour me remettre de ce qui s'était passé la dernière fois. Des années de longues nuits de solitude à me regarder dans le miroir, des années d'efforts douloureux pour ne pas boire, et des années à tenter de racheter mes maladresses. Et là, malgré tout ça, j'ai replongé.

Pourquoi tu dis ça ?

Je t'ai déjà parlé de mon Épouse. C'est une femme formidable. Elle est intelligente, belle, stimulante, indépendante, experte en son domaine. Elle est tout ce que j'ai jamais recherché chez une partenaire. Quand je l'ai rencontrée, j'ai tout de suite su que je voulais l'épouser. Lors de notre première rencontre, je lui ai raconté mon histoire. Je voulais être sincère avec elle, et en étant sincère avec elle, j'espérais que je ferais tout pour que l'histoire ne se répète pas. Après m'avoir écouté, elle m'a souri et elle m'a dit, Miles, vous êtes un bel homme, et j'ai su dès l'instant où je vous ai vu que nous finirions ensemble, mais si vous m'infligez ce genre de conneries, je vous botterai le cul et je vous jetterai comme une vieille chaussette.

Je ris, il sourit.

Moi aussi, ça m'a plu qu'elle me parle comme ça, d'autant plus que je savais qu'elle pensait ce qu'elle disait. Je pensais que c'était bien de savoir que si je m'égarais à nouveau, je serais puni pour mes péchés. Nous nous sommes mariés, nous avons vécu comme Mari et Femme pendant plusieurs années, nous avons décidé d'avoir des Enfants, et elle est tombée enceinte. J'étais très confiant, peut-être trop confiant, vis-à-vis de celui que j'étais et de la façon dont je voulais vivre ma vie.

Il s'interrompt, baisse les yeux, respire un grand coup.

À peu près à la même époque, je suis allé assister à une conférence pour les Juges Fédéraux. C'était en Floride, sur la plage, dans un hôtel très agréable. Il y avait un golf, et le premier jour de la conférence, j'ai fait une partie avec des Juges avec qui je m'entendais bien, mais que je ne connaissais pas beaucoup. Après la partie, nous sommes allés dîner au restaurant, en terrasse. C'était une nuit magnifique, j'avais bien joué, je venais de parler à ma Femme, j'étais au summum de ma carrière, et j'étais content, très content, de ce que j'avais fait de ma vie et d'être celui que j'étais. Lorsqu'il a fallu commander, les autres Juges ont pris des cocktails. Je me suis dit que moi aussi, j'y avais droit. J'ai pris un whisky-coca. J'ai pensé que cela ne me poserait pas de problème. Dès que j'ai bu la première gorgée et que j'ai senti l'alcool se répandre dans mes veines, j'ai su que c'était mal parti.

Il secoue la tête.

Je suis sorti de table quelques minutes plus tard, je suis allé dans ma chambre et j'ai bu tout ce qu'il y avait dans le minibar. Une fois rentré chez moi, je me suis mis à boire à la maison, au bureau, dans ma voiture, et je buvais le plus possible. Je me suis retrouvé à passer mes journées et mes nuits à boire. J'ai planqué une bouteille de bourbon sous mon Siège, au Tribunal. J'en versais dans un verre dans lequel je buvais pendant les Audiences. Je faisais comme si c'était de l'eau, et j'en consommais comme si c'était de l'eau. J'ai essayé d'arrêter. En vain. Un après-midi, je me suis endormi pendant une suspension d'audience, et le Greffier a dû me secouer pour que je me réveille. Il était venu me dire que ma femme avait essayé de m'appeler, qu'elle avait laissé plusieurs messages urgents. Je suis immédiatement allé la voir, lorsqu'elle m'a demandé ce qui n'allait pas j'ai répondu que j'avais un rhume. Elle savait que je mentais et elle m'a passé un sacré savon. Elle m'a dit qu'elle m'avait bien prévenu de ne pas retomber, qu'elle savait que je m'étais remis à boire comme un trou. Elle avait espéré que j'arrêterais mais elle voyait bien que ça ne marchait pas. J'ai essayé de nier, mais elle m'a sorti les bouteilles qu'elle avait trouvées dans différentes cachettes en me disant qu'il était temps que je cesse de mentir. Puis elle m'a demandé de partir. Je suis venu ici sur-le-champ.

Il pousse un profond soupir.

Ma Femme arrive ici la semaine prochaine pour suivre le Programme Familial. Je m'attends au pire et c'est ce que je mérite. Ce n'est pas la première fois que j'agis comme ça, et je trouve que c'est déplorable, je trouve que c'est le pire crime qu'un homme puisse commettre contre sa Famille. Je me hais pour ça et je suis mortifié, profondément, profondément mortifié. Il m'est arrivé plusieurs fois au cours de ma carrière de condamner des hommes à mort. C'est une punition que je mériterais à plusieurs titres. Je sais que ce que je dis doit te paraître mélodramatique, mais ça me semble juste.

Il secoue la tête.

J'ai tellement honte que je ne sais même plus si je veux continuer à vivre. Je ne te connais pas très bien, mais j'ai l'impression que tu te bats contre le même genre de problèmes. Je vois aussi que tu changes, tu sembles trouver un moyen de les gérer. Lorsque je te pose des questions sur ce que tu fais, c'est que je cherche une raison de pouvoir espérer en une sorte de rédemption. Je crois en Dieu, mais Dieu ne semble plus croire en moi. Si tu connais quoi que ce soit, si tu as quoi que ce soit qui puisse m'aider, je te serai très reconnaissant de bien vouloir avoir la gentillesse de le partager avec moi.

Je souris.

Pourquoi souris-tu ?

Je trouve ça rigolo qu'un Juge Fédéral me demande des conseils.

Nous sommes tous les mêmes ici. Juge ou Délinquant, Buveur de Bourbon ou Fumeur de Crack.

Sans doute.

Aurais-tu quelque chose que tu pourrais partager avec moi, James ?

J'ai deux choses.

Lesquelles ?

La première, c'est Leonard.

Leonard, le Directeur Financier de la Côte Ouest ?

Je ris.

Ouais, Leonard, le Directeur Financier de la Côte Ouest. Tu devrais lui parler. Dis-lui que c'est moi qui t'envoie et demande-lui de te raconter des trucs sur le fait de s'accrocher.

S'accrocher à quoi ?

Demande-lui.

Je n'y manquerai pas. Quelle est la deuxième ?

Tu m'as déjà vu lire ce petit livre ?

Je lui montre le *Tao*. Il est sur ma table de nuit.

Ouais.

Dans environ trente secondes je vais sortir par la fenêtre qui se trouve au-dessus de ton lit.

Miles rit.

Une fois que je serai parti, prends le livre et bouquine un peu. Tu trouveras peut-être que c'est absurde, et ça l'est peut-être, mais j'ai l'impression que ça me fait du bien chaque fois que je le lis.

Pourquoi est-ce que tu crois que ça fait ça ?

Ça me parle, tout simplement.

Je tenterai ma chance.

Je me lève, je me dirige vers son lit.

Ça t'ennuie si je passe par là ?

Il s'écarte.

Je ne vais pas te demander où tu vas ni ce que tu vas faire.

Ça vaut mieux.

Fais attention de ne pas te faire prendre.

J'ouvre la vitre, je passe un pied, je referme derrière moi. Je sens le froid immédiatement, il est fort, amer, vif, mordant. Il ronge mon visage, la peau nue de mes mains comme un termite ronge le bois.

Je marche rapidement, prenant soin d'éviter toutes les lumières et toutes les fenêtres. Dans la pénombre je suis en sécurité, je suis fort, je me sens bien. Je sais que je ne me ferai pas prendre si je reste dans la pénombre.

Je trouve le Sentier, je le laisse me guider vers la Clairière. Je le quitte à l'endroit où je le quitte toujours et je me fraye un chemin malgré les branches enchevêtrées et les Buissons touffus.

Je me mets à courir lorsque j'approche de la Clairière. Mes yeux y voient clair mais mon esprit est obnubilé par le moment où je serai dans les bras de Lilly. Une branche me fouette le visage. Elle me déchire la peau, pas trop profondément mais quand même un peu. J'entre dans la clairière et elle est là. Elle est assise sur le sol gelé, emmitouflée dans une couverture, sa pâle peau blanche éclatante.

Elle sourit, elle se lève et sans un mot elle fait un pas vers moi, ouvre la couverture, la drape autour de moi se drape autour de moi me drape autour de moi-même. Elle m'embrasse sur la joue, celle qui n'est pas griffée, elle m'enveloppe et elle me serre. Ses bras sont fins mais forts. Elle me chuchote à l'oreille.

Je suis heureuse que tu sois venu.

Moi aussi.

Tu m'as manqué.

Toi aussi tu m'as manqué.

Elle me relâche un peu, juste assez pour avoir un peu plus de place. Elle se glisse à côté de moi.

Asseyons-nous.

Elle reste à côté de moi, m'aide à m'asseoir. Nous nous asseyons sur la terre gelée et les feuilles craquantes et les brindilles fragiles. Elle tend le bras et touche délicatement ma joue blessée.

Qu'est-ce qui s'est passé ?

J'ai foncé dans une branche.

Tu ne l'avais pas vue ?

Je ne faisais pas attention.

Tu veux que je te soigne ?

Comment tu vas faire ?

J'ai des pouvoirs magiques.

Vraiment ?

Tu veux que je te montre ?

Ouais.

Elle se penche vers moi et m'embrasse la joue. Je me dégage.

Qu'est-ce que tu fais ?

Je te soigne.

C'est une blessure toute fraîche.

Je sais.

Qui saigne encore.

Je sais.

Et tu veux prendre le risque ?

Elle se penche.

Oui.

Je ne l'en empêche pas. Ses lèvres entrouvertes effleurent ma joue. Sa langue danse sur la chair de mon visage. Je ferme les yeux. Elle s'avance vers moi ses bras fins et forts me serrent. Je me rapproche d'elle les bras ouverts et libres. Elle m'embrasse sur la joue au coin de ma bouche qui lui répond. Elle lui dit viens et nous nous rencontrons. Nos bouches ouvertes se rencontrent. Vite et lentement elles se pressent durement et doucement et reçoivent cherchent et sont recherchées. Elles aiment et sont aimées.

Nous sommes sous la couverture. Nous glissons sur le sol qui n'est plus froid. Elle est sur moi et je suis sur elle à côté nos mains se promènent sur nos corps. Nos mains se rencontrent. S'embrassent. Se tiennent. Nos mains. Un courant physique et plus encore.

Elle ôte sa main de la mienne, la déplace le long de mon torse, de mon ventre, sous mon ventre, en bas. J'aime qu'elle soit là-bas j'ai envie qu'elle y reste mais la peur s'en mêle une peur immense je suis affolé. Je repousse sa main doucement je la repousse. Nous sommes toujours ensemble nos lèvres collées elle replace sa main mais je la repousse. Je suis affolé. Une peur gigantesque, écrasante. Une peur proche de la peur panique. Ses lèvres se détachent des miennes et elle parle.

Qu'est-ce qui ne va pas ?

Je ne peux pas aller plus loin.

Tu trembles.

Je sais.

Pourquoi ?

J'ai peur.

De quoi ?

De tout.

Qu'est-ce que ça veut dire ?

J'ai peur, c'est tout.

De moi ?

Non.

Elle m'attire tout contre elle.

Je ne vais pas te faire de mal.

Je sais.

Je ne vais pas te quitter.

Je sais.

Dis-moi pourquoi tu as peur.

J'observe son visage tout contre moi. Ses yeux bleu clair. Même dans le noir ils sont bleus comme l'eau claire.

Je ne l'ai jamais fait.

Quoi ?

Ce que nous allons sans doute faire.

Qu'est-ce que tu veux dire ?

Je ne l'ai jamais fait.

Tu n'as jamais couché avec quelqu'un ?

Si, mais pas comme ça.

Qu'est-ce que tu veux dire ?

Jamais à jeun.

Et cette fameuse Petite Amie ?

Jamais.

Pourquoi ?

Je ne sais pas.

Je ne vais pas te faire de mal.

Je sais.

Pourquoi ?

Je prends une grande inspiration. Je suis affolé. Je parle.

Elle était vierge quand je l'ai rencontrée. Elle s'était préservée pour le jour où elle serait amoureuse. Au bout de deux mois elle m'avait dit qu'elle se sentait prête. Nous en avons parlé, nous avons pris rendez-vous et nous sommes allés dîner dans un restaurant chic. J'étais très angoissé, alors j'ai bu toute la soirée pour essayer de me calmer. Quand nous sommes allés dans sa Chambre il y avait des bougies allumées, des fleurs sur son lit, de la musique classique, on se serait cru dans un film à l'eau de rose. On a commencé à batifoler et, quand le moment est venu, j'ai été incapable de bander. J'en avais envie plus que de tout au monde, mais j'en étais incapable parce que j'avais peur et que j'étais bourré.

J'inspire une grande goulée d'air, me mets à trembler un peu plus, à avoir plus peur. Je hais ces souvenirs, je me hais d'avoir vécu cela.

On a essayé encore et encore. On a essayé chaque nuit pendant deux semaines, je n'en ai jamais été capable. Après chaque nouveau fiasco, je me sentais de plus en plus mal et de plus en plus humilié, mortifié. Elle s'offrait à moi, et je ne pouvais pas la prendre parce que j'étais impuissant. Chaque fois qu'on a essayé j'étais impuissant, bordel.

On est sortis ensemble un moment, mais on n'était pas vraiment ensemble, on était seulement ensemble par habitude. J'étais sa mauvaise habitude, elle ma bonne. La dernière fois qu'on a essayé de faire l'amour, je m'étais décidé à lui dire que je l'aimais. Je pensais que si je le lui disais, ça ferait disparaître ma peur et tout irait bien. On était nus, au lit, et je me sentais bien et je l'ai regardée

326

dans les yeux. Elle avait des yeux très bleus, pas comme les tiens, plus clairs, comme la glace, et je les ai regardés et j'ai dit je t'aime. Elle n'a rien répondu. Elle m'a seulement regardé et ses yeux étaient froids et vides et distants, on aurait dit que ce que j'avais dit les dégoûtait. J'ai répété ce que je venais de dire et elle m'a repoussé, elle est sortie du lit, elle est allée à la Salle de Bains. Quand elle est revenue, elle m'a souri et elle m'a dit je trouve que tu es un garçon unique, elle m'a embrassé sur la joue, elle m'a tourné le dos et elle s'est endormie.

Je respire un grand coup.

Pendant longtemps j'ai cru que si j'étais avec elle, ça suffirait pour que je me reprenne en main. Pendant longtemps j'ai cru qu'elle pouvait me sauver. Quand j'ai réalisé que j'étais complètement impuissant avec elle, que c'était foutu, fini, j'ai compris que je ne serais jamais rien d'autre qu'un ivrogne encombrant, un Connard impuissant, et que tout ce qu'il me restait à faire, c'était de passer aux choses sérieuses avec l'alcool et la drogue pour enfin me tuer. Alors je m'y suis collé, et partout où j'allais, je voyais ses yeux, et quand je pense à elle je revois ses yeux au moment où je lui ai dit que je l'aimais et me suis aperçu que je la dégoûtais.

J'ai le regard perdu dans la noirceur. Elle ne m'aide en rien. Je suis submergé par les sentiments que j'éprouvais avec elle, ils me re-viennent avec la même violence. Humiliation, gêne, mortification, incapacité, impuissance.

Lilly me serre dans ses bras, mais me laisse avec moi-même. J'ai le regard perdu dans la noirceur et je respire. Rien ne changera le passé, rien ne m'aidera à l'oublier. Il est comme il est, et s'il est ainsi, c'est à cause de moi. J'aimerais qu'il en ait été autrement, mais je ne peux rien y faire. C'est du passé. Il est temps de l'accepter, de le laisser partir.

Lilly relâche son étreinte. Elle me regarde, elle me parle.

Tu ne trembles plus.

Pour l'instant.

Lorsque ça se passera, on ira doucement.

Ça serait bien.

Aussi doucement que tu voudras, qu'il le faudra.

Merci.

Et c'est mieux pour moi aussi.

Pourquoi ?

On en a déjà un peu parlé.

Un petit peu.

Tu as besoin d'en savoir plus qu'un petit peu ?

J'ai besoin de ce que tu veux me donner.

Je veux tout te donner.

Alors dis-moi ce que tu as besoin de me dire.

Elle s'interrompt, sourit.

Ça me fait peur.

Je sais.

Vraiment peur.

Je ne vais pas te faire de mal.

Elle sourit à nouveau.

Je sais.

Et je ne vais pas te quitter.

Je sais.

Et je ne vais pas te juger.

Merci.

Elle sourit, détourne le regard pendant un instant, le repose sur moi. Son sourire disparaît, la lueur dans ses yeux s'éteint, et elle se met à parler. Elle me parle de sa Mère qui l'a vendue. Elle avait treize ans. Un client de sa Mère l'avait aperçue et avait décidé que c'était Lilly qu'il voulait. Sa Mère avait besoin de sa came. Sa Mère l'a vendue à ce type pour deux cents dollars. Elle l'a vendue pour une heure, elle l'a vendue pour toute une vie. Elle a vendu sa virginité pour une seringue pleine de came. Deux cents dollars pour une seringue pleine de came.

Elle me parle des hommes qui ont succédé à cet homme. De sa Mère qui s'est mise à la vendre de façon régulière et s'est arrêtée de travailler. Elle me parle de la douleur et du malheur et de l'horreur. Les uns après les autres. Jour après jour. Viol après viol. Il y avait toujours des seringues pleines de came. Payées avec son corps. Elle me parle de la première fois où elle a essayé. Combien elle les détestait et combien cela l'aidait. Les uns après les autres. Jour après jour. Viol après viol. Les seringues l'aidaient.

Elle me parle de la façon dont elle est partie. Après quatre ans de terreur. Un homme l'a tabassée, il a joué avec un revolver chargé, sur elle, dans elle, et une fois son affaire terminée, elle est partie. Elle n'avait pas d'argent ni de biens, elle n'avait pas de voiture. Elle est partie à pied, elle a marché sans faiblir, faisant de l'auto-stop jusqu'à Chicago, payant son voyage en levant les jambes en l'air pour offrir quelques instants de satisfaction aux Routiers. Lorsqu'elle est arrivée à Chicago, elle a appelé les renseignements, et elle a retrouvé sa Grand-Mère. Elle ne l'avait jamais vue lorsqu'elle s'est présentée à sa porte. Elle a frappé, sa Grand-Mère a ouvert, elles se sont toutes deux mises à pleurer. Il n'y a pas eu de mots, que des larmes. Elle et sa Grand-Mère, en larmes.

Elle me parle de son retour à l'École. Les Garçons qui l'aimaient, les Filles qui la détestaient. Cette impression d'avoir tant de retard. Ses difficultés à garder ses distances, à rester clean, à se faire respecter. L'impossibilité d'oublier. Sa rencontre avec un Garçon qui lui plaisait, avec lequel elle est sortie. Ses espoirs et ses rêves, les fantasmes qu'elle nourrissait. Le Garçon s'est mis à fumer du crack et à abuser des cachetons, elle voulait être avec lui et elle l'a suivi. Elle s'est mise à fumer du crack et à abuser des cachetons. Il s'est mis à abuser d'elle. Ses amis se sont mis à abuser d'elle. Elle avait le cœur brisé, elle n'en avait jamais recollé les morceaux et voilà qu'il se brisait à nouveau. Elle fumait du crack, elle prenait des cachetons. Lui et ses amis abusaient d'elle.

Il s'est produit quelque chose. Elle commence à en parler et se met à pleurer. C'était juste avant qu'elle arrive ici. Juste avant que sa Grand-Mère la guide vers sa liberté. Elle s'interrompt, se met à pleurer. De grosses larmes. De violents sanglots. Elle tremble et je sens son cœur sous les couches et les couches de vêtements. Sous les couches et les couches de douleur. Je la serre contre moi et elle pleure et il n'y a plus de mots ni d'elle ni de moi. Il n'y a plus de mots qui puissent dire quoi que ce soit face à la vie qu'elle a menée. Qu'elle a endurée. Je la serre contre moi et elle pleure. Je reste là. Je ne vais pas lui faire de mal. Je ne vais pas la quitter. Je ne vais pas la juger. Je la serre contre moi et elle pleure.

J'entends mon nom. On me donne des coups de pied. Je ne suis pas certain que c'est réel, je ne sais que faire. Mon nom. Un pied. On m'appelle. On me donne des coups de pied.

J'ouvre les yeux. Il fait encore noir, mais ça semble s'éclaircir. Aux environs de l'heure qui précède l'aurore. J'aperçois les silhouettes des arbres et Lilly dans mes bras. On m'appelle. On me donne des coups de pied.

Je lève les yeux. Ted est penché au-dessus de moi avec une Blonde d'une vingtaine d'années. Ils semblent fatigués, ils ont les cheveux en bataille. Ted parle.

J'ai cru que tu étais mort, espèce de Petit Con.

Qu'est-ce que tu fais ici ?

Je sauve ta peau.

Quelle heure est-il ?

L'heure de se manier le cul.

Je secoue doucement Lilly. Elle ouvre les yeux.

Quoi ?

Faut qu'on y aille.

À qui est-ce que tu parles ?

Un ami. Il s'appelle Ted.

Quelle heure est-il ?

Je ne sais pas.

On se lève.

Je suis réveillé, mais à moitié. Lilly, pas du tout. Elle connaît la Fille qui accompagne Ted, elles se saluent. Je l'embrasse et lui dis qu'elle va me manquer. Elle me demande quand nous nous reverrons, je lui dis ce soir.

Ted et moi traversons les Bois en direction du Sentier. Je lui demande ce qu'il faisait, il me répond qu'il s'envoyait en l'air. Il me demande ce que je faisais, je lui réponds que je discutais. Il rit. Je lui demande s'il sort souvent comme ça et il me dit toutes les nuits nom de Dieu. Il me renvoie ma question et je lui réponds non, c'était la première fois.

On rejoint le Sentier. Il dit fais gaffe et tiens-toi prêt à courir, si on se fait choper, on est dans un sacré merdier.

Je n'ai pas couru depuis un bail. Je n'ai plus assez de souffle.

Le Sentier cède la place à l'herbe qui entoure les Pavillons de la Clinique. On rentre sans encombre, je vais dans ma Chambre, je grimpe dans mon lit. J'aimerais être encore avec Lilly. Je m'endors. J'aimerais qu'elle soit là.

Lorsque je me réveille, Miles est parti, mais il y a un mot sur ma table de nuit. Il est posé sur le *Tao*. Il a écrit merci, James, ça m'a parlé. Le petit mot me fait sourire.

Mon horloge interne me dit qu'il est tard, je prends une douche rapide, je me brosse les dents, je m'essuie et je m'habille. Je sors.

Je traverse les Couloirs à toute vitesse en direction du Réfectoire. Lorsque j'arrive, il est presque vide. Je prends un beignet et une tasse de café et je m'en vais.

Encore des Couloirs. Je me dépêche. Je suis en retard pour aller voir mes Parents. La Fureur reste encore en moi, mais à peine. Elle est repue. Je trouve la Salle, j'ouvre la porte.

Mes Parents sont assis à la table de conférence, Daniel est auprès d'eux et de l'autre côté se trouve un homme que je ne connais pas, habillé comme mon Père, mais légèrement plus jeune. Ma Mère pleure.

Qu'est-ce qui ne va pas ?

Elle secoue la tête. Je regarde mon Père.

Qu'est-ce qui ne va pas ?

Il se lève, parle.

James, voici Randall.

Il désigne l'homme qui se lève à son tour.

C'est l'Avocat qui travaille pour la Clinique.

Je le regarde.

Bonjour, Randall.

Il me tend la main par-dessus la table.

Bonjour, James.

Nous nous serrons la main. Mon Père parle.

Il a contacté les Services Judiciaires du Michigan, de la Caroline du Nord et de l'Ohio.

Qu'est-ce qu'ils ont dit ?

Asseyez-vous plutôt.

Je m'assieds. Je suis anxieux et j'ai peur. Ils s'assoient.

Qu'est-ce qu'ils ont dit ?

Mon Père regarde Randall, Randall regarde un dossier. Ma Mère pleure et elle a les yeux rivés à terre. Daniel m'observe. Je suis anxieux et j'ai peur, je me mets à trembler. Le Jour du Jugement est arrivé. Le Jour du Jugement. Randall relève les yeux.

J'ai de bonnes nouvelles et de mauvaises nouvelles. Par lesquelles voulez-vous commencer ?

Les bonnes.

Le Michigan et la Caroline du Nord vous poursuivent pour Simple Usage. Le temps que vous allez passer ici correspondra à la peine que vous auriez dû purger. Vous allez écoper d'amendes, environ deux mille dollars par État, et tout sera rayé de votre Casier d'ici trois ans. Les Tribunaux sont débordés et veulent se débarrasser de votre affaire. Je vous conseille d'accepter leurs propositions.

Mon Père parle.

Moi aussi, James.

Je hoche la tête.

OK. Quelles sont les mauvaises nouvelles ?

Randall parle.

Vous vous êtes fichu dans un sacré pétrin dans l'Ohio. C'est une Petite Ville, ce n'est pas tous les jours que les gens du coin voient des choses comme ce que vous avez fait. Ils estiment que vous avez semé une belle pagaille et vous vous êtes fait pas mal d'ennemis chez les Policiers. Ils sont furieux. Le Procureur est plus énervé que tous ceux que j'aie jamais vus, et ils veulent faire de votre cas un exemple. Ils ne sont pas particulièrement sensibles au fait que vous soyez ici et que vous essayiez de reprendre votre vie en main. Ils disent que l'affaire est jouée d'avance et qu'ils seraient heureux de la porter devant les Tribunaux. Je veux bien les croire.

Il respire profondément.

Je suis anxieux et j'ai peur. J'ai une trouille monstre. Le Jour de mon Jugement est arrivé.

Si vous acceptez de plaider coupable pour toutes les accusations portées contre vous, ils accepteront que vous purgiez trois ans dans un Pénitencier, peine qui sera assortie de cinq ans de Mise à l'Épreuve. Si vous commettez un acte délictueux pendant cette période, vous serez obligé d'effectuer la totalité de la Peine, c'est-à-dire cinq ans de plus. Ils vont vous demander de payer quinze mille dollars d'amende et d'effectuer mille heures de Travaux d'Intérêt Général. Votre permis de conduire vous sera retiré dans cet État. Tout sera inscrit définitivement dans votre Casier Judiciaire.

Si vous les forcez à passer en audience, ils disent qu'ils demanderont la peine maximale, qui est de huit ans et demi. En ce qui concerne un éventuel Procès, ils assurent qu'ils ont trente témoins, des analyses de sang qui révèlent un taux d'alcoolémie de 4,2 grammes, et un sachet de crack. Si c'est vrai, c'est effectivement joué d'avance.

La peur est partie, chassée par l'horreur. Mon Père ne me quitte pas des yeux, ma Mère pleure. Daniel fixe le mur, Randall attend une réponse.

Merde.

Ma Mère relève les yeux.

Pourrais-tu éviter de dire ce mot, James ?

Je la regarde.

Je viens quasiment d'être condamné à trois ans de Prison, Maman. Qu'est-ce que tu veux que je dise, merde ?

Ses lèvres tremblent.

Je t'en prie.

Je serre les dents.

Très bien.

Mon Père parle.

Tu as une idée ?

Non.

Tu crois qu'ils ont toutes ces preuves ?

Oui.

Qu'est-ce que tu veux faire ?

Je regarde Randall.

Qu'est-ce que je peux faire ?

Il hausse les épaules.

Je peux essayer de les recontacter avec de nouveaux éléments mais je ne suis guère optimiste.

Qu'est-ce que ça veut dire ?

Ça veut dire qu'ils ne lâcheront rien.

Je secoue la tête, pensant à la perspective de passer trois ans dans un Pénitencier. Quelques instants auparavant ma peur s'est muée en horreur. Maintenant, la peur est revenue et l'horreur persiste. Trois ans dans un Pénitencier. Trois ans de bagarres, trois ans passés à me protéger chaque seconde de chaque jour. Trois putains d'années.

Et si je m'enfuyais ?

Mon Père parle.

Il n'est plus question de cavaler.

Je le regarde.

C'est moi qui décide, Papa.

Non.

Si.

Ce n'est pas toi qui paies.

Tu seras en cellule avec moi ?

Non.

Alors c'est moi qui paie.

Je regarde Randall.

Et si je m'enfuyais ?

Mon Père parle.

Je ne permettrai jamais cela.

Je fais la sourde oreille.

Et si je m'enfuis, Randall ?

Il y a Prescription au bout de sept ans. Si pendant cette période vous ne vous attirez pas le moindre ennui, une fois les sept ans passés, vous serez un homme libre. Si vous vous faites prendre pour quoi que ce soit à n'importe quel moment durant cette période, même pour un ticket d'horodateur, vous serez sans doute arrêté, transféré, jugé, et condamné à purger l'intégralité de la peine. Je vous conseille très, très, très vivement de ne pas opter pour cette solution.

Je fourre mon visage entre mes mains, me parlant à moi-même.

Merde.

Ma Mère parle.

James.

Je regarde ma Mère.

Désolé.

Elle pleure, ses lèvres tremblent.

Mon Père parle.

Qu'est-ce que tu voudrais faire ?

Je ne sais pas.

Tu veux qu'on essaie d'organiser ta défense ?

Ça serait une perte de temps et d'argent.

Pourquoi ?

Parce que je suis coupable de tout ce qui m'est reproché.

Ta Mère et moi paierons pour tout.

Vous avez assez banqué comme ça. Je ne veux plus que vous payiez.

Qu'est-ce que tu veux faire ?

Il faut que je réfléchisse.

Je regarde le sol. Je suis coupable de tout ce qu'ils me reprochent.
Trois ans dans un Pénitencier, c'est une éternité, une putain d'éternité, et je parie qu'ils vont me coller en Quartier de Haute Sécurité.
Je n'y ai jamais été mais je connais des gens qui y ont été. Ils n'en
sont pas sortis pour se réinsérer, ils n'en sont pas ressortis comme
ils étaient rentrés. Les Toxicos sont devenus des Voleurs. Les Voleurs
sont devenus des Dealers. Les Dealers sont devenus des Tueurs. Les
Tueurs ont tué à nouveau. Je lève les yeux vers Randall.

Dites-leur que je plaide coupable pour tout ce qui m'est reproché.

Ma Mère m'interrompt.

Tu seras jugé au Pénal.

On dirait que je n'ai pas vraiment le choix, Maman.

Je regarde Randall.

Je plaiderai coupable, mais pour l'instant, dites-leur que je ne me
rendrai pas tant que je n'aurai pas la garantie de ne pas être affecté
en Quartier de Haute Sécurité. Essayez de faire un peu baisser la
longueur de la peine, si vous pouvez. Si jamais j'avais le choix, et à
mon avis c'est exclu, je préférerais purger une peine plus longue
pour ne pas aller en Quartier de Haute Sécurité.

Randall hoche la tête, parle.

Vous dites « pour l'instant ». Mais après ?

Je ne sais pas.

Il regarde mon Père.

Vous êtes d'accord ?

Mon Père parle.

On verra comment ça se passe.

Randall regarde sa montre, referme le dossier, se lève.

Il faut que j'y aille. J'appelle la Caroline du Nord et le Michigan et je leur dis que vous acceptez leur proposition. Je rappelle l'Ohio et je vois ce que l'on peut faire. Je ne peux rien vous promettre.

Je me lève, lui présente ma main.

Merci.

Il la serre.

Je vous en prie.

Mon Père fait la même chose et Randall s'en va. Ma Mère garde les yeux rivés par terre. On dirait qu'elle a envie de pleurer, mais qu'elle n'a plus de larmes. Daniel parle.

Voudriez-vous rester seuls ?

Mon Père acquiesce.

Oui, s'il vous plaît.

Daniel se lève.

Vous me trouverez au Centre Familial si vous avez besoin de quoi que ce soit.

Merci.

Daniel s'en va. Mon Père regarde la table, ma Mère regarde par terre. Je regarde le mur. Il y a un horrible, un insupportable silence. Le genre de silence qui suit l'explosion d'une bombe et précède les hurlements. On reste tranquillement assis. On respire, on pense, on regarde. C'est horrible et insupportable. La bombe a explosé. On reste assis, les yeux dans le vide.

Le mur ne m'apporte aucune réponse. Il est simplement là, blanc et lumineux. Je relève les yeux, je vois mon Père qui soupire et me regarde.

Voilà deux journées intéressantes et éclairantes.

Je suis désolé.

C'est bien pire que ce que je pensais, James.

Je sais. Je suis désolé.

Je ne sais pas si nous pourrons t'aider, cette fois.

Je ne pense pas qu'il le faille.

Nous sommes tes Parents. Notre instinct nous commande de t'aider.

Je ne pense pas que vous puissiez m'aider cette fois, Papa.

Il secoue la tête. Ma Mère parle.

Je suis désolée, James.

Je la regarde.

Tu n'as pas à être désolée, Maman.

Pourtant je le suis. Je n'arrête pas de me demander ce que nous avons fait de mal.

Vous n'avez rien fait de mal, Maman.

Il doit bien y avoir quelque chose.

Elle éclate en sanglots. Mon Père se lève et la rejoint. Il place une chaise à côté d'elle, la prend dans ses bras. Elle niche son visage dans son épaule.

Elle pleure, je la regarde pleurer. Je ne peux plus le supporter. Je ne peux plus supporter ses pleurs, je ne peux plus supporter la culpabilité qu'ils font naître en moi. Je ne peux pas la laisser assumer la responsabilité de ce que je suis ou de ce que j'ai fait, je ne peux pas la laisser s'accabler de reproches. J'ai créé cette situation, j'ai pris les décisions qui m'ont mené où j'en suis. C'est moi qui les ai prises. Ce n'est pas sa faute, ni celle de personne. Je ne peux plus le supporter. Je ne peux plus.

Je repousse ma chaise en arrière. Je me lève. Mon Père tient ma Mère dans ses bras tandis qu'elle pleure. Elle pleure à cause de moi. Je fais un pas vers eux. J'en fais un autre. Je suis à deux pas d'eux et j'en fais un nouveau. Je suis à un pas. Ils ne font pas attention à moi. Ils sont noyés dans leur chagrin. Un chagrin qu'ils ne méritent pas. Un chagrin que je leur impose. Je fais un nouveau pas. J'y suis. Je suis à côté d'eux. J'y suis.

La Fureur parle elle dit non. La Fureur parle elle dit va-t'en et cours. La Fureur parle elle dit qu'ils aillent se faire voir laisse-les se démerder. La Fureur parle elle dit tu vas me le payer. Je dis va te faire foutre, Fureur. Ma Mère pleure. Qu'elle aille se faire foutre, cette satanée Fureur.

Je me mets à genoux. Je suis tellement près que je sens les larmes de ma Mère. Je tends la main et je caresse son épaule. Il me semble que c'est la première fois, du plus loin qu'il me souvienne, que j'initie un contact avec ma Mère ou mon Père. Je resserre mon étreinte pour qu'elle sache que je suis là. Je ne me souviens pas avoir jamais pris l'initiative d'un contact avec ma Mère ou mon Père. C'est la première fois de toute ma vie. Elle relève la tête, elle se tourne vers moi. Je parle.

Maman.

Elle me regarde.

Je suis désolé.

Elle semble brisée.

Vraiment, vraiment désolé.

Brisée à cause de moi.

J'ai foutu ta vie en l'air, vos vies à tous les deux, et je suis vraiment, vraiment désolé.

Elle me fait un sourire de bonheur et un sourire de chagrin, du bonheur causé par mon geste et du chagrin à cause de ma vie, elle ôte un de ses bras de la taille de mon Père et elle l'enroule autour de moi. Elle m'attire. Elle me tient par un bras et je la laisse faire et je lui rends son étreinte. Je n'ai jamais fait cela auparavant. Serrer ma Mère dans mes bras. Jamais de ma vie.

Mon Père passe un bras autour de moi, je fais de même. Je mets un bras autour de lui. Ma Mère pleure encore elle ne peut pas s'arrêter de pleurer son Fils cadet vient tout juste d'être condamné à trois ans de Prison mon Père et moi la serrons dans nos bras. Nous nous serrons. Nous sommes une Famille. Bien que je sois leur enfant depuis vingt-trois ans, nous n'avons jamais vraiment été une Famille. Maintenant nous le sommes. Tandis que nous nous serrons. Tandis que ma Mère pleure sur ma vie gâchée. Tandis que mon Père essaie de trouver un moyen de me sauver. Tandis que je m'efforce de me préparer aux trois années qui m'attendent derrière les barreaux.

Ma Mère cesse de pleurer. Elle est souillée et tachée mais elle n'a pas l'air de s'en faire. Elle enlève le bras qui est autour de mon Père, le pose sur moi et s'essuie le visage de sa main libre. Elle renifle. Elle respire profondément. Elle essaie de se reprendre. Elle parle.

Qu'est-ce qu'on va faire ?

On va voir, Maman.

Je ne veux pas que tu ailles en Prison.

Moi non plus.

Qu'est-ce qu'on va faire ?

Attendons, c'est la seule chose à faire.

Elle hoche la tête, ce hochement est une sorte de signal que nous, ma Famille, comprenons tous. Nous nous dégageons les uns des autres, et nous nous asseyons sur de nouvelles chaises. Nous restons assis les uns contre les autres. Formant un demi-cercle restreint. Nous savons que quelque chose a changé, nous sommes épuisés. Le changement nous a vidés. Nous restons assis les uns contre les autres. Nous sommes une Famille.

Mon Père regarde sa montre.

338

Je crois qu'il est l'heure d'aller déjeuner.

Ma Mère et moi nous levons. Nous nous dirigeons vers la porte, l'ouvrons, sortons de la Pièce. Mon Père parle.

Nous te reverrons dans l'après-midi.

Ouais.

Ma Mère parle.

Puis-je avoir un autre câlin ?

Je souris.

Bien sûr.

Elle s'avance vers moi. Je passe mes bras autour d'elle. Je me sens immédiatement mal à l'aise, et je me sens immédiatement faux. Je la serre doucement. Je me sens plus mal à l'aise encore, plus faux, pas du tout à ma place. Elle me serre, ça me donne envie de m'enfuir. C'est ma Mère. Je la serre dans mes bras. Je n'ai pas envie de la serrer dans mes bras mais je veux bien essayer. Je la tiens, je la serre fort. Ce n'est qu'un petit prix à payer par rapport à tout ce que j'ai fait. Elle me relâche, je me recule. Je me sens mieux.

À tout à l'heure.

Je tourne les talons et je m'en vais, je prends les Couloirs qui me mènent à la nourriture. J'ai faim. Faim à cause du froid de la nuit dernière, faim à cause de la tension de ce matin, faim de me nourrir rien que pour me nourrir. Faim.

J'entre dans le Hall Vitré. Je jette un coup d'œil dans le secteur des femmes. J'aperçois Lilly assise à une table. Elle fait semblant de ne pas me remarquer, mais je sais qu'elle m'a vu. Je fais semblant de ne pas la remarquer, mais elle sait que je l'ai vue. Dans ses bras la nuit dernière après avoir pleuré elle s'accrochait à moi comme une enfant perdue. Elle s'accrochait à moi de toutes ses faibles forces et elle m'a dit qu'elle ne voudrait jamais me relâcher. Elle m'a dit qu'elle n'avait jamais été aussi ouverte et sincère avec quiconque, et que ce sentiment lui faisait affreusement peur. Elle m'a dit qu'elle ne voudrait jamais me relâcher. Elle m'a posé des questions concernant mes projets d'avenir, je lui ai dit que je n'en avais aucun, que je ne savais pas ce que j'allais faire. Elle m'a dit qu'elle voulait aller dans un Centre de Réinsertion à Chicago, parce qu'elle ne se sentait pas assez forte ou pas assez libre pour vivre sans encadrement. Elle sera près de sa Grand-Mère et le fait d'être près de sa Grand-Mère l'aidera à se rétablir. Elle pourra trouver un boulot, reconstruire sa vie dans une ville où elle se sent en sécurité. Puis elle m'a redemandé si je savais ce que j'allais faire. Je lui ai redit que je n'en savais rien. Elle m'a demandé si j'avais déjà été à Chicago, je lui ai dit oui, mes Parents viennent de là-bas. Elle m'a demandé si j'y avais de la Famille et j'ai dit oui. Elle m'a demandé si je pourrais envisager d'y déménager et j'ai dit oui. Elle m'a demandé si je l'envisageais parce que c'est là qu'elle allait vivre. J'ai souri et j'ai réfléchi quelques instants et j'ai dit oui.

J'attrape un plateau, je fais la queue. Je prends une assiette d'émincé de bœuf, une assiette de lamelles de poulet et de riz, une assiette de *taquitos* à la dinde. J'emporte le plateau dans le Réfectoire. Mes amis sont attablés dans l'un des coins les plus éloignés. Je les rejoins.

Je m'assieds de façon à voir Lilly et qu'elle me voie. Leonard et Miles et Ed et Ted et Matty parlent du Match de Boxe Poids Lourds qui approche. Ils me demandent de mes nouvelles, je leur parle de ma Condamnation. Ils sont atterrés. Ils ne pensaient pas que je risquais une peine si lourde et si dure. Leonard me demande ce que j'ai fait, je lui raconte. Ed et Ted s'écrient bon boulot, trois ans pour écrabouiller un Flic ça vaut le coup. Matty dit qu'il connaît deux trois bonnes droites qui pourront m'aider dans les bagarres une fois que je serai à l'ombre et qu'il se ferait une joie de me les apprendre. Miles me demande dans quelle Juridiction se déroule l'affaire.

Nous mangeons. Je jette des coups d'œil à Lilly. On parle. La conversation porte principalement sur la Prison. Tout le monde autour de la table a fait de longs séjours en Prison, à part Miles et moi. Leonard a purgé une peine de quatre ans peinard, dit-il, au Pénitencier de Leavenworth, au Kansas. Matty a passé six ans dans un Centre Correctionnel pour Mineurs, où il a appris la boxe. Ed a fait deux ans dans la Prison de Jackson, dans le Michigan, pour Coups et blessures volontaires sans intention de donner la mort. Ted a fait deux séjours à la Prison d'Angola, une Ferme Pénitentiaire dans les marais de la Louisiane. Miles dit qu'il a déjà envoyé des hommes à Angola, mais qu'il n'y a jamais été. Il dit qu'il paraît que c'est l'Enfer sur Terre. Le Pénitencier est situé en pleine tourbière, c'est chaud, humide et pénible, à plus de quatre-vingts kilomètres de la ville la plus proche. Les Cellules restent souvent ouvertes, la Promenade n'est presque pas surveillée, il y a des Gangs divisés par ethnie qui se livrent une guerre permanente. La zone du Bâtiment où il y a le plus d'activité, c'est la Morgue. Lorsque les hommes ne se battent pas, ne se cachent pas, ou lorsqu'ils n'essaient pas de survivre, ils travaillent quatorze heures par jour dans les champs dont l'État est propriétaire, creusant des fossés et cultivant des légumes.

Ted rit et dit c'est pas si terrible que ça. Miles dit si c'est ce que tu penses, soit tu es l'homme le plus tordu de la terre soit tu te mets le doigt dans l'œil. Ted cesse de rire et dit qu'il risque la Réclusion Criminelle à Perpétuité sans Possibilité de Sortie à cause de la Loi des Trois Coups, et que tout ce qu'il peut faire, c'est essayer de se faire à cette idée. Miles demande quels faits lui sont reprochés, et Ted répond Vol à Main Armée à dix-neuf ans, ce qui lui a valu quatre ans, Détention d'Arme à vingt-cinq ans, ce qui lui a valu trois ans, et plus récemment, à trente ans, Détournement de Mineure, car il a été surpris sur le siège arrière d'une Pontiac avec une gamine de quinze ans, la Fille du Shérif du Bled du coin. Miles lui demande pourquoi le Procureur le poursuit pour Détournement puisqu'il sait que Ted risque une Perpétuité Réelle. Ted rigole, il dit qu'il a fait la même chose avec les deux Filles du Procureur, mais qu'elles étaient amoureuses et refusent de porter plainte contre lui. Miles n'en croit pas ses oreilles et secoue la tête, il demande si Ted est d'accord pour qu'il essaie de lui donner un coup de main. Ted répond oui putain, c'est ma vie qui est en jeu là. Miles dit qu'il verra ce qu'il peut faire. On termine le repas et on se lève. Comme je sors, j'aperçois Bobby à table avec le type qui a l'air familier, l'air menaçant, celui que je connais mais je ne sais plus comment. Bobby me dévisage. L'homme me dévisage. Je leur rends leurs regards. Je ne me démonte pas.

On quitte le Réfectoire. Mes amis vont à la Conférence, je vais au Centre Familial. Lorsque j'entre dans la Pièce Principale, je vois mes Parents assis sur les mêmes sièges que la veille. Tandis que je vais vers eux, ils se lèvent et viennent à ma rencontre. Papa parle.

Comment s'est passé ton déjeuner ?

Très bien.

Maman parle.

Avec qui est-ce que tu as mangé ?

J'ai des amis, ici.

Ils sont comment ?

Vous tenez vraiment à le savoir ?

Papa parle.

Bien sûr que oui.

Mon meilleur ami est une sorte de Gangster. Mon Compagnon de Chambre est Juge. Mes autres amis sont des Crackés et des Ivrognes. Je sors plus ou moins avec une Fille, et c'est une Crackée et une Gobeuse de Cachetons et elle s'est prostituée.

Ma Mère tique, bien qu'elle essaie de le cacher. Elle parle.

Ce sont des Gens bien ?

Je hoche la tête et je souris.

Oui, et étrangement, ce sont les meilleurs amis que j'aie jamais eus.

C'est tout ce qui compte, si ce sont des Gens bien et que tu les aimes.

Je les aime. Beaucoup.

Papa parle.

Les relations hommes/femmes ne sont pas interdites ici ?

Si.

Tu crois que c'est raisonnable ?

Il y a beaucoup de règles ici. J'essaie de les respecter toutes, mais cette Fille, qui s'appelle Lilly, me fait du bien. Elle est gentille, elle est intelligente, elle m'écoute, je l'écoute, on se comprend. Nous sommes différents, nous venons d'endroits différents, mais sur bien des points nous sommes les mêmes. On est complètement déglingués, on essaie de se rétablir. On a besoin d'aide et on essaie de s'entraider.

Maman parle.

Elle me plairait ?

Si tu pouvais passer outre à ce qu'elle a fait et ce qu'elle a vécu.

Je pense que oui.

Alors oui, elle te plairait, elle te plairait beaucoup.

Tu l'aimes ?

Je n'aime pas parler de ça avec toi, Maman.

Tu peux peut-être essayer, pour une fois.

Je souris, baisse les yeux. J'ai passé toute ma vie à cacher le plus de choses possible à ma Mère et à mon Père. Je ne veux plus agir comme ça, alors je relève la tête et je regarde ma Mère et je parle.

Je ne lui ai pas encore dit, mais oui, je l'aime.

J'aimerais tellement qu'on puisse la rencontrer.

Un jour.

Mon Père parle.

La prochaine fois que tu la vois passe-lui le bonjour.

Je souris.

Je n'y manquerai pas.

La sonnerie retentit. L'homme qui se tient à côté de la sonnette nous dit de nous diriger vers les mêmes Salles que la veille. Je me lève, je dis au revoir à mes Parents, je les serre dans mes bras. Je ne me sens pas à l'aise mais je le fais quand même.

J'entre dans la Pièce. Les chaises sont à nouveau en cercle. Je m'assieds entre une jeune femme et un homme âgé d'une quarantaine d'années. Nous nous faisons un signe de tête et nous disons bonjour. Sophie arrive, elle prend un siège un siège vide situé face au cercle et elle se présente. Chacun à notre tour nous suivons son exemple. Nous nous présentons. Les présentations s'achèvent. Sophie se lève, fait deux pas en arrière. Il y a un gros tableau blanc sur le mur derrière elle, des marqueurs effaçables de différentes couleurs. Sophie en attrape un, un bleu, et elle écrit sur le tableau. Quand elle a fini, elle se recule. On peut lire : Toxicomanie = Maladie, Alcoolisme = Maladie.

Elle se met à parler. Elle nous dit que maintenant que nous avons une idée globale des comportements de Dépendance et de l'impact qu'ils ont sur les Dépendants et leur Famille, nous devrions commencer à comprendre la cause de ces comportements. Elle dit que la Dépendance est une Maladie. Qu'il s'agisse d'Alcool ou de Drogue ou de nourriture ou de jeu ou de sexe ou autre, c'est une Maladie. C'est une Maladie chronique et évolutive. Elle est reconnue comme telle par la plupart des médecins et des organismes tels que l'American Medical Association[1] et l'Organisation Mondiale de la Santé. C'est une maladie qui peut être enrayée, on peut connaître une rémission, mais on n'en guérit jamais. Malgré tous les efforts que l'on peut faire, malgré toutes les mesures que l'on peut prendre, la Dépendance, dit-elle, est incurable. Absolument incurable.

Elle parle des causes de la maladie. À l'image de la plupart des maladies, il semblerait que la cause soit génétique. Elle dit que les Alcooliques et les Toxicomanes naissent avec un gène ou une structure génétique qui n'est pas encore précisément connue, et le gène, lorsqu'il devient actif, permet à la Maladie de se développer. Une fois que le gène est actif, et il n'y a pour l'instant aucun moyen de savoir si ou quand il le deviendra, le Dépendant est à la merci de la Maladie. Elle ne peut être contrôlée, elle ne peut être maîtrisée par

---

1. Organisme de santé publique.

la volonté, la décision de consommer ou pas, de s'y adonner ou pas, d'en prendre ou pas, de passer à l'acte ou pas, il n'y a pas de décision à prendre car c'est la Maladie qui prend les décisions pour vous. Le Dépendant consomme toujours, s'y adonne toujours, en prend toujours, passe toujours à l'acte. Le Dépendant a toujours envie, il a toujours besoin et cette envie et ce besoin ne sont jamais satisfaits. L'impossibilité de se maîtriser et l'absence de choix ne sont qu'un symptôme de la Maladie. Un symptôme dangereux et horrible, mais un symptôme toutefois. C'est incurable. Lorsque le gène devient actif, il n'y a rien à faire.

Elle parle des facteurs environnementaux de la Maladie. Le contexte Familial, l'importance de la boisson dans la Famille, l'influence des amis, l'accessibilité des drogues et de l'alcool, le stress, l'acceptation de ces substances en Société et leur consommation dans la vie de tous les jours. Elle parle de l'influence de l'environnement et de ses effets sur un individu qui souffre d'une forme active de la Maladie. Elle dit que pour suivre une Post-Cure efficace, il faut éliminer de l'environnement les facteurs pouvant provoquer une rechute, tels que des bouteilles de vin à la maison, ou des amis qui se droguent occasionnellement.

Après avoir parlé, Sophie laisse la place aux questions. Presque tout le monde en a une. Une jeune Mère demande si son Mari peut transmettre les gènes de la Dépendance à ses Enfants. La probabilité est très forte. Elle demande comment faire. Quand ils seront plus grands, parlez à vos Enfants pour qu'ils en aient conscience et essayez d'éradiquer tous les facteurs favorisant la consommation. L'homme assis à mes côtés pose des questions sur les traitements médicamenteux. Y a-t-il des médicaments qui puissent venir à bout de la Maladie tout comme les médicaments traditionnels viennent à bout des autres Maladies. Il y en avait un, l'Antabuse, qui faisait vomir les Alcooliques lorsqu'ils buvaient. Le traitement s'est révélé inefficace parce que les Gens, lorsqu'ils voulaient boire, n'avaient qu'à cesser de le prendre. Une femme entre deux âges demande si certains groupes ethniques ou sociaux sont plus susceptibles que d'autres d'être génétiquement prédisposés à la Maladie. Non, c'est une Maladie démocratique. Elle touche les Noirs, les Blancs, les Jaunes, n'importe qui, n'importe quelle culture de par le Monde. Un homme dont la Femme suit sa quatrième Cure de Désintoxication demande pourquoi la Maladie reprend de plus belle après chaque rechute. Sophie dit que cela tient à la nature chronique et évolutive de la Maladie, lorsqu'une phase de rémission est interrompue, la Maladie revient au niveau d'intensité qu'elle avait avant la rémission. Il demande s'il y a un moyen de réduire l'intensité. La réponse est non. La Maladie s'intensifie toujours.

Il y a plusieurs questions concernant les différents Traitements existants. Un jeune homme demande s'il y a d'autres formes de traitements que ceux qui sont traditionnellement dispensés dans les Centres de Désintoxication. C'est-à-dire la méthode des AA et les Douze Étapes. Oui, bien sûr qu'il y a d'autres méthodes. Est-ce qu'elles fonctionnent ? Non elles ne fonctionnent pas. Pourquoi ? On ne sait pas pourquoi, elles ne fonctionnent pas, c'est tout ce que l'on peut dire. Les AA et les Douze Étapes sont la seule solution efficace. Quel est le taux de réussite ? Quinze pour cent des personnes qui suivent ces méthodes restent abstinentes pendant plus d'un an. Quinze pour cent, ça semble bas. Ça l'est. Pourquoi ? C'est une Maladie incurable. Y a-t-il quelque chose que l'on puisse faire ? À part aimer le membre de votre Famille qui en souffre et essayer de le soutenir, il n'y a rien d'autre à faire. Y a-t-il un moyen d'améliorer le taux de réussite. On ne peut pas faire mieux que quinze pour cent.

J'écoute. Je réfléchis. Je ne pose pas de questions et je ne dis pas un mot. J'aimerais me lever et hurler foutaises c'est que des foutaises, putain, mais je n'en fais rien. Je ne crois pas que la Dépendance soit une maladie. Le Cancer est une maladie. Il s'empare du corps et le détruit. L'Alzheimer est une maladie. Il s'empare du corps, de l'esprit et les démolit. Le Parkinson est une maladie. Il s'empare du corps, de l'esprit, il les ébranle, il les ravage. La Dépendance n'est pas une maladie. Certainement pas. Les Maladies provoquent une dégradation de l'état physiologique général que les êtres humains ne peuvent contrôler. Ils ne choisissent pas de tomber malades, ils ne choisissent pas de s'en débarrasser. Ils ne choisissent pas le type de Maladie qui leur plairait ni le moment où ils aimeraient en souffrir. Une Maladie provoque une dégradation de l'état physiologique, elle se traite avec des médicaments. On ne peut pas la soigner par des Réunions ou en suivant des Étapes. On ne peut pas la soigner par la parole. Elle ne se traite pas en forçant les Familles des Malades à suivre des séminaires de trois jours, à lire des bouquins avec une couverture bleue ou à dire des Prières de Sérénité.

345

Bien sûr nos gènes et l'hérédité sont déterminants, tout chez nous est génétique, et tout ce qui concerne notre intégrité physique est lié à nos gènes. Si un individu est gros mais cherche à être maigre, il ne souffre pas d'une tare génétique. Si quelqu'un est crétin, mais cherche à être intelligent, il ne souffre pas d'une tare génétique. Si un ivrogne est un ivrogne, mais ne veut plus être un ivrogne, il ne souffre pas d'une tare génétique. La Dépendance, c'est un choix. Si un individu cherche à se procurer un truc, quel que soit ce truc, il fait le choix de se le procurer. Une fois qu'il se l'est procuré, il fait le choix de le prendre. S'il le prend trop fréquemment, cela devient incontrôlable, et lorsque c'est devenu incontrôlable, il s'agit désormais d'une Dépendance. À ce stade le choix devient plus difficile, mais ça reste un choix. Dois-je ou ne dois-je pas passer à l'acte. Vais-je en prendre ou ne pas en prendre. Vais-je être un pitoyable abruti de Drogué et continuer de me gâcher la vie ou vais-je dire non et tenter de rester abstinent et de vivre dignement. C'est un choix. Chaque fois. Un choix. Accumulez les choix, dessinez une direction et vous obtiendrez un mode de vie. Drogué ou humain. Les gènes ne choisiront pas pour vous. C'est juste une excuse. Elle permet aux Gens de dire ce n'est pas ma faute j'étais génétiquement prédisposé. Ce n'est pas ma faute je suis prédisposé depuis le jour de ma naissance. Ce n'est pas ma faute, je n'ai pas eu mon mot à dire. Foutaises. Y en a marre de ces foutaises. C'est toujours un choix. Il faut prendre ses responsabilités. Drogué ou humain. C'est un putain de choix. Chaque fois, et à chaque instant.

Sophie cesse de répondre aux questions. L'ambiance est morose dans la Pièce. Les mots génétique et maladie et incurable et quinze pour cent de réussite restent suspendus dans les airs, tel un nuage radioactif. Chacun regarde autour de soi. Chacun regarde son voisin. Nous savons que lorsque nous sortirons d'ici, quatre-vingt-cinq pour cent d'entre nous vont retrouver les problèmes qu'ils avaient avant d'arriver ici. Nous savons désormais que quelque chose d'incurable en est à l'origine.

Nous nous prenons les mains. Nous serrons plus fort qu'hier. Nous tentons de serrer comme pour en extraire l'espoir, nous tentons d'espérer que ce lien changera la réalité. C'est faux, quatre-vingt-cinq pour cent d'entre nous sont foutus.

Nous faisons la Prière de la Sérénité. Seigneur donne-nous la sérénité d'accepter les choses que nous ne pouvons changer telles qu'elles sont, le courage de changer celles qui peuvent l'être, et la sagesse de les différencier. Nous la répétons encore et encore. Sophie nous la fait répéter encore et encore jusqu'à ce que le nuage disparaisse, jusqu'à ce que les sourires commencent à poindre sur les visages. Seigneur donne-nous la sérénité, Seigneur donne-nous la sérénité. Les Gens sourient, mais les sourires et les prières ne changeront rien à la réalité. Quatre-vingt-cinq pour cent d'entre nous sont foutus.

Nous finissons, nous nous levons, nous sortons de la Pièce. Les Malades partent d'un côté, les Familles de l'autre. Je rentre dans mon Service et je prends une tasse de café. Je m'assieds à une table. La séance de l'après-midi vient juste de s'achever. Une Cérémonie de Remise des Diplômes est en train de se dérouler. Le Petit Homme Chauve se tient devant les hommes et fait un discours. Il dit que ce qu'il a appris ici lui a sauvé la vie. Il dit que s'il n'était pas venu, il n'aurait jamais cessé de boire malgré les risques qu'il encourait, parce que, bien qu'il ait essayé, il ne savait pas comment s'arrêter. Il dit que maintenant il sait comment faire. Il dit que les AA et les Douze Étapes et sa Puissance Supérieure lui ont montré la voie. Il dit que, après sa Femme et ses enfants, cette voie, cette faculté de pouvoir s'arrêter, sont les plus beaux cadeaux qu'on lui ait jamais faits. Les plus beaux, et de loin. Il se met à pleurer. Les hommes le laissent pleurer. Derrière ses larmes il dit merci. Merci de m'avoir permis de venir ici et merci d'être venu pour moi. Il pleure de plus belle. Il ne cesse de répéter merci. Merci pour ma vie. Merci pour ma Famille. Cela compte plus que tout pour moi. Merci pour tout. Merci.

Tandis qu'il pleure, les hommes assis en face de lui se jettent des coups d'œil, ne sachant que faire ni comment réagir. J'entends un applaudissement. Un seul claquement sonore et cuisant, main contre main, chair contre chair. Il est bruyant, et traverse les regards indécis des hommes à la façon dont les mots d'un prédicateur traversent le cœur des croyants. J'entends un autre applaudissement. Encore un autre. Encore un autre. Fusant de tous les coins de la Pièce, les applaudissements isolés deviennent l'expression de l'admiration et du respect généraux. Le Petit Homme Chauve pleure. Les hommes l'honorent.

Il sourit. Il s'essuie le visage. Les applaudissements continuent. Leonard se lève, l'acclame, les hommes l'imitent. Ils se lèvent et l'acclament, l'honorent et le respectent. Le Petit Homme Chauve sourit de toutes ses dents, pleure toutes les larmes de son corps, la joie de l'instant, du moment et de l'avenir souriant, éclatant parmi les Siens illumine son visage, sa peau, le dôme de son crâne. Il est radieux, malgré toutes les choses sombres qu'il a faites auparavant, la noirceur de son passé est submergée. Je me lève, j'applaudis, je l'acclame. Les poils sur ma nuque sont dressés et animés, des frissons courent le long de ma colonne vertébrale. Bonne chance, Petit Homme Chauve. Je ne te connais pas très bien mais tu m'as montré comment pleurer comme un homme. Tu as été plus coura-geux que moi et plus courageux que les autres, tu as été plus coura-geux que nous tous, bonne chance. Rentre dans ton foyer, sois heureux, vis libre et reste abstinent, vis la vie que tu veux vivre. Chéris ta Femme et tes Enfants et laisse-les te chérir. Bonne chance, Petit Homme Chauve.

Il sort de la Pièce en courant. C'est comme la première fois, et c'est radicalement différent. Tandis qu'il court, il sourit et tandis qu'il court, les hommes rient, mais pas comme la première fois, pas du tout. Il court, libre et abstinent. Un avenir souriant, étincelant s'étale devant lui.

Les hommes cessent de l'acclamer ils sont heureux et ils rient et commencent à partir chacun de leur côté. Je vois Miles qui s'approche de Leonard, lui tape sur l'épaule, ils se dirigent vers la sortie. Je prends mon café, je vais vers le téléphone, j'entre dans la cabine, je m'assois, je ferme la porte. J'attrape le combiné et je me mets à passer des coups de fil. J'appelle mon Frère. Il me demande comment ça se passe avec Papa et Maman. Je lui dis mieux que ce à quoi je m'attendais. Il me dit bien, essaie d'être cool, s'ils sont là c'est parce qu'ils t'aiment. Je lui dis j'essaie et il me dit continue, je dis très bien. Je lui demande de passer le bonjour à Kirk et à Julie, il me dit qu'il n'y manquera pas. On raccroche.

J'appelle Kevin. Kevin habite à Chicago. Il braille au téléphone, je sais qu'il est bourré. Ça me rend malade, ça me rend jaloux. Il est libre. Il est bourré. J'imagine le verre dans sa main le liquide sur ses lèvres la sensation la sensation la sensation. Je lui pose des ques-tions sur Chicago. Il me dit qu'il fait froid. Je lui demande si ça me plairait et il me répond que oui. Il y a plein de ruelles sombres et de cachettes. Je lui dis que je ne cherche pas à me cacher je vais en Prison et puis je déménage. Il me dit putain mec envoie-la chier la

Prison. Je lui dis je dois aller en Prison mais une fois que je serai dehors je déménage à Chicago. Il dit c'est génial si tu as besoin de quoi que ce soit je t'aiderai tu pourras habiter chez moi quand tu arriveras ici. Je lui dis merci et nous raccrochons. Il était bourré. Ça me rend malade, ça me rend jaloux.

J'appelle ses amies. Celles qui sont devenues mes amies. Amy, Lucinda, Anna. Les conversations sont identiques. Comment vas-tu je vais bien. J'ai pensé à toi merci. Est-ce que tu as besoin de quelque chose ça va. Les conversations sont tendues. Comme si elles savaient quelque chose qu'elles ne me disaient pas. Je le sens. Elles le sentent. Il vaut mieux ne pas en parler je n'en parle pas et elles non plus. Cela ne me regarde plus. Elles me disent qu'elles m'aiment. Pas d'amour mais de cette façon dont les gens s'aiment lorsqu'ils ont vu trop de choses dures et qu'ils les ont vues ensemble. Elles les ont vues avec moi. Je leur dis que moi aussi je les aime et c'est vrai. Après chaque coup de téléphone je me sens mieux. Pas à cause de leur relation avec elle, mais à cause de leur relation avec moi.

J'ai fini de passer mes coups de fil. J'en ai assez filé, je sais que le mot suivra chez ceux qui me connaissent. Je sors du Service, je prends les Couloirs et le Hall Vitré qui sépare les hommes des femmes, dans le Réfectoire. Je jette un coup d'œil pour trouver Lilly, elle est attablée. Elle est là avec ses amies, elle me dévisage. Ses yeux sont rouges et gonflés. Des traces de larmes qui ont été essuyées sillonnent ses joues. Je vois que ses mains tremblent. Elle me regarde comme si elle souhaitait ma mort.

Je ne veux pas lui faire signe et prendre encore plus de risques que nous n'en prenons déjà ou trahir ce que les autres savent, mais elle me dévisage. Elle me regarde comme si elle souhaitait ma mort. Je la regarde moi aussi, je lève les mains et je baisse la tête et je dis qu'est-ce qui ne va pas sans mot, avec mon visage avec mon corps. Elle me regarde. Je recommence. Je sais que je risque d'être vu mais je m'en fiche. Elle continue de me regarder.

Je prends un plateau, je fais la queue. Je prends une assiette de poulet. Il disparaît sous des nouilles chinoises et des légumes non identifiables. Je me dirige vers une table, je jette un coup d'œil de l'autre côté de la vitre. Elle continue de me dévisager. Ses amies me dévisagent. La tablée entière me dévisage.

Je m'assieds avec Ed et Ted et Matty. La conversation tourne autour d'Ed qui a appris ce matin qu'il s'en allait demain. Il rentre à Detroit, retourne travailler dans son Aciérie. Il est heureux et plein d'espoir. Il sait que sa Mutuelle ne financera pas une nouvelle Cure, et il a l'impression que cette fois ça peut marcher, qu'il peut faire en sorte que ça marche. Il lui tarde de voir ses quatre Fils. Il sait qu'il leur a montré un exemple épouvantable, il veut leur prouver qu'il a changé. Il a l'impression que ce changement va transformer leur vie, qu'il leur permettra d'éviter de lui ressembler lorsqu'ils grandiront. Ed est un dur. Fort, solide, comme le matériau qu'il travaille, et je ne l'ai jamais vu vulnérable, mais lorsqu'il parle de ses Fils, son regard devient tendre et humide. Il veut qu'ils aient une belle vie, une vie meilleure que la sienne. Il veut qu'ils finissent l'École, et se tiennent à carreau pour ne pas finir en Prison, qu'ils aillent à l'Université et qu'ils deviennent Cadres. Il veut qu'ils fondent une Famille, et qu'avant cela ils sachent ce que c'est un bon Père de Famille. Il veut qu'ils aient tout ce qu'il n'a jamais eu, et il veut rester abstinent afin de pouvoir leur offrir cela. Il dit qu'il n'a qu'une chose à faire, se tenir à l'écart des Bars. S'il retourne dans les Bars, il sait qu'il va boire. S'il boit, il sait qu'il va se battre. S'il se bat, il sait qu'il va s'attirer des ennuis. Sa Mutuelle ne sera plus là s'il s'attire de nouveaux ennuis. Il veut donner l'exemple à ses enfants pour qu'ils ne finissent pas comme lui. Il sait qu'il se peut bien que ce soit sa dernière chance. Il est heureux et plein d'espoir. Nous terminons le repas. Comme nous sortons du Réfectoire, je jette un coup d'œil derrière la vitre à la table où Lilly était assise. Elle n'y est plus. La table est vide. Je ne sais pas pourquoi, mais elle me regardait comme si elle souhaitait ma mort.

On prend les Couloirs, en groupe. Matty et Ed et Ted s'entretiennent de l'absence de Miles et de Leonard au dîner. Ils plaisantent en parlant de ce qu'ils peuvent bien faire tous les deux. Un Gangster et un Juge. Ed dit qu'il les a vus assis sur les bancs en face du Lac, qu'ils semblaient en grande conversation. Ted dit que Leonard doit demander à Miles une sorte d'Immunité pour un truc qu'il a fait. Matty dit qu'importe ce qu'ils font c'est pas nos oignons. On se sépare, ils vont à la Salle de Conférences et je vais dans le Bureau de Joanne.

Joanne est assise derrière son bureau. Je lui dis bonjour, elle me dit bonjour. Ma Mère est sur le canapé. Elle se lève, me dit bonjour, me serre dans ses bras. Je la serre dans mes bras. Je me sens toujours mal à l'aise quand je la touche, et je me sens toujours mal à l'aise quand elle me touche, mais je sais que c'est mieux de me laisser faire. Elle me serre fort. J'attends. Elle me relâche. Je me sens mieux.

Il est où, Papa ?

Ma Mère parle.

Il avait un coup de fil à passer pour le travail. Il revient dès que possible.

Tout va bien ?

Je pense.

Je regarde Joanne.

Qu'est-ce qu'on fait ce soir ?

Nous allons parler de la source de votre dépendance, de sa cause première.

Doit-on attendre mon Père ?

Oui.

Que faisons-nous en attendant ?

Votre Mère était en train de me raconter une histoire.

À quel sujet ?

La première fois qu'elle s'est vraiment demandé si vous aviez des problèmes.

C'était quand ?

Tu te souviens la fois où j'ai trouvé ce sachet de marijuana dans la poche de ta veste ?

Je glousse.

Ouais.

Pourquoi est-ce que tu ris ?

Je ne sais pas.

Ce n'était pas drôle.

Je sais.

Joanne parle.

Vous avez trouvé ça drôle, James ?

Plutôt.

Pourquoi ne me donneriez-vous pas votre version des faits ?

Je regarde ma Mère, elle a l'air tendue. J'attends quelques instants, me rafraîchis la mémoire, parle.

J'avais quatorze ans. J'avais été en Colonie de Vacances l'Été précédent. J'y ai rencontré une Fille, je crois qu'elle s'appelait Emily, on passait tout notre temps en vadrouille, à fumer de l'herbe. Après les vacances, on avait continué à s'écrire. Elle était comme moi, en version fille, ce qui signifie que dans nos lettres on parlait très librement de drogue et d'alcool. Un après-midi je suis rentré de l'école, je suis allé dans ma Chambre et j'ai vu que certaines de mes affaires, des trucs que j'avais soigneusement cachés, dont les lettres d'Emily, étaient posées sur ma commode. J'ai tout de suite pigé que ce n'était pas bon pour moi, et j'étais vert que ma Mère ait fouillé dans mes affaires, alors je suis allé la trouver pour crever l'abcès. Lorsque je suis arrivé dans la Cuisine, elle brandissait un sachet d'Herbe qu'elle avait trouvé dans la poche de ma veste. Elle m'a demandé c'est quoi ça et je lui ai demandé où elle l'avait trouvé et elle a dit ne fais pas l'insolent jeune homme et j'ai rétorqué dis-moi où tu as trouvé ça et je te dirai ce que c'est et elle m'a dit rabaisse un peu ton caquet jeune homme et j'ai éclaté de rire.

Je regarde ma Mère. Son visage est livide sous le maquillage. Je regarde à nouveau Joanne.

Elle brandissait le sachet sous mon nez et elle hurlait **qu'est-ce que c'est où est-ce que tu as trouvé ça réponds-moi sur-le-champ**. J'ai rigolé, elle a continué à hurler. Au bout d'un moment j'en ai eu ma claque de ses hurlements, ça m'avait fait chier qu'elle fouille dans mes affaires, et comme elle continuait à brandir le sachet, je le lui ai arraché des mains. Elle a été sidérée et comme je glissais le sachet dans ma poche, elle a fait mine de me gifler. J'ai vu venir le coup, alors quand elle a levé le bras je lui ai attrapé la main. Du coup elle a levé l'autre, celle-là aussi je l'ai attrapée. Je la tenais par les deux mains et elle se débattait et elle hurlait et je rigolais. Je rigolais parce qu'un sachet d'herbe ça ne me semblait pas si grave et je trouvais ridicule qu'elle pète les plombs à cause de ça. Comme elle ne pouvait plus me frapper parce que je lui tenais les bras, elle a essayé de me donner des coups de pied. À ce moment, je l'ai lâchée et ça l'a déséquilibrée, elle est tombée par terre et elle s'est mise à pleurer, à pleurer à gros bouillons. J'ai tourné les talons et je me suis cassé. Je l'entendais qui pleurait, mais je ne voulais rien savoir, alors je me suis cassé. Quand je suis rentré, au bout de quelques heures, mon Père m'a hurlé dessus et il m'a privé de sortie pendant un mois.

Je regarde ma Mère. Elle a les yeux rivés par terre. Joanne parle.

C'est une histoire horrible, James.

Je sais.

Que ressentez-vous quand vous me la racontez ?

D'un côté je continue à trouver ça drôle, mais je me sens surtout honteux et gêné.

Que pensez-vous que votre Mère ressente ?

Je regarde ma Mère. Elle a les yeux rivés par terre et elle se retient pour ne pas pleurer.

Je pense que ça a dû être terrible pour elle.

Pourquoi ?

Parce que ça a dû être humiliant. Vous essayez d'engueuler votre Gosse qui fume en cachette et il vous rit au nez, vous essayez de le punir et vous finissez les quatre fers en l'air.

Joanne regarde ma Mère.

Est-ce vrai, Lynne ?

Ma Mère relève les yeux, les lèvres tremblantes.

Oui.

Pensez-vous que c'est exactement ce dont il s'agit, de drogue et de punition ?

Je parle.

Non.

De quoi s'agissait-il selon vous ?

De contrôle.

Qu'est-ce qui vous fait dire ça ?

Si elle a fouillé dans mes affaires et lu ma correspondance intime, c'était pour savoir ce que je faisais, pour me contrôler. Si elle a voulu me forcer à lui dire ce qu'il y avait dans le sachet alors qu'elle savait pertinemment ce que c'était, c'était pour me contrôler. Lorsqu'elle est tombée après avoir voulu me frapper, elle n'était pas bouleversée parce qu'elle ne m'avait pas donné une bonne paire de gifles, mais parce qu'elle savait que j'étais devenu incontrôlable.

Joanne regarde ma Mère.

Vous pensez que c'est une interprétation valable ?

Ma Mère regarde le sol. Elle réfléchit. Elle relève les yeux.

J'étais bouleversée à cause de la drogue, j'étais bouleversée d'avoir lu ses lettres et d'avoir découvert toutes les bêtises qu'il avait faites, surtout après l'avoir envoyé en Colonie pour l'écarter de tout ça. Lorsque j'ai trouvé le sachet dans sa veste j'ai été terrorisée, horrifiée. Il avait quatorze ans. Les Garçons de quatorze ans ne sont pas censés se promener avec de la drogue. Mais d'un certain côté, il a raison au sujet du contrôle. Son Père et moi essayions toujours de le contrôler. Principalement parce qu'il a toujours été incontrôlable.

On frappe à la porte. Joanne dit entrez, la porte s'ouvre, mon Père entre dans le Bureau.

Ma Mère se lève, le prend dans ses bras. Je fais de même. Mon Père s'assied à côté de ma Mère. Il lui tient la main, il regarde Joanne.

Excusez-moi, je suis en retard.

Nous parlions d'un incident qui s'est produit lorsque James avait quatorze ans, et cela nous a amenés à parler de la problématique du contrôle. Le but de la séance de ce soir est d'essayer de remonter jusqu'aux causes profondes de sa dépendance. J'ai l'impression qu'il est possible qu'il y ait un lien entre ces causes et la problématique du contrôle.

Quel est cet incident ?

Ma Mère parle.

La fois où j'ai trouvé un sachet de marijuana dans la poche de sa veste.

Laquelle ?

La fois où je suis tombée en essayant de lui donner une gifle.

Mon Père hoche la tête.

C'était terrible. Qu'est-ce que ça a à voir avec le contrôle ?

Joanne parle.

James dit qu'il pense que cet incident a plus trait au contrôle qu'à la drogue.

Mon Père se tourne vers moi. Il a l'air perplexe, légèrement énervé.

Ça me semble un peu ridicule, James.

Je parle.

Je ne trouve pas. En fouillant dans mes affaires, en lisant mes lettres, en me faisant les poches il s'agissait de savoir ce que je faisais pour que Maman puisse me contrôler.

Tu avais de la drogue dans ton blouson. Ta Mère était parfaitement en droit de te faire les poches. Tu avais quatorze ans.

Tant mieux si c'est ce que tu penses, mais en m'épiant et en fouillant dans mes affaires personnelles vous vouliez me contrôler, vous avez toujours voulu me contrôler.

Mon Père hausse le ton.

Tu as été incontrôlable toute ta vie. Nous sommes tes Parents, qu'étions-nous censés faire ?

Je hausse le ton.

Me laisser vivre. Me laisser vivre ma vie.

Alors que tu avais quatorze ans ? Où penses-tu que tu en serais si on t'avait laissé faire ce que tu voulais ?

Et là j'en suis où, bordel ? Ça ne pourrait pas être bien pire.

Les Parents ne laissent pas leurs Enfants livrés à eux-mêmes, James, ils les élèvent. C'est ce que ta Mère et moi avons essayé de faire avec toi.

Vous avez essayé de surveiller les moindres de mes gestes, de me suivre minute par minute, jour après jour, pour que je fasse ce que vous vouliez que je fasse.

Mon Père serre les dents, tout comme je serre les dents. Il est énervé, très énervé, et il parle. Joanne lui coupe la parole.

Un instant, monsieur Frey.

Il soupire et il hoche la tête. Elle me regarde.

Pourquoi pensez-vous que ça n'a pas marché ?

Parce que quand on donne une laisse trop courte à un chien il devient plus agressif. Parce que quand on maintient un Détenu en quartier d'isolement il devient plus violent. Parce que les Dictatures finissent toujours en Révolution.

Ce sont d'excellents exemples, mais quelle est la raison ?

Je ne voulais pas être contrôlé alors j'ai fait tout ce que je pouvais pour casser ce schéma, ce qui leur a donné encore plus envie de me contrôler.

Joanne regarde mes Parents.

Pensez-vous que ce qu'il dit soit vrai ?

Mon Père parle.

Non.

Ma Mère parle.

Oui.

Mon Père regarde ma Mère.

Pourquoi dis-tu ça ?

Tu sais que je me suis toujours fait du souci pour lui, même quand il était tout bébé je me faisais du souci. J'ai sans doute voulu le surprotéger parce que je ne voulais pas qu'il se fasse du mal.

Joanne parle.

Vous avez un autre Fils, n'est-ce pas ?

Ma Mère acquiesce, mon Père dit oui.

Est-ce que vous l'avez élevé de la même manière ?

Mon Père hoche la tête, parle.

Oui.

Ma Mère parle.

Non.

Qu'est-ce qui était différent ?

J'ai fait beaucoup plus attention à James qu'à Bob. Je savais que nous n'aurions pas d'autres Enfants, et je voulais que James soit parfait, en bonne santé, en sécurité. Je n'arrive pas à exprimer ça autrement. Je voulais le protéger.

C'est naturel, mais pensez-vous que vous l'avez surprotégé ?

Mon Père parle.

Surprotégé ? Est-ce possible avec un Petit Enfant ?

Joanne opine.

Oui, tout à fait.

Ma Mère parle.

Comment ça ?

Tout le monde a ses limites. Elles varient selon les Individus, mais nous en avons tous. Lorsqu'elles sont franchies ou violées, c'est généralement très dommageable. Si elles sont franchies ou violées de manière répétée, surtout chez un Petit Enfant, qui n'a aucun moyen de se défendre, si quelqu'un franchit ou viole ses limites, cela peut provoquer une réaction négative, le plus fréquemment le refus de l'autorité.

Mon Père parle.

Ça me semble absurde. Les limites des Enfants sont posées par leurs Parents, c'est l'enfant qui apprend à les respecter, et non l'inverse.

Joanne parle.

Pas forcément.

Que voulez-vous dire ?

Les Enfants en apprennent plus pendant leurs deux premières années que pendant tout le reste de leur vie, même s'ils vivent centenaires. La plupart des schémas comportementaux, parmi lesquels figurent nos limites personnelles, se mettent en place pendant les deux premières années. L'élaboration de ces comportements, de ces limites, peut être perturbée.

Par quoi ?

En général par de mauvais traitements.

Mon Père s'emporte.

Si vous insinuez...

Joanne lève la main.

Je n'insinue rien, et lorsque j'ai soulevé cette hypothèse avec James,

356

il s'est insurgé. Je vous dis simplement que cela se passe parfois ainsi.

Ma Mère parle.

Nous avons effectivement plus protégé James que notre autre Fils. Mais je pense que nous avions de bonnes raisons, je ne pense pas que nous ayons violé quoi que ce soit.

Joanne la regarde en attendant qu'elle reprenne.

Bob a trois ans de plus que James. Juste après la naissance de Bob mon Père a pris sa retraite et il s'est mis à boire comme un trou. Ç'a été très difficile pour ma Mère, mon Frère, ma Sœur et moi. Nous avons essayé de l'arrêter, mais il nous a demandé de lui ficher la paix, il disait qu'il avait passé toute sa vie à s'occuper de nous et qu'il voulait qu'on lui fiche la paix désormais. J'avais entendu dire que l'Alcoolisme se transmettait de génération en génération, alors quand James est né j'avais une peur bleue. Je ne sais pas si c'était de l'intuition féminine ou que sais-je, mais étrangement je ne me faisais pas de souci pour Bob, seulement pour James.

Je parle.

Grand-Père était Alcoolique ?

Mon Père regarde ma Mère, ma Mère parle.

Je ne sais pas s'il était Alcoolique mais il avait de gros problèmes avec l'alcool.

Joanne parle.

Vous n'étiez pas au courant, James ?

Mon Père parle.

Ce n'est pas un sujet que nous avons vraiment abordé.

Pourquoi ?

C'était une situation très triste, navrante. Nous avons préféré garder le souvenir du Père de Lynne tel qu'il a été la majeure partie de sa vie, c'est-à-dire un homme gentil et doux et généreux, plutôt que de l'homme qu'il était devenu sur la fin.

Joanne parle.

Comme Lynne l'a fait remarquer, il a été prouvé qu'il y a un lien entre la maladie de l'Alcoolisme et les gènes. Ne pensez-vous pas que cela aurait pu aider James de savoir qu'il avait peut-être, et selon moi certainement, un terrain génétique favorisant la dépendance ?

Je parle.

Je ne pense pas que le fait de connaître l'histoire de mon

Grand-Père aurait pu changer quoi que ce soit. Je ne pense pas que je bois ou que je me drogue à cause d'une tare héréditaire.

Joanne parle.

Pourquoi êtes-vous si prompt à nier des choses dont l'existence a été prouvée empiriquement ?

Je crois que c'est des foutaises. Les gens ne veulent pas assumer la responsabilité de leurs faiblesses, alors ils se réfugient derrière des choses dont ils ne sont pas responsables, comme la maladie ou la génétique. Et quant à la recherche, je pourrais vous prouver que je viens de Mars si vous me donniez assez de temps et assez d'argent.

Ma Mère parle.

Je pense que cela pourrait certainement nous aider qu'on en parle.

Je trouve que c'est intéressant que Grand-Père ait eu des tendances alcooliques. Je suis étonné de l'apprendre, parce que je n'ai entendu dire que des choses formidables sur lui. Ça m'embête, ça a dû être terrible pour tous ceux qui ont eu à s'occuper de lui, de même qu'il a dû être terrible de s'occuper de moi, mais je ne vais pas lui coller mes problèmes sur le dos, ni sur celui de ses gènes.

Mon Père parle.

Quelle est ta théorie ?

J'étais faible et pitoyable et je n'arrivais plus à me maîtriser. Une théorie, surtout une théorie foireuse, ne change rien aux circonstances. J'ai besoin de changer, il faut que je change et à ce stade ma seule solution c'est de changer, sauf si je préfère mourir. Tout ce qui compte, c'est que je fasse quelque chose d'autre de ma peau et que je change.

Joanne parle.

Ne pensez-vous pas qu'en sachant pourquoi vous êtes comme cela, vous arriveriez plus facilement à changer ?

Je crois que je sais pourquoi.

Voudriez-vous nous en dire plus ?

Pas vraiment.

Pourquoi ?

Parce que ça va faire du mal et de la peine à mes Parents, et que je leur en ai déjà fait suffisamment.

Ma Mère parle.

Il faut que tu nous dises, James.

Mon Père parle.

Absolument.

Je les regarde, respire un grand coup, parle.

C'est une chose que j'ai toujours ressentie. Je ne pense pas qu'il y ait de mots pour décrire cela précisément, mais c'est un mélange de rage, de colère, et d'extrême douleur. Ça fusionne en quelque chose que j'appelle la Fureur. Du plus loin que je me souvienne, j'ai connu la Fureur. Elle m'a accompagné toute ma vie. Je commence seulement à apprendre à vivre avec, mais jusqu'à peu la seule méthode que je connaissais pour la supporter, c'était de boire et de me droguer. Je prenais un truc, n'importe quoi, et si j'en prenais suffisamment, la Fureur s'apaisait. Le problème c'est qu'elle revenait toujours, de plus belle, et qu'il fallait alors prendre encore plus de trucs pour la tuer, c'était toujours le but, la tuer. La première fois que j'ai bu, j'ai su qu'en m'enivrant je pouvais la tuer. La première fois que je me suis drogué, j'ai su qu'en me droguant je pouvais la tuer. J'ai consommé de l'alcool et de la drogue de mon plein gré, non par atavisme ou à cause d'une maladie, mais parce que je savais que ça tuerait cette satanée Fureur. J'avais beau savoir que ça me tuait moi aussi, le plus important c'était de tuer la Fureur.

Je regarde mes Parents.

Je ne sais pas pourquoi, je ne sais pas si c'est important, mais chaque fois que je suis avec vous, la Fureur redouble. Chaque fois que vous essayez de me contrôler ou de m'infantiliser, que vous tentez de prendre soin de moi ou de me canaliser, la Fureur redouble. Chaque fois qu'on parle au téléphone ou que j'entends votre voix, la Fureur redouble. Je ne dis pas que vous en êtes responsables, parce que je ne le pense pas. Je sais que vous avez fait tout votre possible pour moi, je sais que j'ai de la chance de vous avoir et je ne pense pas qu'il y ait quoi que ce soit dans mon entourage familial qui puisse avoir causé cela. La Fureur a peut-être des origines génétiques mais ça m'étonnerait, et de toute façon je n'accepterais pas que la maladie et la génétique en soient à l'origine. Ce serait bien trop facile de me défausser de mes responsabilités, de ce que j'ai fait en parfaite connaissance de cause. Chaque fois, à chaque instant, je savais pertinemment à quoi m'en tenir, que je boive un verre, sniffe un rail, tire sur une pipe ou me fasse arrêter, et je le faisais quand même. La plupart du temps c'était pour tuer la Fureur, le reste du temps c'était pour me tuer moi, et au final je ne voyais plus la différence. Tout ce que je savais, c'était que je tuais et que tout finirait par s'arrêter, ce qui serait probablement le mieux

359

pour tout le monde. Et là par exemple, je la sens en ce moment même alors que je suis assis à vos côtés, et je la sentirai demain matin lorsque je vous reverrai. Je la sentirai la prochaine fois que nous nous parlerons, et la fois d'après et la fois suivante, et s'il y a une explication à ce que je suis ou à ce que je fais, c'est qu'il y a cette Fureur en moi que je n'arrive pas à contrôler sans l'alcool ou la drogue. Comment aller mieux ? Il faut que je me prenne en charge, que j'apprenne à vivre avec moi-même et que j'apprenne à contrôler la Fureur. Ça prendra peut-être un petit bout de temps, mais si je m'accroche assez longtemps et que je ne cherche pas d'excuse ou de tare pour justifier un problème dont je suis la cause, je m'en sortirai.

Ma Mère et mon Père me dévisagent. Ma Mère semble au bord des larmes, mon Père est blanc comme un linge, comme s'il venait d'assister à une terrible catastrophe. Ma Mère prend la parole, s'interrompt, s'essuie les yeux. Mon Père ne fait que me regarder.

Joanne parle.

Sans écarter d'autres facteurs, j'ai l'impression que votre théorie tient la route, mais j'aimerais savoir d'où vient la Fureur, à votre avis.

Je ne sais pas.

Elle regarde mes Parents. Des larmes coulent sur le visage de ma Mère, mon Père continue de me regarder. Ma Mère me regarde, parle.

Pourquoi tu ne nous as pas dit ça avant ?

Que voulais-tu que je dise ?

Tu nous détestes ?

Je secoue la tête.

Qu'est-ce qu'on a fait ?

Vous n'avez rien fait, Maman. Ce n'est pas votre faute.

Elle s'essuie le visage. Mon Père me regarde.

Je suis désolée, James.

Ne sois pas désolée, Maman. C'est moi qui dois l'être.

Il y a un long silence. Mon Père regarde Joanne, il parle.

Pensez-vous que ces sentiments puissent avoir été suscités par des Problèmes de Santé ?

James avait-il des Problèmes de Santé lorsqu'il était Nourrisson ?

Il avait des problèmes à l'oreille.

Le diagnostic a-t-il été posé correctement, James a-t-il été soigné ?

Ma Mère parle.

Nous ne savions pas.

Comment ça, vous ne saviez pas ?

Ma Mère regarde mon Père et elle lui prend la main. Elle parle.

Nous n'avions pas beaucoup d'argent lorsque nous avons eu les Garçons. Bob était Avocat, mais la majeure partie de sa paye partait dans le remboursement du prêt qu'il avait contracté lorsqu'il était étudiant. Bob Jr. était un enfant en parfaite santé, c'était un bébé heureux. Il était très tranquille, très calme. James était tout l'opposé. Il hurlait sans arrêt et qu'importe ce qu'on fasse, on ne pouvait pas l'arrêter. C'étaient des hurlements atroces, longs et forts et stridents, et je les entends encore. Nous sommes allés voir le Médecin, le meilleur qu'on pouvait se payer.

Le Médecin nous a dit que tout allait bien, que James était sans doute un bébé bruyant, rien de plus. Nous sommes rentrés chez nous, il a continué à hurler. Je le prenais dans mes bras, Bob le prenait dans ses bras, on essayait de lui donner des joujoux ou on lui redonnait à manger, mais rien ne marchait. Il n'y avait rien à faire.

Les larmes commencent à couler. Ma Mère s'agrippe à la main de mon Père, mon Père l'observe tandis qu'elle parle. Je les écoute. Ils ne m'ont jamais parlé de cette histoire de hurlements auparavant, bien que cela ne me surprenne pas, cela fait des années que je hurle. Que je hurle à la mort. Ma Mère pleure en parlant.

Ça a duré presque deux ans. James hurlait, hurlait. Les choses se sont mises à bien marcher pour Bob dans son Cabinet, il a obtenu une augmentation, et dès qu'on a eu un peu d'argent, j'ai emmené James voir un meilleur médecin. Aussitôt qu'il l'a vu, il m'a dit que James avait une grave infection aux deux oreilles qui était en train de lui détruire les tympans. Il nous a dit que James avait hurlé pendant tout ce temps parce qu'il souffrait, il criait à l'aide. Il a dit qu'il fallait opérer, et juste avant ses deux ans James s'est fait opérer des deux oreilles. C'était la première des sept opérations qu'il allait devoir subir. Bien sûr, nous nous sentions affreusement mal, mais nous ne savions pas.

Les larmes se muent en sanglots.

Si on avait su, on aurait fait quelque chose.

Sanglots.

Mais on ne savait pas.

Mon Père la serre dans ses bras.

361

Il hurlait sans arrêt et pendant tout ce temps on ne savait pas qu'il hurlait parce qu'il avait mal.

Ma Mère s'effondre, plaque son visage contre l'épaule de mon Père et elle tremble comme une feuille. Mon Père la serre dans ses bras en attendant patiemment que ça cesse, il lui caresse les cheveux, lui frotte le dos. Je les regarde, et bien que je n'aie aucun souvenir de ce dont elle me parle, je me souviens de la douleur. C'est tout ce qu'il me reste. La douleur.

Ma Mère cesse de pleurer et elle s'écarte légèrement, imperceptiblement, de mon Père. Elle me regarde.

Je suis désolée, James. On ne savait pas. On ne savait vraiment pas.

Je tends le bras vers elle, je pose ma main sur la main de ma Mère.

Ne sois pas désolée, Maman. Tu as fait tout ce que tu pouvais.

Elle se dégage de l'étreinte de mon Père, elle se lève, elle fait deux pas vers moi et passe ses bras autour de moi, elle me serre. Elle me serre de toutes ses forces, je la serre à mon tour et je comprends qu'elle essaie d'exprimer ses remords et sa tristesse. Cette embrassade constitue pour elle une façon de me présenter ses excuses, bien qu'elles n'aient pas lieu d'être.

Elle me lâche, se rassoit à côté de mon Père. Joanne attend un moment pour voir si nous reprenons la parole. Comme ce n'est pas le cas, elle s'en charge.

Vous vous souvenez de tout cela, James ?

Je me souviens des opérations, parce que j'en ai subi jusqu'à mes douze ans. Mais sinon je n'ai aucun souvenir.

Est-ce que ça vous a laissé des séquelles ?

J'ai perdu trente pour cent de capacités auditives à l'oreille gauche, et vingt à l'oreille droite.

Pourquoi ne m'avez-vous pas parlé de cela avant ?

Ça ne me semblait pas d'une importance capitale.

Cela peut expliquer, cela explique peut-être même entièrement pourquoi vous dites que vos premiers souvenirs sont des souvenirs de rage et de douleur.

Pourquoi dites-vous cela ?

Lorsqu'un enfant vient au monde, il a besoin de nourriture et d'un abri, de se sentir en sécurité, protégé. S'il crie, en général c'est qu'il a une raison, et dans votre cas, il semblerait que vous criiez parce que vous souffriez, vous aviez besoin d'aide. Si vos hurlements n'ont pas été entendus, volontairement ou pas, il est possible que cela ait fait naître en vous un profond sentiment de rage, que ça ait suscité un ressentiment tenace. Cette rage pourrait expliquer à la fois les sentiments que vous éprouvez lorsque vous parlez de Fureur et ceux que vous éprouvez à l'égard de vos Parents et de la problématique du contrôle.

Je réfléchis. J'hésite à accepter des histoires de gènes et d'otite pour justifier vingt-trois ans de chaos. Ce serait facile de me placer sur un piédestal, loin de ce que je suis et de ce que je fais, et de tout mettre sur le compte des gènes de mon Grand-Père et de l'incompétence d'un Médecin. J'ai vécu vingt-trois ans de chaos. Vingt-trois ans d'Enfer. Je pourrais me débarrasser de tout cela en acceptant ce qui m'est offert sur un plateau. Je pourrais me débarrasser de tout cela.

Je relève les yeux. Mes Parents m'observent, Joanne m'observe. Ils attendent une réponse. Je prends ma respiration, je parle.

C'est une théorie intéressante. Elle a une certaine pertinence. Je veux bien l'accepter pour ce qu'elle me semble être, c'est-à-dire une piste. Je refuse de l'accepter comme cause première parce que ça serait la solution de facilité, et parce que je ne pense pas que ça me fasse du bien de me défausser et de ne pas assumer mes propres faiblesses. C'est moi qui ai fait tout ce que j'ai fait. C'est moi qui ai fait ces choix. La seule manière de me rétablir c'est d'accepter mes responsabilités dans mon choix d'être un Drogué ou de ne pas l'être. Je ne vois que cette solution. Je sais que vous allez essayer de me convaincre du contraire, mais vous perdrez votre temps.

Joanne émet un petit rire, ma Mère et mon Père me regardent. Je jette un coup d'œil à Joanne et je parle.

Pourquoi est-ce que vous riez ?

Elle sourit.

Parce que vous êtes l'Individu le plus têtu que j'aie jamais rencontré.

Je refuse de me poser en victime.

Qu'entendez-vous par là ?

Les Gens ici, et partout, cherchent à se débarrasser de leurs problèmes, qu'ils ont généralement créés eux-mêmes, en les collant sur le dos de quelqu'un ou de quelque chose d'autre. Je sais que ma Mère et mon Père ont fait tout ce qu'ils pouvaient, qu'ils m'ont donné tout ce qu'ils pouvaient et m'ont aimé autant qu'ils le pouvaient, s'il y a des victimes, ce sont eux. Je pourrais dire qu'il y a une tare dans mon patrimoine génétique, que je souffre d'une maladie qui provoque ma dépendance, mais ce ne serait que des conneries. Je ne suis victime que de moi-même, et je pense que la plupart des Gens affligés de cette pseudo-maladie ne sont victimes que d'eux-mêmes. Si vous souhaitez réduire cette philosophie à de l'entêtement, grand bien vous fasse. Moi, je préfère parler de responsabilité. Je préfère parler d'acceptation de mes problèmes et de mes faiblesses dans l'honneur et la dignité. Je préfère parler de rétablissement.

Joanne sourit.

Bien que je ne sois pas en mesure de valider ou d'approuver votre philosophie, j'en deviens une Adepte.

Je souris.

Merci.

Mon Père parle.

James.

Je me tourne vers lui et ma Mère. Ils me sourient.

Jamais je n'ai été aussi fier de toi.

Je souris.

Merci, Papa.

Ma Mère parle.

Moi aussi, James.

Merci, Maman.

Joanne jette un coup d'œil à sa montre.

Nous avons fait des progrès extraordinaires ce soir. Il commence à être tard.

Je me lève.

Allons-y.

Mes Parents se lèvent. Ma Mère parle.

On peut s'embrasser une dernière fois ?

Je fais un pas en avant, je passe un bras autour de chacun d'eux, et ils passent un bras autour de moi. Nous serrons chacun d'entre nous serre et nous nous embrassons nous nous embrassons tous les trois c'est fort et c'est facile et c'est chargé de quelque chose qui pourrait bien être de l'amour. La Fureur se réveille et je me sens mal à l'aise pendant un instant, mais la force que je donne et la force que je reçois la tuent. Facilement et rapidement. Donner et recevoir la tue.

Nous nous séparons. Mes Parents continuent de sourire. Je dis au revoir à Joanne, elle me dit au revoir. J'ouvre la porte et j'attends.

Mes Parents disent au revoir et merci à Joanne, elle sourit, elle dit de rien. Ils sortent, je les suis. Nous nous disons au revoir dans le Couloir et ils partent d'un côté et moi de l'autre.

Je rentre dans mon Service. Je connais mon chemin je marche machinalement. Je suis fatigué et prêt à me coucher. Je ne veux m'occuper de rien ni de personne. Je refuse de penser à la Prison ou aux gènes ou aux otites. Je ne sais rien de la première, les deux autres ne m'intéressent pas. Je veux dormir. Fermer les yeux et dormir.

J'arrive devant ma Chambre ouvre la porte entre. Miles est au lit il dort déjà. La lampe sur ma table de nuit est allumée je l'éteins me glisse sous les draps. Ils sont chauds. L'oreiller est doux.

Je suis fatigué.

Je m'endors.

Des mains me secouent me secouent doucement. J'entends mon nom James James James on me secoue. J'entends mon nom. James. J'ouvre les yeux. Il fait noir, j'aperçois une silhouette floue qui me secoue et dit mon nom. Je cligne des yeux. Une fois. Deux fois. Il fait noir. J'y vois.

Miles se penche sur moi. Il voit mes yeux je vois ses yeux. Il me relâche. Je m'assieds.

Il y a une jeune femme à la fenêtre qui te demande.

Quoi ?

Il y a une jeune femme à la fenêtre. Elle te demande.

Je me penche, je jette un coup d'œil derrière lui. J'aperçois une forme derrière la vitre.

Merde.

Miles rit.

Les Femmes sont compliquées. Elles le sont d'autant plus lorsqu'on les ignore. Je te conseille d'aller lui parler.

Merde.

Je repousse mes couvertures, Miles recule. Je sors du lit, je marche jusqu'à la fenêtre, je l'ouvre. Une bouffée de froid, de vent froid, me fouette le visage. Je passe la tête par la fenêtre. Lilly se tient dans la pénombre.

Elle parle.

Il faut qu'on parle.

Tout de suite ?

Oui.

Ça ne peut pas attendre demain matin ?

Il faut qu'on parle.

Une seconde.

Je m'écarte de la fenêtre et je la referme. Je me retourne, Miles me sourit.

Tu sais bien que ça ne peut pas attendre demain matin puisqu'elle nous réveille en pleine nuit.

On peut toujours tenter sa chance.

J'enfile mon pantalon.

Tenter, c'est peine perdue avec elles. Ce qu'il faut, c'est agir.

Mes chaussures.

À l'avenir ce sera ma Politique.

La veste de Hank.

C'est ce qu'il y a de mieux à faire.

Je retourne à la fenêtre.

Je suis désolé que tu aies été réveillé.

Miles sourit.

Ne te fais pas prendre.

Je souris.

Y a pas de risque.

J'ouvre la fenêtre, me fais surprendre par le froid le froid le froid. Je grimpe sur la fenêtre, je l'enjambe, je la referme derrière moi. Lilly se tient dans la pénombre. Je marche vers elle.

Salut.

C'est tout ce que tu as à dire ?

Qu'est-ce que tu racontes ?

Tu crois que tu vas t'en tirer en me disant salut ?

De quoi tu parles ?

Je m'arrête, je me plante devant elle. Je vois des yeux gonflés et des joues souillées par les larmes. Je la vois lever le bras pour faire un geste ample. Je recule d'un pas, elle me rate.

Ça va pas la tête ?

Elle reprend son équilibre, fait un pas en avant, me pousse en arrière.

Va te faire foutre.

Je ris. Elle me pousse une nouvelle fois.

Tu trouves ça drôle ?

Elle me pousse une nouvelle fois.

Va te faire foutre.

Elle hausse le ton. Elle me pousse une nouvelle fois.

Va te faire foutre.

Elle lève le bras.

VA TE FAIRE FOUTRE.

Son bras part. Je l'attrape. L'autre part. Je l'attrape aussi. Elle se débat, elle serre les dents, je la tire par les bras et je l'entraîne loin du Pavillon, tâchant d'être doux tout en restant assez ferme pour qu'elle me suive. Elle crie lâche-moi lâche-moi espèce d'Enculé lâche-moi. Je fais la sourde oreille. Je marche lentement, à reculons, en la tirant par les bras pour l'entraîner doucement vers l'obscurité. Au bout d'une vingtaine de mètres nous sommes en sécurité. Je tire, elle se débat, jure et m'insulte. Au bout d'une cinquantaine de mètres nous sommes davantage en sécurité. L'obscurité est plus obscure. Les bruits portent moins. Je cesse de marcher et de la tirer, mais je ne la lâche pas. Elle se débat. Je la prends dans mes bras et je la serre fort.

Calme-toi.

Non.

Je ne te lâcherai pas.

Je t'aurai.

Elle se débat de plus belle. Je la serre plus fort. Son corps est tout contre le mien, ses bras sont comprimés entre nos deux poitrines. Je la serre, elle se débat. J'attends, elle m'insulte. Au bout de quelques instants elle s'arrête, elle s'arrête et je la tiens, immobile. Elle respire. Une respiration forte et profonde. Dans le silence de la nuit. Dans l'obscurité où nous sommes en sécurité.

Sa respiration ralentit ralentit ralentit. Je pose la tête sur son épaule. Une fois qu'elle respire à nouveau normalement je parle.

Ça va ?

Non.

Qu'est-ce qui ne va pas ?

T'es un Salaud.

Pourquoi je suis un Salaud ?

Tu lui as parlé. Pourquoi est-ce que tu n'es pas venu ?

Quand ?

Tu as parlé à ce Fils de Pute dans ton Service.

Je ne comprends rien à ce que tu racontes.

Où étais-tu aujourd'hui ?

Quand ?

À 3 heures.

J'avais une séance au Centre Familial.

Tu étais censé être avec moi.

Je n'étais pas au courant.

Tu as pris trois assiettes au déjeuner. 3 heures.

Tu croyais qu'on refaisait ça aujourd'hui ?

Et pourquoi je te regardais pendant le repas, à ton avis ?

Je me suis posé la question. Tu avais l'air bizarre mais je ne savais pas pourquoi.

Pourquoi est-ce que tu ne m'as pas appelée ?

C'est toujours toi qui m'appelles.

Et alors ?

Je n'ai pas ton numéro.

Mon cul.

Je t'assure.

Tu cherches des excuses. Tu aurais dû m'appeler.

Donne-moi ton numéro et je te promets que la prochaine fois je t'appelle.

Elle s'écarte légèrement mais continue de m'enlacer. Elle baisse la tête et observe le sol noir entre ses pieds. Elle relève les yeux. Bleus comme l'eau claire noyés dans du vert pâle. Elle sourit, un sourire imperceptible, pas un sourire de joie mais de regret. De tristesse. Un sourire fautif et perplexe. Elle parle.

Je suis désolée.

Quoi ?

J'ai eu peur.

Qu'est-ce qui t'a fait peur ?

J'ai eu peur que tu me quittes.

Je ne ferai jamais une chose pareille.

J'ai eu peur qu'après tout ce que je t'ai dit sur moi tu ne veuilles plus me voir. Et puis j'ai pensé qu'un type dans ton Service t'avait raconté d'autres choses.

Je m'en fiche, de ces choses. Je me fiche de tout ce qu'on peut me dire.

J'ai pensé le contraire, et comme tu n'es pas venu, je n'en ai plus douté.

369

La seule chose dont tu dois être certaine c'est que je ne vais pas te quitter.

Elle sourit. Un vrai sourire cette fois.

Jamais ?

Non. Jamais.

Tu en es sûr ?

Absolument.

Je ne veux plus être seule, James.

Tu ne le seras plus.

J'ai pleuré toute la journée.

Ne pleure plus. Pense au mot jamais.

Son sourire devient plus lumineux, plus large, plus proche de ce qu'elle est, c'est un sourire empreint de beauté. Intérieure et extérieure. Le sourire. Elle. La beauté. Elle se penche vers moi, se perche sur la pointe des pieds, ferme les yeux et m'embrasse. Longuement, doucement, lentement. Je pourrais l'embrasser jusqu'à la fin des temps.

On se sépare. Je lui dis qu'il faut qu'on y aille. Pas vers la clinique, mais plus loin dans l'obscurité des Bois. On marche, main dans la main, à petits pas, sans se presser. Les Bois sont vivants la nuit. Les brindilles craquent, les feuilles bruissent, les branches ondulent. La lune luit, les nuages dérivent. Les ombres dansent, menaçantes, puis disparaissent. Des petites bêtes se battent et couinent et cherchent de la nourriture. Des petites bêtes se terrent. Les Bois sont vivants.

On discute en marchant. Lilly a besoin de me dire ses sentiments, ses inquiétudes, ses peurs. Je la laisse parler. Je l'encourage. Je l'écoute. Les traînées de larmes ont certes disparu de ses joues veloutées, mais la cause de ses larmes subsiste, reste entière, elle ne se dissipe pas, pas encore. Lilly parle doucement, avec aisance et sans hésitation. Elle me parle du sentiment d'abandon qu'elle a éprouvé par le passé. Abandonnée par son Père, par le Garçon de Chicago, par tous ceux auxquels elle s'est attachée au cours de sa vie. Ils l'ont abandonnée et ils ne l'ont jamais rappelée, jamais ils ne lui ont envoyé une lettre, jamais ils ne lui ont montré d'affection, jamais ils ne sont revenus. Pas une fois. Jamais.

Elle me parle de la séparation. Son cœur qui chaque fois se brisait. Ses difficultés pour guérir chaque fois que son cœur s'était brisé. Ses difficultés pour aimer à nouveau après chaque guérison. Ses espoirs qui se volatilisaient chaque fois et cédaient à la désolation. À la solitude et au désespoir. À la haine de soi et au dégoût de soi. Elle a eu des espoirs. Ils se sont évanouis. Elle n'avait plus rien après. Elle me parle de nous, de sa vie. Elle recherche la liberté. C'est tout ce qu'elle veut, tout ce qu'elle désire, tout ce qu'elle rêve d'atteindre. La liberté. En se libérant non seulement des produits chimiques mais aussi de ce cycle d'amour et de perte d'amour, de risque et d'échec, de retours incessants à ce qu'elle abhorre. Tout à l'heure elle pensait m'avoir perdu. Et cette pensée avait commencé à la perdre. À l'enfermer dans la Geôle de l'autodestruction. Elle voulait lutter mais n'y parvenait pas. Plus de produits chimiques, son passé, la perspective d'un avenir sombre, esseulé, solitaire. Elle a éprouvé ce besoin. Besoin de crack. Besoin de cachetons. Besoin d'un truc pour tuer la douleur. Elle a pensé partir et l'a presque fait. Elle s'imaginait sortir du Pavillon. Elle irait à la Gare Routière de Minneapolis, ferait la manche pour acheter un billet pour Chicago. La manche ou pire encore. Une fois à Chicago elle irait voir sa Grand-Mère pour lui dire au revoir. Pour dire au revoir à la seule Personne qui ait jamais tenu à elle. Au revoir. Il y a d'autres moyens d'atteindre la liberté. Au revoir.

On arrête de marcher. On s'assoit sur un banc, le banc en bois couvert d'inscriptions gravées. Face à nous, l'un des plus petits Lacs est gelé. Calme noir gelé, eau froide et figée. On s'assoit sur un banc, je tiens les mains de Lilly dans les miennes. Je les réchauffe. Je lui dis que je suis heureux qu'elle ne soit pas partie. Bien plus qu'heureux. Je lui dis que je l'aurais suivie si elle était partie. Je l'aurais retrouvée, je ne la laisserai pas dire au revoir ni à moi ni à sa Grand-Mère ni à la vie. C'est la seule chose que nous ayons, il ne faut pas la gâcher. Nous l'avons déjà assez gâchée comme ça, elle et moi et nos semblables. Bien trop gâchée. Nous devons nous accrocher à ce qui nous reste. Lutter. La chérir. Tenter de survivre. Tenter de l'aimer. Je l'aurais suivie. Je vais m'accrocher à elle. Je lutterai pour elle. La chérirai. Tenterai de survivre à moi-même. Tenterai de survivre à moi-même pour que je puisse l'aimer. Je tiens ses mains dans les miennes. Je les réchauffe.

Nous nous levons et nous marchons. Nous marchons main dans la main, comme si nous étions des Gens normaux avec une vie normale, des amoureux. Juste en train de marcher. Le Sentier nous mène vers les berges de glace, fendant l'herbe jaune et morte jusqu'à la Passerelle en bois. Nous nous arrêtons à mi-chemin et nous fumons des cigarettes. Nous observons l'obscurité, nous observons l'eau des Marais. Il n'y a pas de loutre, rien que nous deux. Nous observons l'eau. Nous nous tenons la main. Sans un mot. Pas nécessaire.

On finit nos cigarettes et on retourne dans les Bois. Le périmètre autour des Terrains de la Clinique est à nous, à nous seuls, il n'y a que nous deux. En train de marcher. Comme des Gens normaux. On foule l'herbe de la Colline et on s'assoit tout en haut sur le sol froid pour contempler l'acier et le béton qui nous ramènent à notre passé. Les Couloirs trop lumineux, trop blancs, Couloirs de l'Enfer pour certains, du purgatoire pour d'autres, de la rédemption pour les plus chanceux. Les Pavillons sont calmes, imposants et éclairés. Je ne veux pas rentrer. Rentrer signifie laisser sa main son corps ses yeux ses lèvres sa peau blanche ses cheveux longs et noirs, ses longs cheveux noirs. Rentrer signifie la laisser. Je ne veux pas rentrer.

Nous nous allongeons par terre en nous tenant la main, jambes entremêlées. Nous nous regardons. Elle me sourit et je lui souris. Je parle.

Je suis heureux que tu aies frappé à mon carreau.

Moi aussi.

J'aimerais qu'on puisse se voir comme ça tous les soirs.

C'est possible.

Il faut qu'on soit prudents.

On ne se fera pas prendre.

Ils savent que quelque chose se trame.

On ne se fera pas prendre.

J'espère que non.

Comment vont tes Parents ?

Ils vont bien.

Comment ça se passe avec eux ?

Très bien.

Vous vous entendez bien ?

Pour la première fois de notre vie.

Ils le prennent comment ?

Bien mieux que ce que j'espérais.

Il fait quoi, ton Père ?

C'est un Homme d'Affaires. Il bosse dix-huit heures par jour, il voyage tout le temps.

Et ta Mère ?

Elle voyage avec mon Père.

Ils sont mariés depuis longtemps ?

Vingt-huit ans.

Ils s'aiment ?

Énormément.

C'est incroyable.

Ouais.

J'ai envie de les rencontrer.

Eux aussi ils veulent te rencontrer.

Tu leur as parlé de moi ?

Oui.

Qu'est-ce que tu leur as dit ?

Je leur ai dit que j'avais rencontré une Fille.

Quoi d'autre ?

Qu'elle est belle et qu'elle me comprend.

Quoi d'autre ?

Je m'interromps, je souris.

Pourquoi est-ce que tu souris ?

Comme ça.

Qu'est-ce que tu leur as dit d'autre ?

Je leur ai dit que je l'aimais.

Elle sourit.

Quoi ?

J'ai dit à mes Parents que je l'aimais.

Son sourire s'élargit.

C'est pas vrai ?

Mon sourire s'élargit.

Si.

Tu leur as dit que tu m'aimais ?

Oui.

Dis-le-moi.

C'est ce que tu veux ?

Dis-le-moi.

Je souris. Je la regarde. Je lui tiens la main, mes jambes sont mêlées aux siennes. Mes yeux sont à quelques centimètres. Quelques centimètres. De l'eau bleu clair dans l'obscurité. Ils restent clairs même dans l'obscurité ils restent clairs. Je la regarde, je souris, je parle.

Je t'aime.

Elle sourit. Avec ses lèvres, ses dents, ses yeux, sa main tremblante. Elle sourit et je répète.

Je t'aime.

Je répète.

Je t'aime.

Je répète.

Je t'aime.

Et c'est vrai. Je l'aime. Cette Fille qui m'a dit bonjour alors que je faisais la queue pour prendre mes médicaments. Cette Fille qui est accro au crack et aux cachetons. Cette Fille qui couchait avec des hommes pour de l'argent et qui a traversé le Pays les jambes en l'air. Cette Fille qui a vécu des choses dont elle ne peut même pas parler. Cette Fille qui n'a rien. Cette Fille qui n'a rien que sa force et son désir d'être libre, rien qu'un cœur qui bat et sa peur d'être seule. Rien que des yeux bleu clair qui voient tout au fond de moi et me comprennent. Rien que des bras ouverts prêts à m'accueillir. Être auprès de moi. Marcher à mes côtés. M'aimer. Je l'aime. Lilly. La Fille qui n'a rien et qui a tout. Lilly. Je l'aime.

Une larme apparaît. Elle sourit. Elle se penche et m'embrasse doucement sur les lèvres elle m'embrasse et comme nos lèvres s'effleurent, s'effleurent à peine, elle murmure.

Moi aussi je t'aime, James.

Comme nos lèvres s'effleurent à peine elle murmure.

Je t'aime.

Murmure.

Je t'aime.

Nous restons enlacés. Souriants, agrippés l'un à l'autre, à la nuit et à l'instant. Nous nous regardons dans les yeux, nous nous embrassons doucement, nous parlons et nous en disons plus par le mouvement de nos lèvres et celui de nos bras que les mots ne nous le permettraient. Les mots ne peuvent le dire. Le mot amour en dit trop peu. Il veut tout dire, et ce n'est pourtant pas assez. Il n'exprime pas même un centième des sentiments que nous éprouvons. L'amour. Le mot en dit trop peu. L'amour. L'amour.

Le Soleil commence à se lever. Derrière nous la lumière darde ses fins rayons, blancs et jaunes et roses. Je ne veux pas rentrer. Si je restais allongé ici sans plus jamais bouger, je mourrais heureux. Si je mourrais ici, amoureux, je mourrais heureux, sans plus jamais avoir besoin de rien. Je ne veux pas rentrer. Lilly me serre de plus en plus fort chaque seconde qui passe et je sais qu'elle ne veut pas rentrer non plus. Nous n'avons pas le choix. Il faut rentrer.

Je m'arrache à elle, je lui dis qu'il faut qu'on rentre, elle me dit qu'elle le sait, nous nous embrassons une dernière fois lentement, profondément, malgré l'heure qui tourne. Nous nous démêlons l'un de l'autre, cela prend une seconde, un siècle, nous nous levons. Je prends sa main dans la mienne, je la regarde dans les yeux, j'observe. Je n'y décèle pas ce que j'avais vu dans les yeux Arctique lors de mon ultime moment d'impuissance. Rien qui me dise va-t'en je ne veux pas de toi. Dans les yeux de Lilly ses beaux yeux clairs comme l'eau se trouve ce que j'ai toujours cherché mais n'ai jamais trouvé, toujours convoité mais jamais possédé, toujours espéré mais jamais découvert. L'amour.

Je recule d'un pas. Nos regards perdus l'un dans l'autre, nos mains enlacées. Je m'éloigne encore d'un pas. Nos doigts se touchent, nos mains se tiennent par un doigt. Je souris à nouveau, je parle.

Jamais.

Elle sourit.

Souviens-t'en si tu as peur, si tu te sens vulnérable ou si tu ne sais plus si tu vas t'en sortir.

Son sourire est radieux.

Jamais.

Encore un pas, je m'éloigne, nos doigts se séparent. Je tourne les talons, je descends la Colline. J'aimerais me retourner mais si je le fais je serai incapable de continuer à marcher. Je sais qu'il est temps de rentrer. Mes plaies ne sont pas pansées, il faut que je les panse. Si je veux survivre vivre aimer tout entier il me faut un peu de temps un tout petit peu plus de temps. Si je me retourne, je ferai demi-tour. Vers elle, vers ses bras, vers l'impression de sécurité et de confort qu'ils m'apportent. Le moment n'est pas venu. Pas encore.

J'arrive en bas de la Colline. Je traverse l'immense étendue d'herbes mortes devant le Pavillon. J'ouvre les portes vitrées coulissantes, je pénètre dans le Service. Leonard fait des exercices physiques au Rez-de-Chaussée. Je ne fais pas attention à lui. Je me retourne, je regarde la Colline par la vitre. Lilly est toujours là-bas. Assise par terre à fumer une cigarette. Elle me regarde. La fumée s'élève au-dessus de sa main qui monte dans les airs. Elle la garde levée. Elle me regarde. Je lève la main, je la pose contre la vitre. La laisse. Nous nous regardons mais nous sommes trop loin l'un de l'autre pour apercevoir autre chose que des silhouettes. Ce n'est pas grave.

Je baisse la main. Elle baisse la sienne. Je reste encore un moment. Leonard cesse de faire des sauts. Je m'éloigne alors de la fenêtre et je me retourne.

Leonard est penché en avant, les mains sur les genoux, il porte un survêtement carmin, son front est constellé de gouttes de sueur. Il lève les yeux vers moi, il me parle.

Salut, Fiston.

Salut, Leonard.

Comment va ta Belle ?

Je souris.

Très bien.

Tu as passé une bonne nuit ?

Ouais.

Tu es amoureux ?

Ouais.

Tu le lui dis ?

Ouais.

Il sourit. Un grand sourire franc.

C'est magnifique.

Je souris. Un grand sourire franc.

Ouais.

Il ôte les mains de ses genoux, se redresse.

Comment ça se passe avec tes Parents ?

Bien.

Vous vous entendez bien ?

Oui, ça va.

Il sourit.

Chouette, tu le regretterais si tu merdais, cette fois. La Famille, c'est ce qui est le plus important dans la vie.

Je suis d'accord.

Je suis fier de toi, Fiston. On dirait que tu fais tout ce qu'il faut.

J'essaie.

Si tu continues comme ça, je n'aurai même plus besoin de veiller sur toi.

Je ne t'ai jamais demandé de veiller sur moi, que je sache.

Peu importe que tu ne me l'aies pas demandé. Tout ce qui compte, c'est que je le fasse, que ça te plaise ou non.

Je ris.

Je vais aller prendre une douche, me préparer. On se retrouve ici dans vingt minutes, on prendra un café et on pourra déjeuner.

D'accord.

Il s'en va. Je me dirige vers ma Chambre. J'ouvre la porte, Miles n'est pas là, sa clarinette et le livre du *Tao* non plus. J'enlève mes vêtements, je vais vers la Salle de Bains, je fais couler l'eau de la douche, je me glisse sous le jet, je me lave. L'eau est chaude, mais pas brûlante. Ça fait du bien. C'est agréable.

Je ferme le robinet, je sors de la douche, je me dirige vers le lavabo, je me brosse les dents et je me rase. J'observe la cicatrice à l'endroit où il y avait un trou. Elle est rose, plus claire que le reste de ma peau, ça s'améliore. J'observe mon nez. Il y a une légère bosse sur l'arête, il est guéri. J'observe la zone autour de mes yeux, les boursouflures ont disparu, les stigmates jaunâtres de ma chute se sont envolés. J'ai des cernes noirs sous les yeux mais ils proviennent du manque de sommeil et non d'une blessure. Mes yeux sont guéris. À l'extérieur.

Je les observe. Le blanc est blanc, strié de fines veinules roses. Je suis les veinules jusqu'en bordure du vert. Il est pâle comme une olive décolorée mouchetée de petits éclats marron. Je me cantonne aux pourtours délimitant le vert. Je m'y cantonne. J'arrive à voir à l'intérieur de moi-même et je me sens en accord avec ce que je vois. Ce n'est pas assez profond. La réalité réside dans les profondeurs. En suivant les pourtours je ne fais que l'esquisser. Je commence à remonter, à m'enfoncer pour en voir davantage. Ça devient plus difficile, les pourtours se fondent dans la noirceur de la pupille. La noirceur, c'est tout ce que je vois. Je l'aperçois l'espace d'un instant, je vois la noirceur la plus totale cerclée de vert pâle. Je regarde ailleurs.

Je sors de la Salle de Bains. Je m'habille et je quitte la Pièce. Bobby et l'homme dont la tête me dit quelque chose sont assis à une table, à l'Étage. Ils me regardent. Je les ignore. Je prends une tasse de café, j'avale une gorgée. Il est chaud, il me brûle la bouche, il est fort. J'en ressens instantanément les effets. Il efface la nuit, la lassitude d'une nuit sans sommeil. Les battements de mon cœur s'accélèrent. Même la drogue la plus faible efface la lassitude d'une nuit sans sommeil. Je me retourne. Bobby et l'homme gardent les yeux braqués sur moi. Lorsque je passe à côté d'eux l'homme m'interpelle.

Tu te souviens pas de moi, hein ?

Je m'arrête, je fais volte-face et je le regarde. Il est encore en noir. Un pantalon de survêt noir avec des rayures blanches sur les côtés et un T-shirt noir. Ses cheveux sont coupés court, sales, en bataille, son visage est criblé de cicatrices d'acné. Ses yeux sont marron, ternes, ses bras sont piquetés de traces violacées et noires.

Non.

Je t'ai pourtant demandé de bien te souvenir de moi, je suis très déçu que ce ne soit pas le cas.

Désolé.

Il paraît que tu sors avec Lilly.

Qui est-ce qui t'a raconté ça ?

Ça t'intéresse ?

Non.

Alors pose pas la question.

D'où est-ce que je te connais ?

On s'est rencontrés il y a quelques semaines.

Il y a quelques semaines j'étais déjà ici.

Moi aussi.

J'avance d'un pas, je le scrute, fouille dans ma mémoire. Bien que ce soit vague et obscur, ça me revient. Je me souviens avoir regardé la télévision. Je me souviens qu'il m'a traîné par terre. Je me souviens qu'il m'a chuchoté à l'oreille. Je me souviens qu'il m'a dit qu'il aurait pu me faire du mal. J'étais dans les vapes, sans défense.

Il aurait pu me faire du mal.

Maintenant, je me rappelle.

Il sourit.

Brave Garçon.

Ne me parle pas sur ce ton.

Qu'est-ce que tu vas me faire, sinon ?

Tu verras.

Vu tes dernières prouesses, je suis mort de trouille.

J'avance d'un pas.

Essaie un peu, pour voir.

Il sourit.

Je ne suis pas ici pour me bagarrer.

Qu'est-ce que tu me veux, alors ?

Te dire deux mots à propos de Lilly.

Qu'est-ce que tu veux me dire ?

Des trucs qu'il vaut mieux que tu saches.

Du genre ?

Il s'appuie contre le dossier de sa chaise, sourit, allume une cigarette. J'attends. Bobby me regarde, il sourit comme un étrangleur qui viendrait d'enrouler ses mains autour d'un cou. Je sens qu'il y a quelqu'un d'autre, je jette un coup d'œil oblique et j'aperçois Leonard à quelques mètres de moi. Bien qu'il n'ait pas entendu la conversation, son expression me porte à croire qu'il comprend la situation. L'homme me regarde, il parle.

Lilly vient du même coin que moi. Elle traînait avec mon meilleur Pote, il la faisait tourner. Il l'emmenait dans des soirées, il la camait jusqu'aux yeux puis il la collait dans une pièce et il laissait des mecs la baiser s'ils lui filaient de la dope en échange. Elle adorait parce que ça voulait dire plein de cailloux et de cachetons à l'œil, et toute une nuit à se prendre des queues, et comme tu dois désormais le savoir, c'est ce qu'elle aime par-dessus tout.

Il me regarde. Il rit.

Je me la suis farcie plusieurs fois. Elle a un joli petit corps, de grosses lèvres bien charnues et elle sait comment s'en servir, on peut lui faire à peu près tout ce qu'on veut. Un jour son mec, mon Pote, s'est embrouillé avec un Dealer. Il avait un peu abusé de son crédit, en quelque sorte. Le Dealer a bien voulu passer l'éponge à condition que mon Pote lui refile Lilly et mon Poteau a accepté le marché. Il se foutait pas mal d'elle, c'est quand même difficile d'avoir du respect pour une pute, alors il l'a emmenée chez le Dealer sans lui dire pourquoi. Une fois là-bas, elle a fumé du crack et pris des Valium, elle s'est déchiré la tête. Et puis la bande du Dealer a rappliqué.

Bobby ricane. L'homme sourit, il tire une bouffée sur sa cigarette et il me regarde, je soutiens son regard. Je sens la Fureur qui monte. Contrairement à l'habitude, ce n'est pas contre moi que sa rage, sa colère et son besoin de destruction se tournent, mais contre lui. Je la sens. La Fureur monte.

C'est là que ça a commencé à dégénérer. Quinze mecs ont fait la queue puis ils ont collé Lilly face contre terre et ils se sont mis à la baiser. Ils lui ont baisé la bouche, ils lui ont baisé la chatte, ils lui ont baisé le cul, ils l'ont baisée par tous les trous et dans toutes les positions. Ils lui sont tous passés dessus, les quinze, certains plusieurs fois, et y en a pas un qui ait mis une capote. Ils lui ont

379

giclé dessus, partout. Sur le dos, sur le ventre, dans les cheveux, sur la gueule, et dans tous les trous.

Bobby rit de plus belle.

Après les deux premiers elle a essayé de se relever et de s'en aller mais ils l'en ont empêchée. Ils l'ont plaquée au sol, ils se sont foutus de sa gueule et ils l'ont niquée. Ils l'ont niquée chacun son tour, elle ne pouvait rien faire, et quand ils en ont eu terminé, elle hurlait, elle chialait, elle pétait complètement les plombs, elle a essayé de récupérer ses vêtements mais ils ne voulaient pas les lui donner. Ils ont préféré lui filer un sac-poubelle, un gros sac-poubelle noir, en plastique, sur lequel ils ont fait deux trous, et ils l'ont forcée à l'enfiler. Et puis le Dealer a ouvert la porte, il l'a tirée par les cheveux et il l'a jetée dehors, comme un putain de sac d'ordures.

Bobby rit à gorge déployée, donne de grands coups sur la table. L'homme lui jette un coup d'œil, il sourit, puis il repose ses yeux sur moi.

Il paraît qu'après ça elle a directement atterri ici. Elle a sauté dans la bagnole de sa vieille folle de Grand-Mère, elle a foncé jusqu'ici à fond les manettes. Elle a dû te rencontrer quelques jours après. Si j'étais toi, je ferais gaffe, cette Fille est plombée jusqu'à l'os et si c'est pas déjà fait, elle va te refiler une saloperie à te dévisser la queue.

L'homme me sourit. Il écrase sa cigarette dans un cendrier. J'entends Bobby qui rigole, du coin de l'œil, je le vois lever la main. L'homme glousse et la tape comme s'il se faisait féliciter après un beau discours. Je serre les mâchoires. Je regarde l'homme. La Fureur est là. Elle est à son comble, je veux tuer tuer tuer. Qu'importe ce que Lilly a fait, quoi qu'elle ait fait. Ce n'est pas moi qui irai juger ses péchés, s'il y en a. Par contre, il m'importe que cet homme l'ait souillée. Pas son corps mais son nom. Il m'importe qu'il ait parlé d'elle comme si elle n'était qu'un bout de viande, comme si elle était moins qu'humaine, comme si elle n'était qu'un objet destiné à être dégradé et avili par lui et ses semblables. La Fureur est à son comble. Je veux tuer tuer tuer. Je fais un pas en avant.

Pourquoi est-ce que tu m'as raconté tout ça ?

Parce que j'en avais envie.

Parce que tu en avais envie ?

Ouais.

Lilly a eu une sale vie, bordel. Elle n'a pas besoin que tu viennes déblatérer des conneries à son sujet.

Putain, mais c'est qu'il me ferait des leçons de Morale.

Est-ce que tu te sens mieux après ce que tu m'as dit ?

Quoi ?

Est-ce que tu te sens plus viril, tu as l'impression d'avoir du pouvoir sur moi ou sur elle ?

Va te faire foutre.

Tu te sens différent d'elle, bien que tu saches très bien que tu ne l'es pas, tu te sens mieux, bien que tout au fond de toi tu saches très bien que tu n'es qu'une merde ?

Va te faire foutre.

Alors ?

Va te faire foutre.

J'avance d'un pas.

La dernière fois qu'on s'est vus, tu m'as laissé une chance. Alors je vais te laisser une chance aujourd'hui. Mais si tu me reparles d'elle, ne serait-ce qu'une fois, je te chope et je te casse en deux, bordel.

Tu me menaces ?

Je te préviens.

Oh là là je suis mort de peur.

Essaie un peu, pour voir.

Allez vous faire enculer, toi et ton sac à foutre. Allez vous faire enculer tous les deux.

Bobby éclate de rire. L'homme me regarde, je soutiens son regard. Je laisse tomber ma tasse de café par terre, le bruit le distrait et dès qu'il baisse les yeux, je lui saute dessus. Je l'attrape par les cheveux, je tire sa tête en arrière et j'appuie mon pouce sur son cou, juste en dessous de sa pomme d'Adam. J'appuie fort. La chair est souple, mon pouce s'enfonce profondément, il hoquette, étouffe, suffoque, souffre. Du coin de l'œil, j'aperçois Bobby se lever et se diriger vers moi, je vois Leonard s'approcher et le repousser, j'entends quelque chose que je ne comprends pas. Leonard parle et Bobby s'arrête immédiatement. Je vois Leonard se pencher vers Bobby, sa bouche forme des mots que je ne saisis pas. Bobby s'assied.

Je continue d'appuyer. Sur la chair souple. Je regarde l'homme dans les yeux. Je lui fais comprendre que je pourrais le tuer. Il hoquette. Étouffe. Suffoque. Souffre. Il est à ma merci. Il le sait, je le sais. Sa vie est entre mes mains. Je le regarde dans les yeux. Je parle.

Si tu reparles d'elle une seule fois, je te tue.

J'appuie plus fort.

Je te massacre.

J'appuie plus fort.

Je te massacre, bordel.

Je le lâche. Recule d'un pas. L'homme se met à tousser. Se masse la gorge. Respire, inspire le plus d'air possible, le plus vite possible. Il tousse, crache, hoquette. J'aurais pu le tuer. J'avais envie de le tuer. Je fais deux pas vers Bobby, qui est assis sur sa chaise. Il est pâle, blanc, gris, livide, on dirait que la Camarde vient de lui annoncer sa fin prochaine. Je lui crache au visage. J'attends une réaction, mais rien. Il regarde dans le vide. Je ne sais pas ce que Leonard lui a sorti, mais je sais qu'il ne dira plus rien. Ni l'un ni l'autre ne diront plus le moindre mot.

Je sors du Service, je prends le Couloir. Je tremble de rage et de peur rétrospective. Je tremble d'horreur, je tremble encore sous le coup de cet éclat de violence. Je tremble sous l'effet de l'adrénaline. Je tremble sous l'effet d'une Fureur que je n'avais jamais connue auparavant. La Fureur venue pour défendre quelqu'un que j'aime. Plus puissante que jamais.

Il faut que je sorte. Je vois une sortie. J'atteins la sortie et je la prends. Je me retrouve dans le matin froid et gris. Dans l'atmosphère humide et lourde. Je contracte ma mâchoire, mes poings, mes pectoraux. Je contracte à fond. J'inspire par le nez, le plus profondément possible. Dans l'atmosphère humide et lourde. Je sens qu'elle imprègne mes cellules, lessive mes cellules. Je suis lessivé.

La porte s'ouvre, Leonard sort. Il ne m'adresse pas la parole, me laisse tranquillement respirer. Ma respiration me vide et le besoin de me contracter disparaît. La Fureur disparaît. J'ai fait ce que j'ai pu, ce qui me semblait juste. La violence est regrettable, mais regrettablement nécessaire. Parfois les crânes sont durs. Parfois les cœurs sont vides. Parfois les mots ne suffisent plus. La violence était nécessaire.

J'inspire une dernière fois, à pleins poumons, et j'expire. Je regarde Leonard, il parle.

Ça va ?

Ouais.

Tu sais, ce que les autres disent, ça n'a pas d'importance.

382

Je sais.

Et tu sais que c'est certainement faux.

Non, c'est vrai. Je sais que c'est vrai.

Comment tu le sais ?

Je le sais, point final.

De toute façon ça n'a pas d'importance.

Je sais.

Tout ce qui compte, c'est que tu l'aimes.

Ouais.

N'oublie jamais ça, Fiston. L'amour, c'est tout ce qui compte.

Je hoche la tête.

Ouais.

Il place la main sur mon épaule.

Je suis fier de ce que tu viens de faire.

Je m'en doute.

Tu lui as donné une chance, puis tu l'as relâché. Je n'aurais jamais fait ça à ta place. Mais le message est passé, plus efficace tu meurs.

Je glousse.

Qu'est-ce que tu as dit à Bobby ?

Je lui ai dit mon nom. Mon vrai nom.

J'éclate de rire.

C'est tout ?

Leonard hoche la tête.

C'est un peu plus compliqué que ça, mais ouais, c'est tout.

Merci de m'avoir soutenu.

Je suis là pour ça.

Je te dois une fière chandelle.

Pas du tout.

Si.

Il secoue la tête.

Non.

Je me dirige vers la porte.

Allons prendre le petit déj.

On reprend les Couloirs. Je cherche Lilly, elle n'est pas là. On fait la queue pour prendre une assiette d'œufs et de fayots et on rejoint nos amis. Ils ont entendu parler de la rixe. Je n'ai pas envie d'aborder le sujet. La conversation tourne autour du départ d'Ed. Ted est au bord des larmes. On inscrit nos noms et adresses et numéros de téléphone sur un bout de papier. Seuls Miles et Leonard ont une adresse fixe. Nous autres, on donne ce qu'on a en espérant que ça marchera. On espère qu'Ed survivra assez longtemps pour nous filer un coup de fil. On lui souhaite bonne chance. On lui dit que tout va bien se passer.

Nous terminons le repas. J'ai cherché Lilly des yeux, elle n'est pas venue. Mes amis vont assister à la Conférence, je me rends au Bureau de Joanne. Sa porte est entrebâillée, suffisamment ouverte pour que j'entende des voix. J'entre, mes Parents sont assis sur le canapé, ils se lèvent pour me dire bonjour. Nous nous embrassons et nous nous asseyons. Je dis bonjour à Joanne, elle parle.

Il y a un changement de programme.

Lequel ?

Mon Père parle.

Nous devons partir plus tôt que prévu.

Pourquoi ?

Un problème urgent à régler pour le travail.

Le même qu'hier ?

Oui.

Je détourne les yeux pendant un moment, la Fureur m'envahit. Ç'a toujours été comme ça, le travail de mon Père passe avant tout, tout le temps. Je fixe le mur le mur blanc que je n'aime pas mais que je ne peux pas changer. Le mur blanc. Je ne peux pas changer mon Père non plus, ni son travail. Il a toujours fait tout ce qu'il pouvait pour nous. Pour Moi et mon Frère et ma Mère. Il a toujours fait tout ce qu'il pouvait, il nous a donné beaucoup. Il est comme il est, il fait comme il peut. Je ne le changerai pas et après tout ce qu'ils m'ont donné, tout ce qu'ils m'ont pardonné, je peux passer outre, accepter qu'ils partent plus tôt que prévu. Ma Mère parle.

Nous sommes désolés, James.

Il n'y a pas de quoi, Maman.

Nous voulions rester ici toute la durée du séjour.

J'ai déjà énormément de chance d'avoir des Parents qui ont souhaité venir ici.

Elle sourit. C'est un sourire incertain, qui recherche l'approbation.

Tu le penses vraiment ?

J'acquiesce.

Voyons ce qu'on peut faire avec le temps qu'il nous reste.

Joanne parle.

D'ordinaire nous n'aborderions pas ce sujet tout de suite, mais vos Parents et moi-même aimerions parler de votre avenir.

L'avenir me sourit.

C'est une plaisanterie ?

Oui et non.

Pourquoi oui ?

Parce que je vais aller en Prison.

Nous n'en sommes pas encore certains, mais admettons. Pourquoi non ?

Parce que je recommence tout à zéro et que je compte bien saisir ma chance.

Qu'allez-vous faire lorsque vous sortirez d'ici ?

Je vais purger ma peine et je vais m'occuper de moi. Je vais essayer de survivre, je vais essayer de rester humain. Puis je sortirai, je trouverai un boulot et je verrai ce qui se passe.

Comment allez-vous faire pour rester abstinent ?

Je serai à l'ombre et je n'aurai pas d'argent. Ça ne devrait pas être si difficile que ça.

C'est facile de se procurer de la drogue en Prison.

Peut-être, mais je n'en veux pas.

Vous pensez que ça sera aussi simple que ça ?

Je pense que j'aurai d'autres soucis en tête.

Joanne parle.

Et si vous n'allez pas en Prison ?

Je vais emménager à Chicago, trouver un boulot et essayer d'être heureux.

Et pour le Centre de Réinsertion ?

C'est non.

Pourquoi ?

On en a déjà parlé.

Joanne regarde mes Parents. Mes Parents se regardent. Mon Père parle.

Tu ne penses pas que ce genre d'environnement pourrait te faire du bien ?

Je ne crois pas en une Puissance Supérieure ni aux Douze Étapes ni à rien qui y ressemble, et c'est ce qu'on prêche dans les Centres de Réinsertion. Ce serait une perte de temps.

Ma Mère parle.

Si tu n'y crois pas, comment comptes-tu rester abstinent ?

Chaque fois que je serai tenté de boire ou de prendre de la drogue, je ferai le choix de m'abstenir. Je continuerai à le faire jusqu'à ce que ça ne soit plus un choix, mais que cela fasse partie de ma vie.

Et si tu n'y arrives pas ?

Dès que je sortirai d'ici, je veux trouver un moyen de me mettre à l'épreuve, en présence d'alcool ou de drogue ou des deux pour être sûr que je peux y arriver.

Joanne soupire, secoue la tête.

J'ai tenté de faire changer James d'avis. C'est une idée extrêmement dangereuse, le risque de rechute est astronomique. C'est vraiment trop périlleux.

Mon Père parle.

Cette idée ne me plaît pas non plus, James.

Ma Mère parle.

À moi non plus.

Sans vouloir vous vexer, ce choix me revient entièrement.

Mon Père parle.

Et si tu rechutes ?

Je ne rechuterai pas.

Et si c'est le cas ?

Ça n'arrivera pas.

Pourquoi es-tu si confiant ?

J'y crois, c'est tout, et je n'ai aucune envie de consacrer le peu de temps qu'il nous reste ensemble à essayer de vous en persuader. Personne ne peut prédire l'avenir, je m'occuperai de tout cela en temps et en heure. Passons à autre chose.

Ma Mère regarde mon Père, mon Père regarde Joanne. Mon Père hoche la tête, Joanne parle.

Parlons de vos relations.

Je regarde mes Parents, ils me regardent.

Comment vous sentez-vous à ce sujet ?

Mon Père parle.

Très satisfait.

Ma Mère parle.

Beaucoup mieux.

Je parle.

On y arrive.

Joanne sourit. Un grand sourire sincère. Elle regarde mon Père.

Pourquoi ?

J'ai l'impression que ça fait très longtemps que je ne connais plus James, en admettant que je l'aie connu un jour. C'est très dur d'être le Père d'un Fils qui est un Inconnu pour vous. Je n'ai jamais compris pourquoi il était comme ça ni pourquoi il avait tous ces problèmes. Je n'ai jamais compris pourquoi sa Mère et moi n'avons jamais eu accès à sa vie ni pourquoi il semblait ressentir une colère si intense à notre égard. Pour moi, ç'a été une expérience formidable parce que j'ai eu l'impression de retrouver mon Fils, de découvrir qui il est et pourquoi il est comme ça, et je commence à accepter notre passé commun et le sien. J'espère que ce passé est derrière nous.

Joanne hoche la tête, regarde ma Mère. Ma Mère sourit.

Comme Bob, j'ai le sentiment de ne plus connaître James, et bien qu'il ait été très difficile d'apprendre toutes ces choses qu'il a faites, ces choses terribles, je suis quand même heureuse de le savoir. Et puis il a l'air moins en colère depuis qu'il est ici. Ces derniers jours, il semblait encore moins en colère. Ç'a toujours été difficile de faire face à cette colère, de savoir qu'il nous en voulait autant, sans comprendre pourquoi. Je sens qu'il y a un lien entre nous, que nous sommes une vraie Famille, et je n'ai pas ressenti cela depuis très longtemps.

Ses yeux s'emplissent de larmes. Elle me regarde.

Je suis fière de toi, James. Je veux que tu restes en vie, que tu sois heureux, c'est tout ce que je demande. Quel que soit le moyen que tu choisisses, reste en vie, tâche d'être heureux, simplement heureux.

Merci, Maman.

Joanne me regarde.

James.

Je prends ma respiration.

Je ne voulais pas que vous veniez ici. J'étais et je suis encore dans un tel état que je ne voulais pas que vous me voyiez comme ça, parce que j'ai un peu honte d'être ici. Je sais que je vous ai toujours causé du chagrin. Je crois que si je vous ai toujours caché des choses, c'est parce que je savais que ça vous ferait du mal. Je savais que ce que je faisais n'était pas bien, et que si vous en aviez connaissance, vous auriez essayé de me pousser à changer et je ne voulais pas changer. Ça m'a soulagé de vous parler de toute cette merde. Je trouve que vous avez été extraordinairement compréhensifs pendant votre séjour ici. Je m'attendais à des cris, des hurlements, des Leçons de

Morale, je m'attendais à ce que vous me dictiez vos Règles, ce que je n'aurais pas toléré. Je suis heureux que ça ne se soit pas passé comme ça, et je suis heureux que vous soyez venus.

Mes Parents sourient. Joanne sourit.

Comment pensez-vous que votre relation va évoluer à présent ?

Je parle.

Je pense qu'il est important que mes Parents me laissent tranquille. Ça ne veut pas dire que je ne veux pas qu'ils fassent partie de ma vie, au contraire, mais je voudrais qu'elle m'appartienne et j'ai besoin d'assumer l'entière responsabilité de ce qu'elle est et de ce qu'elle deviendra.

Je regarde mes Parents.

Je ne vous cacherai plus rien, mais quand je vous dirai que je n'ai pas envie de parler d'un truc, laissez-moi tranquille. Quand je commets des erreurs, je ne veux pas qu'on vienne me faire la morale. Je ne veux plus que vous me donniez de l'argent. Je veux subvenir à mes besoins par mes propres moyens, et y arriver tout seul. Enfin, et c'est le principal, si je rechute, je ne veux pas que vous veniez me tirer d'affaire. C'est ma dernière chance. C'est la seule chose à faire parce que si j'ai un filet de sécurité, je m'en servirai. S'il n'y en a pas, les choix qui m'attendent seront plus faciles à faire, car si je me trompe, il n'y aura pas de deuxième chance.

Mes Parents me regardent. Joanne me regarde. Mon Père parle.

Ça va être dur pour nous de te laisser tranquille car tu commences à peine à nous revenir. Cela dit, on va essayer. Je pense qu'il est très important, pour toi comme pour nous d'ailleurs, que tu définisses ce que tu entends par « laisser tranquille ». Si ça veut dire ne plus se parler, ne pas rester en contact avec toi, ça ne me plaît pas. Si cela veut dire que tu continues à nous parler et à nous dire ce que tu deviens, sans mentir, et que de notre côté nous gardons nos opinions pour nous et te laissons faire tes erreurs, je pense que c'est une bonne idée. Si tu ne veux plus de notre argent, très bien. Mais l'idée de ne pas pouvoir t'aider si tu fais un faux pas m'effraie. Ici, on nous a appris que la plupart des Gens font des faux pas et rechutent et si ça t'arrive, j'ai du mal à accepter l'idée de te laisser te débrouiller seul. Nous voulons que tu aies une belle vie. S'il faut que tu fasses cinquante séjours dans des endroits comme celui-là, peu importe.

Ma Mère parle.

Je ne veux plus que tu nous caches des choses ou que tu penses qu'il vaut mieux ne pas les partager avec nous. Ton Père et moi ne voulons que ton bien, nous voulons que tu sois heureux et nous ferons tout notre possible pour t'aider à l'être. Je ne demande qu'une chose, faire partie de ta vie, que tu nous y inclues. Je peux t'assurer que si tu rechutes, je continuerai à tout faire pour t'aider. Comme dit ton Père, s'il faut que tu fasses cinquante séjours, ce n'est pas grave. Je reviendrai cinquante fois.

Joanne parle.

Après être sorti de Prison, qu'allez-vous faire ?

J'irai à Chicago. Je trouverai un boulot. Je vais essayer de survivre et d'être heureux. C'est tout ce que je veux, survivre et être heureux.

Mon Père parle.

Pourquoi Chicago ?

Je désigne Joanne.

Je ne sais pas si je peux en parler devant Joanne.

Elle rit.

Allez-y, il reste très peu de Règles que nous n'ayons pas encore violées.

Je souris.

Je vais aller à Chicago parce que Lilly, la Fille dont je vous ai parlé, va aller y vivre. Je veux être auprès d'elle.

Joanne secoue la tête.

Puis-je dire quelque chose ?

Je secoue la tête.

Non.

Mon Père parle.

Que va-t-elle faire à Chicago ?

Elle va aller dans un Centre de Réinsertion.

Ma Mère parle.

Tu n'as pas envie d'y aller avec elle ?

Non.

Mon Père parle.

Que va-t-elle devenir si tu es en Prison ?

Je n'en ai pas encore parlé avec elle mais j'espère que le premier d'entre nous qui sortira nous trouvera un endroit où habiter.

Joanne parle.

Et ensuite ?

On vivra ensemble, on se soutiendra, on fera du mieux que l'on pourra l'un pour l'autre.

Ma Mère parle.

Ça a l'air bien.

Je pense que ça va l'être.

Tu vas te marier ?

Tu es complètement à côté de tes pompes, Maman.

Elle sourit, elle rit, mon Père lui prend la main. Joanne sourit mais je vois qu'elle essaie de se retenir. Elle regarde sa montre, parle.

La Séance touche à sa fin.

Mon Père regarde sa montre, opine du chef.

On dirait que oui.

Il se lève, ma Mère se lève, mon Père regarde Joanne.

Avant qu'on s'en aille, je voudrais vous remercier. Cette expérience n'aurait pas été la même sans vous, et notre Famille vous doit énormément. S'il y a quoi que ce soit que nous puissions faire pour vous rendre ce que vous avez fait pour nous, n'hésitez pas à nous en faire part.

Joanne sourit.

Je ne pourrais espérer meilleur remerciement que de vous voir tels que vous êtes aujourd'hui, surtout après vous avoir vus ensemble il y a quelques jours.

Ma Mère parle. Ses yeux sont baignés de larmes.

Merci, Joanne.

De rien, Lynne.

Ma Mère fait le tour du bureau, Joanne se lève. Elles se serrent fort dans les bras, avec sincérité, comme seules les femmes le font. Il n'y a pas d'hésitation, il n'y a pas de distance. Pas de distance émotionnelle, pas de distance physique, aucune distance.

Elles se séparent, mon Père serre la main de Joanne, il la remercie encore, je la remercie et je raccompagne mes Parents jusqu'au Centre Familial, dans la Chambre où ils sont logés. On prend leurs bagages et leurs vestes. On suit les Couloirs jusqu'à l'entrée de la Clinique. On sort, une Voiture les attend. Une longue Voiture noire avec des vitres teintées. On pose les sacs. Mon Père parle.

Ç'a été une expérience formidable. Je suis très fier que tu sois ici et que tu sois si courageux. Bien sûr, il nous reste des problèmes à régler, mais je suis confiant. S'il te plaît appelle-nous quand tu auras des nouvelles de l'Avocat, appelle-nous si tu as besoin de quoi que ce soit, si nous pouvons t'aider, s'il te plaît appelle-nous ne serait-ce que pour nous faire un petit coucou et nous donner de tes nouvelles.

Compte sur moi.

Je t'aime, James.

Je t'aime aussi, Papa.

Une larme brille au coin de son œil. Il ne l'essuie pas, elle coule le long de sa joue. Il avance d'un pas et me prend dans ses bras, je l'étreins. La gêne et la Fureur sont là, mais je les ignore.

Il me relâche, ma Mère vient vers moi. Ses yeux sont larmoyants, avant ses pleurs me faisaient horreur, mais plus maintenant. Elle ressent des émotions et elle pleure. C'est admirable. Elle enroule ses bras autour de moi, je passe les miens autour d'elle. Nous nous embrassons, elle me tient comme si j'étais son Bébé. Je ne le suis plus, mais je le suis encore.

Nous nous embrassons, je lutte contre la Fureur. Elle n'arrivera pas à me vaincre ou à me dominer. Ma Mère me serre dans ses bras comme pour me faire comprendre qu'elle me pardonne, qu'elle veut que je vive et que je sois heureux. Je la serre dans les miens comme pour lui faire comprendre que j'essaie de changer, que j'essaie d'être plus fort que ma rage. Nous essayons d'oublier.

Nous cessons de nous étreindre, elle me regarde, tente de parler sans y arriver. Mon Père ouvre la portière de la Voiture, elle s'en approche et s'assied sur le siège en cuir noir. Elle pleure et elle sourit. Elle lève la main pour me dire au revoir. Je lève la mienne.

Mon Père, qui se tient à côté de la portière, me regarde et il parle.

Continue de faire du bon boulot.

Promis.

Il monte en Voiture, à côté de ma Mère, il referme la portière. La Voiture s'en va, descend la route boisée de la Clinique. Je ne vois pas à cause des vitres teintées, mais je sais que mes Parents me regardent et je reste là. Nous sommes une Famille, nous nous disons au revoir. Au revoir.

Lorsque la Voiture emporte mes Parents hors de ma vue, je tourne le dos et rentre dans la Clinique. C'est l'heure du déjeuner, je me dirige vers le Réfectoire. Je prends un plateau, une assiette de pizza, un verre de jus de fruits rouges, je repère mes amis dans un coin. Je les rejoins.

Ils parlent de bagarre. Celle de ce matin et celle qui se déroulera dans quelques jours sur un Ring à l'occasion du Championnat des Poids Lourds. Ils me demandent ce qui s'est passé, je leur dis que ce n'était pas vraiment une bagarre mais plutôt une discussion qui s'est un peu envenimée. Leonard rit. Ils me demandent ce que l'homme m'a dit, je leur réponds que je n'ai pas envie d'en parler. Ils me demandent si j'ai l'intention de lui régler son compte, je leur réponds que j'espère que l'affaire est close.

On parle du vrai combat. Leonard et Matty s'y connaissent le mieux, ce sont donc eux qui parlent le plus. Matty préfère le plus petit des Poids Lourds, qui est tout de même très imposant, Leonard préfère le plus grand, qui est colossal. Ces hommes se sont déjà rencontrés deux fois, ils ont gagné chacun une fois, ils ne s'aiment pas, ne se respectent pas, et ils ont tous les deux promis de mettre leur adversaire K-O. On voudrait voir le match. On voudrait tous le regarder. On voudrait le regarder parce qu'on aime le sport et qu'on aime la boxe, que les journaux et la télé ne parlent que de ça, que ça nous donnera un sujet de conversation une fois le match terminé, et par-dessus tout parce qu'on aura l'impression d'être normaux ne serait-ce que quelques heures.

Ici, tout ce qui se rapproche de la normalité est prisé. La Cabine Téléphonique est constamment occupée par les Patients, ils cherchent en permanence à être en contact avec le monde normal, le monde extérieur. Ils attendent le courrier avec impatience, les lettres représentent une forme matérielle de contact avec l'extérieur. Ils regardent la télévision et lisent les journaux avec avidité parce qu'ils offrent une fenêtre sur le monde réel, ils feuillettent les magazines jusqu'à ce que les pages soient déchirées. Nos Tâches, si stupides et ingrates soient-elles, nous permettent de penser que nous sommes, ne serait-ce que quelques minutes par jour, pareils aux autres. C'est pour cela que nous les effectuons. Pas parce qu'on nous demande de le faire – la plupart d'entre nous ont passé leur vie à faire tout sauf ce qu'on leur demandait – mais parce que ces Tâches nous donnent l'impression d'être normaux. Les Gens normaux ont des Tâches à effectuer. Quelques minutes par jour, nous faisons comme si.

À l'origine nous étions normaux. Nous étions des êtres humains en état de marche, nous pouvions potentiellement faire tout ce que nous voulions, mais quelque part sur le chemin, nous nous sommes égarés. Nous avons beau nous trouver désormais dans cette Clinique pour tenter de reprendre la bonne direction, nous savons que la plupart d'entre nous n'y parviendront jamais. Des événements tels que ce combat nous apportent du rêve, nous permettent de nous évader, de nous représenter le Monde normal et la façon dont les Gens normaux y vivent. Des hommes normaux prévoiraient de regarder le match entre amis. Ils choisiraient un endroit spacieux pour s'asseoir tous ensemble devant un gros écran de télé. Ils viendraient, casseraient la croûte et boiraient quelques coups avant le combat, seraient capables de cesser de boire avant d'être complètement dans les vapes ou de devenir violents. Ils auraient un boxeur préféré. Ils discuteraient, débattraient de ses points forts et de ses points faibles. Ils resteraient assez lucides ou assez conscients pour regarder le match jusqu'au bout, et pousseraient des hourras ou des huées. Une fois la rencontre terminée, ils rentreraient chez eux, parfaitement capables de marcher ou de conduire, et avec un peu de chance ils retrouveraient à la Maison une Épouse aimante ou un Enfant endormi, puis ils iraient se coucher. Le lendemain matin, au réveil, ils se souviendraient de la nuit précédente et reprendraient le cours de leur vie. Leur vie normale, leur magnifique vie.

Ici tout le monde, homme ou femme, Cracké ou Alcoolo ou Junkie, riche ou pauvre ou noir ou blanc, donnerait tout ce qu'il a jamais eu, tout ce qu'il n'aura jamais, pour être normal. Des événements tels que ce match, ce match imbécile, crétin, que l'on oubliera vite, nous offrent cette chance. On veut le voir. On adorerait le voir. On donnerait tout ce qu'on a pour le voir, mais il ne passera pas sur cette télé. Il est retransmis sur une chaîne câblée pour laquelle il faut un décodeur. Le genre de décodeur que l'on trouve dans le Monde extérieur.

On finit de manger. On se lève et on va reposer nos plateaux. Nous nous dirigeons vers la Salle de Conférences, nous prenons place au fond. Je cherche Lilly des yeux, elle n'est pas là. J'aimerais qu'elle soit là, comme ça je pourrais la regarder au lieu d'écouter la Conférence. Je pourrais la regarder et laisser le temps s'écouler. Elle pourrait me regarder et je retrouverais l'amour que j'ai éprouvé tout à l'heure. Dans ses bras. Dans ses yeux. Dans ses paroles. J'en veux encore.

Un médecin portant des lunettes, un treillis, une blouse blanche prend place devant le pupitre et se lance. Il parle du concept de Multidépendance. En gros, la Multidépendance, ça veut dire que si vous êtes Dépendant à une substance ou à une pratique, à une substance telle que l'héroïne ou à une pratique telle que le jeu, vous êtes aussi Dépendant à toutes les autres substances et à toutes les autres pratiques. Pour se sevrer des unes, il faut se sevrer des autres. Si vous prenez une autre drogue que votre drogue habituelle, si vous développez une autre pratique que votre pratique habituelle, vous avez de grandes chances d'en devenir dépendant, et vous avez également de grandes chances de retomber dans votre dépendance initiale. Le Médecin dit que pour se prémunir des dangers de la Multidépendance il faut être vigilant à chaque instant. Il dit que le café et la cigarette ne posent pas ce problème, il s'agit plus d'une habitude que d'une Dépendance, mais qu'à part cela il faut veiller à sa façon de manger, veiller à ses pratiques sexuelles, veiller au jeu ou aux dépenses trop importantes liées au shopping, veiller à ne pas frayer avec des gens qui font tout cela, veiller à se tenir à l'écart des lieux où ils s'y adonnent, veiller à rester constamment sur ses gardes. Le restant de sa vie.

Bien que tout cela puisse paraître rationnel en théorie, ce que dit le Docteur me semble totalement absurde dans la pratique. N'importe quel Idiot, et surtout un Idiot de Toxico, sait que s'il se drogue ou s'il boit alors qu'il avait décidé de s'en abstenir, même avec une boisson ou une drogue qu'il ne prend pas d'ordinaire, il court le risque de redevenir accro. N'importe quel Idiot, et surtout un Idiot de Toxico, sait qu'une fois qu'il a franchi la ligne de démarcation entre la consommation et la surconsommation, entre la surconsommation et la Dépendance, il ne peut plus jamais revenir en arrière et recommencer à zéro avec un autre produit. C'est ridicule de suggérer que le fait d'avoir des rapports sexuels ou de manger puisse être dangereux et doive être surveillé. C'est complètement débile de suggérer qu'acheter des trucs ou dépenser de l'argent me poussera à fumer du crack. C'est lamentable d'affirmer que je dois rester vigilant vis-à-vis de toute sorte de Dépendance potentielle, tout le temps, où que j'aille, pour le restant de mes jours. Je refuse de vivre ainsi. C'est absolument lamentable.

La Conférence s'achève, les Patients applaudissent. Je me lève et je suis les hommes qui sortent de la Salle. Nous nous dirigeons vers le Service. Alors que je passe devant ma Chambre, j'aperçois un petit mot sur lequel il y a écrit James Appel Urgent avec un numéro. Je ne reconnais pas le numéro, je ne l'ai jamais composé, mais je sais que c'est un numéro local car je reconnais l'indicatif. Je prends le bout de papier et je me dirige vers la cabine. Comme les hommes se préparent à leur Séance de l'après-midi, il n'y a pas la queue.

J'ouvre la porte, je m'assieds, je compose le numéro. Ça sonne une deux trois fois ça sonne. À la quatrième sonnerie une femme décroche, elle donne le nom du Service de Lilly. Je demande à parler à Lilly. La femme dit de la part de qui et je réponds un ami. Je l'entends reposer le combiné. J'attends une minute ou deux, quelques instants. J'entends un bruit dans le combiné, quelqu'un l'a pris. J'entends sa voix. Elle est brisée.

Qu'est-ce qui ne va pas ?

Où étais-tu ?

J'étais à la Conférence.

J'ai essayé de t'appeler.

Je viens d'avoir ton message.

Il faut que je te voie.

Qu'est-ce qui ne va pas ?

Il faut que je te voie.

Dis-moi ce qui ne va pas.

Elle se met à pleurer.

Ma Grand-Mère.

Qu'est-ce qui ne va pas ?

Ma Grand-Mère.

Qu'est-ce qui lui arrive ?

Elle craque, éclate en sanglots. Des sanglots lourds, horribles, du genre de ceux qui font mal, qui s'échappent lorsque le cœur est sur le point d'éclater. Je l'imagine. Assise dans sa Cabine Téléphonique, les yeux gonflés, le corps secoué, le visage baigné de larmes.

Il faut que je te voie.

Qu'est-ce qui ne va pas ?

Ma Grand-Mère.

Sa voix se brise.

Ma Grand-Mère va mourir.

Quoi ?

Elle se remet à pleurer.

Il faut que je te voie.

Pas tout de suite, c'est pas possible.

Pourquoi ?

On va se faire prendre.

Il faut que je te voie.

Attends qu'il fasse nuit.

Il faut que je te voie sur-le-champ.

Qu'est-ce qui s'est passé ?

Je t'en prie.

Elle sanglote. Je sais qu'il ne faut pas que j'y aille, mais le bruit de ses pleurs me fait mal me dévaste me détruit elle pleure. Elle a besoin de moi. Ce que nous sommes, le lieu et l'heure importent peu, à part elle rien ne compte. Elle a besoin de moi. Je me suis promis de faire n'importe quoi pour elle. Elle pleure, elle a besoin de moi.

On se rejoint dans la Clairière.

Quand ?

J'y vais dès que j'aurai raccroché.

D'accord.

Si tu y es avant moi, attends-moi. J'arrive le plus vite possible.

D'accord.

Tout va bien se passer.

Non.

Si.

Elle va mourir, James.

On s'en sortira. Tout va bien se passer.

Je t'aime.

Moi aussi je t'aime.

Elle raccroche, je raccroche. J'ouvre la porte de la Cabine et je sors. Les hommes se sont réunis au Rez-de-Chaussée, les chaises sont rangées en demi-cercle, et Lincoln se prépare à animer la Séance de l'après-midi. Il me regarde, il parle.

Vous nous rejoignez ?

Il faut que je sorte, je vais faire un tour.

Vous croyez que vous pouvez vous dispenser de certaines choses quand ça vous chante ?

Ça ne me chante pas du tout, mais il le faut.

Pourquoi ?

Parce que.

Vous répondez à ma question ?

Il faut que je sorte. En quoi est-ce que ça vous regarde ?

Parce que je suis le Chef de Service.

Alors faites le chef. Je vais faire un tour.

J'ouvre les portes vitrées coulissantes, je sors, je marche. Je ne prête aucune attention à ce qu'il y a autour de moi. Je marche rapidement, je connais le chemin. Je ne veux pas qu'elle reste seule. Elle a besoin de moi.

J'arrive dans la Clairière, elle est là. Yeux gonflés. Joues souillées. Mains tremblantes. Elle pleure depuis tellement longtemps qu'elle ne se rend même plus compte qu'elle pleure. Elle pleure.

Elle vient vers moi et je viens vers elle et elle se blottit dans mes bras et je la serre contre moi. Elle pose sa tête sur mon épaule, elle pleure. Elle tremble. Elle me serre elle m'agrippe elle s'appuie contre moi comme si je pouvais absorber ce qu'elle ressent, comme si ça pouvait disparaître grâce à moi. C'est possible. Je peux absorber ce qu'elle me donne, le faire disparaître, me le réapproprier pour que ça s'en aille. C'est possible. Je vais l'absorber, me l'approprier. Donne-le-moi. Ça s'en ira.

Je l'attire au sol je la serre contre moi je la laisse pleurer. Je murmure à son oreille tout va bien tout va bien tout va bien. Ce sont des mots de rien du tout, des mots simples, mais ils la calment car jamais elle n'a eu quelqu'un pour lui dire tout va bien et jamais elle n'y a cru. Tout va bien tout va bien. Je la serre dans mes bras et elle me croit. Tout va bien aller.

Elle se calme, elle cesse de pleurer. Elle reste contre mon épaule.

Je parle.

Qu'est-ce qui se passe ?

Elle a un cancer. Dans les os et le sang. Il n'y a rien à faire.

Tu l'as appris ce matin ?

Oui.

Elle est malade depuis combien de temps ?

On l'a découvert la semaine dernière. Elle se sentait mal, mais elle croyait que ça allait passer. Elle s'est évanouie au travail.

Pourquoi est-ce qu'elle ne t'en a pas parlé plus tôt ?

Elle ne voulait pas m'inquiéter.

Pourquoi est-ce qu'elle t'en a parlé ce matin ?

C'est pire que ce qu'elle croyait. Elle a pensé que le plus tôt serait le mieux.

Il lui reste combien de temps ?

Entre deux semaines et six mois.

Je la serre plus fort.

Je suis désolé.

Elle me serre plus fort.

Je n'ai qu'elle au monde.

Tu m'as, moi aussi.

J'ai peur.

Il ne faut pas.

Qu'est-ce qu'on va faire ?

On va y arriver.

Comment ?

Je te rejoindrai à Chicago dès que possible, on prendra un appartement ensemble et tout ira bien.

Elle s'écarte légèrement, elle me regarde.

Tu vas me rejoindre ?

Dès que possible.

Quand tu t'en iras d'ici ?

Non.

Où tu vas aller ?

En Prison.

Quoi ?

J'ai des ennuis. Il faut que je parte un petit moment. Je ne sais pas encore pour combien de temps, mais dès que ça sera fini je te rejoindrai à Chicago.

Qu'est-ce que tu as fait ?

J'ai eu une embrouille avec des Flics, j'étais bourré et j'avais du matos sur moi.

Pourquoi tu ne m'en as pas parlé ?

Je ne voulais pas t'inquiéter avant de savoir exactement à quoi m'attendre.

Tu aurais dû m'en parler.

Je sais, je suis désolé.

Tu vas partir combien de temps ?

Je ne sais pas encore.

Tu aurais dû m'en parler.

Je t'en parle maintenant. Je viendrai dès que possible.

Je n'ai que toi, James. Je n'ai que toi, sur cette foutue planète, je n'ai que toi.

Tu t'as, toi.

J'aimerais bien que ça suffise, mais non.

Tu pourrais avoir des surprises.

Toute ma vie j'ai été seule. Je ne peux plus continuer comme ça.

Tu ne vas pas rester seule.

Elle est en train de mourir, James.

Tout ira bien.

J'entends un bruit. Je me tourne vers la verdure. Le bruit s'intensifie, s'approche à toute vitesse. Nous voulons nous lever. Le bruit s'intensifie. Des pas sur les feuilles et la terre et les branches cassées nous sommes empêtrés, nous avons du mal à nous lever. Ça s'intensifie, on se lève. Ça s'intensifie et je regarde Lilly. Ça s'intensifie et elle me prend la main. C'est tout près de la Clairière. Elle m'embrasse. Ça s'arrête. Elle me regarde dans les yeux. Ça s'est arrêté. Elle me dit je n'ai que toi au monde.

Le bruit s'est tu. Je me retourne. Lincoln se tient à quelques mètres de nous.

Il parle.

Ken a pris la relève. Je suis venu voir comment ça allait.

Ça va très bien.

Non, pas du tout. Carrément pas.

C'est une question de point de vue.

Mon point de vue obéit aux Règles de cet Établissement. Ce n'est manifestement pas le vôtre.

Non, effectivement.

Allons-y, et pas un mot sur le chemin du retour.

Je me tourne vers Lilly, qui regarde Lincoln. Son regard est un mélange de défiance et de peur et de rage. Lincoln soutient son regard, essaie de se mettre entre nous. Nous nous tenons encore la main et elle le repousse. Il lui attrape le poignet et elle me serre la main plus fort et elle le regarde et elle parle.

Je ne parlerai pas, mais je ne le lâche pas.

Vous n'êtes pas en mesure de poser des conditions.

Ce n'est pas une condition mais un constat.

Vous avez violé les Règles, à vous de l'assumer.

Allez vous faire foutre vous et vos Règles, je l'assume parfaitement.

Elle le regarde, il soutient son regard. Je l'observe et je suis fier d'elle elle me fend le cœur je l'aime. Ils se regardent. Ses yeux sont plus forts qu'elle ne le croit. Lincoln voit la même chose que moi, elle ne me lâche pas. Il pourra parlementer toute la journée, essayer de nous séparer aussi longtemps qu'il le voudra, elle ne me lâchera pas.

Suivez-moi.

Il se retourne, commence à se frayer un passage dans les buissons, nous le suivons. Nous nous tenons la main et nous regardons droit devant nous. Lincoln marche vite. Il rejoint le Sentier, s'arrête, attend. Quand nous ne sommes plus qu'à quelques mètres, il se remet à marcher. Le Sentier nous entraîne sur l'herbe qui sépare les Pavillons des Bois. Comme nous approchons, nous nous tournons pour nous observer. Sans un mot. Nous nous observons et à chaque seconde qui passe les yeux de Lilly se radoucissent. Ils commencent à s'emplir de larmes. Je ne veux pas qu'elle pleure. Je ne veux pas qu'elle s'en aille. Je ne veux pas qu'elle ait des ennuis. J'assumerai la responsabilité s'il le faut, ils peuvent me foutre dehors, je l'attendrai, il n'y aura pas de problème. Elle pleure en silence les larmes glissent le long de ses joues encore plus de larmes. J'aimerais pouvoir les absorber, me les approprier. Je ne veux pas qu'elle pleure pas maintenant jamais jamais plus. Elle pleure.

Nous arrivons devant la porte. Lincoln l'ouvre et nous entrons. Les hommes se retournent, ils nous dévisagent. Lincoln referme la porte et se campe en face de nous et parle.

Je la raccompagne dans son Service. Regagnez votre Chambre et ne bougez plus. Ça va peut-être prendre un petit moment.

Je hoche la tête.

Allons-y.

Je regarde Lilly et elle me regarde. Je lâche sa main et je passe les bras autour d'elle et je lui murmure à l'oreille.

Je t'aime. Souviens-t'en. Je t'aime.

Elle me serre jusqu'à ce que Lincoln place sa main sur son épaule. Elle recule, il l'attend, elle se tourne, il monte les premières marches et je les suis. Tout le monde a les yeux rivés sur nous.

Nous entrons dans le Couloir je le hais putain qu'est-ce que je le hais ils marchent devant moi et je les observe. Je m'arrête lorsque j'arrive devant ma porte, je reste planté là à les observer. Lilly s'avance de quelques mètres devant Lincoln, elle a les yeux braqués devant elle. Il regarde son dos. Nous restons silencieux. Le Couloir est désert.

Une fois arrivée au bout, Lilly se retourne et me regarde. Tout ce que je vois ce sont ses yeux, ses yeux bleus comme l'eau claire, ses yeux rebelles, catastrophés et perdus, ses yeux qui me rendent mon regard. Ils sont pleins de larmes. Je ne veux pas les perdre. Ils tournent à l'angle et disparaissent. Je reste devant ma porte en espérant qu'elle reviendra, en espérant que ce n'est qu'un cauchemar, en espérant histoire d'espérer. Je regarde le long du Couloir, les murs blancs impitoyables. Rien ne change.

J'ouvre la porte et j'entre dans ma Chambre. Elle est calme et vide, exactement comme je l'ai laissée ce matin. Je regarde mon lit, je pense à m'asseoir dessus. Je regarde la Salle de Bains, je pense à prendre une douche. Je regarde la fenêtre, la lumière grise qui filtre, je pense à l'enjamber. Je regarde les murs. J'aimerais les pulvériser. La seule chose à faire, c'est attendre. Que mon sort soit fixé, que Lincoln revienne. Il ne me reste plus qu'à attendre.

Je saisis la gravité de ce qui vient de se produire. Pas progressivement, non, mais d'un seul coup. J'ai violé l'une des Règles Cardinales de cet Établissement. Je l'ai violée en parfaite connaissance de cause. Je suis tombé amoureux d'une Fille, une belle Fille perdue qui est seule au Monde et qui dit qu'elle ne peut vivre sans moi. Je ne veux pas rester ici sans elle, mais je n'ai pas d'autre endroit ou aller. Elle n'a pas d'autre endroit où aller. Nous pourrions aller chez sa Grand-Mère, mais sa Grand-Mère va bientôt mourir. Nous ne pouvons pas aller dans ma Famille, je ne veux plus être un fardeau pour mes Parents. Nous pourrions nous enfuir mais nous n'avons pas d'endroit où fuir. Je suis recherché et je me ferai prendre tôt ou tard. Alors, on m'enverra au trou pour bien plus que trois ans. Nous sommes Toxicos. Nous avons besoin de rester ici. Nous allons être fichus dehors. Tous les deux. Fichus dehors.

Je repense à ce qui s'est passé. J'essaie de comprendre ce que j'ai mal fait. J'essaie de repenser à tout, de découvrir le truc qui m'aurait permis de ne pas me retrouver dans cette situation. J'aurais pu l'ignorer, le jour où je l'ai rencontrée. J'aurais pu jeter le petit mot qu'elle m'avait donné. J'aurais pu ne pas lui répondre. J'aurais pu ne pas la rappeler tout à l'heure, ou ne pas quitter le Service ou ne pas aller dans la Clairière où nous avions rendez-vous. Je n'ai rien fait de tout cela. Si je n'avais rien fait, je n'aurais pas d'ennuis, je n'aurais pas à les affronter. Je ne veux pas accepter ce qui s'est passé. Je veux revenir en arrière. Je veux tout changer. Fait chier. On est foutus.

Je m'assieds sur le lit j'allume une cigarette je prends une latte, une grosse latte, la plus grosse possible. Je regarde par terre. Mes pensées se précisent. Je sais que je ne peux pas changer ce qui s'est passé et je n'ai pas de regrets. J'ai fait ce que j'avais à faire, s'il le fallait je recommencerais. Je l'aime et l'amour compte davantage que les

Règles ou les Règlements. Grâce à lui j'en ai plus appris que grâce à eux. Grâce à lui je suis devenu meilleur. Merde aux Règles et aux Règlements.

J'avale une nouvelle bouffée. Mes pensées se précisent encore davantage. Elles prennent deux voies distinctes et parallèles. Boire. Lilly. Me droguer. Lilly. Me défoncer la tête. Lilly. Elles sont indépendantes l'une de l'autre mais elles s'entremêlent. L'une suit un besoin irrépressible d'autodestruction, de tuer ce que je ressens à l'aide de produits chimiques. L'autre suit Lilly, où elle se trouve, ce qu'elle fait, à quoi elle pense, si elle va bien. Qui est avec elle, ce qu'on lui dit. Elles se chevauchent et courent côte à côte parce que j'ai besoin d'elle et que son absence et la douleur qu'elle éprouve j'en suis sûr alimentent le besoin de tuer ce que je ressens.

Je me lève. Je m'assieds. Je me lève. Je m'assieds. Mon esprit ordonne à mes mains d'agir pour partir d'ici, il en est temps. Je m'assieds dessus. Je m'assieds sur mes mains. J'ai l'impression d'être un Connard fini, un pauvre Con pathétique. Mon esprit ordonne à mes mains de partir de choper un truc n'importe quoi de partir pour aller me détruire. Je reste assis sur mes mains. Je suis un pauvre Con pathétique et Accro.

Mon cœur m'ordonne de rester. D'attendre. De m'accrocher. D'être fort. De rester assis sur mes fichues mains et de les défier. La force naît du défi. Défie ton esprit tes sentiments tes Dépendances. Défie-les, espèce de Connard, défie-les.

Je reste assis sur mon lit assis sur mes mains je ferme les yeux je respire je laisse venir à moi les sensations. J'éprouve ma volonté. Puis-je m'asseoir et rester. Puis-je m'accrocher. Suis-je assez fort. Qu'est-ce que je fous là, bordel. Quand est-ce que tout ça va cesser. Que ça cesse vite. S'il vous plaît. Accroche-toi, bordel. Que ça cesse vite.

Je m'assieds et le temps s'arrête disparaît accélère et ralentit chaque seconde davantage et en moins d'une seconde. Mes mains tremblent sous mon poids. Mes yeux sont clos, je respire lentement. Mes pensées et la sensation de panique et d'autodestruction, la résistance et la volonté se répètent encore et encore et encore.

S'asseoir.

Rester.

Partir.

Non.

Boire.

Fumer.

Paniquer.

Paniquer.

Partir.

Rester.

Foutus.

Foutus.

S'enfuir.

S'enfuir.

S'enfuir.

Pris.

Huit ans.

Quartier de Haute Sécurité.

Lilly.

Où es-tu.

Lilly.

Où es-tu.

Prendre.

De la Drogue.

Boire.

De l'Alcool.

Te.

Tuer.

Tout de suite.

Non.

Plus de temps. Sur mes mains. Luttant contre moi-même. Les pensées tourbillonnent.

Prendre.

De la Drogue.

Bordel.

Boire.

Tout de suite.

Espèce.

De Connard.

Nous.

Sommes.

Plus forts.

Que.

Vous.

Ne le serez.

Jamais.

Encore et encore. Encore et encore. Le temps est aboli. Je lutte contre moi-même. Encore et encore.

Je me mets à pleurer. Pas de sanglots juste des larmes qui ruissellent le long de mon visage derrière mes paupières baissées. Je pleure à cause de tous ces efforts toute cette tension toute cette peur, c'est un vrai cauchemar. Pire qu'un cauchemar. Je pleure de lassitude, toujours s'accrocher, toujours se battre, je pleure devant la perspective de la mort, la perspective d'un retour à mon ancienne vie. Ce sont des larmes d'amour. L'amour envers Lilly et envers mes amis et envers ma Famille. Je pleure car la Fureur et la peur et la dépendance veulent me mater et je les combats. Elles veulent me mater et je les combats.

Le temps s'est volatilisé.

Je pleure.

C'est un vrai cauchemar.

Pire.

Que ça cesse par pitié.

Que ça cesse par pitié.

Que ça cesse par pitié.

J'entends la porte. J'ouvre les yeux. Il fait noir maintenant, le gris s'en est allé. Un petit bruit rompt le cycle des pensées. Un petit bruit de porte. Miles allume la lumière, me découvre assis là, il a l'air surpris.

Est-ce que ça va, James ?

Non.

Est-ce que je peux faire quelque chose ?

Non.

Tu es resté ici tout l'après-midi ?

Ouais.

Pourquoi es-tu assis sur tes mains ?

Je ne leur fais pas confiance.

Je sais de quoi tu parles.

Ah oui ?

Mais moi je ne m'assieds pas dessus. Je les serre l'une contre l'autre.

Je souris, j'enlève mes mains et je m'essuie le visage, je pose mes mains sur mes genoux. Elles sont toutes plissées et toutes bleues à cause du manque de circulation. Je les secoue, elles me font mal. Elles m'élancent. Elles me cuisent.

Ça va ?

Je relève les yeux.

Ça me fait mal.

Passe-les sous l'eau chaude.

Ça marche ?

Très bien.

Je hoche la tête, je me lève. Miles va jusqu'à son lit et s'y assoit. Je me dirige vers la Salle de Bains je fais couler le robinet d'eau chaude je place mes mains sous le jet et ça brûle. Pas parce que l'eau est chaude mais parce que mes mains sont froides. Ça cuit. Les élancements me font l'effet d'un nid d'aiguilles qui tenteraient de s'échapper. Je les frotte, elles se réchauffent lentement. Passent du bleu au gris au blanc au rose au jaune au beige. Je plie les doigts, ils se plient comme il faut. La douleur disparaît. Je les plie et ça va.

Je sors de la Salle de Bains. Miles est assis au bord de son lit, il m'attend.

Tu vas dîner ?

Je suis censé rester ici.

Combien de temps ?

Je ne sais pas.

Tu veux que je te ramène quelque chose à manger ?

Volontiers.

Qu'est-ce qui te ferait plaisir ?

Ce qui te dérange le moins.

D'accord.

Merci.

Je peux faire quelque chose pour toi ?

Tu sais quelle heure il est ?

Il jette un coup d'œil à sa montre.

18 h 15.

Merci.

Je vais jusqu'à mon lit. Il se lève, marche vers la porte.

Si tu n'es pas là quand je reviens, je poserai ce que je t'aurai rapporté sur ta table de nuit.

Merci, Miles.

Il sort, referme la porte derrière lui. Je m'allonge sur mon lit j'ai froid je me mets à trembler je me glisse sous les couvertures je me

405

recroqueville en moi et je ferme les yeux et j'enfonce mon visage dans ma poitrine, dans le lit. Je sombre dans un sommeil où je ne dors pas. Un état de veille empesée dans lequel je ne suis ni conscient ni inconscient. Mon corps se relaxe mon corps s'arrête mon corps se repose. Mon esprit ralentit, retient des images, des souhaits, des erreurs, la réalité. Comme des photographies épaisses et irréelles. Je dors mais je ne suis pas endormi. Je suis conscient et inconscient.

La porte s'ouvre à nouveau et j'ouvre les yeux. Je relève la tête et j'aperçois Lincoln debout dans l'embrasure. Il y a de la lumière derrière lui, il parle.

C'est l'heure de se lever.

D'accord.

Passez dans mon Bureau quand vous serez prêt.

D'accord.

Il tourne les talons, s'en va, referme la porte derrière lui. Je sors du lit, je me dirige vers la Salle de Bains, j'ouvre le robinet, je m'asperge le visage. L'eau ruisselle sur mes joues et mes lèvres et dans ma bouche, elle est bonne. Je me penche et je bois une gorgée au robinet. Une autre une autre une autre. Directement au robinet. Elle est bonne.

Je quitte ma Chambre, je traverse le Couloir silencieux. Le Service est désert, les hommes sont au Réfectoire. Je me dirige vers la machine à café, je prends une tasse, j'en avale une gorgée, ça me réveille immédiatement.

Comme je descends l'escalier, je commence à me sentir nerveux. Le café me brûle l'estomac, le sang court dans mes veines. Mes jambes sont chancelantes et je réfléchis avant de faire un pas. L'un après l'autre. L'un après l'autre.

Je traverse le Rez-de-Chaussée, j'arrive dans le petit Couloir qui mène au Bureau de Lincoln. Le Couloir est sombre, bien qu'il y ait de la lumière au bout, à l'endroit où sa porte est ouverte. Je réfléchis avant de faire un pas. En entrant dans son Bureau, je dois penser à chacun de mes pas. Il est assis derrière sa table.

Fermez **la** porte.

Je me tourne, je referme la porte. Je reviens, il me fait signe de prendre un siège en face de lui. Je m'assieds et il s'appuie contre le dossier de sa chaise et il me regarde. Je lui rends son regard.

Si ça ne tenait qu'à moi vous ne seriez plus ici. Votre attitude ne me plaît pas, je trouve que vous ne faites pas beaucoup d'efforts et j'estime que votre résistance butée à tout ce que nous essayons de faire ici, c'est-à-dire aider les Gens, porte préjudice au Service ainsi qu'à vous-même.

Il me regarde. Je lui rends son regard.

Cela étant dit, on vous laisse une deuxième chance. Si vous vous comportez correctement, si vous faites des efforts et suivez les Règles, vous serez autorisé à rester jusqu'à la fin de votre Cure. Si vous violez la moindre de ces Règles, si par exemple vous n'effectuez pas votre Tâche Quotidienne ou dites autre chose que bonjour à une femme qui ne fait pas partie de l'équipe, vous serez renvoyé. Qu'en dites-vous ?

Je souris. Je suis soulagé.

Ça me dit. Merci.

Ne me remerciez pas. Je voulais que vous vous en alliez. Remerciez Joanne. C'est la deuxième fois qu'elle vous sauve la mise.

Merci quand même.

Vous pouvez y aller maintenant.

Il regarde des paperasses posées sur son bureau. J'attends. Lorsqu'il relève les yeux, je parle.

Est-ce que Lilly reste ?

Non.

Le soulagement s'évanouit.

Vous l'avez foutue dehors ?

La panique revient.

Lorsque nous lui avons dit qu'elle ne pourrait plus vous voir, elle est partie.

Vous ne l'en avez pas empêchée ?

Lorsque les Gens souhaitent s'en aller, nous les laissons partir. Notre métier consiste à aider ceux qui souhaitent rester et se faire aider.

Et si je vous disais que je sais où elle est allée ?

Ça ne changerait rien.

Je sais où elle est allée. Je peux aller la chercher et la ramener.

Il glousse, et la panique disparaît instantanément. La Fureur monte.

Qu'est-ce qui vous fait marrer ?

Nous interdisons les relations entre les deux sexes parce que cela finit généralement comme ça. Les Gens pensent qu'ils peuvent résoudre les problèmes de l'autre et malheureusement cela ne marche pas comme ça. J'espère que ça vous servira de leçon.

Qu'est-ce que vous voulez dire ?

Nous savons ce que nous faisons, ici. C'est pour cette raison que nous posons des Règles. Peut-être que vous nous écouterez un peu plus attentivement dorénavant.

Allez vous faire foutre.

Qu'est-ce que vous dites ?

Lilly est un Être Humain, pas une putain de leçon de morale.

Qu'est-ce que vous venez de me dire ?

Je vous ai dit d'aller vous faire foutre, espèce de Connard. Elle n'est pas une putain de leçon de morale.

Encore une remarque de cet acabit et vous prenez la porte.

Parce que vous pensez que je veux rester après ce que vous avez fait ?

Si vous voulez rester abstinent il le faudra.

Je ne vais pas rester dans un endroit où des Connards de votre espèce se font mousser en disant que leur Boulot consiste à aider les Gens, mais qui, lorsqu'on a le plus grand besoin d'aide, la refusent sous prétexte que cette personne ne partage pas leurs croyances ou qu'elle a besoin d'une aide différente de celle que vous estimez adaptée.

Faites ce que vous avez à faire.

J'y vais de ce pas, et je vous assure que je ne prendrai rien, ne serait-ce que pour être en état de revenir ici, pour vous mettre le nez dans votre sale autosatisfaction de merde et vous prouver que votre méthode n'est pas la seule méthode.

Bonne chance.

Allez vous faire foutre.

Je me lève et je sors. Je traverse le Service et je me rends dans ma Chambre. J'attrape le petit livre le *Tao* j'enfile mes vêtements les plus chauds un pull deux paires de chaussettes une autre paire de chaussettes sur les mains. Il fait froid je m'en rends compte en regardant par la fenêtre. Je sors de ma Chambre au revoir au revoir au revoir. Je traverse les Couloirs que je ne reverrai jamais ces putains de Couloirs que j'emmerde au revoir. Je traverse le Hall d'Entrée j'atteins la porte je sors de la Clinique. Je vous emmerde et au revoir. Je me casse.

Je marche. Il fait froid, c'est la nuit, il n'y a ni lumière ni Lune. Je marche le long de la route la route de la Clinique. J'aperçois la silhouette des arbres et la vapeur de mon souffle. J'entends les cailloux et les graviers qui roulent sous mes pieds.

Je ne me souviens plus de mon arrivée, c'était il y a si longtemps, mais je sais que cette route débouche sur une autre route, plus large. Il y aura des voitures là-bas. J'essaierai de faire du stop. Les Gens du coin comprendront d'où je viens et ils ne me prendront pas, mais les Camions ou les Gens de passage m'accepteront peut-être. Mon visage est guéri. Je ne ressemble plus à un Alcoolique, un Toxicomane ou un Délinquant. J'ai l'air normal même si c'est trompeur. Un Camion ou quelqu'un de passage me prendra peut-être en stop. Les Gens du coin me fuiront. Ils sauront qui je suis.

La route fait un virage, les dernières lueurs de la Clinique disparaissent derrière moi. Il fait nuit noire, tout est calme et ça me plaît. J'ai été coupé de la nuit et de l'obscurité la plus obscure pendant trop longtemps. Je les connais bien, je retrouve mon Élément Naturel et les sensations qu'il me procure, la Fureur que mon Élément Naturel fait naître en moi me revienne. Elles reviennent en bloc.

J'entends du bruit derrière moi, du bruit devant moi. Derrière, le bruit provient d'une Voiture ou d'un Camion qui vient vers moi. Devant, le bruit provient de véhicules qui foncent sur une longue route lisse. C'est le bruit devant moi qui m'intéresse. J'en ai besoin. J'en ai terminé avec ce qui est derrière moi. Je vous emmerde et au revoir.

Je me mets à courir. Je ne suis pas en très bonne forme, l'air froid brûle mes poumons. Je cours le long de l'asphalte et des arbres, je cours le plus vite possible, étant donné la petite distance qu'il me faut parcourir. Ce n'est pas loin. Pas loin en soi, mais loin pour moi. Chaque fois que j'inspire l'air froid et noir, j'ai mal aux poumons. J'ai vingt-trois ans. Je ne suis presque plus en état de courir.

Je rejoins la route principale. Les phares des voitures illuminent les vastes champs. Je sais que la Ville la plus proche se trouve à l'ouest. Lilly se trouve dans cette Ville et l'ouest se trouve sur ma gauche. Je cours vers la route, je tourne à gauche, je continue à marcher. Je cherche un véhicule, j'attends de lever le pouce.

Un VSL blanc s'arrête à l'entrée de la route de la Clinique et fait des appels de phares. Je ne sais pas qui est à l'intérieur, mais qu'ils aillent se faire foutre. Le VSL freine, tourne à gauche et vient vers moi.

Comme il s'approche, la vitre côté passager se baisse. Le VSL roule à côté de moi et je sens quelqu'un qui me fixe du regard en attendant que je fasse un signe de reconnaissance. Peine perdue. Je garde mes yeux braqués et concentrés. La Ville se trouve quelque part devant moi. Malgré le ronronnement du moteur, j'entends une voix.

Hé, Fiston. Tu as oublié un truc.

C'est une voix que je connais, une voix que j'aime, une voix en laquelle j'ai confiance, une voix qui m'a porté quand je ne tenais plus debout. Je regarde le VSL, je regarde derrière la vitre baissée.

Lincoln est assis sur le siège passager. Il m'observe. Hank est assis sur le siège conducteur. Hank tient sa veste. La veste qu'il m'a prêtée, la veste que j'ai laissée dans ma Chambre. Il me sourit.

Tu vas te geler le cul si tu ne prends pas ça.

Je souris.

Comment ça va, Vieille Branche ?

Bien. Et toi ?

Je suis pressé.

Où tu vas ?

Retrouver une amie.

Monte ici une minute pour te réchauffer.

Le froid ne me gêne pas.

Monte.

Non merci.

Lincoln parle.

Montez.

Je cesse de marcher, Hank arrête le VSL. Je regarde Lincoln, il me regarde.

Je ne rentre pas.

Montez en voiture.

Allez vous faire foutre.

Vous voulez la retrouver ?

Ouais.

Alors montez dans cette fichue bagnole.

Je le regarde, il me regarde. Ses yeux sont froids et sombres et ternes, mais j'y décèle une lueur de vérité. Je fais un pas vers la portière, il tend le bras par-dessus l'épaule pour la déverrouiller. Je l'ouvre, j'entre dans le VSL et je la referme derrière moi. Le chauffage fonctionne et il fait bon. Hank me jette sa veste, je la mets. Il parle.

Où va-t-on ?

À la Gare Routière de Minneapolis.

On est pressés ?

Je regarde Lincoln. Il braque les yeux devant lui.

À quelle heure est-elle partie ?

Il répond d'une voix monocorde.

À 16 heures environ.

Je regarde Hank.

Oui, on est pressés.

Il sourit, le VSL fait une embardée comme il met le pied au plancher. Les Champs de Maïs deviennent un tourbillon moche et ennuyeux, le vent un hurlement, la route un cyclone de lumières tournantes et de lignes jaunes qui me mèneront à Lilly. Je regarde par la vitre et je fume des cigarettes. Lincoln garde les yeux braqués devant lui, il soupire parfois profondément et fait craquer les articulations de ses mains. Hank trouve une station de musique country et chante sur toutes les chansons. Lorsqu'il ne connaît pas les paroles, il les invente, généralement elles ont trait au hockey ou à la pêche. Personne ne parle.

Les lueurs de la Ville irradient l'horizon. On quitte l'Autoroute, on prend une Sortie qui nous conduit jusqu'à un agglomérat de tours de verre et d'acier. Les Gens courent dans les rues, les Restaurants et les Bars sont combles, surpeuplés. Les Voitures klaxonnent, les Camions patientent sur des Places de Livraison, les taxis maraudent. Hank prend un virage et nous longeons un Stade orné d'une enseigne lumineuse qui indique Soirée de Match. Nous traversons un Parking plein à craquer. Tout au bout, à côté d'un Immeuble condamné et d'un Motel douteux, se trouve la Gare Routière.

Les trois cents derniers mètres durent une heure, une semaine, un an, toute une vie. Je sais que nous allons vite, mais vite, ça ne suffit pas. Mes jambes tressautent, je suis angoissé et anxieux et apeuré. J'éprouve la même chose que la fois où j'avais emprunté la montre de mon Père sans le lui dire. J'avais dix ans. Je l'avais perdue sur la Plage. Je ne m'en étais rendu compte qu'une fois sur mon vélo, j'étais retourné à la Plage et j'avais passé le sable au peigne fin pendant des heures et des heures. Je l'avais cherchée à quatre pattes.

J'éprouve la même chose que la fois où trente grammes de cocaïne avaient disparu de ma Chambre. J'avais mis la Chambre sens dessus dessous, retourné le lit, vidé les tiroirs, fouillé dans toutes mes fringues. J'avais tout passé en revue. Je n'ai jamais retrouvé la montre. J'ai retrouvé la cocaïne.

Lorsque nous arrivons devant l'Entrée de la Gare j'ouvre la porte du VSL avant même qu'il soit arrêté. Je me mets à courir dès que je pose le pied à terre. Je bouscule les hommes qui agitent des tasses pour mendier. J'ignore l'odeur de pisse et de fumée. Je pousse les portes elles sont lourdes et vieilles et j'entre dans la Gare.

C'est une Gare Routière de centre-ville. Il y a une Salle des Pas Perdus immense avec des néons ternes qui pendouillent à des fils électriques, trois Guichets encastrés dans les murs, de multiples Sorties vers les bus, des Allées de vieux bancs en bois boulonnés au Sol. La Gare n'est pas bondée, mais elle n'est pas déserte. Il y a des Dealers, des maquereaux, des clochards et des clochardes qui dorment sur les bancs, des vagabonds, des fugueurs. Je me sens à l'aise parmi eux.

Je parcours les bancs du regard. Je veux la trouver, je me fous de savoir où et comment, je veux seulement la trouver. J'arpente les Allées. Je soulève les couvertures des corps allongés. Je retourne les gens pour voir leur visage. J'inspecte les sacs de couchage, j'offre des cigarettes pour obtenir des informations. Je ne la trouve pas. Je ne récolte rien, personne ne sait rien. Je ne la trouve pas.

Je me dirige vers les Guichets. Je vais aux trois Guichets. Les Employés ont l'air blasés, ils s'ennuient, ils regardent des télés noir et blanc de mauvaise qualité. Je leur décris Lilly et je demande s'ils l'ont vue. Ils me répondent que non. Je redemande, mais les jeux et les séries télévisées captivent toute leur attention. Ils me répondent qu'ils ne l'ont pas vue. Ils me répondent sans même lever les yeux.

Je retourne dans l'Entrée. Je sais qu'elle est ici ou qu'elle y est passée. Je sais que quelqu'un l'a vue. Je scrute chaque personne, je les scrute toutes, attentivement. Elle éviterait les macs parce qu'elle n'a pas besoin d'eux pour se faire de l'argent. Les Dealers que j'ai vus n'ont rien qui la branche, ils m'ont proposé de l'herbe ou des amphés ou de l'héro de mauvaise qualité. J'imagine que Lilly a voulu se défoncer la tête ou rentrer chez elle. Je sais qu'elle est ici ou qu'elle y est passée. Je sais que quelqu'un l'a vue. Je sais.

Mes yeux se posent sur deux Gamins assis sur un banc. Ils ont une douzaine d'années. Ils portent des pantalons *baggy*, d'immenses doudounes qui recouvrent presque tout leur corps, des casquettes à l'envers avec la visière baissée. Le banc se situe face aux Toilettes et offre une vue imprenable sur l'ensemble de la Gare. Je les observe. C'est bien ce que je pensais. Je comprends leur manège.

Je traverse la Salle. Je me rapproche des Gamins, qui feignent de ne pas me remarquer, mais je sais qu'ils m'observent tout aussi attentivement que je les observe. Je m'arrête devant la porte des Toilettes. À ce moment l'un d'eux jette un coup d'œil furtif au second. L'autre réagit à son coup d'œil. Cet échange de regards prouve que j'avais raison.

J'ouvre la porte. Je suis aussitôt submergé par la puanteur de la pisse et de la merde et de la pourriture humaine. Je fais deux pas dans un petit Couloir sombre et cradingue et découvre une autre porte. Je l'ouvre, la puanteur est encore plus forte. Je pénètre dans des Toilettes immondes. Des carreaux cassés et souillés couvrent le sol. Ils ont naguère été blancs, mais sont désormais marron. Des miroirs brisés au-dessus de lavabos pleins d'eau croupie. Les pissotières se trouvent contre un mur. Elles sont pleines de pisse jaune, dans l'une se niche une chaussure pourrissante. Je jette un coup d'œil vers les Cabines. Il n'y en a pas une qui soit équipée d'une porte, des graffitis défigurent les vieilles cloisons de bois. J'aperçois une paire de chaussures sous la dernière cloison. Ce sont des chaussures neuves, des baskets coûteuses. Je parle.

Ça roule ?

J'entends une voix. Profonde et épaisse, avec des inflexions du Ghetto.

Qu'est-ce que tu veux ?

Il faut que je te parle.

J'entends un rire. J'entends du mouvement. Je vois les chaussures qui se rapprochent, je relève les yeux, un homme émerge de la cloison de la Cabine. Il a une vingtaine d'années. Il a le crâne rasé. Il a un bouc et porte le même genre de vêtements que les Garçons assis sur le banc. Il me regarde, me toise de la tête aux pieds. Il parle.

Ça roule ?

Je cherche quelqu'un. J'espère que tu pourras m'aider.

Qui est-ce que tu cherches ?

Une Fille. Une jeune Fille blanche. Avec de longs cheveux noirs et des yeux bleus. Elle porte une veste de l'Armée.

Son visage reste impassible, mais ses yeux, sans qu'il s'en rende compte, bougent rapidement vers la gauche.

Je l'ai pas vue.

Je l'observe.

Si, tu l'as vue.

Il fait un pas vers moi.

Tu me traites de Menteur ?

Je ne bouge pas.

Je te traite de rien du tout.

Il hausse la voix.

Tu me traites de sale Menteur ?

Où est-elle ?

Il avance d'un nouveau pas. Ses yeux glissent rapidement à gauche puis se reposent sur moi.

Je ne sais pas.

Nos nez manquent de se toucher, à quelques centimètres près. Je sens son souffle sur mes joues. Je ne bouge pas d'un iota, mais je garde les mains posées contre mes flancs.

Dis-moi où elle est.

Il sourit. Ce n'est pas un sourire amical.

Pourquoi tu veux trouver cette Fille ?

Elle a des ennuis. Elle a besoin d'aide.

Et je gagne quoi, moi, à te dire ce que je sais ?

Le plaisir de savoir que tu as bien agi.

Il ricane.

Ça me fait une belle jambe.

Je n'ai rien d'autre à te proposer.

Il faut que tu me files quelque chose.

Du genre ?

Combien t'as sur toi ?

Que dalle.

T'as pas un flingue ?

Non.

T'as pas de caisse ?

Je ris.

Je suis à sec, mec.

Il rit, détourne les yeux. Il les repose sur moi, me regarde de la tête aux pieds et plonge son regard dans le mien. Je le lui rends, mais sans agressivité. Je soutiens son regard, mais d'une façon passive et détendue, avec sérénité et patience.

Comment tu as fait pour me trouver ?

J'ai repéré les deux Gamins dehors.

Et comment tu sais que j'ai des cailloux ?

Parce que avant je fumais des cailloux et je vendais des cailloux.

Et maintenant tu veux aider cette Fille à décrocher ?

Ouais.

Ils m'ont fait perdre une Sœur.

C'est terrible.

C'était même pas la peine d'essayer de la faire arrêter.

Tu aurais dû essayer.

Personne ne peut arrêter. C'est trop fort, cette saloperie.

Ça veut pas dire qu'il faut pas essayer.

Fais ce que tu as à faire, mais personne peut arrêter de fumer cette merde.

Dis-moi où elle est.

Son regard se durcit, j'y vois un éclair de violence retenue. J'attends et je lui rends son regard.

Si tu m'arrêtes, si tu me fais arrêter, ou que tu essaies de me niquer d'une manière ou d'une autre, je te fais la peau.

D'accord.

Je te ferai la peau putain.

D'accord.

Elle est passée il y a environ deux heures avec un vieux mec, un Blanc. Il avait pas l'air de fumer, mais elle, elle arrêtait pas de trembler et tout et elle avait les yeux voraces des Crackés. Le vieux a acheté deux sachets de cinquante et à mon avis ils sont allés dans l'Immeuble désaffecté, de l'autre côté de la Rue. Il y a une porte planquée à l'arrière, les Crackés traînent par là-bas, y font leur mic-mac au troisième étage. Si elle est pas là-bas, je peux rien faire pour toi.

Je hoche la tête.

Merci.

Il me dévisage.

Remets pas les pieds ici.

Pas de risque.

Je tourne les talons, je franchis la porte, je traverse la Gare, je me dirige vers l'Entrée.

Hank m'attend.

Je crois que je l'ai retrouvée.

Où ?

Là-bas, dans la Rue. Dans l'Immeuble désaffecté.

Comment tu le sais ?

Un Dealer me l'a dit.

On marche jusqu'au VSL, qui nous attend sur le trottoir. Hank grimpe sur le siège du Conducteur et je monte derrière. Lincoln continue de regarder par la vitre. Hank lance le moteur, fait demi-tour, on fonce dans la Rue vers l'Immeuble. On dirait que c'est un ancien Immeuble d'habitations. Il fait cinq étages, il y a des fenêtres régulièrement distribuées de chaque côté. Elles ont été condamnées avec des planches. Un Porche croulant mène à l'Entrée Principale elle aussi bouchée à l'aide de planches. Il y a des graffitis partout, la plupart illisibles, et des tas d'ordures sur ce qui devait être la pelouse.

Encore une fois, je saute du VSL avant que l'on s'arrête. Je contourne l'Immeuble au pas de course, à la recherche de la porte de derrière, d'une planche amovible sur une fenêtre, un truc, n'importe quoi. J'aperçois des marches qui descendent, une porte au fond. Une planche la recouvre mais elle semble branlante, on peut sûrement la déplacer. Je descends l'escalier, écrasant des morceaux de verre des canettes sales des bouteilles vides des bouts de papier alu calciné des seringues abandonnées des allumettes grillées des briquets jetés. Je tends les mains vers la planche et je la pousse. Je pénètre dans l'Immeuble.

L'Immeuble est un bouge, un ignoble bouge complètement délabré. Il y a des immondices partout, des matelas maculés dans les Couloirs et dans les Pièces. Des tuyaux cradingues d'où suinte un infect liquide. J'entends des rats dans les murs et j'aperçois leurs tas de merde dans les coins, une odeur semblable à celle des œufs pourris et de la mort pollue l'air et me fait grimacer, reculer, me donne envie de ne plus respirer. Je marche rapidement, poussé par la puanteur et la merde, je prends un couloir et je grimpe les premières marches que je trouve.

Il fait nuit noire dans la cage d'escalier, alors je marche prudemment. Je marche sur une canette et je l'écrase. J'entends les rats qui

416

trottinent et s'affairent et couinent. Je pose la main sur la Rampe, mais la Rampe est couverte d'une matière gluante et humide et froide, alors je l'ôte. Sur le palier du premier étage se trouve une poubelle vide qui a été brûlée. Je devine les contours de suie et les ombres de cendres. Je l'évite. Je continue ma progression.

Ça devient un peu plus propre en montant, mais c'est quand même toujours dégueulasse. Une fois arrivé sur le palier du deuxième, je commence à percevoir des bruits trahissant une présence humaine. Des pas, des voix étouffées, des inhalations profondes, des expirations profondes. Le sifflement d'une lampe à souder. Il y a des rires, mais ce ne sont pas des rires de joie. Ce sont des ricanements haut perchés, éraillés, pareils à des rires de Sorcière. Ils résonnent, résonnent, résonnent.

J'atteins le troisième étage. J'arrive dans un Couloir qui se prolonge sur la gauche et sur la droite. À gauche une voix masculine braille qui est là bordel quel est le Fils de Pute qui est là bordel. Je vais vers elle. Elle braille encore tu ferais mieux de me dire qui c'est qu'est là bordel. Je ne bronche pas. Je marche, tendu, prêt à me battre. Elle hurle, je vais te niquer ta race, Pédé, te niquer ta race. Je me rapproche, prêt.

Tout devient plus silencieux, mis à part le sifflement du gaz, je sais que la voix vient d'une Pièce deux portes plus loin. Je serre les poings, contracte la mâchoire, bande mes muscles.

Je tourne et j'entre dans la Pièce. Contre le mur le plus éloigné se tient un vieil homme décharné qui a l'allure d'un fantôme. Ses cheveux sont en broussaille, sa peau grise comme s'il appartenait à une race inconnue, une couleur acquise après des mois passés sans se laver. Sa bouche s'ouvre sur un sourire édenté, il s'agrippe à une pipe, une longue pipe en verre, rouge et incandescente. Je m'aperçois que la pipe lui brûle la main. Il tient une petite lampe à souder dans l'autre et la braque sur moi comme si c'était un revolver. L'odeur du crack, semblable à de l'essence mentholée, douce et amère, plane dans la Pièce. L'odeur me nargue me met en rage j'adorerais y goûter, mais je veux Lilly bien plus que je ne veux les formidables et terribles cailloux. Je regarde l'homme et il me parle.

J'ai pas de cailloux. J'en ai pas un.

Je fais un pas en arrière.

J'en ai pas, j'en ai pas, me prends pas mes cailloux, les prends pas.

Je sors.

Y a rien ici, Fils de Pute, y a rien ici pour toi, sale Diable blanc, sale Porc blanc.

Je m'en vais, je rebrousse chemin. Quand j'atteins le milieu du Couloir, alors que sa voix commençait à s'évanouir, l'homme se remet à hurler, qui c'est qu'est là bordel, quel est le Fils de Pute qui est là bordel. Je fais la sourde oreille. Qui est là bordel, quel est le Fils de Pute qui est là bordel ?

Je vais dans la direction opposée. Malgré les hurlements je perçois de nouveaux bruits, un autre sifflement, des ricanements stridents, les craquements du plancher, l'inhalation et l'expiration. Je pousse une autre porte. J'aperçois trois femmes et un homme assis par terre au centre de la Salle. Leurs yeux sont vides, écarquillés. Une des femmes est en train de tirer sur une pipe. Elle inhale tellement fort que ses joues creusent son visage. Quand elle a terminé, elle fait tourner la pipe, une femme la prend, place la petite lampe à souder à son extrémité et inhale. Je ne leur adresse pas la parole, ils ne m'adressent pas la parole. Je veux cette pipe je pourrais mourir pour cette pipe accroche-toi va-t'en. Lorsque j'atteins la porte, le ricanement retentit à mes oreilles. Je referme la porte et je continue ma progression dans le Couloir.

Tout est calme. L'homme a cessé de hurler. Je n'entends plus que le bruit de mes pas sur les vieilles planches, les journaux décolorés et les éclats de verre. Je regarde dans chaque Pièce, mais elles sont toutes vides. Je lutte contre le besoin de retourner chercher des cailloux, le besoin devient plus impérieux chaque seconde qui passe. Comme j'arrive au bout du Couloir, j'entends une voix d'homme qui dit oh ouais Chérie, vas-y Chérie, suce ma grosse queue bien épaisse Chérie. Sous la voix je perçois le mouvement de la salive sur la chair, d'avant en arrière, d'avant en arrière. La Fureur s'empare de moi et je dois me contenir pour me rappeler que je ne suis pas ici pour cogner mais pour la récupérer. Je suis ici pour la récupérer et partir. Le besoin enfle. Récupérer et partir. Le plus vite possible, bordel de merde.

J'atteins le fond du couloir et je me campe devant une porte. Derrière la cloison j'entends oh ouais, espèce de petite Salope, continue comme ça prends-la bien à fond prends-la bien à fond, espèce de petite Salope. J'ouvre la porte, j'entre dans la Pièce, elle est là à genoux, le visage plaqué contre le bas-ventre d'un vieux. Il y a une pipe et une petite lampe à souder par terre, à côté d'elle.

Il me regarde dit qu'est-ce que c'est que ça elle relève la tête saisie d'effroi. Dans ses yeux je vois l'insatiable besoin, la folie désespérée, la honte atroce et l'obsession absolue du crack. Elle tombe par terre, s'écartant du type qui a le pantalon baissé sur les chevilles et qui s'écrie qu'est-ce que tu fous ici Connard. Je l'ignore complètement et je m'avance vers elle, c'est pour elle que je suis ici. Du coin de l'œil je le vois attraper une bouteille, je m'arrête, je me tourne vers lui, je fais un pas. Il est à portée de main et il brandit une bouteille. Je le frappe. Une gifle rapide et forte avec le dos de la main, sur l'une de ses joues. Il est sonné, j'avance encore d'un pas. Il se laisse glisser contre le mur, je le regarde.

Je ne suis pas ici pour cogner.

Il me regarde avec de grands yeux. Il a peur.

Prends tes saloperies et casse-toi d'ici.

Il remonte son pantalon, jette un coup d'œil autour de lui pour récupérer ses affaires. Je me tourne vers Lilly, elle s'agrippe au sachet de crack et à la pipe et rampe à reculons vers un coin de la Pièce. Je l'attrape d'une main.

Viens ici, Lilly.

Elle continue de ramper à reculons, secoue la tête.

Viens. On rentre à la Maison.

Elle se pelotonne dans un coin, agrippée à son matos. Elle secoue la tête.

On laisse cette merde ici et on rentre à la Maison.

Elle s'agrippe, secoue la tête, ses yeux sont ailleurs, elle est ailleurs. Elle parle.

Non.

Je fais un pas dans sa direction.

Si.

Derrière moi j'entends le vieillard qui sort de la pièce. Elle secoue la tête.

Laisse-moi.

Je ne partirai pas sans toi.

Elle hurle.

Fous-moi la paix putain.

Je fais un pas en avant.

Non.

Elle se rencogne davantage, agrippée au sachet et à la pipe.

Fous-moi la paix putain.

Je fais un pas en avant, je me penche, j'enroule mes bras autour d'elle. Elle se débat, essaie de me repousser, essaie de me frapper. Je la serre fort, bien campé sur mes deux jambes, je me redresse et la relève.

Viens.

Elle grogne, grommelle, se débat, frappe. Je sais que c'est la drogue le crack les cailloux qui se battent contre moi, pas elle. Je sais que si je m'accroche assez longtemps, je vaincrai.

Viens. On rentre à la Maison.

Elle tente de me repousser.

Frappe-moi autant que tu veux, on rentre à la Maison.

Elle essaie plus fort. Plus fort. Plus fort.

Je hausse le ton.

Arrête putain. On rentre à la Maison.

Il y a un dernier soubresaut de colère et de peur, quelques coups de poing puis elle me repousse et s'arrête net. Devient toute molle. Je sens la pipe et le sachet contre ma poitrine. Je les sens qui glissent, je les entends qui tombent par terre. Je pense à les ramasser putain qu'est-ce que j'en ai envie je m'accroche. Je m'accroche jusqu'à ce que ça disparaisse. Accroche-toi.

Elle pleure contre mon épaule, elle sanglote. Elle est brisée, les cailloux sont brisés, je reste là sans bouger pendant quelques instants pour m'assurer qu'elle est calmée. Je la serre contre moi, je la tourne, je marche vers la porte. Nous prenons le Couloir en direction de l'escalier. Le Fantôme crie toujours, les ricanements recommencent. Je serre Lilly contre moi, elle pleure, nous descendons les escaliers en marchant lentement et prudemment si je la lâche elle tombe. Elle est brisée et perdue et défoncée, elle ne comprend pas ce qui se passe. Si je la lâche elle tombe.

Nous arrivons en bas de l'escalier et nous traversons la Cave la puanteur la puanteur et nous remontons les marches pour sortir dans la nuit. Nous contournons l'Immeuble. Le VSL nous attend. Hank sort, il vient à notre rencontre.

Elle va bien ?

Non.

Il ouvre la portière.

On la ramène vite.

Je la fais asseoir.

Merci.

Il referme la portière. Je m'assieds et prends Lilly dans mes bras, elle pleure contre mon épaule. Lincoln se retourne, il nous regarde.

Crack ?

Ouais.

Il hoche la tête et se retourne sans rien ajouter. Hank ouvre sa portière, se glisse derrière le volant, il met le VSL en marche et nous partons, abandonnant l'Immeuble derrière nous.

Hank roule le plus vite possible, tout en restant raisonnable. Lilly est en descente de crack. Elle tremble et elle transpire, reprend conscience par intermittence, sombre dans la folie par intermittence. Quand elle est consciente, ses yeux sont écarquillés, nerveux. Ils ne restent pas en place, elle les cligne, tout son visage tressaille tandis qu'elle les cligne cligne cligne. Elle bredouille des histoires sans queue ni tête de sachet de crack et de grand incendie et d'un homme d'Atlantis qui veut la tuer. Quand elle ne bredouille pas, elle pleure. Quand elle est inconsciente, elle s'agite et gémit comme si de petites décharges électriques parcouraient son corps. Ses jambes tressautent, s'étirent, ses bras frémissent, elle s'agrippe à ma chemise si violemment qu'elle la déchire. Par moments elle se met à jurer, comme quelqu'un qui aurait le syndrome de la Tourette, elle dit va chier, Fils de Pute ou putain de Salope de merde. Je la serre contre moi. Je lui réponds, bien que je sache qu'elle ne m'entend pas. Même lorsqu'elle est consciente, elle ne se rend plus compte de rien, à part qu'elle était défoncée et qu'elle ne l'est plus. Elle est en descente. Je la serre contre moi. Je veux seulement qu'elle me revienne.

Nous quittons l'Autoroute et nous prenons la route de la Clinique. J'aperçois une lueur dans les yeux de Lilly, elle reconnaît l'endroit où nous allons. Elle s'agrippe à moi et je sens ses ongles qui s'enfoncent dans la chair de mes bras, elle me regarde dans les yeux et ses yeux s'emplissent de peur et pour la première fois depuis que nous sommes montés dans le VSL elle a des mots sensés.

J'ai peur.

Tu n'as aucune raison d'avoir peur.

J'ai peur, James.

Tout va bien se passer.

Je ne voulais pas le faire.

Je le sais.

Je n'ai pas réussi à m'en empêcher.

C'est fini.

J'ai tellement peur.

On est arrivés à la Maison maintenant. Tout va bien se passer.

Nous arrivons en face de l'entrée de la Clinique. Le VSL s'arrête. Hank et Lincoln sortent, Lincoln ouvre la portière arrière et j'aide Lilly à se dégager, je la soutiens tandis que nous sortons. Lincoln parle.

On va prendre le relais.

Où est-ce qu'elle va ?

En Désintoxication.

Pour combien de temps ?

Sans doute une journée.

Prenez bien soin d'elle.

Bien sûr.

Il tend la main vers nous, Lilly me serre encore plus fort. Je lui dis que tout va bien, qu'il faut y aller, je lui dis que je l'aime. Elle se met à pleurer. Je la pousse doucement vers Lincoln qui la soutient contre lui d'un côté tandis que Hank se place de l'autre. Une fois qu'elle s'est éloignée de moi, dans leurs bras, à l'abri, je regarde Lincoln.

Merci.

Il hoche la tête.

Allez vous coucher. Faites la grasse matinée demain si vous le souhaitez, et passez me voir dans mon Bureau quand vous vous réveillerez.

D'accord.

Hank parle.

Et ne t'en fais pas pour elle, tout va bien se passer.

Je me mets à pleurer.

Merci tellement, à tous deux. Merci.

Lincoln hoche la tête, Hank dit de rien. Ils se retournent et entraînent Lilly, qui est redevenue incohérente et bredouillante, vers le Secteur Médical de la Clinique. Je les regarde et mes larmes ruissellent, je lutte pour contenir mes sanglots. Je sais qu'elle est entre de bonnes mains, je sais que ça va aller, mais la voir dans cet état me fend le cœur, ça me fout en l'air, ça me donne envie de mourir pour qu'elle vive. Je les regarde s'éloigner et je pleure.

Ils disparaissent dans le Secteur Médical. Je me retrouve seul en face de l'Entrée, le visage enfoui dans mes mains, et je pleure. Il fait froid et sombre et c'est le cœur de la nuit et je ne peux m'empêcher de pleurer. Les vannes lâchent. Je pleure sur elle, sur moi, sur le Monde que nous avons créé ensemble. Je lui donnerais ma vie si ça pouvait l'aider à se rétablir. Je la lui aurais donnée tout à l'heure, je la lui donnerais à l'avenir. Si cela pouvait changer quelque chose, je lui donnerais ma vie. Je sais que ça ne changerait rien. Je pleure.

Je cesse de pleurer, je me retourne, je rentre. Il y a une femme à l'Accueil, nous nous saluons et je rentre dans mon Service. Les Couloirs sont vides et silencieux, tout le monde dort, j'arrive devant ma Chambre et j'ouvre la porte et j'entre sans faire de bruit. Miles est au lit, les lumières sont éteintes. Je me déshabille, je monte sur mon lit et me glisse sous les couvertures.

Je me remets à pleurer.

À pleurer doucement.

Je pense à Lilly et je pleure.

C'est tout ce que je peux faire.

Pleurer.

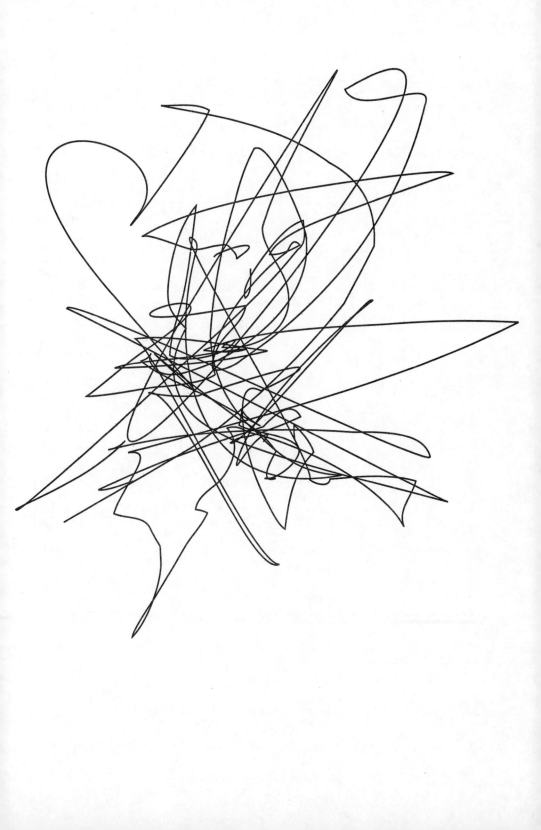

Je suis dans la Pièce avec Lilly. Je tiens une pipe bourrée de cailloux dans une main, une bouteille de Thunderbird dans l'autre. Une petite lampe à souder est posée sur le sol, entre mes pieds. Je fume et je bois jusqu'à perdre conscience. J'adore ça, je hais ça.

Le vieux est avec nous. Il s'amuse avec Lilly. Je les observe. Je fume. Je bois. Je ne me soucie que de ma pipe. Je ne me soucie que de ma bouteille. Je suis à leur merci. J'adore ça, je hais ça.

Mon rêve est réel, réel comme peut l'être un rêve, je vois et j'entends et je sens et je touche en songe. Dedans et dehors. Des images semblables à celles d'une pellicule qui défile, des sons semblables à ceux d'une stéréo. Le crack et le vin sont réels dans mon corps, le crack et le vin sont réels dans mon esprit. J'oscille entre le sommeil et la veille, la conscience et l'inconscience, la raison et la folie. J'adore ça, je hais ça. J'adore ça et je hais ça.

Je renonce à dormir. Je sors du lit. Je vais dans la Salle de Bains. J'entre dans la douche et je nettoie toute la crasse de la veille. Je reste un long moment sous la douche.

Je m'habille, je quitte ma Chambre, je prends une tasse de café, je descends les marches qui mènent au bureau de Lincoln. Il y a une Séance de Thérapie de Groupe au Rez-de-Chaussée, et lorsque je passe devant les hommes je sens leurs regards braqués sur moi. Je ne leur jette pas un coup d'œil. Je fais comme s'ils n'étaient pas là. Je passe à côté de la Cabine Téléphonique et marche jusqu'au petit

Couloir. La porte est ouverte, Lincoln est à son bureau et il bouquine le Livre Bleu, le *Gros Livre*, la Bible des Alcooliques Anonymes. Il relève la tête vers moi quand j'entre et il parle.

Asseyez-vous.

Je m'assieds en face de lui.

Vous avez bien dormi ?

Non.

Des cauchemars ?

Ouais.

Je m'en doutais.

Pourquoi ?

Parce que vous vous y êtes frotté.

Ça arrive, après ?

En tout cas ça m'est arrivé, même après quatorze ans.

C'est peut-être le prix à payer.

Sans doute.

Lincoln m'observe pendant quelques instants. Contrairement à nos entrevues précédentes, son regard n'est pas chargé de colère et de reproches. Il brandit son livre, me parle.

Vous l'avez lu ?

Ouais.

Qu'est-ce que vous en pensez ?

J'ai pas aimé. Ça m'a semblé bidon.

Ce qui s'est passé la nuit dernière m'a beaucoup fait réfléchir.

Pourquoi ?

Parce que vous n'êtes pas censé être capable de faire ce que vous avez fait.

C'est votre livre qui vous le dit ?

Non, c'est ma foi en ce livre qui me le dit.

Je n'y crois pas, alors je ne dois pas être soumis à ses Règles.

À quelles Règles vous soumettez-vous ?

Les miennes.

Et quelles sont-elles ?

Il n'y en a qu'une : ne le fais pas. Qu'importe ce qui arrive, qu'importe que j'en meure d'envie, ne le fais pas.

Vous pensez que ça va marcher ?

Oui.

À long terme ?

Oui.

J'ai essayé comme ça.

Et alors ?

Je me suis planté trois fois.

Que s'est-il passé ?

J'étais Accro au speed. J'en prenais, j'allais en Centre de Désintoxi-cation, je passais quelques jours au vert, refusais d'écouter ce qu'on me disait. Je pensais que j'étais plus fort que ma dépendance, et dès que je sortais et que de la dope me tombait sous la main, j'en prenais.

Comment avez-vous réussi à arrêter ?

J'ai fini par renoncer, je suis venu ici, j'ai écouté, j'ai fait ce qu'on me disait, j'ai confié ma volonté aux mains de Dieu tel que je le concevais, j'ai suivi les Douze Étapes. C'est ce qui m'a sauvé.

C'est bien.

Oui.

Il sourit, me regarde pendant quelques secondes. Il baisse les yeux vers son Livre et les repose sur moi.

Je ne pensais pas que vous y arriveriez, hier soir.

Non ?

Il y a beaucoup de gens qui racontent des foutaises ici, et la plupart du temps ce n'est que ça, des foutaises.

Je n'aurais pas pu continuer à me supporter si je n'avais rien fait.

Je ne sais pas ce que ça vaut, et au vu de notre relation jusqu'à ce jour il est possible que cela ne vaille pas grand-chose, mais je suis fier de vous.

Merci.

Je n'aurais pas pu faire ce que vous avez fait. Je ne serais pas allé la chercher. Je ne me serais pas aventuré dans cette Gare Routière, et je ne serais certainement pas allé me fourrer dans cet Immeuble.

Pourquoi vous me dites ça ?

Vous avez risqué votre vie hier soir, sans doute plus que vous ne le pensez, pour sauver quelqu'un d'autre. Je sauve des Gens, ou tout au moins j'essaie de sauver des Gens, mais c'est encadré, ça se passe au sein d'une Infrastructure qui me permet de ne pas courir le moindre risque. Je ne sais pas ce que vous avez vu la nuit dernière, ni ce que vous avez dû encaisser, mais j'en ai une petite idée, et je sais que ça n'a pas dû être facile. Je ne crois pas que j'en aurais été capable.

Pourtant vous avez risqué votre Boulot en venant me chercher.

Peut-être, mais je me suis dit que si vous étiez prêt à prendre un tel risque, mon Boulot, ce n'était pas grand-chose.

C'est déjà énorme, et je vous en suis redevable. Je vous en suis immensément redevable.

Faites deux choses pour moi et on sera quittes.

Lesquelles ?

J'aimerais qu'on s'entende mieux pour le restant de votre séjour. Je vais faire des efforts et j'aimerais que vous en fassiez aussi.

Je souris.

Pas de problème. Quoi d'autre ?

Hier soir vous m'avez dit que je me trompais.

Oui ?

Prouvez-le-moi. Prouvez-moi que je me trompe.

Je souris.

Je vais me mettre en quatre.

Il me regarde.

Faites mieux que ça.

Je lui rends son regard, hoche la tête.

Promis.

Il se lève.

On se serre la main ?

Je me lève.

D'accord.

Il tend le bras et moi le mien et nos mains se touchent. C'est une forte poignée de main, ferme, nous nous regardons dans les yeux, un respect mutuel nous unit. Nos mains se séparent et je parle.

Ai-je le droit de vous demander comment elle va ?

Elle va bien.

Que va-t-il lui arriver, maintenant ?

Elle va rester quelque temps dans le Secteur Médical. Elle va reprendre sa Cure depuis le début, pas à pas. Nous essayons de rentrer en contact avec sa Grand-Mère car notre Règlement stipule que lorsqu'un Patient s'en va, s'il revient, il faut qu'il paie à nouveau. Vous n'êtes toujours pas autorisé à la voir, mais je vous donnerai de ses nouvelles si vous le souhaitez.

Volontiers.

Considérez que ce sont les premières.

Si vous la voyez, pourriez-vous lui dire que je l'aime ?

Il sourit.

Bien sûr.

Merci.

Vous devriez y aller.

D'accord.

Passez me voir si vous avez besoin de quoi que ce soit.

Je n'y manquerai pas. Merci.

Il hoche la tête.

Merci.

Je tourne les talons, je sors. Je prends le petit Couloir et je rentre dans mon Service. La Séance de Thérapie de Groupe s'achève, les hommes se dirigent vers le Réfectoire pour y prendre le déjeuner. J'aperçois Leonard et Miles, nous marchons ensemble vers le Réfectoire. Sur le chemin, ils me demandent où j'étais passé, je leur explique, ils n'en croient pas leurs oreilles. Ils sont atterrés par ce que Lilly a fait, ce que j'ai fait, que je l'aie retrouvée et ramenée ici, que Lincoln et Hank m'aient aidé. Ils me demandent si c'était dur et je dis oui. Ils me demandent si je le referais s'il le fallait et je dis oui, et j'en ferais autant pour n'importe lequel d'entre vous. Tandis que nous prenons des plateaux et la nourriture, avec du riz à l'espagnole et des côtelettes de porc en plat du jour, ils me demandent des nouvelles de Lilly, s'enquièrent de ce qui l'attend. Je leur explique mais je ne mentionne pas ses problèmes financiers, ce n'est pas à moi d'en parler. Ils me demandent de faire appel à eux si j'ai besoin d'aide. Je les remercie.

Nous rejoignons Ted et Matty, attablés dans un coin. Matty disparaît derrière une pile de journaux qu'il épluche, à la recherche d'articles concernant le combat de ce soir. La plupart de ces journaux ont pour favori le plus grand des deux Poids Lourds, mais Matty persiste à penser qu'il perdra. Tout en lisant, il parle des journalistes qu'il a connus quand il était boxeur, et traite ceux avec lesquels il n'est pas d'accord de fils de flûte, de canard, de sale PV. Ça fait partie de sa stratégie pour cesser de jurer et ça nous fait rigoler. Leonard lui demande pourquoi il n'utilise pas les vrais mots, tout simplement, et Matty rétorque que cela fait déjà trois jours qu'il parle sans que le Diable lui souffle à l'oreille et que c'est pas à cause d'une salopette de combat qu'il va s'arrêter en si bon chemin.

Après le déjeuner, nous allons à la Conférence. Nous jouons aux cartes dans la rangée du fond. Leonard empoche tout l'argent, mais le redistribue une fois la partie finie.

Lorsqu'on quitte la Salle, j'aperçois Ken qui m'attend dans le Couloir avec Randall, l'avocat chargé de mon affaire. Je regarde Randall, je parle.

Du nouveau ?

Pouvons-nous en discuter dans le Bureau de Ken ?

Je dis oui, nous nous dirigeons vers le Bureau de Ken. À chaque enjambée mes pieds me paraissent plus lourds, l'angoisse commence à me ronger. J'observe Ken et Randall dans l'espoir de décrypter sur leur visage une expression qui me donnera un indice quant au sort qui m'est réservé, mais en vain. Nous avançons et mes pieds sont de plus en plus lourds, l'angoisse me submerge. J'ai l'impression d'aller au cachot.

Ken ouvre la porte, il s'assoit derrière son bureau, Randall et moi nous asseyons en face de lui. Randall tient un dossier sur ses genoux, il l'ouvre, me regarde, me sourit. Je m'attends au pire et son sourire m'exaspère. Il parle.

Je serais presque tenté de ne pas vous poser de questions, mais si je ne le fais pas, ça va m'obséder pour le restant de mes jours.

Il semble attendre une réponse. Je le dévisage. J'ai peur et je suis exaspéré et j'aimerais qu'on en finisse. Il sourit à nouveau.

Qui sont vos amis ?

Quoi ?

Qui a fait ça pour vous ?

Je ne sais pas de quoi vous parlez.

Il rit.

Dites-moi, voyons.

Je commence à fulminer.

Mais qu'est-ce que vous racontez, bordel ?

Ken parle.

Calmez-vous, James.

Occupez-vous de votre cul, Ken.

Randall m'observe.

Nous avons reçu ce matin une proposition pour que vous purgiez une peine de trois à six mois dans une Maison d'Arrêt, suivie par trois ans de Mise à l'Épreuve. Les crimes ont été requalifiés en délits, et si vous vous tenez à carreau pendant votre Mise à l'Épreuve, tout sera rayé de votre Casier Judiciaire.

Je souris.

Putain, je rêve.

Il hoche la tête.

Mais non putain, vous ne rêvez pas.

J'éclate de rire.

Qu'est-ce qui s'est passé ?

Le Procureur a dit qu'ils avaient eu un petit problème de preuves malencontreusement égarées, et qu'il avait reçu quelques coups de fil pour intercéder en votre faveur. Je lui ai demandé des précisions, mais il n'a pas voulu m'en donner.

Je ris encore. Je suis fou de joie.

Quand est-ce que je dois m'y rendre ?

Vous acceptez ?

Tu m'étonnes.

Étant donné les nouveaux éléments de l'affaire, vous avez peut-être vos chances s'il y a Procès.

Je veux seulement en finir.

Je comprends. Je vais commencer à m'occuper des formalités.

Quand faudra-t-il que je parte ?

Je pense qu'il faudra que vous vous remettiez entre les mains de la Justice dans les dix jours qui viennent.

Je souris.

Tu m'étonnes.

Ken parle.

Je n'en reviens pas que vous soyez aussi content d'aller en Prison.

Je suis content parce qu'une peine de quelques mois en Maison d'Arrêt, c'est de la rigolade, bordel.

Ça reste une Prison. Vous serez quand même enfermé.

Oui, mais c'est pas un Pénitencier. En Maison d'Arrêt, je serai avec des mecs condamnés pour conduite en état d'ivresse, pour avoir battu leur femme ou dealé de l'herbe. Je n'aurai pas d'ennuis avec ces gens-là.

Ça reste une Prison.

Ce sera de la rigolade.

Randall parle.

Avez-vous la moindre idée de ce qui a pu se passer ?

Je souris.

J'ai ma petite idée.

Voudriez-vous m'en faire part ?

Je ne crois pas que ça plairait aux principaux intéressés.

Je comprends.

Il referme sa chemise, se lève.

Je vous apporterai votre dossier quand je l'aurai reçu.

Je me lève.

Merci beaucoup pour votre aide.

Je pense que d'autres personnes mériteraient plus que moi d'être remerciées.

Je n'y manquerai pas, mais je tiens aussi à vous remercier.

Je vous en prie.

Nous nous serrons la main, Randall s'en va et je me rassieds. Ken parcourt un dossier quelques instants puis me regarde.

J'ai fait le bilan de votre Cure avec Joanne ce matin et nous estimons que vous êtes prêt pour les deux dernières Étapes que l'on peut suivre dans ce Centre, c'est-à-dire la Quatrième et la Cinquième.

Ce n'est pas embêtant que je n'aie pas fait les précédentes ?

Avez-vous l'intention de les suivre ?

Non.

Alors voyons pour la Quatrième et la Cinquième.

D'accord.

Quatrième Étape, nous avons courageusement procédé à un minutieux Examen de Conscience. Cinquième Étape, nous avons avoué à Dieu, à nous-même et à un autre être humain la nature exacte de nos torts.

Une Confession.

Oui.

À part cette histoire de Dieu, ça me semble pas mal.

Nous vous conseillons, lorsque vous ferez votre Examen de Conscience, de tout coucher par écrit.

D'accord.

Et nous vous conseillons, lorsque vous ferez votre Confession, de vous adresser à un Curé.

Pourquoi ?

Ils ont l'habitude. Ils essaient de garder leurs opinons pour eux et d'être objectifs. La plupart des gens trouvent que c'est le mieux.

Je baisse les yeux, je réfléchis, je me souviens. J'inspire à fond.

Ken parle.

Je peux essayer de vous trouver quelqu'un d'autre.

Ça ira. Quand est-ce qu'il faut le faire ?

Cela dépend du temps qu'il vous faudra pour faire votre Examen de Conscience.

Je l'aurai fini demain.

En général les gens demandent trois à quatre jours.

Je sais ce que j'ai à dire.

Ne prenez pas ça à la blague, James.

Non. Je vous le promets.

Cela vous pose un problème si vous faites la Cinquième Étape après-demain ?

Ça me semble parfait.

Je vous réserverai une Salle. Dites-moi si vous avez besoin d'un Curé ou pas.

Un Curé, ça me va.

Si vous avez la moindre question, passez me voir.

D'accord.

Je me lève, je le remercie, je m'en vais. Je rentre dans mon Service, Lincoln y anime une Séance sur les Risques de Rechute et le Repérage des Facteurs qui la favorisent. Il est debout devant un tableau noir, il parle. Les hommes sont assis devant lui, sur les canapés et les fauteuils.

Je cherche un endroit où m'asseoir. Un homme occupe seul l'un des canapés. C'est un nouveau, je ne l'ai jamais vu auparavant. Il a de longs cheveux filasse teints en noir. Il porte un pantalon en cuir noir et un T-shirt noir orné de l'image d'un squelette. Il n'a plus de bras gauche et son bras droit vient d'être amputé juste au-dessus du coude. Ce qu'il en reste disparaît sous les bandages et repose sur une attelle en plastique qui pointe sous sa chemise. Elle maintient le bras sur sa poitrine. Un serpent rouge tatoué s'enroule autour de son cou, et les contours de ses yeux semblent avoir été tatoués en noir. L'iris, quant à lui, est d'un marron terne. Ils sont braqués droit devant lui. Ils ne bougent pas. Ils sont vides.

Je cherche une autre place, mais il n'y en a pas. Je m'assieds à côté du type et j'essaie d'écouter ce que Lincoln raconte, mais je n'y arrive pas. Je me sens très mal près de cet homme et je l'épie du coin de l'œil. J'observe le moignon de son bras droit. Les bandages sont propres, mais au-dessus sa peau est légèrement bleutée, constellée de taches noires et verdâtres. J'observe son cou et le serpent qui s'y enroule. La tête du reptile se trouve sur sa pomme d'Adam, mâchoire béante, il siffle, j'aperçois la queue qui disparaît derrière son dos. J'observe son visage. Sa peau est jaune pâle, symptôme d'une hépatite en rémission, ses joues sont criblées de marques comme s'il s'était coupé avec des petits bouts de verre ou des lames de rasoir, des trous subsistent dans ses sourcils, ses lèvres, son nez et ses oreilles, comme si son visage avait été piercé.

Pire que la vision, il y a l'odeur. L'homme sent la pourriture, on dirait qu'une chose crève ou est déjà crevée à l'intérieur de lui, on dirait que cette chose est là depuis longtemps. Je peux presque visualiser l'odeur, et lorsqu'il expire, que son souffle quitte son corps, la puanteur redouble. C'est une odeur aigre et légèrement chimique, vieille et incroyablement répugnante. Comme s'il s'était brossé les dents avec un mélange d'eaux usées et d'huile de vidange. Comme si ça faisait des lustres qu'il ne s'était pas lavé les dents.

Je ne suis pas le seul à être importuné par l'odeur. Je ne suis pas le seul à l'observer. Tout le monde, y compris Lincoln, est fasciné par l'homme. Certains, comme moi, l'épient du coin de l'œil. D'autres le fixent sans vergogne. Ceux qui sont près de lui font la grimace à cause de l'odeur et agitent leurs mains en éventail pour brasser l'air. Ceux qui se trouvent un peu plus loin remuent sur leur siège, prennent d'étranges positions, se penchent, reniflent, comme s'ils cherchaient à s'assurer que ce qu'ils croient sentir est bien ce qu'ils sentent. Ça l'est. C'est une putain d'abjection. Il y a quelque chose de crevé et ça se décompose lentement.

Avant la fin de la Séance, Lincoln nous dit que nous avons l'après-midi pour nous et que ce soir le dîner aura lieu dans le Service, à 18 h 30. Quelqu'un demande pourquoi, il dit vous verrez et il nous laisse partir. La plupart des hommes se lèvent en hâte. Ils quittent la Pièce ou se rendent dans un coin où l'odeur est moins forte. Je me lève, je me dirige vers Leonard et Miles qui sont assis contre un mur côte à côte. Comme je les rejoins, ils lèvent les yeux vers moi. Je souris et je parle.

Je vous remercie beaucoup tous les deux.

Ils échangent un regard. Ils ont l'air perplexes. Ils posent les yeux sur moi et Leonard parle.

De quoi ?

Je viens de voir l'Avocat qui s'occupe de mes conneries.

Miles parle.

Et alors ?

Je souris à nouveau.

Trois à six mois en Maison d'Arrêt. Il faut que j'y sois d'ici une dizaine de jours.

Leonard sourit, Miles parle.

Tu es content ?

J'opine.

Oui, je suis très content.

Miles hoche la tête.

Bien.

À mon avis, vous y êtes pour quelque chose, et je voudrais vous remercier.

Leonard jette un coup d'œil à Miles, Miles à Leonard. Leonard parle.

Tu as fait quelque chose ?

Miles secoue la tête.

Non. Et toi ?

Leonard secoue la tête.

Non, j'ai rien fait.

Miles sourit.

De toute façon, étant donné que nous ne sommes pas du même bord, tu ne serais certainement pas venu me trouver pour tout me raconter si tu avais fait quelque chose.

Leonard sourit.

Ça craint pas, putain. Rien que de te parler du temps qu'il fait, ça me file les chocottes.

Miles rit. Je parle.

C'est comme ça que vous voulez la jouer, alors ?

Ils me regardent. Ils sourient. Miles parle.

Dis-toi seulement que tu es un jeune homme très chanceux.

Leonard opine du chef.

Un jeune homme qui a le cul bordé de nouilles, ouais.

Je souris.

Merci.

Miles se lève, dit qu'il a quelques coups de fil à passer, Leonard se lève, dit qu'il a quelques trucs à régler avant ce soir. Je prends l'escalier et je vais dans ma Chambre, j'ouvre la porte, je m'assieds sur mon lit, je prends mon livre. Il m'a manqué, mon petit livre chinois.

Quarante-quatre. Quel est le plus important, la gloire ou l'intégrité. Quel est le plus précieux, l'argent ou le bonheur. Quel est le plus dangereux, le succès ou l'échec. Si tu cherches à t'épanouir grâce aux autres, tu ne t'épanouiras jamais. Si ton bonheur dépend de l'argent, tu ne seras jamais heureux. Satisfais-toi de ce que tu as et tu tireras du plaisir de voir les choses telles qu'elles sont. Lorsque tu comprendras que tu as tout ce qu'il te faut, le Monde t'appartiendra.

Trente-six. Si tu souhaites réduire une chose, il faut d'abord que tu l'étires. Si tu souhaites te débarrasser d'une chose, il faut d'abord que tu la laisses prospérer. Si tu veux prendre, il faut d'abord que tu donnes. La douceur vaincra la dureté. La lenteur vaincra la rapidité. Ne dis pas aux autres ce qu'il faut faire, montre-leur seulement la manière.

Soixante-quatorze. Si tu comprends que toute chose est changeante, constamment changeante, tu ne t'accrocheras à rien et chaque chose changera. Si tu n'as pas peur de mourir, il n'y a rien que tu ne puisses réussir. Si tu veux maîtriser l'avenir, tu voleras la place du Maître Charpentier. Si tu utilises les instruments du Maître Charpentier, tu risques de te couper la main.

Trente-trois. La connaissance des autres est intelligence, la connaissance de soi-même est sagesse. Le contrôle des autres est puissance, le contrôle de soi-même est pouvoir. Si tu te contentes de ce que tu possèdes, tu seras riche, vraiment riche. Reste au centre et embrasse la paix, la simplicité, la patience, la compassion. Embrasse l'éventualité de la mort et tu dureras. Embrasse l'éventualité de la vie et tu dureras.

Ce petit livre me nourrit. Il m'apporte une nourriture dont j'ignorais l'existence, une nourriture à laquelle je voulais goûter sans jamais l'avoir fait, une nourriture qui m'apportera la satiété et m'apportera la vie. Je le lis, il me nourrit. Il me fait entrevoir ma vie dans les termes les plus simples, elle est comme elle est, tout simplement, et ainsi je peux continuer. Rien n'est compliqué si je ne complique pas tout. Rien n'est difficile si je ne rends pas tout difficile. Une seconde n'est rien de plus qu'une seconde, une minute rien de plus qu'une minute, une journée rien de plus qu'une journée. Elles passent. Les choses et le temps passent. Ne force pas, ne crains pas, ne contrôle pas, ne perds pas contrôle. Ne te bats pas, ne cesse pas de te battre. Embrasse et dure. Si tu embrasses, tu dureras.

Je pose le livre et je ferme les yeux. Je ne suis pas en paix, je ne suis pas tourmenté. Je n'ai pas d'espoir, je n'en manque pas. Je ne suis pas anxieux, je ne suis pas pressé. Le temps ne file pas, il passe tout simplement, ainsi qu'il doit le faire. Tout ce qui doit arriver arrivera.

C'est la vie, tout simplement, ce sont des choses qui arrivent au cours d'une vie. De même que j'accepte cela, sur mon lit, immobile et paisible, les yeux fermés et le corps tranquille, j'accepterai les événements de ma vie tels qu'ils se présenteront. Je les vivrai. Bons ou mauvais, ils surviendront. Je les accepterai tout comme je m'accepte aujourd'hui. Qu'ils surviennent.

J'ouvre les yeux, je prends le livre, je me remets à lire. Je lis des mots tels que harmonie, satisfaction, humilité, compréhension, intuition, nourriture. Je lis des mots tels que ouvert, fluide, réceptif, équilibré, cœur. Je lis si tu brides ton esprit par ton jugement et les inclinations de ton désir, ton cœur sera troublé. Je lis si tu fermes ton esprit à tout jugement et ne te laisses pas guider par tes sens, ton cœur trouvera la paix. Je lis ferme ta bouche, verrouille tes sens, émousse ton acuité. Je lis défais tes liens, adoucis ton regard, ôte ta poussière. Je lis si tu veux connaître le Monde, regarde dans ton cœur. Je lis si tu veux te connaître, regarde dans ton cœur. Je pose le livre, je le pose contre ma poitrine. Je ferme les yeux mon lit est chaud et doux contre mon dos. Je ne bouge plus, je reste allongé là, c'est doux et chaud contre mon dos. À respirer paisiblement.

À penser.

Sans penser.

À moi.

Au Monde.

Tel qu'il est.

Le lit est doux et chaud contre mon dos.

Je reste allongé.

La porte s'ouvre, je l'entends. Cela fait déjà un moment, je ne sais plus combien de temps. J'entends la porte et j'ouvre les yeux et Miles entre, ses yeux sont gonflés. Je m'assieds.

Que se passe-t-il ?

Il se dirige vers son lit, s'assoit.

Je viens de discuter une heure et demie au téléphone avec ma Femme.

Comment ça s'est passé ?

Il baisse les yeux et il secoue la tête. Je me lève, je marche vers lui, je me penche, je passe mes bras autour de lui, je l'étreins. Lui aussi passe ses bras autour de moi et il se met à pleurer. Je ne sais que dire, alors je ne dis rien. Je le serre contre moi et je le laisse faire et j'espère que ça l'aide, d'une façon ou d'une autre. Je ne sais pas ce que sa Femme lui a dit, mais je sais qu'il a besoin d'aide. Ses pleurs se muent en sanglots, ses sanglots en violents hoquets. Il me serre fort. Je continue de l'enlacer, c'est ma seule arme contre sa douleur. Nous restons assis et il pleure et je le serre fort. Ce qui est arrivé est arrivé, il en parlera quand il en aura envie, mes bras sont ma seule arme. Nous restons assis et Miles pleure.

Ses violents hoquets se muent en sanglots, ses sanglots en pleurs. Il s'arrête. La Chambre est plongée dans le silence. La nuit tombe. Le Soleil se couche, les derniers rais de lumière déclinante s'insinuent par la fenêtre. Il se dégage et me demande s'il peut rester seul. Je me lève, je sors de la Pièce. Je referme la porte derrière moi.

Je vais dans le Service, c'est une vraie maison de fous. Un homme en salopette bleue installe un décodeur sur la télévision. Des hommes en pantalon blanc, chemise blanche et chaussures blanches mettent en place des tables de banquet. La plupart des Malades du Service se sont regroupés pour assister aux opérations et discuter, cherchant à comprendre pourquoi ces gens sont là. L'un d'eux demande à l'Homme au Décodeur pourquoi il est ici et l'Homme répond qu'il n'est pas habilité à le dire. Un autre pose la même question à un Serveur et celui-ci lui répond qu'il n'est pas habilité à le dire.

Je vais prendre une tasse de café j'allume une cigarette je cherche un endroit où m'asseoir. Je veux être seul. Tandis que je cherche des yeux une chaise vide, un homme sort de la Cabine Téléphonique pour m'appeler. Je lui dis qu'est-ce qu'il y a et il me répond qu'il y a un coup de fil pour moi. Je lui dis qui c'est et il me répond qu'il ne sait pas.

Je marche vers la Cabine, entre, attrape le combiné.

Allô.

Salut, James.

Ma Mère et mon Père me disent bonjour. L'appel semble venir de loin. Il y a un léger écho, un léger décalage.

Salut.

Ma Mère parle.

Nous voulions nous excuser, James.

De quoi ?

D'avoir dû partir plus tôt. Nous nous en voulons beaucoup.

Vous avez tort.

Tu en es certain ?

440

Ouais. C'est déjà formidable que vous soyez venus, j'en suis très heureux.

Mon Père parle.

Merci, James.

De rien.

Des nouvelles ?

Randall m'en a donné.

Ma Mère parle.

Qu'est-ce qu'il a dit ?

De trois à six mois dans une Maison d'Arrêt de l'Ohio. Trois ans de Mise à l'Épreuve et, si je me tiens à carreau, ça sera rayé de mon Casier.

Mon Père parle.

Ce sont d'excellentes nouvelles. Qu'est-ce qui s'est passé ?

J'émets un petit rire.

Je ne sais pas vraiment.

Ma Mère parle.

Pourquoi ris-tu ?

Je suis content. Ça m'ôte un grand poids.

Mon Père parle.

Quand est-ce que tu y vas ?

Je ne sais pas vraiment, mais bientôt.

Silence. Mes Parents doivent imaginer leur Fils cadet dans une cellule de Prison. Le silence est dense, ponctué par de profonds soupirs et des bruits de pas. J'entends ma Mère qui se met à pleurer et l'écho s'intensifie, mon Père est à son côté. Il demande s'il peut me rappeler et je lui dis oui, il me dit qu'il m'aime et je lui dis que je l'aime, on raccroche.

J'ouvre la porte de la Cabine Téléphonique et je rentre dans mon Service. Les tables sont dressées, elles sont couvertes de nappes blanches, d'assiettes blanches, de fourchettes et de couteaux et de verres. Je ne vois pas les Serveurs, mais l'odeur m'indique qu'ils sont dans les parages, une odeur de nourriture riche, goûteuse, épicée. Cette odeur me donne immédiatement envie de manger, je suis affamé. J'en veux tout de suite. Dix énormes assiettes, tout de suite, sur-le-champ bordel.

Je monte à l'Étage. Je rejoins Matty et Ted. Je leur demande s'ils savent ce qui se passe. Matty répond que non, mais il a les crocs et si on ne lui apporte pas cette Salopette de bouffe sur-le-champ ça va

441

chiner des bufles. Ted hausse les épaules et dit qu'il n'en a aucune idée.

Lincoln arrive dans le Service, jette un coup d'œil alentour et parle.

Tout le monde est là ?

Les hommes échangent des regards. Une voix que je ne connais pas répond.

Miles n'est pas là.

Une autre Voix.

Et Leonard non plus.

Lincoln parle.

Savez-vous où se trouve Miles ?

Je parle.

Dans notre Chambre. Je crois qu'il ne veut pas être dérangé.

Il hoche la tête, parle.

Avez-vous vu Leonard ?

Les hommes échangent des coups d'œil.

Personne ?

Ils secouent la tête.

Personne ?

Lincoln sourit, hausse la voix.

Leonard.

Il recommence, mais plus fort.

Leonard.

Il hurle.

LEONARD.

Au fond d'un Couloir, de la musique retentit. C'est le thème musical d'un film de boxe célèbre sur un sombre Abruti de Philadelphie qui manque de gagner le Championnat des Poids Lourds. Les hommes sourient, quelques-uns rient. La musique se rapproche, le volume augmente, et tout le monde se retourne vers une porte d'où Leonard fait irruption, vêtu d'un costume blanc éclatant. Il porte un petit radiocassette d'une main, et de l'autre brandit le poing par-dessus la tête.

Il y a des acclamations, des rires, quelques-uns jettent des emballages de bonbon ou des petites boulettes de papier dans sa direction. Il avance vers Lincoln, éteint le radiocassette, demande le silence d'un geste de la main. Dès que les hommes se sont tus, il parle.

Nous allons faire la fête, mes amis.

442

Nouvelles acclamations. Leonard attend que ça cesse et il reprend la parole.

Hier, notre ami Lincoln m'a appris que je serais libéré demain. En cet honneur, en votre honneur et en l'honneur de ce lieu, je vous annonce que ce soir nous faisons bombance.

Hourras. Leonard et Lincoln sourient. Lorsque les cris cessent, Leonard parle.

J'ai fait venir des biftecks et des homards de Minneapolis, il y aura de la tarte aux pommes et de la crème glacée en dessert, et, entre-temps, nous regarderons le Championnat du Monde des Poids Lourds.

Les hommes ne tiennent plus en place, ils acclament et hurlent et applaudissent. Ils se précipitent vers Leonard et Lincoln pour les remercier et leur serrer la main. Alors, les portes coulissantes s'ouvrent et les Serveurs apportent de grands plats couverts de chateaubriands, de homards, de pommes de terre en robe des champs, et d'énormes récipients de salade. Ils les posent sur les tables de banquet, et une queue se forme immédiatement.

J'observe cette folle agitation depuis l'Étage. Je regarde les hommes qui prennent la nourriture, des tas énormes de nourriture. Je regarde Leonard qui dirige les opérations, crie mangez tout ce que vous voulez, amusez-vous, ce soir c'est la fête. Je regarde Lincoln qui nous observe comme un Père de Famille fier de sa progéniture. Je regarde les hommes qui dévorent la nourriture comme s'ils n'avaient pas mangé depuis des années. Ils sont Toxicomanes ou Alcooliques, la nourriture est leur carburant. Je les regarde se resservir une fois, je les regarde se resservir deux fois. J'ai envie de manger moi aussi mais c'est si beau de les regarder.

Pour la première fois depuis que je suis ici, et j'ai l'impression d'être ici depuis une éternité, tout le monde dans le Service sourit et tout le monde a l'air heureux. Les hommes bavardent, rient, se mélangent. Leurs rires et leurs paroles n'ont rien à voir avec la dépendance ou l'Alcoolisme ou la perte d'un Boulot et d'une Famille. Les hommes passent des uns aux autres, les petits groupes que nous avons constitués dans le Service, nos petits clans habituels explosent, et ces mouvements ne représentent qu'un moment agréable passé ensemble. Nos passés n'existent plus, nos avenirs ne sont plus qu'une peur lointaine. Notre colère et notre haine, notre échec et notre honte, nos regrets et notre horreur et l'humiliation dans laquelle nous vivons ont été oubliés. Et s'il n'y en a pas un parmi nous qui soit sain d'esprit ou de corps ou de quelque façon que ce soit, nous en faisons complètement abstraction. Pour l'instant nous sommes semblables à tous les hommes de ce Pays, à tous les hommes au Monde, nous mangeons, nous nous amusons, nous nous apprêtons à regarder le match. J'ai envie de manger moi aussi mais c'est si beau à regarder. Beau.

J'entends que quelqu'un m'appelle une fois et puis deux. Je jette un coup d'œil vers l'un des canapés, Leonard crie mon nom. Il désigne une place libre à côté de lui et me dit qu'il me l'a réservée, que je devrais aller chercher à manger et profiter de la soirée. Je lui souris.

Je me dirige vers l'une des tables. Comme je passe devant les escaliers, j'aperçois le Manchot. Il n'y a personne autour de lui. Il est tout seul.

Salut.

Il relève la tête. Ses yeux morts.

Vous voulez que j'aille vous chercher de quoi manger ?

Il me regarde fixement.

Je peux vous apporter une assiette, si vous voulez. Et vous aider si vous avez besoin d'aide.

Il rit.

Va te faire foutre, mec.

Quoi ?

C'est des conneries, mec. Tout ce bordel.

Qu'est-ce que tu veux dire ?

C'est que des foutaises. La plupart de ces branleurs seront crevés ou camés à mort d'ici six mois. C'est de la blague, putain.

Tu veux de quoi manger ou non ?

Je veux de l'héro, putain. Tu peux m'en choper ?

Désolé.

Je m'en vais.

Je veux de la putain d'héro, Fils de Pute. Tu peux m'en choper ?

Je descends les marches. Je ne fais plus attention à lui. Comme je fais la queue pour prendre de la nourriture, je l'entends qui pousse sa chaise et gueule va te faire foutre, allez tous vous faire foutre. J'attrape une assiette, un énorme chateaubriand, un homard écarlate et une pomme de terre. Je coupe la patate en deux et je la recouvre de beurre et d'une cuillerée de crème. Je ne fais même pas mine de me servir en salade. Au bout de la table il y a une glacière pleine de canettes de soda et j'en prends une. Ça m'ira très bien.

Je m'assieds à côté de Leonard, je commence à manger. Je l'écoute parler du match avec Matty, un Pédiatre qui est Dépendant au Xanax et un Juriste qui prend du Crack. Matty soutient toujours le plus petit des deux joueurs, Leonard le plus grand. Le Médecin parle des coups que les hommes ont pris sur la tête et de la gravité de ces coups par rapport à leur taille. Il prédit que le plus grand va gagner. Le Juriste parie sur le plus petit. Par intuition.

Je mange lentement. Je commence par le steak, le coupe en morceaux, coupe les morceaux en plus petits morceaux. Je les mange un par un, les couvrant de pomme de terre, plantant ma fourchette dans le beurre et la crème. Je les garde bien en bouche et je laisse fondre. Je laisse le goût rare de la viande rouge se mêler à ma langue, je laisse les jus se répandre dans ma bouche. Je dois lutter pour ne pas manger davantage, pour ne pas manger trois ou quatre morceaux d'un coup, ne pas manger cinq steaks ou peut-être dix ou le plus possible, mais ce n'est pas une lutte éprouvante. Ce que je suis en train de manger est mon meilleur repas depuis une éternité, le meilleur dont je me souvienne. Ce que j'ai me suffit. Je m'en contente.

Je finis mon steak, je commence à décortiquer le homard. Je lui enlève sa carapace, lui arrache sa queue. J'ouvre doucement sa queue par en dessous et j'ôte la chair qui vient en un seul morceau. Je le tiens dans ma main, je le plonge dans le reste du beurre. J'en prends une bouchée. Je garde la bouchée et je la laisse fondre et je l'avale. Je recommence encore et encore. Lorsque j'ai fini avec la queue, je décortique les pinces. J'en retire la chair et je la mange. Les pattes sont aussi savoureuses que la queue.

J'ai terminé, je suis heureux, je suis rassasié. Je me lève avec mon assiette et je jette un coup d'œil aux tables de banquet qui croulent sous la nourriture. Je ne reprends rien. Je lutterai contre le besoin de manger ce que je vois, de manger jusqu'au malaise, de manger pour que je ne puisse plus rien ressentir, de manger jusqu'à ce que je ne ressente plus rien.

J'enlève les déchets de mon assiette et je la pose sur un chariot, avec les autres assiettes. Je prends une autre assiette, un autre steak, un autre homard et une autre pomme de terre. J'en ai tellement envie nom de Dieu, j'en ai envie envie envie. Je vais dans ma Chambre. Je frappe à la porte, pas de réponse. J'ouvre la porte, j'entre. Miles est couché sur son lit, le visage enfoui dans son oreiller. Je ne veux pas le déranger. Je pose l'assiette sur sa table de nuit et je sors. Je referme la porte derrière moi, je retourne m'asseoir à ma place.

Je jette un coup d'œil circulaire. Je regarde les hommes, la majorité est encore en train de manger. Ils ont le visage et la chemise souillés par la nourriture, ils ont presque tous oublié leur fourchette et leur couteau, ils mangent avec les mains. Ils déchiquettent les steaks et les fourrent dans leur gosier, ils déchiquettent les homards et les fourrent dans leur gosier, ils tiennent les patates à pleines mains et les croquent comme des pommes. Ils mâchent la bouche ouverte pour enfourner davantage de bouffe sans avoir à avaler ce qu'ils sont en train de mâcher. Entre deux bouchées, ils essuient hâtivement les salissures sur leur visage avec leur manche de chemise, le dos de la main, des serviettes en papier tellement maculées qu'elles partent en lambeaux. Ils se lèchent les doigts et les lèvres, lèchent le dos de leur main, lèchent les os de la viande, sucent les bouts de carapace.

Ce spectacle me fait rire. On se croirait à Rome. Une orgie de nourriture, un excès de besoins et d'envies. Une débauche de gloutonnerie et de gourmandise et de faim. Chacun se fiche de son apparence ou de son comportement, tout ce qui compte c'est bouffer bouffer bouffer. Chacun se fiche de ses dépendances, des dépendances qu'il apprend à tempérer et à maîtriser ici. Ils leur ont lâché la bride. La nourriture c'est leur drogue, leur alcool, leur produit, leur substance. Chacun se fiche bien d'en prendre plus qu'il ne peut en supporter, d'en avoir plus qu'il n'en a besoin. Si c'était possible, les hommes boufferaient les meubles, les étagères, les assiettes, les serviettes, les tables, la machine à café. Ils arracheraient le plancher, engloutiraient la moquette, la colle, les clous, les planches. Si ce n'était pas grâce à elle qu'ils vont regarder le match, ils boulotteraient probablement la télé. Chacun se fiche de ce qu'il mange. Ils en veulent encore, bordel.

Leonard jette un coup d'œil à sa montre. Il se lève, son costume blanc constellé de taches, et il annonce que l'heure du match est arrivée. Les hommes se précipitent pour réquisitionner les places encore libres près de la télévision, ils se précipitent vers les tables pour une ultime frénésie de nourriture. Lincoln arrive et dit à Leonard qu'il doit rentrer chez lui. Leonard se lève, il remercie

Lincoln d'avoir autorisé la fête, puis il annonce le départ de Lincoln aux hommes. Lincoln s'en va sous les acclamations.

Dès que Lincoln a tourné le dos, Leonard sort un énorme rouleau de billets et un carnet et il déclare que les affaires peuvent commencer. Les hommes courent placer leurs paris, des paris si nombreux que Leonard n'arrive pas à tout noter. Quinze sacs, dix sacs, une paire de chaussures d'une valeur de quinze dollars, une montre, un collier en or, un bracelet, l'orgie continue. Un homme veut parier son alliance, mais Leonard refuse de prendre le pari.

Je reporte mon attention sur la télévision. De nombreux experts font des pronostics sur l'issue du combat. Matty, qui est assis de l'autre côté de Leonard, s'adresse aux hommes sur l'écran dans son sabir bourré de pseudo-jurons, les traitant d'Enfarinés et de Suceurs de Mites. Quelqu'un lui conseille d'arrêter et de se remettre à jurer pour de bon, et il répond c'est hors de question, je risque pas de me remettre à jurer, patin de merle.

Les Commentateurs annoncent que le combat va commencer et les gens se taisent, la Pièce est plongée dans le silence, les regards convergent vers la télévision. Les Boxeurs montent sur le Ring. L'homme le plus grand, qui est le challenger, est le premier à entrer, il mesure un mètre quatre-vingt-quinze, pèse environ cent vingt kilos, et a un corps d'ours, enrobé de muscles et d'une fine couche de graisse. L'homme le plus petit, le champion en titre, fait environ un mètre quatre-vingt-dix et cent dix kilos. Contrairement à son rival, il n'a pas un gramme de graisse, sa peau sombre brille comme si c'était de l'acier. Ils ruissellent de sueur, ils se sont échauffés et sont prêts à se battre. On va passer une bonne soirée. Après l'Hymne National et les présentations, la cloche qui annonce le premier round retentit. Chaque round dure trois minutes, il y a une pause d'une minute entre chacun des douze rounds. Dans la plupart des matches, les Boxeurs passent les deux premiers rounds à se tester afin de repérer points forts et points faibles. Pendant le reste du combat ils cherchent à éviter les points forts de leur adversaire et à exploiter ses points faibles. Ces deux-là ne se livrent pas à ces petits jeux. Les Boxeurs se précipitent l'un sur l'autre et se mettent immédiatement à se balancer d'énormes coups de poing. Leur seule et apparente stratégie semble être de détruire leur adversaire au plus vite. Au bout de trente secondes de match le plus petit lance une droite qui atterrit sur la mâchoire du plus grand. Ses jambes vacillent, il chancelle. Le plus petit le poursuit et l'envoie dans les cordes, pendant la minute qui suit il bourre de coups de poing impitoyables les côtes, l'abdomen, les épaules, la mâchoire de son rival. Lorsque ses bras commencent à fatiguer, et qu'il n'arrive plus à balancer de coups, le plus grand contre-attaque. Il le repousse et entreprend de le cogner comme il vient d'être cogné. À la fin du round les deux hommes retournent dans leur coin en titubant. Je suis resté debout tout le long du round, à les acclamer et à crier, comme la plupart des hommes du Service.

Les quatre rounds suivants sont dans la même veine. La cloche sonne, les boxeurs s'affrontent, ils cherchent le K-O. Il n'y a ni défense ni stratégie. Leur visage gonfle, leur bouche, leur nez, leurs arcades sourcilières saignent, ils sont couverts de marques à cause des cordes et des égratignures laissées par les gants sur leur thorax, leur dos et leurs épaules. Personne ne s'assoit pendant la totalité du combat. Qu'ils le reconnaissent ou non, les hommes adorent se battre. Être spectateur ou acteur d'un combat ravive notre vraie nature, une nature brimée par des milliers d'années de culture et de civilisation, une nature que l'on nous demande constamment d'étouffer pour le bien de tous. Se tenir seul face à un autre homme et lui faire mal ou avoir mal, voilà ce pour quoi les hommes sont bâtis. La boxe nous permet d'épancher nos plus vils instincts, de garder une idée de ce que c'est qu'un combat.

Le sixième round va commencer, les Boxeurs semblent épuisés comme si leur corps ne voulait plus se battre, mais leur esprit et leur cœur leur interdisent de s'arrêter. Ils marchent tels des automates vers le centre du ring et se mettent à se tourner autour. Ils balancent deux trois coups inoffensifs, avec leur bras le moins fort, pour tenir leur adversaire à distance plutôt que lui faire mal, puis le plus petit se lance. Il balance un ample crochet qui s'abat sur la mâchoire du plus grand. Celui-ci s'effondre comme si ses jambes avaient cédé sous son poids, il tombe à la renverse, les yeux au plafond. Le Service pète les plombs. Les hommes braillent et brandissent le poing, certains gueulent reste à terre, d'autres gueulent relève-toi, et j'entends les hurlements de Matty qui recouvrent les leurs, il va réussir, mon gars va réussir.

Le plus grand s'assoit, secoue la tête, et quand l'Arbitre dit neuf, il se relève. L'Arbitre lui demande s'il va bien et il dit oui mais manifestement c'est non, manifestement il est à moitié dans les vapes.

L'Arbitre fait signe aux hommes de reprendre le combat et ils font un pas en avant, l'air las. Matty hurle à l'homme le plus petit de lui en lancer un, de l'envoyer au tapis, un seul coup suffira, envoie-le au tapis, mais il en est incapable. On dirait que le dernier coup, ce magnifique crochet, lui a ôté autant de force qu'il en a ôté à son adversaire. Ils poursuivent le match en se donnant des coups faiblards, bien trop épuisés pour lancer de vraies droites.

Entre les deux rounds, Matty se lève et fait les cent pas. Leonard lui demande de s'asseoir mais Matty n'écoute pas. Il secoue la tête, donne des coups de pieds par terre, implorant le boxeur plus petit de filer la pâtée au plus grand. Lorsque la cloche sonne, il hurle vas-y Fils de Pute, vas-y.

Le round commence doucement, mais au bout de trente secondes, comme les boxeurs se trouvent au centre du Ring, le plus grand lance une droite qui percute le nez du plus petit. Son nez se casse dans un geyser de sang et le plus petit s'effondre à genoux. Puis il tombe la tête la première sur le tapis.

La Salle explose. La plupart des hommes hurlent relève-toi, relève-toi, quelques-uns se tapent dans les mains en disant c'est gagné. Au bout de huit coups le plus petit se remet sur pied, l'Arbitre lui demande si ça va, et malgré le sang sur son visage et dans sa bouche il répond oui. L'Arbitre s'écarte et l'homme le plus grand fait un pas en avant pour asséner une autre droite, parfaite, dans le nez du plus petit. L'homme le plus petit tombe à la renverse, passe à travers les cordes et sort du ring. Ses yeux sont fermés et il ne bouge plus. Le match est terminé.

Les hommes crient hurlent jurent jettent des canettes de soda vides sur la télé se lèvent et s'en vont. Malgré le tumulte, je perçois un bruit qui recouvre le reste. C'est Matty qui hurle merde merde merde merde. Il fixe la télé d'un air abasourdi, les yeux ronds, et il crie merde merde merde merde merde. Leonard se lève, il passe son bras autour de lui, il dit ce n'est qu'un match, t'en fais pas et Matty cesse de crier, et il dit je sais mais quand mon favori ne gagne pas, putain, ça me crève mon putain de cœur. Leonard lui dit qu'il comprend absolument, et il le serre contre lui. Ils se séparent, Matty envoie un dernier merde à la télévision, Leonard circule dans la Pièce pour régler les paris. Il avait misé presque tout son argent sur l'homme le plus grand, mais comme il est grand seigneur, il renonce aux paris qu'il a gagnés, et paie pour ceux qu'il a perdus.

Je veille tard, bavardant avec Matty et Ted et Leonard et les hommes qui vont et viennent. Nous parlons du match, Matty tient le crachoir. Toutes ses velléités de ne pas jurer se sont envolées. Nous mangeons de la tarte aux pommes et de la glace, nous fumons des cigarettes en buvant du café. Nous regardons les meilleurs moments du match au journal télévisé et revivons l'expérience encore et encore. Personne ne va se coucher. Le Service est bondé, il est pourtant 2 heures du matin. Demain nous retournerons à la réalité. Tout le monde veille car personne ne veut que la soirée s'achève.

Aux environs de 4 heures, je me lève du canapé et je me dirige vers ma Chambre. J'ouvre la porte il fait noir c'est tranquille Miles dort. Je grimpe sur mon lit et je pose ma tête sur l'oreiller et je pense à Lilly. Je l'imagine endormie dans le Secteur Médical et je n'en reviens pas qu'elle soit si près de moi et je n'en reviens pas qu'elle soit si loin de moi, si loin. Elle est dans le Secteur Médical et il est tout près et pourtant un Monde nous sépare. Elle me manque. Elle me manque.

Ce soir j'ai passé l'une des meilleures soirées de ma vie. De la nourriture, des amis, un match. Des choses que j'aime et des gens que j'aime. C'était presque parfait.

Presque.

Lilly me manque.

Lilly me manque.

Lilly me manque.

Je me réveille. Je ne me souviens pas m'être endormi et je ne me souviens pas de mon sommeil. Un sommeil sans rêve. Sans rêve.

Je sors du lit. Le Soleil entre par la fenêtre. Un Soleil éclatant. Je ne me rappelle pas la dernière fois que j'ai vu le Soleil.

Je vais à la Salle de Bains, je me douche, je me brosse les dents, je me rase. J'évite le miroir. Je ne me regarde pas dans les yeux. Je ne me regarde pas. Je me douche me brosse les dents me rase.

Je m'habille et je quitte ma Chambre. Je traverse le Service, les hommes vaquent à leur Tâche Quotidienne. Je vais devant le Tableau de Tâches pour voir celle qu'on m'a attribuée et je découvre mon nom accolé au mot Accueil. Je ris. Je suis chargé de l'Accueil, ma mission, c'est d'accueillir. Ça me fait rire.

Je vais prendre mon petit déjeuner, les Couloirs sont lumineux mais je me fiche pas mal des Couloirs désormais. Je sais qu'ils sont comme ils sont et que je ne peux pas les changer.

Je prends un plateau, une assiette de gaufres, une tasse de café et un beignet à la confiture. J'aperçois mes amis assis à une table, dans un coin. Ils sont toujours dans un coin.

Je m'assieds. Miles, Leonard, Matty et Ted. Il y a un nouveau au bout de la table. Je jette un coup d'œil à Leonard, désigne l'homme et Leonard hausse les épaules. Je suis désormais chargé de l'Accueil. Je décide d'aller l'Accueillir.

Je me dirige vers lui. Je m'assieds en face de lui. Il est vieux, une bonne soixantaine. Il a des cheveux gris coupés court, épais pour son âge, et bien qu'ils soient en bataille et plein d'épis, il pourrait facilement les remettre en forme d'un coup de peigne. Il est très émacié, décharné. Sa peau est couverte de taches de vieillesse, ses veines saillent sous la peau de ses mains. Il a les yeux rivés sur son assiette. Il mange lentement une montagne baveuse d'œufs brouillés et de fromage. Je parle.

Bonjour.

Il relève la tête. Il a des yeux vifs et d'un bleu métallique, l'un d'eux encerclé par un coquard noir. Il a un nez long et fin et des lèvres minces. La peau entre sa lèvre supérieure et son nez est couverte d'ampoules sanguinolentes.

Qu'est-ce que vous me voulez ?

Sa voix est éraillée et cassante comme le bruit d'une règle qui tombe sur un bureau.

Je suis chargé de l'Accueil. Je suis venu vous accueillir parmi nous.

Allez accueillir quelqu'un d'autre.

Je ris.

Allez-vous-en.

Je ris à nouveau.

Allez-vous-en, espèce de Petit Con.

Je tends la main par-dessus la table. La lui présente.

Je m'appelle James.

Il n'en veut pas.

Casse-toi, James. Espèce de Petit Con.

Pourquoi ne viendriez-vous pas vous asseoir avec moi et mes amis ?

Je désigne le bout de la table. Mes amis m'observent. L'homme les regarde, repose les yeux sur moi.

Je préfère rester seul.

C'est faux.

Si, tout à fait.

Si vous vouliez vraiment être seul, vous vous seriez assis à une table libre.

L'homme me regarde fixement, je soutiens son regard. Il est tendu, pas moi.

Espèce de Petit Con.

Je souris.

Eh oui.

Je m'appelle Michael.

Enchanté, Michael.

Il se lève, se dirige vers l'autre bout de la table et je le suis. Nous nous asseyons, je le présente aux autres. Au début il se tait. Il nous écoute discuter. Nous parlons du Manchot qui est parti ce matin en disant qu'il allait chercher de l'héro qu'il se foutait de ne plus avoir de bras tout ce qu'il voulait c'était de la putain d'héro. Il me pose des questions sur lui, sur nous, sur ce que nous faisons, pourquoi nous sommes ici. Nous répondons à ses questions et nous lui en posons. Il semble d'abord récalcitrant mais au bout de quelques minutes il s'écrie et puis merde vous finirez bien par savoir de toute façon. Il nous dit qu'il occupe un poste haut placé parmi le Personnel Administratif d'une grande Université Catholique du Midwest. Il nous dit qu'il est marié depuis cinquante et un ans et qu'il a sept Enfants. Il nous dit qu'après la naissance du petit dernier sa femme s'est refusée à lui car elle ne voulait plus d'Enfants et qu'elle estime que le sexe est seulement destiné à la procréation, rien qu'à la procréation. Il nous dit qu'il s'est mis à fréquenter les prostituées. Pas les prostituées haut de gamme, les Filles qui font le trottoir. Il nous dit qu'il est devenu Accro, à elles et au danger que ça représentait de les voir, au risque qu'elles lui refilent une maladie. Il nous dit qu'un jour une pute lui a donné du crack, qu'il s'est mis à en fumer et qu'il est devenu Dépendant. Ses Dépendances se sont mutuellement alimentées. Il lui fallait des putes, il lui fallait du crack. Il n'aurait rien pu faire avec les Filles sans la drogue, et vice-versa, et il lui en fallait tout le temps. Il lui fallait des putes et il lui fallait du crack, chaque jour. Une Étudiante de l'Université, qui se prostituait, l'a reconnu et a tenté de le faire chanter. Il s'est dit qu'il fallait arrêter, alors il est allé voir un Curé pour se confesser. Le Curé lui a conseillé d'en parler à sa Femme et sa Femme lui a pardonné, à condition qu'il arrête. Il n'a pas pu s'arrêter. Il a recommencé le jour même et le lendemain. Il a quitté sa Femme et il a passé huit jours dans un Hôtel Borgne à se payer le plus de putes et le plus de crack possible. Il a tellement fumé qu'il s'est brûlé la bouche avec sa pipe. Après avoir dépensé tout son argent, il est rentré chez lui, sa Femme l'attendait. Elle a appelé le Curé, le même Curé. Le Curé l'a emmené ici. Il est arrivé il y a quatre jours et vient de les passer à se faire désintoxiquer en Secteur Médical.

453

Nous rions de lui et de ses histoires. Notre attitude et nos rires paraissent d'abord le déconcerter, puis il a l'air furieux. Il ne comprend pas. Nous rions de plus belle, puis nous nous mettons à raconter des anecdotes qui nous concernent. Matty parle de la fois où il a fumé avec une pute qui lui a cramé les testicules avec une petite lampe à souder. Ted raconte celle où il a fumé avec sa vieille et où ils ont fait la danse des canards, complètement défoncés. Je raconte qu'un jour, après m'être saoulé avec une pute, je me suis endormi puis réveillé dans une ruelle sans pantalon, sans chaussures, pour découvrir mon portefeuille vide coincé dans ma raie du cul. On raconte des histoires et on rit et Michael le Catholique comprend petit à petit que nous ne rions pas de lui mais avec lui. Que nous sommes ses semblables, que nous sommes aussi ignobles que lui et que nous ne le jugeons pas. Il se met à rire. Nous sommes tous ignobles. Mieux vaut en rire qu'en pleurer. Nous sommes tous ignobles.

Nous terminons le repas, nous reposons nos plateaux et nous allons à la Conférence. Elle traite de la Drogue et de l'Alcool sur le lieu de travail. Michael est le seul qui écoute, nous jouons aux cartes. Lorsque la Conférence s'achève, Leonard distribue des enveloppes à Matty, à Ted, à Miles. Il leur demande d'attendre qu'il soit parti pour les ouvrir. Il me propose de passer le voir dans sa Chambre à 11 heures.

On quitte la Salle de Conférences, Joanne m'attend à côté de la porte. Elle me demande de la suivre jusqu'à son Bureau. On s'enfonce dans les Couloirs, une fois dans son Bureau, elle s'assied sur le canapé et moi sur le fauteuil. On allume une cigarette. Elle parle.

Il paraît que vous étiez dans une Crackhouse l'autre soir.

J'étais dans un endroit où plein de gens fumaient du crack mais ce n'était pas une Crackhouse.

Quelle est la différence ?

Les Crackhouses offrent généralement du matos et elles sont tenues par un type qui en assure la sécurité. Là, c'était simplement un vieil Immeuble désaffecté où les gens viennent fumer.

C'était comment ?

Ça puait.

C'est tout ce dont vous vous rappelez ?

Non.

Elle hoche la tête et attend que je lui donne un peu plus d'éléments. Quand elle s'aperçoit que je n'en ferai rien, elle reprend la parole.

Vous avez été en contact avec le produit ?

Ouais.

C'est-à-dire ?

J'y ai touché et j'aurai pu en prendre.

Vous en aviez envie ?

Énormément.

Pourquoi ne l'avez-vous pas fait ?

J'ai choisi de ne pas le faire.

Tout simplement ?

Tout simplement.

Vous en parlez comme si ç'avait été facile.

C'était difficile.

Vous croyez que vous pourrez continuer comme ça à plus long terme ?

Ça sera plus dur que l'autre soir, mais oui.

Pourquoi ça serait plus dur ?

J'aime plus Lilly que j'aime me défoncer la tête. Ça a rendu la décision de l'aider ou de prendre soin de moi bien plus facile. Lorsque je serai seul face à ça, qu'il s'agisse des cailloux ou de la picole, il ne sera question que de moi et du fait que je veuille prendre soin de moi ou pas.

Qu'est-ce que sera votre choix, à votre avis ?

Vous le savez très bien.

Elle sourit.

J'ai vu Lilly ce matin.

Où ça ?

Je suis passée dans le Secteur Médical pour voir comment elle s'en sortait.

Comment va-t-elle ?

Vu la situation, plutôt bien. Il me semble qu'elle est plus inquiète et mortifiée qu'autre chose.

Qu'est-ce qui l'inquiète ?

Sa Grand-Mère, et l'argent qu'elle doit trouver pour rester ici.

Elle ne peut pas obtenir une espèce d'Aide Exceptionnelle ?

Peut-être, mais d'ordinaire ça prend un peu de temps pour se mettre en place. Nous essayons d'accélérer la procédure.

Elle va pouvoir rester ?

Je l'espère.

Et si ce n'est pas le cas ?

Je ne sais pas.

Je détourne les yeux. Je regarde par la fenêtre derrière le bureau de Joanne. Il y a de la lumière et du Soleil au-dehors, comme si c'était le Printemps. Un matin gorgé de vie, un matin de renouveau. Je pourrais peut-être fuir. Fuir loin de la Prison et loin de mon passé. Fuir avec Lilly jusqu'à ce que nous soyons à l'abri, fuir jusqu'à ce que nous bâtissions notre vie. La fuite reste une solution, mais je n'ai pas envie de fuir. J'ai fui toute ma vie, j'en ai marre de fuir. Je regarde par la fenêtre mais la fenêtre ne m'apporte pas de réponses. Elles viendront le moment venu. C'est un matin de renouveau.

À quoi pensez-vous ?

À des réponses.

Vous en avez ?

Non.

Ça viendra. Les réponses viennent toujours.

C'est ce que je suis en train d'apprendre.

Elle allume une autre cigarette. J'allume une autre cigarette.

Je veux vous parler de votre Examen de Conscience et de la suite de votre séjour parmi nous.

D'accord.

Ken m'a dit que vous auriez fait votre Examen de Conscience d'ici la fin de la journée.

Ouais.

C'est très rapide.

Je sais ce qu'il faut que j'écrive.

L'idée, c'est de soulager votre conscience de façon à ce que vous puissiez recommencer à vivre sans culpabilité, sans regrets ni honte. Pensez-vous que ce dont vous voulez parler vous permettra d'y parvenir ?

Absolument.

Ken m'a dit que faire votre Confession avec un Curé pouvait vous poser problème.

C'est peut-être à lui que ça va en poser.

Les Curés entendent les choses les plus atroces. Je suis sûre que la personne qui s'occupera de vous le supportera parfaitement.

Si vous le dites.

Y a-t-il quoi que ce soit dont vous voudriez me parler ?

Non.

Est-ce que cela concerne votre rapport à Dieu ?

Ce qui a pu se passer entre les Curés et moi n'a rien à voir avec mon rapport à Dieu.

Vous en êtes certain ?

Ouais.

Très bien.

Quand voulez-vous le faire ?

Dès que possible.

Demain en début de matinée ?

Ouais.

Je vous réserverai une Salle et prendrai rendez-vous avec un Curé. Je veillerai à choisir un Curé qui puisse entendre ce que vous avez à dire. Passez dans mon bureau après le petit déjeuner, je vous accompagnerai.

Merci.

Après, votre Cure sera achevée.

Qu'est-ce que ça veut dire ?

Ça veut dire que pour vous le moment sera venu de partir.

Quand ?

Après-demain.

Je souris.

Formidable.

Vous avez des projets ?

Je vais peut-être passer quelques jours avec mon Frère. Puis j'irai dans l'Ohio pour y purger ma peine.

Il paraît que vous êtes content de la façon dont cette affaire s'est dénouée.

Oui, c'est vrai. Je suis très content.

Des soucis ?

Non, non, je veux seulement me débarrasser de tout ça.

Et Lilly ?

J'espère qu'elle va rester ici. Puisque je m'en vais, j'imagine que je pourrai à nouveau lui parler, on trouvera bien une solution. Si elle ne reste pas, on trouvera autre chose.

Du genre ?

Je ne sais pas. J'espère qu'elle pourra rester.

Elle hoche la tête, attend que j'en dise plus. Comme ça ne vient pas, elle parle.

Revenez me voir si vous avez des questions pendant que vous procéderez à votre Examen de Conscience.

Je n'y manquerai pas.

Je me lève et je m'en vais. Juste avant de sortir je jette un coup d'œil à l'horloge, il est presque 11 heures.

Je rentre dans mon Service, je frappe à la porte de Leonard. Il dit qui est-ce et je dis James. Il dit entre, j'ouvre la porte, je pénètre dans sa Chambre.

Il y a une petite valise en cuir noir posée par terre à côté de la porte, un sac de voyage ouvert sur le lit. Il le remplit soigneusement de chemises délicatement pliées. Il parle.

Ça roule, Fiston ?

Je m'assieds au bord de son lit.

Ça va. Et toi ?

Je suis content de partir.

Qu'est-ce que tu vas faire de ta peau ?

J'ai un de mes petits gars qui vient me chercher, nous rentrons à Vegas. On s'arrêtera sans doute pour jeter un coup d'œil au Mont Rushmore, à l'Old Faithful et à deux trois autres sites sur le chemin.

Je ris.

C'est cool.

Tu as des projets ?

Il semblerait que je sors après-demain. Je vais contacter mon Frère pour lui demander si je peux passer quelques jours avec lui. Puis j'irai dans l'Ohio.

Tu te fais du mouron pour l'Ohio ?

Non.

Je sais que ça ne sert à rien que je te dise ça, mais si on commence à te chercher, ne te laisse surtout pas emmerder. Montre que tu es prêt à te battre et on te foutra la paix.

Je préférerais éviter ce genre de conneries, mais je ferai ce qu'il y a à faire.

Il sourit.

Tu es un bon petit gars.

Je ris.

Merci, Leonard.

Il finit de remplir son sac de voyage, le ferme. Il tend la main vers la poche arrière de son pantalon, sort son portefeuille et en extirpe une petite carte semblable à une carte de visite. Il s'assied sur le lit en face de moi et il me tend la carte.

Voici tous mes numéros et les endroits où tu pourras me joindre.

Je la prends.

Si tu as besoin de quelque chose, appelle-moi, où que tu sois, je m'occuperai de toi.

J'observe la carte, j'observe Leonard.

Il y a cinq noms différents là-dessus, Leonard.

Il sourit.

J'utilise des noms différents pour différents endroits. Les numéros correspondent aux noms. Je te conseille d'essayer d'abord le numéro à Las Vegas, mais tu peux me retrouver n'importe où.

Je fourre la carte dans ma poche.

Merci, Leonard.

Il hoche la tête.

Il paraît que Lilly a des petits soucis d'argent. Je ne veux plus que tu t'en fasses. Elle va rester ici, tout se passera bien.

Je souris.

Quoi ?

Il sourit.

C'est beau l'amour, Fiston.

Tu n'aurais pas dû faire ça, Leonard. Tu…

Dis merci, Fiston.

Je souris.

Merci, Leonard. Merci beaucoup.

Il hoche encore la tête.

Une dernière chose.

Quoi ?

Avant que je t'en parle, je tiens à te dire que je ne veux surtout pas montrer le moindre irrespect envers toi ou ta Famille ou ton Père, alors si ce que j'ai à te dire te met mal à l'aise ou si tu penses que ton Père le serait, dis-le-moi.

D'accord.

Il prend une grande inspiration et retient son souffle pendant un moment, puis expire. Jamais je ne l'ai vu aussi anxieux.

J'ai toujours rêvé de me marier. J'ai toujours rêvé d'avoir des Enfants. Surtout, j'ai toujours rêvé d'avoir un Fils. Ça fait un petit moment que j'y pense, en gros depuis le jour où je t'ai rencontré, et j'aimerais qu'à partir d'aujourd'hui tu sois mon Fils. Je prendrai soin de toi comme si tu étais mon Fils, je te donnerai mes conseils et t'apporterai mon soutien pour te guider dans la vie. Quand tu seras avec moi, et j'ai l'intention de te voir régulièrement une fois que nous serons sortis, je te présenterai comme mon Fils et tu seras traité comme tel. En retour, je te demanderai de me tenir au courant de ta vie et de me permettre d'y participer. Dehors, j'imagine que notre relation fonctionnera exactement comme elle fonctionnait ici. On est amis, on a confiance l'un en l'autre, on s'entraide, on se serre les coudes quand c'est la merde, on passe de bons moments ensemble. S'il y a le moindre problème avec ton vrai Père, j'insisterai pour que tu t'inclines devant lui et que tu le respectes avant tout, avant moi.

C'est une plaisanterie, Leonard ?

Il secoue la tête.

Certainement pas.

Tu veux que je sois ton Fils ?

Il acquiesce.

Oui.

Tu en es sûr, Leonard ? Je suis un peu taré, tu sais.

Je connais tes problèmes, Fiston. Crois-moi. Mais si j'avais un Fils, je voudrais qu'il te ressemble.

Je souris.

C'est chouette.

Tu en es certain, Fiston ?

Ouais.

Je suis un peu taré.

Je ris.

Ça ne me gêne pas.

Il rit.

Bien.

Il se lève.

Alors maintenant, ramasse-moi ces satanés bagages et fais-moi sortir d'ici. Ça ne va pas être une putain de partie de plaisir.

Je ris, je me lève, j'attrape sa valise. Leonard prend le sac de voyage, le passe par-dessus l'épaule, nous sortons de la Chambre.

On prend les Couloirs. Il me demande de dire au revoir à tout le monde de sa part, me dit qu'il ne voulait pas le faire lui-même. Il n'aime pas les au revoir, il en a fait trop souvent dans sa vie. Il me demande de donner à Miles, Matty, Ted le numéro sur la carte qui correspond à son vrai nom, je lui dis que je m'en chargerai, il me demande de ne montrer la carte à personne d'autre. Je lui dis que je la conserverai précieusement et ne la garderai que pour moi.

On traverse le Hall de la Clinique, on passe devant l'accueil et on franchit la porte d'Entrée. Une grosse Mercedes blanche, flambant neuve, est garée devant le trottoir. La portière du Conducteur est ouverte et un homme immense, massif, vêtu d'un costume noir en soie en sort. Il a une longue et profonde balafre sur une joue, il ressemble à un ours. Un ours féroce. Un ours qui vous mangerait tout cru si l'occasion s'en présentait. Leonard sourit.

Barracuda.

L'homme parle.

Salut, Patron.

Ils s'étreignent. Leonard parle.

Merci d'être venu.

Voyons…

C'est la nouvelle Voiture ?

Ouais, elle te plaît ?

Beaucoup. Elle est blanche, elle est neuve, tout ce que je voulais.

Formidable.

Leonard se tourne vers moi, me fait signe d'approcher.

James.

J'avance d'un pas.

Voici Barracuda. C'est l'un de mes meilleurs amis et un de mes Associés. On ne l'appelle pas Barracuda parce qu'il aime le poisson, alors fais gaffe. Barracuda, voici mon Fils, James.

On se serre la main. Barracuda regarde Leonard.

C'est de lui que tu m'as parlé ?

Leonard hoche la tête.

Ouais, et il est bien plus méchant qu'il en a l'air, alors toi aussi fais gaffe.

Barracuda éclate de rire, repose les yeux sur moi.

Enchanté, Fiston.

Enchanté, Barracuda.

Leonard ouvre la portière de la Voiture et jette son sac de voyage sur le siège arrière. Il me fait signe d'apporter la valise, alors je fais un pas en avant et je la balance sur le siège. Leonard referme la portière, il se tourne vers Barracuda.

461

Allons nous en mettre plein les mirettes sur cette putain de route, Barra.

C'est parti, Patron.

Barracuda fait le tour de la Voiture, il s'assied derrière le volant. Leonard se retourne vers moi.

Si t'as besoin de quelque chose, tu m'appelles. N'oublie pas.

Pas de problème.

Ç'a été formidable de me rétablir en ta compagnie. Je t'appelle bientôt.

Merci pour tout, Leonard. Tu m'as sauvé la vie, de plusieurs manières. Merci.

Il sourit.

Tu t'es sauvé la vie tout seul.

Je souris. Leonard s'avance vers moi. Il passe ses bras autour de moi et il m'étreint. Je passe mes bras autour de lui et je l'étreins. Il me relâche, se recule, me regarde dans les yeux et parle.

Sois fort. Vis dans l'honneur et dans la dignité. Quand tu penses que tu ne vas pas y arriver, accroche-toi. Je suis fier de toi et tu devrais l'être aussi.

Je le regarde à mon tour. Dans les yeux.

Tu vas me manquer, Leonard.

On va se revoir bientôt, mon Fils.

Je hoche la tête. Je lutte contre les larmes. Leonard se retourne, il ouvre la portière passager, s'assied, la referme, et la Voiture s'en va. Je reste debout à la regarder. Comme elle prend la route de la Clinique, la vitre côté passager se baisse et un poing bien fermé, bien serré, en surgit. Le poing reste dans les airs. Je regarde ce poing levé et Leonard et tout ce qu'ils représentent s'éloigner de moi, et je suis au bord des larmes. Leonard et son poing levé. Je suis au bord des larmes.

Je reste à zieuter la route alors que la Voiture a disparu. Je reste cinq bonnes minutes à mater le bitume. C'est difficile de me dire que Leonard est parti. Étrange, bienfaiteur, malfaiteur, magnifique Leonard. Satan et Saint. Il va me manquer. Il va me manquer.

Je me retourne, je rentre dans la Clinique. Je me dirige vers le Réfectoire. Je fais la queue, j'attrape un plateau, et une assiette de nouilles au thon. Les repas commencent à se répéter. J'ai déjà mangé des nouilles au thon. J'espère que je n'en mangerai plus jamais.

Je m'assieds seul à une table. Je mange. Je n'arrive pas à distinguer

462

les nouilles du thon. Je mange quand même. Une bouchée puis une autre. Je me remplis l'estomac. Lilly me manque et Leonard me manque. Je suis tout seul à table. Je me remplis l'estomac. Une bouchée puis une autre.

Je finis mon assiette. Je me lève je veux une autre assiette j'en veux quarante ou cinquante j'en veux une putain de tonne de ces saloperies de nouilles au thon. J'aperçois Miles qui marche dans ma direction, il me sourit. Je me rassieds. J'en veux encore. Encore encore encore.

Salut, James.

Miles s'assied en face de moi.

Salut.

Il pose une serviette sur ses genoux, attrape sa fourchette.

Comment ça va ?

Ça va, et toi ?

J'ai de bonnes nouvelles.

Lesquelles ?

Mon Épouse m'a appelé ce matin.

Qu'est-ce qu'elle t'a dit ?

Elle a dit qu'elle n'avait pas fermé l'œil de la nuit et qu'elle avait beaucoup réfléchi à nous deux, qu'elle avait passé beaucoup de temps devant le petit lit de notre Bébé, à le regarder, et qu'elle avait décidé de me laisser une seconde chance. Elle va venir ici pour suivre le Programme Familial et nous allons essayer de régler nos problèmes. C'est pas sûr que ça marche mais nous allons essayer.

Je souris.

C'est génial. Il y a du progrès depuis hier.

C'est le moins qu'on puisse dire.

Je ne suis pas sûr que félicitations ce soit le terme le plus approprié, mais félicitations quand même.

Il sourit.

Merci, James. Merci.

Nous nous taisons. Nous restons tranquillement assis. Il mange et mes yeux se promènent dans le Réfectoire. Je me sens à l'aise. C'est apaisant. Agréable. De rester assis sans parler. De rester assis en regardant dans le vide. De rester assis et d'arrêter de penser. De rester assis, simplement. Sans malaise ni nervosité. Miles est dans son Monde, moi dans le mien. Nous restons assis.

Miles finit son repas, il se lève, il attend quelques instants que je remarque qu'il s'est levé. Je me lève à mon tour et nous débarrassons nos plateaux. On prend les Couloirs. Miles se rend à la Conférence mais pas moi. Il me demande pourquoi je n'y vais pas et je lui dis que je pars dans deux jours et que je ne veux pas, je ne veux plus subir ces Conférences, je m'en suis suffisamment tapé comme ça. Il rit, je rentre dans mon Service, je vais à la Cabine Téléphonique.

J'appelle ma Mère et mon Père. Ils sont de l'autre côté de la Planète, c'est le petit matin chez eux. Mon Père décroche. On dirait que je le réveille. Je lui demande s'il faut que je rappelle mais il dit non ne quitte pas. J'attends. Ma Mère prend le combiné et dit bonjour et elle a l'air endormie elle aussi. Mon Père décroche un autre combiné. Il y a de l'écho, un léger décalage.

Je leur dis que je sors dans deux jours. Ils sont surpris. Mon Père me demande si je me sens prêt et je lui dis que je me sens prêt, mais que je ne le saurai vraiment qu'une fois que je serai sorti. Ma Mère me demande ce que j'entends par là, je lui dis que je ne saurai pas si je vais mieux et à quel point je vais mieux avant d'avoir regagné le Monde extérieur. Mon Père me demande ce que j'entends par là, je lui dis qu'ici c'est facile de rester abstinent car je ne suis soumis à aucune tentation. Il me demande si je suis prêt à lutter contre la tentation, je lui dis qu'il me semble que oui, mais que je ne peux pas vraiment le savoir avant d'être sorti. Il lâche un soupir de contrariété. Ma Mère lâche un soupir de contrariété.

Je leur demande comment ils vont, ils me disent qu'ils vont bien. Je leur demande comment ça se passe à Tokyo et ma Mère me dit qu'ils aimeraient être plus près de moi pour pouvoir m'aider davantage. Je leur dis qu'ils en ont déjà beaucoup trop fait. Mon Père me dit qu'il se fait du souci pour moi et je lui dis qu'il a tort, que je ne me suis jamais senti aussi bien ou aussi fort de toute ma vie. Il me dit que c'est rassurant. Il n'a pas du tout l'air rassuré.

Ils me demandent quels sont mes projets, je leur dis que je vais appeler Bob pour essayer de passer quelques jours avec lui et qu'ensuite j'irai dans l'Ohio pour y purger ma peine. Ils me demandent comment je compte y aller, je leur dis que j'irai en Car. Ils me proposent de m'acheter un billet d'Avion, je leur dis c'est gentil mais non merci. Ma Mère me demande si j'ai besoin de quelque chose, je lui dis que non. Mon Père me demande de les appeler lorsque je serai avec Bob, je leur promets de le faire. Il me dit d'être prudent. Je le lui promets. Ma Mère me dit d'être prudent. Je le lui promets. Ils me disent qu'ils m'aiment et je leur dis que je les aime et nous raccrochons.

J'appelle mon Frère. Il n'est pas chez lui, alors je laisse un message sur son répondeur. Je lui annonce qu'on me libère après-demain et que j'aimerais qu'il vienne me chercher si c'est possible. Je lui dis que si ce n'est pas le cas, il ne faut pas s'en faire, je me débrouillerai. Qu'il vienne ou pas, je lui demande si je peux passer quelques jours chez lui, si je peux dormir sur son canapé ou par terre, n'importe où. Je lui demande de me rappeler. Je lui laisse mon numéro. Je raccroche.

Je sors de la Cabine Téléphonique, je me dirige vers les étagères où j'ai trouvé les crayons à l'aide desquels j'ai rempli le livre de coloriage. À côté des crayons se trouve une petite pile de blocs-notes. À côté des blocs-notes se trouve une tasse à café pleine de stylos. Je prends un bloc-notes et un stylo, je monte à l'Étage, je me sers une grande tasse de café fumant, noir et brûlant. Je glisse le stylo dans ma poche, je prends le bloc-notes dans une main et le café dans l'autre, je descends les marches. J'ouvre les portes coulissantes avec le pied et je sors.

Le Soleil brille. Il est haut dans le ciel, lumineux, mais pas encore chaud. Une brise légère se meut dans les airs, tel un murmure. Je traverse l'herbe rêche et gelée qui restera ainsi tout l'Hiver. Je me dirige vers le Lac, il est dur et tranquille, couvert d'une couche de glace. Je m'assieds sur un banc, celui du milieu, j'avale une gorgée de café et j'allume une cigarette. Je regarde le bloc-notes, le bloc-notes jaune et vierge.

Je commence à faire le bilan de ma vie. Je pense à tout ce que j'ai fait, je pense à tout ce que j'ai fait de mal. Il faut commencer au plus jeune âge, aux premiers souvenirs. Déjà tout bambin j'étais mauvais, d'aussi loin que je me souvienne. Je commence à écrire.

Ai renversé mon Institutrice de Maternelle avec mon tricycle. Volontairement. J'avais quatre ans. Ai frappé un petit garçon avec un cartable bourré de livres, je lui ai cassé le nez. Il s'appelait Fred. J'avais six ans. Ai creusé un trou puis ai incité un petit garçon qui s'appelait Michael à y entrer. J'ai posé une planche sur le trou et je suis resté assis dessus pendant trois heures. Il pleurait, pleurait, pleurait. Je riais. J'avais sept ans. Ai fait entrer un garçon qui s'appelait David dans une penderie de l'église que fréquentaient mes

Parents. Ai posé un cadenas dessus et jeté la clé dans les toilettes. Me suis fait renvoyer du Catéchisme. J'avais sept ans. Ai volé un paquet de cigarettes mentholées à l'amie de ma Mère, Clay. Les ai toutes fumées, ai vomi. Ai volé un nouveau paquet. Vomi. Ai volé un nouveau paquet. J'avais huit ans.

Tandis que je répertorie les torts que j'ai causés pendant mon enfance, je m'aperçois que la plupart d'entre eux me font rire. C'était idiot, l'œuvre d'un gamin qui aurait mieux fait d'y réfléchir à deux fois, ou qui s'en foutait. J'en écris quatre pages. Ce que j'ai fait. Ça me fait rire.

J'arrive à mes dix ans. C'est à cet âge-là que j'ai commencé à perdre les pédales. En y repensant, j'ai l'impression qu'à l'époque je n'avais pas conscience de mes actes, que quelqu'un d'autre agissait à ma place, comme si j'en étais seulement spectateur. J'aimerais que ça soit vrai. J'ai commencé à perdre les pédales à l'âge de dix ans.

Me suis fait la malle pour me saouler. Ai chipé de l'alcool à mes Parents tellement de fois que je n'arrive plus, que je ne veux plus les compter. Ai volé une pile de magazines porno planqués dans le garage du voisin. Ai causé un accident de la circulation en jetant des œufs sur une voiture choisie au hasard. J'ai observé la pagaille depuis le sommet d'un arbre. Personne n'a été blessé, mais il y a eu de la tôle froissée. Me suis fait choper alors que je montrais mes fesses à la Directrice de l'École un vendredi soir où j'étais censé être sagement au lit. Me suis fait ramener à la maison par la Directrice alors que mes parents recevaient des amis à Dîner. J'ai foutu leur dîner en l'air et je les ai ridiculisés. Ai chipé un sachet de marijuana au Père de mon ami Sean. Ai chipé une Pipe au père de Sean. Ai chipé des cachets au père de Sean. J'ai fumé l'herbe dans la pipe et j'ai pris les cachets. Ça m'a fait vomir. J'ai recommencé dès que j'ai eu l'occasion de retourner chez Sean.

Encore trois pages. Pleines de produits volés et de farces crétines. Parfois je me faisais prendre la main dans le sac, mais la plupart du temps je passais entre les gouttes. À l'âge de douze ans mes souvenirs commencent à disparaître dans une brume d'alcool et de drogue. À l'âge de douze ans ma vie est devenue trouble.

Ai attaqué un gosse pendant un match de hockey. Il ne regardait pas j'étais dans son angle mort. Je lui ai foncé dans le lard, je l'ai regardé de toute ma hauteur et j'ai rigolé. Ai rempli la boîte aux lettres d'un Prof avec des sacs pleins de merde de chien, tous les soirs durant trois semaines. Ai mis le feu à la tente d'un Chef Scout pendant un camp. J'ai été renvoyé de la Troupe. Ai rempli le réservoir d'essence de la voiture du voisin avec du sucre et bousillé son moteur. Je chipais de l'alcool et de la drogue à la première occasion. Cinq pages pour couvrir trois ans. Ai blessé des gens qui ne méritaient pas d'être blessés. Ai blessé des gens qui le méritaient. Ai commencé à songer à la mort. Ai commencé à comprendre que je ne tournais pas rond, ai commencé à me haïr. J'agissais ainsi car je me détestais.

À quatorze ans, j'ai volé une mobylette et je l'ai fait tomber d'une falaise. Ai tapé à coups de masse sur une sculpture dans le jardin du voisin. Ai fait exploser une boîte aux lettres deux boîtes aux lettres quatre boîtes aux lettres dix. Ai découvert la puissance des mots et m'en suis servi. J'ai traité une jeune fille de grosse truie. J'ai dit à une Prof enceinte que je souhaitais que son Enfant soit mort-né. J'ai demandé à la Femme d'un Médecin si elle savait que son Mari avait une maîtresse. Elle avait fait un sale coup à ma Mère et je ne voulais pas qu'elle s'en tire à bon compte. Son Mari avait vraiment une maîtresse. Le Mariage a capoté.

À quinze ans je vendais de la drogue aux Gamins. Je leur vendais de l'alcool. Ils avaient mon âge, mais c'étaient encore des Gamins. Je les arnaquais tout le temps, leur faisais payer un prix exorbitant ou leur refilais de l'origan. Parfois je pissais dans les bouteilles avant de les leur donner. Ai détruit une pancarte au fast-food du coin. Je l'ai réduite en miettes, à coups de marteau, en plein milieu de la nuit parce que le directeur m'avait foutu dehors une fois où j'étais bourré. Je quittais la Maison en douce. Je prenais la Voiture en douce. Je me saoulais et me droguais. Tout le temps.

Seize et dix-sept et dix-huit ans s'étalent sur cinq pages. Même topo. Saouleries et défonce. Coups en douce et vandalisme. Paroles blessantes destinées à ceux qui m'avaient fait du tort – à moi ou à quelqu'un de mon entourage. Ai saccagé le jardin du Chef d'une Association de Jeunes Chrétiens du coin qui avait essayé de m'enrôler. Je l'ai saccagé tous les vendredis soir pendant huit semaines d'affilée. Ai volé le courrier d'un voisin qui avait dit du mal de moi. J'ai volé son courrier pour obtenir toutes ses informations personnelles. Je lui ai fait prendre douze cartes bancaires et j'ai saboté ses possibilités de crédit. Mes dépendances devenaient de plus en plus fortes, la haine de moi-même devenait de plus en plus forte, la destruction devenait de plus en plus forte.

Dix-neuf et vingt ans. Six pages. Mes premières années à l'Université. Je trompais ma Petite Amie une fois deux fois trois fois je me faisais attraper chaque fois. Chaque fois je lui disais que j'allais changer, que cela ne se reproduirait plus. Je savais que c'était faux. Je recommençais avec une autre Fille. Et puis une autre. Le mensonge faisait partie de ma vie. Je mentais quand j'avais besoin de mentir, pour obtenir quelque chose ou pour me dépêtrer d'une mauvaise situation. Je trichais à la Fac. Je volais de l'argent à mes Parents et je le dépensais en drogues. Je terrorisais un Gamin qui s'appelait Rob parce que je l'avais entendu dire du mal de Celle qui venait de l'Arctique. Je saccageais sa Voiture et sa Chambre. Je le raillais, le menaçais, l'intimidais. Je lui pourrissais la vie. Il n'a jamais su pourquoi j'agissais de la sorte. C'était comme ça.

Vingt et un ans. Trois pages. Buvais fumais me faisais arrêter ai filé deux trois raclées me suis pris deux trois raclées mentais trichais trahissais me servais des femmes couchais avec des prostituées volais encore plus d'argent dilapidais encore plus d'argent j'avais pour meilleurs amis la drogue et l'alcool, et ceux qui essayaient de me réfréner s'entendaient répondre d'aller chier et de me foutre la paix. Ai forcé une Fille à sniffer de la coke sur ma bite. Elle était accro à la cocaïne, je lui filais de la came en échange de son corps. Elle me laissait faire tout ce que je voulais, j'en voulais trop, trop souvent. La drogue, son corps. Ai braqué un revolver contre la tempe d'un type. Il n'était pas chargé mais le type n'en savait rien. Il était à genoux et me suppliait de le laisser en vie. J'agissais ainsi pour le compte d'un Dealer qui voulait me mettre à l'épreuve, j'avais besoin d'obtenir sa confiance car j'avais besoin de sa came. L'homme avait volé le Dealer, quand j'ai appuyé sur la détente du pistolet vide il a pissé dans son froc, il a pissé par terre. Le Dealer lui a plaqué le visage dans sa pisse, pendant que je regardais la scène.

Vingt-deux ans. Deux pages. Arrestation dans l'Ohio. L'arrestation qui me vaut une peine de Prison. Une Fille à Paris a déclaré que j'étais le Père de son Enfant. C'était faux. J'avais été incapable d'avoir une érection avec elle je n'avais jamais bandé à l'intérieur d'elle. Elle me suppliait et pleurait pour que je reconnaisse l'Enfant mais je n'étais pas le Père, alors je l'ai jetée dehors. Deux jours plus tard dans un bar une de ses Copines est venue me chercher avec une bouteille, je l'ai poussée par terre. Quand elle s'est relevée je lui ai foutu un coup de pied au cul, je lui ai dit que si elle s'approchait encore de moi je lui filerais une raclée. Une autre Fille que je connaissais m'a ramené chez elle un soir après m'avoir trouvé ivre mort dans la Rue. J'ai vomi sur son canapé et par terre. Quand je me suis réveillé, je lui ai volé une bouteille de vodka et je suis parti. Je ne l'ai jamais revue après ça et je n'en ai plus jamais entendu parler. À Londres j'ai assommé un homme avec une chaise dans un Pub. Il avait renversé son verre sur ma table, je l'ai frappé alors qu'il me tournait le dos. Je ne me suis même pas donné la peine de rester pour prendre la mesure des dégâts. Je ne me suis jamais donné la peine de rester pour prendre la mesure des dégâts.

Je cesse d'écrire. Je n'ai plus de café et j'ai fumé toutes mes cigarettes. Je regarde le bloc-notes, je compte les pages, il y en a vingt-deux. Vingt-deux pages remplies de mes torts, mes manquements, mes fautes de jugement et mes choix foireux. Vingt-deux pages remplies de colère, de rage, de dépendance, de haine de moi-même et de Fureur. Vingt-deux pages attestant de ma vie scandaleuse, honteuse, pitoyable. Vingt-deux pages.

Je lis les feuilles. Lentement et attentivement. Ce faisant je me demande si je passe à côté de quelque chose y a-t-il une chose que j'aurais oubliée y a-t-il une chose que j'ai peur d'affronter ou de reconnaître, y a-t-il une chose que j'ai peur d'admettre. Je dois affronter mon passé pour le laisser derrière moi y a-t-il une chose que j'aurais oubliée que j'aurais laissée de côté y a-t-il une chose qui me fait peur. Il y en a une. Une chose qui me hante de la page une à la page vingt-deux. Je n'en ai jamais parlé. Je n'ai jamais raconté à quiconque ce que j'ai fait à cet homme, à quel point j'ai pété les plombs, à quel point je lui ai fait du mal. Ça me hante.

Je prends le stylo et je prends mon tas de feuilles jaunes, je le plie en deux. Je le fourre dans ma poche, je prends le bloc-notes, le stylo et je me lève et je marche sur l'herbe le Soleil commence à baisser. Le vent se lève. Le vent ne chante plus il hurle, il hurle à la mort. J'ouvre les portes vitrées coulissantes, je me dirige vers les étagères. Je repose le bloc-notes et le stylo à leur place.

Le Service est bondé d'hommes qui se détendent avant l'heure du dîner. Je ne leur adresse pas la parole. Je monte les escaliers, je vais vers ma Chambre, j'entre dans la Salle de Bains et je me plante devant le miroir. J'ai écrit noir sur blanc tous les torts que j'ai causés au cours de ma vie, ils sont dans ma poche, je veux savoir si je peux me regarder en face. Je pose mes mains sur le lavabo. Elles tremblent contre la faïence blanche. Je relève la tête vers le miroir. Je vois mes lèvres frémissantes. Je remonte jusqu'à mon nez et aux cils noirs sous mes yeux, jusqu'à mes yeux. Au vert pâle. Au vert sale. Au vert impur. Je regarde en dessous du vert, il ne reste plus qu'une chose qui m'empêche de me regarder dans les yeux. De regarder ce que je suis. De regarder dans ce passé qui est le mien et qui se trouve dans ma poche. Ce Salopard à Paris. Plus qu'une chose.

Je lâche le lavabo, je tourne les talons, je sors de la Salle de Bains. Je me dirige vers le Réfectoire et je dîne avec Miles et Michael. Après le dîner j'assiste à la Conférence, mais je n'écoute rien. Après la Conférence, je rentre dans ma Chambre.

J'essaie de lire, mais c'est impossible.

Je me mets au lit et j'essaie de dormir.

Il reste encore une chose.

Qui me hante.

Encore une.

Je dors d'une seule traite. Sans interruption, sans l'aide de substances chimiques. C'est la deuxième nuit d'affilée que je dors sans interruption et sans drogue ni alcool. Record battu.

Je me réveille au matin, au petit matin. Il ne fait pas noir mais il ne fait pas encore clair. Il fait gris. Gris comme la tristesse qui s'estompe, gris comme la peur qui pointe.

Je sors de mon lit. Miles dort toujours je marche sans faire de bruit jusqu'à la Salle de Bains. Je me douche, je me rase, je me brosse les dents. Je m'habille et je sors de la Chambre.

Je vais chercher une tasse de café et je m'assieds à une table, je bois mon café, je fume des cigarettes, j'observe les hommes qui accomplissent leur Tâche Matinale. L'un d'eux nettoie la cuisine, un autre sort les poubelles, un troisième passe l'aspirateur. J'aperçois un homme qui porte le Matériel d'entretien vers les Toilettes Collectives. Ça me semble tellement loin. Les Toilettes Collectives. Roy. Tellement loin.

Je finis mon café. Je prends les Couloirs qui mènent au Réfectoire. Je reprends une tasse de café, je cherche une table. Matty est tout seul dans un coin, je le rejoins.

Il a les yeux rivés sur son assiette. Ils sont gonflés et injectés de sang. Une fourchette tremble dans sa main. Un verre tremble dans l'autre. Il a les yeux rivés sur son assiette.

Je parle.

Ça va, Matty ?

Il secoue la tête.

Qu'est-ce qui ne va pas ?

Il secoue la tête.

Qu'est-ce que je peux faire ?

Il secoue la tête.

Tu veux que je te laisse ?

Il secoue la tête.

Je m'assois près de lui. Je reste assis près de lui et je bois mon café. Il a les yeux rivés sur son assiette. Ses mains tremblent et il ne parle pas. Il a les yeux rivés sur son assiette et c'est tout.

Je finis mon café, je me lève, je lui demande si je peux faire quelque chose. Il lève les yeux vers moi et il parle.

Ne t'en va pas.

Je me rassieds.

D'accord.

Il me regarde. Ses yeux sont gonflés et injectés de sang.

J'ai besoin de rester avec quelqu'un.

Je suis là.

Il me regarde. Ses yeux sont gonflés et injectés de sang.

C'est foutu, James.

Qu'est-ce que tu racontes ?

Ma putain de vie. Elle est foutue.

De quoi tu parles ?

Il pose sa fourchette, lâche son verre. Ses mains continuent de trembler.

Je viens d'apprendre que ma Femme s'est mise à fumer.

À fumer quoi ?

Il éclate en sanglots.

Ces putains de cailloux.

Il se reprend.

Merde, Matty. Je suis désolé.

Il secoue la tête.

Elle avait jamais essayé. Elle était censée s'occuper des Gamins jusqu'à ce que je sorte d'ici. Elle a voulu fourrer son putain de nez dans cette merde pour savoir ce que c'était, pourquoi ça me faisait cet effet-là, et elle a essayé, bordel.

Comment l'as-tu appris ?

472

Ma Grand-Mère m'a téléphoné, elle m'a dit qu'elle était passée chez nous et qu'elle avait trouvé les gosses livrés à eux-mêmes. Ça faisait plusieurs jours qu'ils n'avaient pas mangé, notre tout-petit était assis par terre dans une couche foireuse. Ma Grand-Mère est restée à la Maison jusqu'à ce que ma Femme rentre, et elle est rentrée complètement défoncée et délirante et elle lui a dit qu'elle en avait fumé.

Je suis désolé, Matty.

C'est pas de ta faute, bordel.

Qu'est-ce que tu vas faire ?

J'en sais rien, putain. C'est toujours grâce à ma putain de Femme qu'on a tenu, quand moi je traînais dehors à déconner, et si elle devient accro à cette saloperie, tout va partir en couilles. Comment veux-tu t'occuper de tes Gosses et de ta Famille quand les deux Parents sont des crackés, en plus j'arriverai certainement pas à rester clean si elle fume cette merde.

Et si elle se faisait suivre et que tu reprennes la boxe ?

Putain regarde-moi, James. Je suis incapable de me battre. Mon corps est bousillé, j'ai la tête en vrac. Je tiendrais pas trente putains de secondes sur un Ring avec le pire putain d'adversaire au Monde. Et même si j'ai envie qu'elle soit suivie, on a foutu toute l'oseille qui me restait de la boxe pour que je vienne ici et il nous reste que dalle. Il nous reste queue de chie, bordel.

Qu'est-ce que je peux faire pour t'aider ?

Si t'as pas un pacson de billets sous le coude que tu pourrais me filer, que pouic.

J'ai pas.

Je suis niqué, James. C'est foutu.

On va trouver une solution.

Je connais trop ces saloperies de cailloux pour avaler ces foutaises. Je vais crever, elle va crever, et quand ils seront grands les Mioches auront la même vie de merde que nous. On est tous foutus. Complètement foutus.

Il se lève.

Faut que j'aille prendre l'air, bordel.

Il ramasse son plateau.

Merci de m'avoir écouté.

Il s'en va. Je le regarde. Je prends ma tasse de café, je me lève, je marche jusqu'au tapis roulant et je pose ma tasse. Je me dirige vers le Hall Vitré qui sépare les hommes des femmes. J'aperçois Miles et

Ted qui s'approchent de moi. Ils se tiennent tout près l'un de l'autre, tête baissée. Leurs lèvres bougent, mais à peine. Miles relève les yeux, hoche la tête de façon imperceptible pour me faire un signe, il continue de parler à Ted. Ils passent à côté de moi. Je les laisse tranquilles.

Je rentre dans ma Chambre. J'ouvre la table de nuit à côté de mon lit. Je prends les feuilles les vingt-deux pages et je les fourre dans la poche de mon pantalon. Je quitte ma Chambre, je marche dans les Couloirs. Ils sont gris comme le petit matin comme la tristesse qui s'estompe et la peur qui pointe. Je sais que la tristesse et la peur sont là, mais ça ne me gêne pas. Je les connais trop bien. Ça ne me gêne pas.

Je frappe à la porte de Joanne elle dit entrez. J'ouvre la porte, j'avance. Elle est assise derrière son bureau, elle lit le journal en buvant son café et en fumant une cigarette. Elle parle.

Comment allez-vous ?

Bien.

Vous êtes prêt ?

Ouais, je suis prêt.

Vous avez quelque chose à dire avant qu'on y aille ?

Non.

Elle pose son journal, éteint sa cigarette.

Aujourd'hui, après le déjeuner, il faudra que vous repassiez ici. Nous avons plusieurs choses à vous dire, Ken et moi.

Tout va bien ?

Nous aimerions que vous suiviez une Post-Cure une fois que vous serez sorti d'ici.

Est-ce qu'elle propose des trucs que je serai vraiment prêt à faire ?

Sans doute pas, mais ce serait totalement irresponsable de notre part de ne pas vous en parler.

D'accord.

On y va ?

Ouais.

Elle se lève. Nous sortons de son Bureau et nous prenons le Couloir. Les Couloirs sont toujours gris, bien qu'ils se soient assombris, comme si la tristesse était plus profonde, la peur plus grande. Nous ne parlons pas en marchant, et à chaque pas le souvenir de cette nuit se ravive. Je voulais juste être seul. J'étais en larmes. Il est venu vers moi et je l'ai massacré. Son sang qui coulait. Je l'ai massacré, putain.

Nous nous arrêtons devant une porte. Une pancarte indique Père David, Aumônerie. Joanne frappe à la porte, une voix dit entrez. Joanne me demande d'attendre un moment, elle ouvre la porte, elle entre, elle referme la porte derrière elle.

J'attends. Je me mets à trembler mes mains et mes jambes et mes lèvres tremblent. Mon cœur tremble. S'ils faisaient partie de moi, les Couloirs seraient noirs. De tristesse et de peur. Comme l'obscure obscurité enfouie au fond de moi. Ils seraient noirs comme du charbon, putain. Je tremble.

La porte s'ouvre. Joanne sort, elle se tient devant moi. Elle parle.

Il vous attend.

Très bien.

Je lui ai dit qu'il y aurait peut-être quelques moments difficiles. Il m'a répondu que ce ne serait pas la première fois.

On verra.

Bonne chance.

Merci.

Elle tend les bras, les passe autour de moi, elle me serre. Elle parle.

Ça ira mieux une fois que ce sera passé.

Je hoche la tête. Elle relâche son étreinte. Je tends le bras vers la porte mon bras est lourd. Je tire sur la porte elle pèse une tonne. Je l'ouvre je ne veux pas entrer je ne veux pas faire ça. Joanne se tient derrière moi, je me retourne, je la regarde, elle me sourit, son sourire m'aide à faire un pas de plus. Dans le Bureau. Je referme la porte derrière moi.

Un Curé se trouve derrière une table. Il est vêtu de noir, il porte un col blanc. Il est vieux, environ soixante-dix ans, il a les cheveux gris et des yeux marron foncé. Un Crucifix orne le mur derrière lui, une Bible en cuir usée trône au sommet d'un tas de papiers. C'est la première fois depuis cette nuit-là que je m'approche d'un Curé. Comme je le regarde, la Fureur monte. Il se lève, il m'observe, il parle.

Bonjour, mon Fils. Je suis le Père David.

Sauf votre respect, Monsieur, je ne suis pas votre Fils. Je m'appelle James.

Bonjour, James.

Bonjour.

Vous voulez bien vous asseoir ?

Il désigne une chaise de l'autre côté du bureau. Elle est placée en face de lui. Je m'assieds.

Merci.

Il s'assied sur sa chaise.

Vous êtes ici pour la Cinquième Étape.

Je ne crois pas aux Étapes. Je suis ici pour faire une Confession.

Êtes-vous Catholique ?

Non.

Je ne peux pas vous confesser si vous n'êtes pas Catholique.

Voulez-vous que je m'en aille ?

Êtes-vous d'accord pour qu'on appelle ceci une conversation ?

Oui.

On n'a qu'à faire comme ça.

Merci.

Avez-vous des questions à me poser avant que nous commencions ?

Non.

Avez-vous des inquiétudes ?

Non.

Soyez assuré que ce que vous allez me dire ce matin ne sortira pas de cette Pièce. Ça restera entre vous, moi, et Dieu.

Je ne crois pas en Dieu, monsieur.

Alors ça restera entre vous et moi.

Je vous remercie.

Vous voulez commencer ?

Oui.

Prenez tout votre temps.

J'inspire bien fort. Je sors les vingt-deux pages de papier jaune de ma poche et je les pose sur mes genoux. Je les regarde. Elles contiennent tout ce dont je me souviens, excepté une chose.

Je commence à lire. Je lis lentement et méthodiquement. Je lis chaque mot et je mentionne chaque incident. Chaque page paraît durer une heure. Comme je les tourne, je me sens mieux et je me sens plus mal. Mieux parce que je reconnais enfin mes péchés et que j'accepte enfin de prendre mes responsabilités. Plus mal parce qu'en en parlant, je les revis en pensée. Tous, sans exception.

Une fois ma lecture finie, j'inspire profondément. Je regarde les pages, je les plie et je les remets dans ma poche. Le Curé parle.

Avez-vous terminé ?

476

Je secoue la tête.

Non.

Je croyais que vous aviez lu tout ce que vous avez écrit.

Il reste une chose dont je n'ai pas parlé.

Souhaiteriez-vous m'en dire plus ?

Oui.

Prenez tout votre temps.

Je baisse les yeux.

Je regarde mes mains, elles tremblent. Je sens mon cœur qui s'emballe il a peur. J'ai peur. J'inspire à pleins poumons j'inspire encore une fois. Encore. J'ai peur de parler j'ai peur de me souvenir. J'ai peur.

Je relève les yeux. Les plonge dans ceux du Père David. Ils sont profonds et sombres et je n'y vois pas ce que j'ai vu cette nuit-là. Dans les yeux de ce Curé il n'y a que la paix, la sérénité, une foi inébranlable. Pas ce que j'ai vu cette nuit-là. J'inspire encore une fois, une dernière fois. J'expire. Je parle.

Il y a dix-huit mois, à Paris, j'ai tabassé un homme si violemment qu'il en est peut-être mort. Cet homme était un Curé.

J'inspire une nouvelle fois.

Juste après mon arrestation dans l'Ohio, alors que j'étais en Prison, j'ai commencé à faire le bilan de ma vie. J'avais vingt-deux ans, j'étais Alcoolique et Toxicomane depuis dix ans. Je me haïssais. J'étais incapable d'envisager mon avenir, et tout ce qui me restait de mon passé c'était un champ de ruines, un désastre. J'ai décidé d'en finir.

Après avoir été relâché, je ne me suis pas présenté au Tribunal et je suis rentré à Paris. Une fois arrivé chez moi, j'ai bu une bouteille de whisky et j'ai écrit un mot. Seulement pour dire « Ne me pleurez pas ». Je l'ai posé sur mon lit, je suis sorti, j'ai marché vers le pont le plus proche. Il y a plein de Parisiens qui se suicident de cette façon, en se jetant dans la Seine. On saute, on tombe à l'eau, et on meurt à cause de la violence de l'impact ou par noyade.

Je marchais et je me suis mis à pleurer. Je pleurais parce que j'avais gâché ma vie, qu'elle était impossible, je pleurais parce que j'étais heureux d'en finir enfin. Je me suis mis à avoir peur. J'avais peur car ce n'est pas facile de se tuer et je savais qu'une fois que je serais passé à l'acte, tout serait terminé. Je ne crois pas au Paradis ou à quoi que ce soit de similaire. La vie s'arrête, c'est tout.

Je reprends mon souffle.

J'avais tellement la trouille que j'avais du mal à marcher, j'ai aperçu une Église. Je me suis dit que si j'y entrais, je serais au calme, seul, que je pourrais m'asseoir tranquillement pour réfléchir. Je me suis assis sur un banc et j'ai pleuré. Pendant longtemps. Je suis resté assis tout seul et j'ai pleuré.

J'inspire profondément. La Fureur qui avait disparu tandis que je parlais se réveille.

Au bout d'un moment un homme vêtu comme vous s'est approché de moi et il m'a demandé si ça allait. Je lui ai répondu que non. Il m'a dit qu'il était Curé. Il m'a dit qu'il avait beaucoup d'expérience avec les jeunes gens et que si je souhaitais lui parler de mes soucis nous pouvions aller dans sa Cure pour bavarder. Je n'ai pas accepté, je voulais rester seul. Il s'est assis à côté de moi, a répété que nous ferions mieux d'aller dans sa Cure. Il disait qu'il était persuadé de pouvoir m'aider, qu'il fallait simplement que je vienne dans sa Cure, venez dans ma Cure. Je me suis dit que ça ne pouvait pas me faire de mal, alors je l'ai suivi.

J'inspire un grand coup. La Fureur est montée. Je parle.

Sa Cure se trouvait après une enfilade de Pièces derrière l'Autel. Quand nous sommes arrivés, le Curé a verrouillé la porte derrière nous. J'aurais dû piger tout de suite, mais c'était un Curé et ça ne m'a pas traversé l'esprit. Je me suis assis sur un canapé, il s'est assis à côté de moi et m'a demandé ce qui n'allait pas et je lui ai tout raconté. Je lui ai parlé de mes problèmes de dépendance, de la vie merdique que j'avais menée, du désastre que j'avais fui et de mon intention de mettre fin à mes jours. Pendant tout ce temps, il est resté assis à me regarder en feignant de m'écouter. Lorsque je me suis tu, il a tendu le bras et l'a posé sur ma cuisse, il m'a dit vous êtes venu frapper à la bonne porte, je crois que je peux vous aider. Ça ne me plaisait pas qu'il pose sa main là, alors je l'ai enlevée. Il l'a reposée au même endroit et il m'a dit, Dieu t'a envoyé à moi, mais tu dois me donner quelque chose en retour. J'ai écarté sa main à nouveau, je lui ai demandé quoi et il l'a reposée, il l'a reposée plus haut sur ma cuisse, il a dit je sais que tu es bouleversé, troublé, mais il ne faut pas résister à la volonté de Dieu, ce n'est pas par hasard que nous avons été réunis, et il a commencé à remonter sa main le long de ma cuisse en direction de mon entrejambe. Je l'ai écartée et je lui ai dit de ne pas recommencer, il a dit d'accord mais il l'a encore reposée, sur ma braguette cette fois, et il a essayé de m'attraper le visage avec son autre main. Il a répété il ne faut pas que tu résistes à la volonté de Dieu, mon Fils.

Je regarde le Père David. La Fureur monte monte monte. J'éprouve les mêmes sentiments que cette nuit-là. Le besoin impérieux de tuer, de détruire, de supprimer.

Je ne lui ai pas donné une nouvelle occasion de me toucher le visage, à ce Salopard. Je lui ai filé un gnon dans le menton, j'ai entendu un craquement, du sang a coulé. Je me suis levé, j'ai frappé à nouveau. J'ai recommencé encore et encore. Je ne sais pas combien de fois, mais au bout d'un moment je ne voyais plus que du sang. Puis il a perdu conscience et j'ai laissé tomber le visage pour passer à autre chose, je l'ai tiré du canapé et je lui ai écarté les jambes. Je les ai écartées pour pouvoir lui balancer des coups de latte et je ne m'en suis pas privé. Je l'ai frappé au moins quinze fois le plus violemment possible, putain. Je l'ai bourré de coups de pied tellement vicieux qu'il gémissait alors qu'il était dans les vapes. Puis je me suis retourné, j'ai ouvert le verrou, je suis sorti et je suis allé acheter de l'alcool dans le Magasin le plus proche, j'ai acheté la plus grosse bouteille de whisky que je pouvais me payer, j'ai repéré une ruelle, je m'y suis assis et je me suis bourré la gueule jusqu'à rouler dans le caniveau. Quand je me suis réveillé, le lendemain matin, je suis rentré chez moi. Les jours suivants, je m'attendais à ce que la Police frappe à ma porte pour m'arrêter n'importe quand, mais rien. J'ai lu les journaux pendant deux semaines pour voir s'ils en parlaient, en vain. À mon avis, le Curé avait dû s'en prendre à d'autres et réussir là où ça n'avait pas marché avec moi. S'il a survécu, ce qui doit être le cas, il devait se douter que s'il allait voir la police je raconterais tout, et que si les flics vérifiaient mes dires, d'autres témoignages viendraient les corroborer.

Le Père David détourne les yeux. Il lâche un profond soupir et secoue la tête.

Je continue de parler.

Je ne sais pas si j'ai perdu le courage de me tuer ou si j'ai gagné la force de vivre mais je ne suis pas allé jusqu'au bout. J'ai continué de vivre, de boire, de me droguer, de déconner. J'ai fini par atterrir ici. Contrairement à toutes les autres choses dont je vous ai parlé, je n'éprouve pas de regrets ou de remords quand je pense à ce que j'ai fait au Curé, et pour être franc, je trouve qu'il l'avait bien cherché.

479

Mais ça m'a hanté. J'aurais pu le tuer en le bourrant de coups de pied, j'en avais envie, et le fait de savoir que j'en étais capable, que j'en avais envie et que j'étais capable de péter les plombs au point de faire un truc pareil, ça me foutait une trouille monstre. Je ne veux plus être comme ça, et j'espère que de vous avoir parlé, de m'être confessé, même si ce n'est pas le mot juste, ça m'aidera à éviter qu'une telle chose se reproduise. Voilà, c'est dit, et le reste aussi, alors j'ai terminé.

Le Père David a les yeux rivés sur son bureau. Je le regarde. J'attends qu'il parle mais il ne dit rien. Il continue de baisser les yeux. Je me lève.

Je vous remercie de m'avoir écouté.

Je me dirige vers la porte. Comme je touche la poignée, je l'entends qui m'appelle.

James.

Je me retourne.

Je suis désolé.

Vous n'y êtes pour rien.

Je suis vraiment désolé.

Merci, merci encore de m'avoir écouté.

J'ouvre la porte, je sors dans le Couloir, je referme la porte derrière moi. J'inspire profondément, j'expire lentement. L'air quitte mes poumons, et tout ce que j'ai écrit, tout ce que j'ai dit, tout ce que j'ai fait me quitte. Ça s'en va. Tout. Ça s'en va bordel.

Je rentre dans mon Service. J'ai le pas léger, assuré, je souris. Je me dirige vers ma Chambre, je découvre un petit papier collé sur ma porte qui me dit de rappeler mon Frère à son travail. Sous les mots, un numéro est inscrit.

Je prends le petit papier, je vais à la Cabine, j'entre, je referme la porte. Je compose le numéro et je laisse sonner. Une femme me répond, je demande à parler à Bob Frey, elle dit une minute, s'il vous plaît. Mon Frère décroche, il dit allô. Je dis quoi de neuf, Fils de Chienne, et il rit et il dit félicitations, tu vas sortir. Je le remercie et je lui demande s'il peut venir me chercher, il dit oui, il prend quelques jours de congé et il espère que je les passerai avec lui. Je lui réponds que c'est génial. Il m'apprend que mon ami Kevin veut venir me voir de Chicago, il me demande si ça me va. Je dis que c'est formidable et il dit qu'il lui donnera un coup de fil. Il me demande à quelle heure il doit passer et je réponds 10 h 30 ou

11 heures, quand il pourra. Il m'assure qu'il sera là à 10 h 30. On raccroche.

Les hommes s'apprêtent à déjeuner, je les suis dans le Couloir. Comme je passe devant ma Chambre, Miles en sort. Il se tourne vers moi, il me sourit.

Salut, James.

Il referme la porte et marche à côté de moi.

Salut, Miles. Comment vas-tu ?

Je suis débordé.

Pourquoi ?

Ma femme arrive demain. Non seulement je dois faire toutes les activités habituelles, mais en plus je file un coup de main à Ted.

Qu'est-ce qui se passe pour Ted ?

Ted risque une condamnation à Perpétuité Réelle en Louisiane. J'ai tout fait pour l'éviter.

Et alors ?

Malheureusement je ne peux rien pour lui. Le Père de la Fille veut le coffrer.

Merde. Il est au courant ?

Oui.

Qu'est-ce qu'il en dit ?

Il veut rester ici le plus longtemps possible, et puis il veut aller se cacher dans sa Famille, dans le Mississippi.

Qu'est-ce que tu en dis ?

Je dis que c'est très triste.

Nous entrons dans le Couloir Vitré. Miles me donne un coup de coude, il me fait signe de regarder dans la Section des Femmes. Je jette un coup d'œil et j'aperçois Lilly. Elle me tourne le dos, assise à une table avec trois autres femmes. Ses cheveux sont ramenés en queue-de-cheval, elle porte un T-shirt. Ses bras me semblent trop frêles, elle a l'air d'avoir perdu beaucoup de poids.

Je souris. J'aperçois une femme qui prononce mon nom, j'attends que Lilly se retourne j'espère qu'elle va se retourner, mais non. Parmi les femmes assises à sa table, il y a sa Chef de Service.

Pendant que je fais la queue, je la regarde. Pendant que je prends mon assiette de nourriture, une tourte à la dinde, je la regarde. Pendant que je traverse le Réfectoire pour rejoindre la table du coin, je la regarde. Je veux qu'elle se retourne, je veux voir son visage. Rien à faire.

Je m'assieds. Miles s'assoit avec moi. Ted et Matty et Michael nous rejoignent. Ted et Matty n'ouvrent pas la bouche. Ils ont les yeux rivés sur leur assiette et mangent. Miles et Michael parlent de leurs enfants. Je regarde les longs cheveux bruns de Lilly et ses bras qui semblent trop frêles.

Lorsqu'elle se lève pour poser son plateau sur le tapis roulant, je me lève également. Je marche lentement pour que mon arrivée coïncide avec la sienne. Je sais que si je lui parle, si j'essaie d'attirer son attention, j'aurai des ennuis alors je ne tente même pas le coup. Je veux juste être près d'elle. Juste assez pour sentir sa présence. Juste assez pour voir distinctement les traits de son visage. Juste assez pour sentir l'odeur de ses cheveux. Je veux juste être près d'elle.

Elle arrive devant le tapis et pose son plateau. Les autres femmes attendent derrière elle, et j'attends derrière elles. En se retournant elle m'aperçoit et elle sourit. C'est un grand sourire, un beau sourire. Ce sourire m'a manqué, il m'a manqué. Je lui rends son sourire, mais en fait je voudrais la prendre dans mes bras et la serrer contre moi et l'embrasser et lui dire que je l'aime. C'est tout ce que je voudrais. La prendre dans mes bras et la serrer contre moi et l'embrasser et lui dire que je l'aime.

Les autres femmes posent leur plateau sur le tapis, elles se retournent, s'éloignent, Lilly s'en va avec elles. Je pose mon plateau sur le tapis, je les suis jusqu'au Hall Vitré, dans les Couloirs. Une fois devant la Salle de Conférences, elles passent la porte et entrent. Je continue en direction du Bureau de Joanne.

La porte est ouverte quand j'arrive. J'entre, Ken et Joanne sont assis sur le canapé. Ils parcourent tous deux des dossiers posés sur leurs genoux. Je m'assieds dans le fauteuil qui leur fait face et j'attends qu'ils aient terminé. Joanne lève les yeux.

Nous sommes en train de passer en revue votre Post-Cure.

Ça donne quoi ?

Ken parle.

Ça vous ferait beaucoup de bien de la suivre.

Joanne ferme son dossier, se redresse. Ken ferme le sien, il me le tend.

Je le prends, je l'ouvre, je le feuillette. C'est la littérature des AA, il y a le programme des Réunions des AA à Chicago. Je le referme.

Ça m'a l'air très bien.

Joanne parle.

Vous devriez passer un peu plus de temps à le lire.

Pourquoi ?

Il y a des choses intéressantes là-dedans, plus que vous ne le pensez.

Je n'ai vu que des trucs concernant les AA.

Ken parle.

En effet, nous vous conseillons de rejoindre les AA.

Je regarde Joanne.

Il me semblait qu'on n'en était plus à ce genre de foutaises.

Ken tenait à ce que nous revenions là-dessus, et je suis d'accord avec lui.

Pourquoi ?

Ken parle.

Parce que vous n'arriverez pas à rester abstinent sans l'aide des AA.

Qu'est-ce qui vous fait croire ça ?

C'est la seule méthode qui marche.

C'est peut-être la seule méthode qui marche avec vous, mais ça ne marchera pas avec moi.

Pourquoi ?

Je ne crois pas aux Douze Étapes. Je ne crois pas en Dieu ni à une Puissance Supérieure. Je refuse de confier ma vie et ma volonté à quoi que ce soit ou à qui que ce soit, encore moins à un truc auquel je ne crois pas.

Qu'allez-vous faire, alors ?

Je vais vivre ma vie. Je vais prendre les choses comme elles viennent et j'affronterai ce qu'il faudra que j'affronte, le moment venu. Quand il faudra que j'affronte l'alcool ou la drogue, je ferai le choix de ne pas en prendre. Je refuse de vivre toute ma vie dans la hantise de l'alcool ou de la drogue, et je refuse de passer mon temps sur une chaise à bavarder avec des gens qui vivent dans cette hantise. Je refuse d'être dépendant de quoi que ce soit, si ce n'est de moi-même.

Ken secoue la tête.

Vous courez droit à la catastrophe.

Je lui ris au nez.

On verra bien.

Joanne parle.

On en a déjà parlé, James. J'ai certes été très impressionnée par votre manière d'affronter vos dépendances et votre vie, mais il me semble qu'il est de ma responsabilité de vous le dire encore une fois.

Quoi ?

Les chances pour qu'un individu avec votre passif en matière d'abus de substances chimiques arrive à rester abstinent sans recevoir un immense soutien, celui des AA plus une Thérapie, qu'il s'agisse de Psychothérapie ou de Thérapie de Groupe, sont de une sur un million. Une sur un million, dans le meilleur des cas.

Ces statistiques ne me font pas peur.

Ken parle.

Une chance sur un million, James

Je n'avais déjà qu'une chance sur un million de venir ici. Une chance sur un million, c'est pas ça qui va me faire peur.

Joanne parle.

Ken et moi-même apprécierions que vous preniez au moins la peine de feuilleter le dossier avec nous.

D'accord.

J'ouvre mon dossier, ils ouvrent le leur, et nous le parcourons. Il y a un petit livret sur le Rétablissement en Prison qui traite des Programmes des AA en Milieu Carcéral et raconte comment suivre les Douze Étapes. Une feuille d'information sur les Réunions des AA à Chicago et une liste où figurent les numéros de téléphone des différents Groupes. Un petit topo sur la Thérapie par les Réactions Rationnelles, ses applications dans le Monde extérieur. Un petit topo sur un Établissement de Chicago associé à la Clinique et les Post-Cures proposées. Une photocopie des Douze Étapes. Une photocopie de la Prière de la Sérénité.

Ken et Joanne m'expliquent consciencieusement de quoi traitent les documents que nous feuilletons, je les écoute consciencieusement. Je me sens soulagé une fois que c'est fini. Si tout marche comme je le veux, l'espère et le souhaite, je n'aurai plus jamais à être directement mêlé à ces histoires d'AA ou de Douze Étapes.

Je referme mon dossier. Je demande à Joanne si ça la gêne que je fume, elle rit, elle me dit qu'elle s'apprêtait à me poser la question. Nous en grillons une. Ken se lève, il dit qu'il doit y aller, je me lève et je le remercie pour le temps et l'énergie qu'il m'a consacrés, je lui serre la main et il me souhaite bonne chance, il me dit de l'appeler si j'ai des questions ou des soucis, je le remercie une dernière fois et il s'en va. Je me rassieds, Joanne parle.

Vous vous sentez bien ?

Ouais.

Excité ?

Ouais.

Vous avez réussi à joindre votre Frère ?

Il vient me chercher demain matin. Je crois qu'un ami à moi l'accompagnera.

Qu'est-ce que vous allez faire ?

Je vais me taper un putain de cheeseburger.

Elle éclate de rire.

Si j'avais su que ça vous faisait envie, je vous en aurais apporté un.

Vous en avez bien assez fait comme ça pour moi.

Vous passerez me dire au revoir, demain matin ?

Évidemment.

Bien.

J'écrase ma clope, je me lève, je remercie Joanne, elle dit il n'y a pas de quoi, je quitte son Bureau. Je reprends les Couloirs, je vais dans ma Chambre, je commence à rassembler mes affaires bien qu'il y ait peu de choses à rassembler. Deux trois pantalons. Deux trois T-shirts. Un pull et des pantoufles et des chaussures. Trois livres et un briquet. Ce n'est pas grand-chose, mais c'est à moi, et c'est tout ce dont j'ai besoin. Je suis en train de tout ranger dans un petit sac en plastique lorsque Miles entre dans la Chambre. Il tient une enveloppe kraft à la main.

Il y a du courrier pour toi.

Il me tend l'enveloppe. Je **m'**assieds sur mon lit.

Merci.

Miles sort sa Clarinette de sa housse pour l'assembler, et je scrute l'enveloppe. Elle est toute simple, marron. Il n'y a pas l'adresse de l'expéditeur, le cachet de la poste indique qu'elle vient de San Francisco. Elle m'a été adressée ici, à la Clinique. L'écriture est simple, lisible, les caractères larges, déliés, ronds. On dirait l'écriture d'une femme. Je songe aux femmes que je connais à San Francisco. Il n'y en a qu'une, et elle ne risque pas de me parler, encore moins de m'écrire.

J'ouvre l'enveloppe. Je l'ouvre soigneusement, par le haut, là où elle a été collée avant de m'être postée. Elle se déchire lentement et une fois que je l'ai ouverte, je glisse la main à l'intérieur. Je sens un petit paquet de photographies. Elles sont attachées par un élastique. Je les sors de l'enveloppe.

La première photo est une photographie d'elle en noir et blanc. Elle et ses cheveux blonds pareils à d'épaisses cordes de soie. Elle et ses yeux bleus découpés dans la glace de l'Arctique. Elle se tient au milieu d'une Pièce, la Pièce où nous nous sommes rencontrés, elle sourit en tenant une peluche. Je connais cette photo, j'avais la même. Je l'avais toujours sur moi, dans mon portefeuille. Je la trimbalais partout avec moi avant qu'on soit ensemble, je la trimbalais partout avec moi quand on était ensemble, je la trimbalais partout avec moi alors qu'on s'était séparés. Elle serre l'animal, le lion en peluche, contre sa poitrine. Ses cheveux sont lâchés, elle n'est pas maquillée, son sourire est franc, immense, comme si l'obturateur s'était enclenché juste avant qu'elle éclate de rire. Elle est belle sur cette photo. Magnifiquement belle.

Je regarde les autres. Il y en a une où nous marchons dans la rue. Nous nous tenons par la main, nous sourions. Il y en a une où nous sommes affalés sur un canapé. Je suis endormi, elle m'embrasse la joue. Il y en a une où nous sommes sur notre trente et un, elle en robe, moi dans un costume loué. On trinque au champagne. Il y en a une où nous sommes assis contre un arbre sous un Soleil d'Automne. Elle tient un livre, je fume une cigarette. Il y en a une où nous nous embrassons. Nous fermons les yeux, nous nous enlaçons, nos lèvres s'effleurent à peine, doucement. Elle et moi, nous nous embrassons.

Je pose les photos en tas. J'enroule l'élastique autour d'elles. Je les remets dans l'enveloppe, je ferme l'enveloppe. Je me lève, je sors de la Chambre.

Je vais dans le Service, je descends les marches, je franchis la Porte. Je suis le Sentier qui mène aux Bois. Il fait froid, la nuit tombe et je ne porte pas de veste. Mes dents se mettent à claquer, mon corps est parcouru de frissons.

J'entre dans les Bois. Je suis le Sentier jusqu'à ce qu'il me mène à l'endroit où je le quitte pour rejoindre la Clairière. Je me fraye un passage à travers les branches les buissons touffus l'épais sous-bois. Je me fraye un passage jusqu'à la clarté.

Je m'assieds par terre. Le sol est glacial, les feuilles mortes sont rêches, gelées. Je sors le tas de feuilles jaunes, les vingt-deux pages que je trimbale avec moi dans ma poche. Je les relis. Je les relis lentement. Je relis chaque mot, revis chaque souvenir. Je les pose par terre. Je sors les photos de l'enveloppe, j'enlève l'élastique qui les entoure, je les regarde. Je les regarde lentement. Je regarde chaque photo, je revis chaque souvenir. Je les pose, avec l'enveloppe, sur le tas de feuilles jaunes.

Je sors mon briquet de ma poche. Je fais riper mon pouce contre la pierre à briquet. Le briquet s'allume, une petite flamme bleue jaillit. Je la place sous les feuilles jaunes. Je la laisse jusqu'à ce que le papier l'accepte. La flamme mordille un coin de la feuille et la grignote. Je remets le briquet dans ma poche.

Je reste assis à observer le tas qui brûle. Je reste assis à observer le jaune devenir rouge sous les flammes, noir comme le carbone, puis partir en fumée. J'observe les photographies qui s'enflamment et se tordent et se gaufrent et se calcinent. Je regarde son image qui se désagrège. Je regarde le temps que nous avons passé ensemble se consumer. Je regarde mes souvenirs d'elle se consumer. Je m'en débarrasse. Je m'en débarrasse, putain. Il était temps de dire au revoir.

Une fois que tout a brûlé, je me lève et je mets le pied sur le tas de cendres, puis je les piétine pour les faire pénétrer dans le sol. Je piétine jusqu'à ce qu'il ne reste plus rien, jusqu'à ce qu'il n'y ait plus de traces du feu. Je piétine jusqu'à ce que les cendres se mêlent à la Terre, c'est noir, il n'y a plus rien.

La nuit est tombée, avec elle l'obscurité et le froid. Je me fraye un passage à travers les branches les buissons touffus l'épais sous-bois. Je rejoins le Sentier, il me conduit à travers Bois. Je marche sur l'herbe gelée, je me dirige vers les lumières de la Clinique. J'arrive à la porte et j'entre.

Le Service est désert. Je jette un coup d'œil à l'horloge murale. C'est l'heure du dîner.

Je quitte le Service, je prends le Couloir qui mène au Réfectoire. Je n'ai pas faim, et je préférerais ne pas prendre d'autre repas ici, mais je veux voir Lilly.

Je marche dans le Hall Vitré. Je jette immédiatement un coup d'œil dans la Section réservée aux Femmes. Je parcours les tables du regard pour la trouver, mais elle n'est pas là. Je regarde plus attentivement. Elle n'est pas là. Je scrute la table où se trouve sa Chef de Service, mais elle n'est pas là.

Lorsque je me tourne pour attraper un plateau, je l'aperçois qui vient dans ma direction. Elle sourit, écarte les mèches de cheveux qui tombent sur ses yeux. Elle dévoile ainsi de gros cernes noirs, mais le bleu comme l'eau claire brille. Je m'arrête tout net et je l'attends et, comme elle me frôle, elle passe doucement sa main sur la peau de mon avant-bras, sans un mot.

Je me retourne, je la regarde s'en aller. Elle ne se retourne pas. Lorsqu'elle est partie, je jette un coup d'œil à sa Chef de Service, qui surprend mon regard, fronce les sourcils à mon intention et secoue la tête comme pour me dire je vois votre petit manège, ne vous avisez pas de recommencer. Je souris et je m'en vais.

Je vais prendre une tasse de café, je cherche mes amis. Ils marchent vers moi, portant leur plateau. Matty et Ted font une sale tête. Ils grognent salut en passant à côté de moi. Miles et Michael leur emboîtent le pas. Je me tourne, je marche vers le tapis roulant. Miles parle.

Tu as un peu de retard.

J'avais des choses à faire.

Michael parle.

Ça vaut sans doute mieux.

Pourquoi ?

C'était très déprimant, comme repas.

Qu'est-ce qui s'est passé ?

Miles parle.

Ted a appris qu'il devait partir d'ici trois jours et la Femme de Matty a disparu de la circulation.

Merde.

Michael parle.

C'était très déprimant.

Merde.

Ils emportent leur plateau. On prend les Couloirs. Ils vont à la Conférence et je vais dans ma Chambre. Je m'assieds sur le lit, j'attrape mon *Tao*, je me glisse sous les couvertures et je commence à lire.

Soixante-dix-neuf. L'échec est une chance. Si tu as du ressentiment envers autrui, ton ressentiment jamais ne cessera. Remplis tes obligations, corrige tes erreurs. Fais ce que tu dois faire et n'attends rien des autres.

Soixante-quatre. Ce qui est enraciné croîtra. Ce qui est récent se bonifiera. Ce qui est friable cassera. Prévois les ennuis avant qu'ils ne viennent à toi, mets de l'ordre avant que le désordre n'advienne. L'arbre géant naît d'une petite graine. Un voyage de mille lieues débute par un petit pas. Cours, et tu courras à l'échec. Accroche-toi aux biens et tu les perdras. Agis en laissant agir. Garde ton calme du début à la fin. Si tu n'as rien, tu n'as rien à perdre. Désire ne rien désirer, apprends à désapprendre. Ne tiens à rien et tu tiendras à tout. Ces mots me paraissent aussi justes aujourd'hui que la première fois que je les ai lus. Ils ne me disent pas ce qu'il faut faire ou ne pas faire, ni comment vivre ou ne pas vivre, ils me disent simplement d'être ce que je suis, comme je suis, de laisser la vie exister et d'exister dans la vie. Ces mots sont justes.

Vingt-deux. Si tu veux être complet, tu dois être partiel. Si tu veux être droit, tu dois être tordu. Si tu veux être plein, tu dois te vider. Si tu veux renaître, tu dois mourir. Si tu veux tout, renonce à tout. Si tu ne t'exhibes pas, les autres verront ta lumière. Si tu n'as rien à prouver, les autres te feront confiance. Si tu ne cherches pas à être, les autres se verront en toi. Si tu n'as pas de but, tu réussiras toujours.

Quarante et un. Lorsqu'un esprit supérieur entend le Tao, il le met en pratique. Lorsqu'un esprit moyen entend le Tao, il ne le croit qu'à moitié. Lorsqu'un esprit faible entend le Tao, il en rit. S'il n'en riait pas, ce ne serait pas le Tao. Le chemin qui mène à la lumière paraît sombre. Le chemin qui avance paraît reculer. Le vrai pouvoir paraît impuissant, la vraie pureté paraît souillée, la vraie volonté paraît flexible, la vraie clarté paraît obscure. Le plus grand art n'est pas sophistiqué. Le plus grand amour est indifférent. La plus grande sagesse, enfantine.

Miles entre dans la Chambre. Je referme le livre. Il se dirige vers son lit, attrape sa clarinette, me demande si ça me gêne qu'il joue. Je lui dis je t'en prie, j'aimerais que tu joues. Il la prend, s'humecte les lèvres, glisse l'anche dans sa bouche et souffle. Je ferme les yeux. J'entends longtemps, lentement. J'entends brièvement, rapidement. J'entends une musique qui ne naît pas de notes griffonnées sur une feuille mais d'un cœur humain qui bat. J'entends le chagrin et la honte et l'espoir et la rédemption. J'entends un passé qui ne compte plus et un avenir qui ne vient jamais. J'entends l'harmonie et la simplicité et la patience, j'entends la rigueur, la compassion. J'entends tout cela, maintenant. Maintenant, là, dans cette Clinique dans cette Chambre dans ce lit les yeux fermés.

Je l'entends.

Maintenant, là

Le réveil posé sur la table de nuit de Miles indique 3 h 47.

Je suis complètement réveillé.

J'ai l'impression qu'il y a un Spectre dans ma Chambre. Un Spectre qui veut ma mort. Lente et douloureuse. Ma mort.

Je m'assois dans mon lit. Je jette un coup d'œil circulaire dans la Chambre. Il fait sombre, mais j'y vois. Miles dort dans son lit. La porte est fermée. La fenêtre est fermée. Rien n'a changé dans cette Pièce depuis que je me suis endormi. Pourtant j'ai l'impression qu'il y a quelque chose dans la Chambre.

Je sors du lit. Je vais à la Salle de Bains. Je me passe de l'eau froide sur le visage. Je recommence encore et encore. Ça ne change rien. Je sens toujours la présence du Spectre. Je sors de la Salle de Bains et j'enfile mes vêtements. Je prends la veste de Hank, un paquet de cigarettes, mon briquet. Je sors.

Je traverse le Service. Tout est calme et tranquille, tout le monde dort. Je sors du Pavillon. J'ai l'impression d'être suivi.

Je me dirige vers les bancs face au Lac. Je m'assieds sur celui du milieu. J'allume une cigarette, j'observe l'eau gelée. Elle est calme et noire, figée. Des brindilles et des feuilles sont emprisonnées dans la glace. Des chauves-souris solitaires volettent au-dessus de l'eau gelée.

Le Spectre commence à prendre forme. Celle de la peur. Je ne la combats pas, je ne tente même pas. Je ne pense pas que je pourrais la vaincre, même si je voulais la combattre.

J'ai peur. J'ai peur de partir d'ici. J'ai peur de perdre la protection et la sécurité que m'apportent ces murs. J'ai peur d'aller en Prison, j'ai peur de ce qui m'y attend. J'ai peur de l'alcool et de la drogue et j'ai peur de boire de l'alcool et de prendre de la drogue. J'ai peur de ce qui va m'arriver si j'en consomme. J'ai peur de ce qui va m'arriver si je n'en consomme pas. J'ai peur peur peur. J'ai peur de tout. J'ai peur du sexe, du Boulot, de l'argent, d'avoir un endroit où vivre. J'ai peur de jouir de ces choses-là, j'ai peur à l'idée de ne pas en jouir. J'ai peur de Lilly. J'ai peur de l'aimer et j'ai peur qu'elle m'aime. J'ai peur d'être avec elle, j'ai peur de la perdre, j'ai peur de vivre avec elle, j'ai peur de vivre sans elle. J'ai peur d'avoir le cœur brisé. J'ai peur de sa fragilité et de sa dépendance. J'ai peur de vivre. J'ai peur de mourir. J'ai peur de vivre. J'ai peur.

Je reste assis à regarder le Lac. Je fume. Je regarde le ciel tourner au gris, il n'y a pas de Soleil. Je demande à un banc d'épais nuages grisâtres ce qu'il faut que je fasse. Je demande à une chauve-souris ce qu'il faut que je fasse. Je demande à l'herbe, à la glace, à une brindille gelée, à un ver de terre mort, aux bancs. À chaque banc. Que faut-il que je fasse ?

La peur n'est que la peur. Je sais pourtant que rien ne pourra me faire davantage souffrir que le mal que je me suis infligé par le passé. Je sais qu'il n'y a pas de douleur que je ne puisse supporter. Je sais qu'en m'accrochant chaque minute chaque heure chaque jour, les journées formeront des semaines et des mois si je m'accroche tout ira bien. Je sais que je suis fort. Je sais que je suis assez fort pour affronter ce dont j'ai peur, je sais que je suis assez fort pour m'accrocher jusqu'à ce que ma peur se dissipe. Je sais tout cela au plus profond de mon cœur.

Je ris. Je ris aux éclats. Les réponses à mes questions sont simples si je leur permets d'être simples. Elles sont là entre mes mains, il suffit de baisser les yeux pour les regarder. J'ai peur de tout. J'ai peur parce que je m'autorise à avoir peur. Rien ne devrait me faire peur. Je ris aux éclats car c'est tellement simple. Je ne devrais pas avoir peur. Je n'ai peur de rien. Tout simplement. De rien, bordel.

Je me lève et je rentre dans mon Service. J'ouvre la porte, je pénètre dans le Pavillon. Les hommes sont réveillés à présent. Ils s'occupent de leurs Tâches Matinales lisent les journaux, boivent du café et fument des cigarettes. Je me dirige vers les étagères, j'arrache un bout de papier jaune à l'un des blocs-notes, je prends un stylo dans la tasse. Je glisse le tout dans ma poche, je vais dans ma Chambre. Miles est debout à côté de son lit. Il se retourne et me regarde.

Bonjour, James.

Salut.

Tu es content de t'en aller ?

Je souris.

Oui. Tu es content de voir ta Femme ?

Je suis très content.

J'espère que tout va s'arranger entre vous.

Je crois que c'est ce qui va se passer.

Je souris à nouveau.

Bien.

Je sors le stylo et le papier de ma poche.

Tu voudrais bien me donner ton adresse et ton numéro de téléphone ?

Si tu me les donnes toi aussi.

Je ne les ai pas encore.

Quand tu les auras, tu me les donneras ?

Évidemment, mais tu auras de mes nouvelles avant ça.

J'espère bien.

Il prend le stylo et le papier et il s'assied sur son lit. Il pose le papier sur ses genoux et il inscrit ses coordonnées. Il se lève et me donne le papier et le stylo. Il parle.

J'ai été très honoré de t'avoir rencontré, James. Je te suis très reconnaissant de tout ce que tu m'as apporté. Je te souhaite tout ce qu'il y a de mieux et je serai toujours là si tu as besoin de quoi que ce soit.

Je crois que c'est la première fois de ma vie qu'on me dit que c'est un honneur de m'avoir rencontré.

Il rit.

Merci pour ton aide, Miles. Que tu veuilles le reconnaître ou non, je sais que tu m'as aidé pour l'Ohio et je t'en serai éternellement redevable.

Il sourit.

Tu as été un ami formidable et tu vas me manquer.

Il hoche à nouveau la tête.

Toi aussi, James.

Il me tend la main, je la prends, je la lui serre. Nos mains se libèrent et nous nous étreignons. Cela dure un moment, puis Miles me dit bonne chance, James, et je lui dis bonne chance à toi aussi, Miles.

Tu es prêt à prendre le petit déjeuner ?

Je hoche la tête.

Ouais.

On sort. On marche dans les Couloirs, on entre dans le Hall Vitré qui sépare les hommes des femmes. Je cherche Lilly des yeux mais elle n'est pas là. Nous traversons le Hall, Miles prend un plateau et une assiette d'œufs et de fromage, je prends une tasse de café. Nous nous dirigeons vers notre table, la table que nous avons occupée à chaque repas. La table dans un coin.

Je m'assieds, je bois mon café, je cherche Lilly des yeux. Miles mange ses œufs et son fromage. Ted, Matty et Michael nous rejoignent, et je leur demande leur adresse et leur numéro de téléphone. Michael me donne les deux, Matty me donne son adresse mais pas de numéro de téléphone, Ted n'a ni l'une ni l'autre. Je demande à Matty de signer la feuille, en bas, il me demande pourquoi. Je lui dis que je veux son autographe, il rigole et dit ça vaut que couic maintenant. Je lui dis qu'à mes yeux ça a de la valeur. Il sourit et il écrit Pour James, ce satané Champion Poids Moyen du putain de Centre d'Intoxication. J'espère qu'on vivra assez longtemps pour se revoir, putain ça, ça serait chouette. Ton Ami, Matty Jackson, ex-Champion du Monde incontesté, catégorie Poids Plume. Je prends le papier, je le mets dans ma poche. Lorsque je me suis bien assuré qu'il est au fond, à l'abri, j'avale une gorgée de café. J'avale une gorgée et j'attends. J'aperçois Lilly qui entre dans le Hall. Elle est accompagnée par sa Chef de Service, elle ne me jette pas un regard. Je l'observe faire la queue, prendre un plateau, prendre une tasse de café et un beignet. Je l'observe tandis qu'elle se dirige vers la Section des Femmes et qu'elle s'assied à table. Je l'observe tandis que sa Chef de Service la fait asseoir de façon à ce qu'elle me tourne le dos.

Je me lève. Je dis au revoir à mes amis. Ils me demandent s'ils me reverront et je leur dis oui, mais dehors. Je les embrasse tous. Je les remercie pour leur amitié, je leur souhaite bonne chance, je leur dis que j'espère que tout se passera bien pour eux.

Je prends ma tasse, je la pose sur le tapis roulant. Je reste debout à la regarder se faire emporter vers la plonge. C'est la dernière tasse de café dont je me servirai ici. Je lui dis au revoir. Je me tourne et je marche vers le Hall. Mes yeux restent braqués sur Lilly, mais elle ne peut pas me voir. Lorsque je suis à mi-distance, je cesse de marcher, je me retourne, je me colle contre la vitre et je regarde. La table de Lilly se trouve à une dizaine de mètres. Quatre ou cinq tables me séparent d'elle, il y a environ trente tables dans le Réfectoire des Femmes. Elles sont toutes occupées.

Je reste là à regarder. Je regarde la nuque de Lilly, ses longs cheveux bruns, sa main qui porte le beignet à sa bouche. Quelques tables plus loin une femme me montre du doigt, toutes ses voisines de table se retournent pour me regarder. L'une d'elles dit quelque chose à une femme assise à la table d'à côté, toutes les femmes de cette tablée se retournent pour me regarder. L'une d'elles dit quelque chose à la Chef de Service de Lilly, qui relève la tête et me fusille du regard. Je ne bouge pas. Je n'ai pas l'intention de bouger. Je regarde les beaux cheveux de Lilly et sa belle main. Je souris parce qu'elle mange un beignet et je trouve ça drôle. La Chef de Service me fait signe de m'en aller mais je ne bouge pas. Il n'en est pas question, bordel.

Lilly remarque sa Chef de Service s'agiter et faire les gros yeux, elle se retourne et m'aperçoit. Elle sourit. Je la regarde son beau visage ses belles lèvres rouge sang sa belle peau si pâle ses beaux yeux comme l'eau claire. Ces beaux yeux comme l'eau claire. Je ne vois plus qu'elle. Belle Lilly. Je ne vois plus qu'elle. Belle Lilly.

Elle se tourne. Sa Chef de Service lui parle, mais je n'arrive pas à lire sur ses lèvres. La mâchoire de Lilly remue, elle lui répond quelque chose. La Chef reparle. Je n'arrive pas à saisir les mots, mais je vois son visage. Elle est en colère, la colère monte. Je vois Lilly qui lui répond, je vois Lilly qui se lève et écarte sa chaise. Je vois Lilly qui se retourne et se met à marcher vers l'entrée du Hall. Je vois sa Chef qui se lève et lui crie quelque chose. Je vois Lilly, elle fait la sourde oreille, elle continue de marcher vers l'entrée du Hall.

Je me tourne vers elle alors qu'elle arrive à l'angle. Je lui souris, elle vient vers moi. Je vais vers elle. Mon cœur bat bat bat. Je souris, elle me sourit. Elle marche rapidement vers moi. Tant de beauté. Intérieure et extérieure. Je l'aime. Elle vient vers moi. Je l'aime.

J'ouvre mes bras. Elle se précipite dedans, dans moi. Je les referme autour d'elle. Je les referme je serre je la serre contre moi fort le plus fort possible. Elle referme ses bras autour de moi. Il n'y a pas de mots. Il n'y a pas de bruit. Il n'y a personne autour de nous. Je sens son cœur qui bat contre ma poitrine. Je sais qu'elle sent mon cœur qui bat contre sa poitrine. Plus rien d'autre ne compte. Plus rien d'autre n'existe. Rien qu'elle et moi. Son cœur et mon cœur.

Je l'embrasse dans le cou, je hume l'odeur de ses cheveux, je serre son corps elle est si petite si menue je serre son corps. Elle pleure en silence contre mon épaule elle essuie ses larmes sur ses joues ses larmes sur ma chemise. Je murmure je t'aime. Je t'aime. Je t'aime. Je lui murmure je t'aime à l'oreille.

Elle s'écarte, mais reste blottie dans mes bras. Elle s'écarte juste assez pour que je puisse voir son visage et qu'elle voie le mien. Elle sourit, les larmes coulent sur ses joues. Sa lèvre inférieure tremble et ses yeux gorgés d'eau sont encore plus bleus. Je lui souris. Je parle.

Je t'aime, Lilly.

Je t'aime, James.

Tu vas me manquer.

Où vas-tu ?

Je m'en vais pendant un petit moment.

Où ça ?

En Prison, dans l'Ohio.

Non.

C'est rien que pour quelques mois. Je vais t'écrire tous les jours et je t'appellerai le plus souvent possible.

Non.

Je vais te donner de mes nouvelles tous les jours. Je me débrouillerai pour te donner de mes nouvelles tous les jours. Une fois que j'aurai purgé ma peine, je te rejoindrai à Chicago.

Je vais être seule.

Non.

Si.

Non.

Tu me le jures ?

Souviens-toi du mot.

Quel mot ?

Jamais.

Elle sourit.

Que j'aime ce mot.

Souviens-t'en.

Tu vas me manquer. Je vais me faire du souci pour toi.

Soucie-toi plutôt de te rétablir. Tout va bien se passer pour moi et je te rejoindrai dès que possible.

Je t'aime, James.

Je t'aime, Lilly. Je t'aime.

Elle se penche vers moi, elle ferme les yeux. Je ferme les yeux et je la laisse s'abandonner. Nos lèvres se joignent, doucement, délicatement, lentement nos lèvres se joignent nous restons enlacés, c'est agréable et rassurant et tout va mieux. Lorsque nous sommes dans les bras l'un de l'autre, c'est agréable et rassurant. Tout va mieux.

Nos lèvres se séparent. Nos yeux s'ouvrent. Je me noie dans le bleu comme l'eau claire. Elle se noie dans le vert pâle. Je tends la main et je la laisse glisser le long de sa joue. Comme elle descend, je recule d'un pas. Bleu comme l'eau claire noyé dans vert pâle. Je souris. Je me tourne et je m'en vais.

Je traverse le Hall Vitré qui me mènera dehors, mais je sais que Lilly est restée à l'endroit où je l'ai quittée, je sais qu'elle attend que je me retourne pour lui dire au revoir. Je sais que ça me crèvera le cœur. Je sais que ça me fera pleurer. Je ne l'ai jamais fait. Me retourner pour dire au revoir.

La vitre disparaît, les Couloirs apparaissent. Je m'arrête, je me retourne, je regarde Lilly. Elle sourit, les larmes ruissellent sur son visage. Je dis je t'aime, et bien que je sache qu'elle ne peut pas m'entendre je sais qu'elle comprend. Elle sourit et elle pleure. Je lève la main. Je la presse contre ma poitrine et je dis au revoir. Elle hoche la tête. Je ferme le poing et je lui dis rétablis-toi. Elle hoche la tête. Je reste là à la regarder, je souris. Elle reste là à me regarder, elle pleure. Je parviens à voir ses yeux d'où je suis. Ses yeux vont me manquer. Bleus comme l'eau claire. Ses yeux vont me manquer.

Je me tourne, je m'en vais, la lumière du Hall Vitré s'évanouit, mais pas l'image de Lilly. Cette image de Lilly belle Lilly Lilly debout toute seule qui sourit et pleure restera gravée dans mon cœur et dans mon esprit toute ma vie. Lilly Chérie.

Je prends les Couloirs, je vais dans ma Chambre. Je récupère la veste de Hank, le petit sac en plastique noir où sont regroupées mes affaires. Je quitte ma Chambre et je me dirige vers le Bureau de Joanne. Je frappe à la porte. Elle dit entrez.

J'ouvre la porte et j'avance. Joanne et Hank sont assis côte à côte sur le canapé. Ils boivent du café et Joanne fume une cigarette. Joanne sourit, elle parle.

Bonjour.

Je me dirige vers le fauteuil qui leur fait face.

Bonjour.

Je m'assieds. Hank parle.

On t'attendait.

Je prenais le petit déjeuner.

Joanne parle.

Comment c'était ?

C'était beau.

Elle sourit.

Je n'ai jamais entendu personne parler d'un repas en ces termes.

Je souris.

Pourtant c'est ça. C'était beau.

Hank parle.

Tu es prêt à y aller ?

Ouais.

Tu as peur ?

Oui, enfin tout à l'heure, plus maintenant.

Joanne parle.

De quoi aviez-vous peur ?

De tout.

Et alors ?

J'ai choisi de ne plus avoir peur.

Tout simplement ?

Tout simplement.

Je prends la veste de Hank, la lui jette.

Je t'ai rapporté ta veste. Merci de me l'avoir prêtée

Il me la renvoie.

Je veux que tu la gardes.

Je la lui renvoie.

C'est gentil, mais non merci. Je préfère que tu la gardes, comme ça quand je reviendrai vous voir je pourrai la mettre.

Je veux bien mais à une condition.

Laquelle ?

Tu reviens ici clean, en tant que Visiteur, et pas en tant que Patient.

N'en doute pas, Vieille Branche.

Il sourit.

Ça c'est un bon enfoiré de Petit Gars.

Joanne parle.

Surveille ton langage, Hank.

Hank se tourne vers elle.

J'ai le droit de dire des gros mots quand James est là. Maintenant, ce n'est plus un Patient.

Il reste un Patient tant qu'il n'a pas franchi la porte de cet établissement.

Hank se tourne vers moi.

Ça t'embête que je te traite d'enfoiré ?

Ça me ferait chier que tu ne le fasses pas.

Hank rigole, se tape sur les cuisses.

Ça c'est un bon enfoiré de Petit Gars.

Je ris. Joanne parle.

Vous êtes prêt ?

Ouais.

Est-ce que vous avez réglé les formalités de sortie ?

Non.

Vous devriez y aller.

Je hoche la tête.

Je sais.

Elle se lève.

On s'embrasse ?

Je me lève.

Bien sûr.

Je fais un pas vers elle et je la prends dans mes bras. Notre étreinte est chargée d'émotion, de respect et d'une forme d'amour. L'émotion qui naît de la sincérité, le respect qui naît de la difficulté, une forme d'amour qui existe entre des êtres dont les esprits se sont touchés, dont les cœurs se sont touchés, dont les âmes se sont touchées.

Nous nous détachons. Hank fait un pas vers moi.

Je suis pas très doué pour la parlote, Fiston.

Il passe ses bras autour de moi et il me serre tellement fort que ça me fait mal. J'ai les bras coincés contre mes flancs, je ne peux même pas le serrer contre moi, mais je ne pense pas qu'il en ait besoin. Il me relâche, recule d'un pas et il passe le bras autour des épaules de Joanne. Il parle

Il faut que tu nous rendes fiers de toi, Fiston.

Je tâcherai.

Fais mieux que ça. Je veux que tu reviennes dans un an et que tu mettes cette putain de veste.

Joanne parle.

Hank.

Hank la regarde.

Ce n'est plus un patient.

Joanne secoue la tête, se tourne vers moi.

Donnez-nous de vos nouvelles.

Je hoche la tête.

Bien sûr.

Je tourne les talons, je sors du Bureau. Je referme la porte derrière moi et je prends les Couloirs. Je passe à l'Administration, je vois un Responsable Administratif et je remplis mes papiers de sortie. Ensuite, je signe en bas d'une page et c'est bon. Le Responsable me dit que je suis libre de m'en aller.

Je sors du Bureau et je prends un petit Couloir. Je traverse l'Entrée où j'avais attendu qu'on procède à mon admission avec ma Famille dans une autre vie. Par la fenêtre, j'aperçois le monospace gris de mon Frère, garé devant l'Entrée. J'ouvre la porte et je sors de la Clinique. Je suis libre de m'en aller.

Mon Frère m'aperçoit, il ouvre sa portière et sort de la voiture. Il sourit. Il parle.

Quoi de neuf, mon Petit Père ?

Quoi de neuf, Fils de Chienne ?

Il me serre dans ses bras. Je l'embrasse. Une bonne, une solide étreinte fraternelle. Mon ami Kevin sort par la portière Passager. Il fait la même taille que moi, porte des cheveux courts avec une raie au milieu, affiche un ventre à bière que je ne lui connaissais pas. Il vend des biens immobiliers aux entreprises, mais quand il ne travaille pas, il s'habille comme un clochard. Il sourit et il parle.

Quoi de neuf ?

Rien. Et toi ?

Je suis venu pour voir si ça allait.

Je souris.

Ça va.

On s'embrasse. Mon Frère parle.

Tu es prêt à y aller ?

Oui, partons d'ici.

499

J'attrape mon sac, j'ouvre la portière, je monte à l'arrière. Comme je ferme la porte, Bob et Kevin montent devant, Bob démarre et la voiture s'en va. Je me retourne, je regarde par la vitre arrière la Clinique qui s'enfonce dans le lointain. Je suis libre de m'en aller.

Libre de m'en aller. Libre.

Je ne vois plus les Pavillons, je me retourne. Presque instantanément, la Fureur monte. Comme si les murs de la Clinique l'avaient bâillonnée, comme si ma liberté était la sienne, comme si mes papiers de sortie étaient les siens. La montée est rapide et violente, et bien que je ne tremble pas à l'extérieur, je tremble à l'intérieur.

Kevin se tourne vers moi, il me regarde, il me parle.

Comment tu te sens ?

Bob me regarde dans le rétroviseur intérieur.

Je ne sais pas.

Bob parle.

Qu'est-ce que tu veux dire ?

Je ne sais pas.

Kevin parle.

Qu'est-ce que tu veux faire ?

Je veux aller dans un Bar.

Quoi ?

Je veux aller dans un Bar.

Tu te fous de ma gueule, putain.

Pas du tout.

Mon Frère Bob me regarde dans le rétroviseur. Kevin regarde Bob, Bob regarde Kevin. Une expression inquiète, consternée et stupéfaite se lit sur leurs visages. Bob pose les yeux sur moi, secoue la tête.

Nous n'irons pas dans un Bar.

Tu fais ce que tu veux mais moi j'y vais.

Tu sors à peine de Cure de Désintox.

Moi j'y vais.

Tu sors à peine de Cure de Désintox, putain.

Moi j'y vais. Tu peux m'accompagner si tu veux, ou ne pas le faire, ça m'est égal mais ne perds pas ton temps à tenter de m'en dissuader. Je vais dans un putain de Bar.

Bob regarde Kevin et Kevin, Bob. Kevin hausse les épaules, Bob secoue la tête. J'allume une cigarette et je baisse la vitre. Bien qu'il fasse froid j'aime l'air. L'air libre.

500

Le trajet dure une heure. Personne ne parle. Bob regarde la route, Kevin regarde la route, je regarde la route.

De temps à autre je passe la tête par la fenêtre et je laisse l'air glacial me fouetter le visage. Ça fait mal mais ça me fait du bien, et surtout ça m'est permis. Je n'ai plus de Règles ni de Règlement à suivre, je n'ai plus de Thérapeutes et de Psychologues et de Chef de Service qui exigent des réponses, je suis à nouveau maître de mon emploi du temps et de mes actes. Comme c'était le cas avant que j'entre en Clinique, et comme ça le sera jusqu'à la fin, je n'ai à répondre qu'à moi-même.

Nous quittons l'Autoroute pour entrer dans la Ville. Je regarde l'horloge sur le tableau de bord de Bob elle indique 11 h 37. Je lui demande s'il connaît un endroit ouvert à cette heure-ci et il me dit oui. Je lui dis que je préférerais un endroit qui fait des cheeseburgers et où il y a un billard. Il ne réagit pas. Il continue de fixer la route.

La Fureur est montée. Elle atteint son paroxysme, surpasse son paroxysme. Elle est différente à présent, en ce moment, elle me semble différente. Elle paraît plus forte, plus calme, plus patiente. Plus simple et plus puissante. Comme si elle ne doutait pas de sa victoire sur moi. Comme si son combat contre moi avait renforcé sa toute-puissance. Comme si elle savait que son heure est arrivée, qu'elle peut à nouveau se déchaîner.

Je ne lutte pas contre elle. Je ne la défie pas. J'attends et je me représente mon arrivée dans un lieu où je me sentirai dans mon Élément Naturel. J'attends, je me réserve pour ce qu'il adviendra lorsque je poserai le pied dans le Bar. La Fureur est plus forte qu'elle ne l'a jamais été. Je me prépare à ce qui m'attend.

Bob se gare dans un petit Parking. À côté du parking se trouve un grand Immeuble en brique. La façade de l'Immeuble est agrémentée de hautes fenêtres noires. Une enseigne lumineuse indique Bar Billard Grill.

Nous sortons de voiture. Comme je n'ai pas d'argent, je demande à Bob si je peux lui en emprunter. Il me demande de combien j'ai besoin et je lui dis quarante dollars. Il me demande pourquoi il me faut tant d'argent, je lui réponds parce que. Il sort son portefeuille de sa poche, l'ouvre, me donne deux billets de vingt. Je le remercie. Nous traversons le Parking. Nous longeons un bout de trottoir. Nous arrivons devant la porte d'entrée, je tends le bras, je l'ouvre. Je fais signe à Bob et à Kevin de passer devant moi et, une fois qu'ils sont entrés, je les suis.

Il fait noir. Devant nous il y a des tables. Un vieux comptoir défraîchi en chêne couvre toute la longueur du mur à notre droite, et au bout du comptoir, sur notre gauche, on voit une pièce équipée de six tables de billard. À côté des tables de billard, une Serveuse s'ennuie ferme en regardant une télévision suspendue au plafond. Derrière le comptoir, le Barman lit le journal assis sur un tabouret. Ni l'un ni l'autre ne relèvent la tête.

Je regarde Bob et Kevin. Je parle.

Et si vous alliez faire une partie de billard.

Mon Frère me regarde.

Qu'est-ce que tu vas faire ?

J'ai besoin de rester seul quelques minutes.

Il a une expression de peur et de déception. C'est le dernier de mes soucis. Il est temps de régler mes comptes. Il est temps de s'occuper de la Fureur.

Je me retourne, je vais au comptoir. Je choisis un tabouret au centre du comptoir et m'assieds. Il y a des miroirs et des bouteilles devant moi. Les miroirs vont du plafond jusqu'aux étagères. Les étagères sont couvertes de bouteilles. Il y a des bouteilles de whisky, il y a des bouteilles de vodka, des bouteilles de gin. Il y a des bouteilles de rhum, des bouteilles de tequila, des bouteilles d'alcools bizarres venus de Pays étrangers. Il y a des bouteilles claires et des bouteilles ambrées, il y a des bouteilles rouges et des bouteilles bleues, il y a des bouteilles multicolores pour le plaisir des yeux. Certaines bouteilles sont petites, d'autres grandes, certaines sont bombées, d'autres fines. Elles sont toutes pleines d'alcool. Là, devant moi. Elles sont pleines d'alcool, bordel.

Je regarde le Barman. Je parle.

Barman.

Il relève la tête.

Ouais.

Vous avez une minute ?

Bien sûr.

Il pose son journal, s'approche. Il se plante devant moi et parle.

Tout va bien ?

Je ne suis pas ici pour bavarder.

Vous êtes de mauvaise humeur ?

Je ne suis pas ici pour bavarder.

Qu'est-ce que je vous sers ?

Je regarde les bouteilles. Les belles bouteilles pleines d'alcool. Mes yeux se promènent sur les étagères, évitant les miroirs, évitant mon reflet avant de se poser. Ils élisent une bouteille noire. Une bouteille noire et bombée, au long cou, qui est pleine de Kentucky Bourbon. C'est la bouteille dont la Fureur a un besoin impérieux, la bouteille qu'elle connaît le mieux. Je la désigne, je regarde le Barman, et je parle.

J'en veux un verre. J'en veux un grand verre. Pas un de ces verres à whisky de merde, mais une énorme putain de pinte. Remplie à ras bord.

Ça va coûter cher.

Je pose les quarante dollars que mon Frère m'a donnés sur le comptoir.

Servez-moi.

Le Barman me regarde comme si j'étais fou, comme s'il se demandait s'il doit me servir. Je soutiens son regard, lui fais entendre que je ne partirai pas avant d'avoir obtenu ce que j'ai commandé. Il se retourne. D'une main, il attrape une grande pinte, et de l'autre il prend la bouteille sur l'étagère.

Je l'observe servir le verre. Comme si c'était au ralenti, je distingue chaque goutte qui tombe. Une fois le verre plein, il se retourne et le pose devant moi.

Merci.

Si vous avez besoin d'autre chose, vous me trouverez là-bas.

Merci.

Il retourne à son journal. Je regarde le verre. La Fureur sort de son silence, elle hurle à la mort elle est plus forte qu'elle ne l'a jamais été. Elle hurle tu es à moi, Fils de Pute. Tu es à moi et tu seras toujours à moi. Je te possède, je te contrôle et tu vas faire tout ce que je te dirai de faire. Tu es à moi et tu seras toujours à moi. Tu es à moi, Fils de Pute. Je regarde le verre.

Je pose mes mains sur le comptoir. Je les pose de chaque côté du verre. Elles ne le touchent pas, mais elles sont près. Assez près pour que, lorsque je ferai mon choix, le verre soit à portée de main. Je me penche. Mon nez s'approche de l'alcool fort et ambré, je sens les vapeurs qui s'élèvent de la surface chatoyante. Elles me mettent en rage. Elles font redoubler les hurlements de la Fureur. Elles me narguent. Elles m'attirent.

Je ferme les yeux. Je cesse de bouger lorsque le bout de mon nez effleure le liquide. Je ferme la bouche, j'inspire à pleins poumons et elle vient vient vient. Dans toute sa puissance. La magnifique odeur de l'oubli. L'infecte puanteur de l'Enfer. Elle me fait frissonner, elle me secoue. Dedans et dehors, elle me détruit, elle me fortifie. Bien que le liquide n'ait pas touché mes lèvres ni pénétré mon corps, j'en sens le goût. Pareil à du charbon doux et fort, mêlé à de l'essence amère. Je sens ce putain de goût.

Le temps s'arrête. Je ne bouge plus. Je reste assis avec le bout de mon nez trempé dans un verre plein d'alcool. Je respire. À pleins poumons. J'inspire à fond, j'expire à fond. Cela afflue quand j'inhale, et reflue quand j'exhale. Je sens l'odeur, je sens le goût, je sens le contact. Dedans et dehors.

La Fureur hurle prends-le prends-le prends-le. La Fureur hurle bois-le bois-le bois-le. La Fureur hurle encore encore encore encore encore. La Fureur hurle réclame a besoin exige ne peut s'en passer je te possède Fils de Pute, prends-le bois-le donne-le-moi ou tu vas me le payer. Encore encore encore encore encore.

J'ouvre les yeux. Je vois le liquide clair et ambré, le bout de mon nez immergé, le rebord du verre. Je relève lentement la tête. Je braque mes yeux devant moi, fixes et concentrés, sans ciller. Le liquide disparaît de ma vue, le rebord du verre disparaît. Je vois des étagères et des bouteilles, le contour d'un miroir. Je continue de relever la tête jusqu'à ce que j'aperçoive la ligne de mon menton, mes lèvres, mon nez. Je continue. Je découvre le coin de mon œil, les cils, le blanc. Je continue. Je vois le vert pâle. Devant moi. Fixes et concentrés. Sans ciller.

Je regarde en moi-même. Dans mes propres yeux. Il y a un verre d'alcool devant moi. Bien que je ne puisse plus le voir, je sais qu'il est là. J'enroule mes mains autour. Mes mains autour du verre. Je regarde en moi-même. Dans mes propres yeux.

La Fureur hurle. Hurle comme jamais elle n'a hurlé. Ses hurlements se font plus forts et plus puissants, pleins de rage et de besoin, d'hostilité et de voracité. Elle me hurle de prendre le verre. Prends-le ce putain de verre.

J'ai un choix à faire. C'est un choix simple. Il n'a rien à voir avec

Dieu ou Douze Trucs si ce n'est douze battements de mon cœur. Oui ou non. C'est un choix simple. Oui ou non.

Je regarde en moi-même. Dans mes propres yeux. J'aime ce que j'y vois. Je me sens en accord avec cela. Fixe et concentré. Sans ciller. Pour la première fois de ma vie je me regarde dans les yeux, et j'aime ce que j'y vois. Je vais pouvoir vivre avec. Je veux vivre avec. Je veux vivre.

La Fureur hurle à la mort. Le Vert Pâle parle doucement. Il me dit tu es à moi, Fils de Pute, tu es à moi et tu seras toujours à moi. À partir d'aujourd'hui je te possède, je te contrôle et tu vas faire tout ce que je te dirai de faire. À partir d'aujourd'hui c'est moi qui décide, putain. Tu es à moi et tu seras toujours à moi. Tu es à moi. Tu es à moi, Fils de Pute.

Je lâche le verre. Je regarde le Barman. Assis sur son tabouret, il lit le journal. Je parle.

Barman.

Il relève la tête.

Ouais.

Balancez-moi cette merde.

Quoi ?

Je désigne le verre.

Balancez-moi cette merde dans votre putain d'évier. Je n'en veux pas.

Il me regarde quelques instants comme si j'étais fou. Je soutiens son regard pour lui faire entendre que je ne le suis pas. Il se lève et vient vers moi. Je me lève et je m'en vais. J'abandonne le verre sur le comptoir à côté des deux billets.

J'entre dans la Pièce où se trouvent les tables de billard. Mon Frère Bob et mon ami Kevin finissent leur partie. Sur la table il y a la boule blanche, une boule cerclée, et la numéro huit dans un angle. Je m'assieds sur un tabouret contre un mur. Il y a une table à côté du tabouret, et un cendrier sur la table. J'allume une cigarette.

Mon Frère s'apprête à jouer, il m'aperçoit lorsque je m'assieds. Il relève la tête, il me parle.

Ça va ?

Ouais.

Qu'est-ce que tu fabriquais là-bas ?

Rien.

Tu as bu ?

Non.

Pourquoi est-ce que t'as commandé un verre ?

Il fallait que je le fasse.

Mais tu n'y as pas touché ?

Je l'ai touché et je l'ai senti, mais je ne l'ai pas bu. Je ne boirai plus. Plus jamais.

Il sourit.

Bravo, Petit Père.

Je souris.

Merci.

Avant que mon Frère joue, je lui demande si je peux prendre le Gagnant. Kevin demande depuis combien de temps je n'ai pas joué et je dis ça fait longtemps. Il demande si je suis prêt et je souris et je dis que je le suis. Il le redemande, il veut s'en assurer. Je dis oui, je suis prêt.

Oui, je suis prêt.

Michael a retrouvé son poste à l'université. Trois semaines plus tard il s'est fait arrêter pour incitation à avoir un rapport sexuel tarifé, exhibition sexuelle et usage de stupéfiants. Il s'est suicidé à l'aide d'une arme à feu.

Roy a attaqué deux enfants avec une batte de base-ball. Il a été condamné à passer entre trente et cinquante ans de réclusion criminelle dans un centre de soins hospitaliers sécurisé du Wisconsin.

Warren est tombé d'un bateau de pêche en Floride alors qu'il était ivre. Son corps n'a jamais été retrouvé.

Le Petit Homme Chauve s'est remis à boire huit semaines après son retour à la maison. Sa femme l'a mis dehors et personne ne sait ce qu'il est devenu.

Bobby a été retrouvé mort dans le New Jersey. Il a été tué d'une balle dans la nuque.

John s'est fait arrêter avec quatre cents grammes de cocaïne sur lui, à San Francisco. Il purge une peine de perpétuité réelle dans le pénitencier de Saint Quentin.

Ed a été tabassé à mort suite à une bagarre dans un bar de Detroit.

Ted a été arrêté par la police dans le Mississippi. Il purge une peine de perpétuité réelle dans la ferme pénitentiaire d'Angola, en Louisiane.

Matty a été tue par balle devant une crackhouse de Minneapolis.

Miles est toujours vivant, il va bien et poursuit sa carrière de juge.

Il est toujours marié, a eu un deuxième enfant, une fille appelée Ella, et n'a jamais rechuté.

Leonard est retourné à Las Vegas et il s'est retiré des affaires. Il est mort du sida. Il sera resté abstinent jusqu'à sa mort. Il n'a jamais rechuté.

Lilly s'est suicidée par pendaison dans un centre de réinsertion de Chicago. Sa grand-mère était décédée deux jours auparavant. Son corps a été retrouvé le matin où James est sorti de prison, et il semblerait qu'elle soit restée abstinente jusqu'à sa mort.

Lincoln travaille toujours à la clinique.

Ken travaille toujours à la clinique.

Hank et Joanne se sont mariés. Ils travaillent toujours à la clinique.

James n'a jamais rechuté.

Merci à Maman et Papa pour tout. Merci à Bob, mon Frère, merci à Laura, ma Belle-Sœur. Merci à Maya, je t'aime Maya Chérie. Merci à Kassie Evashevski. Merci à Sean McDonald. Merci à Nan A. Talese. Merci à David Krintzman. Merci à Preacher et Bella mes petits Amis. Merci à Stuart Hawkins, Elizabeth Sosnow, Kevin Yorn, Amar Douglas Rao, Michael Craven, Quinn Yancey, Christian Yancey, Ingrid Sisson, John Von Brachel, Helen Motley, Jean Joseph Jr., Joshua Dorfman, Colleen Silva, Eben Strousse, Chris Wardwell. Merci à Theo, Rigo, Jose et aux Gars du Café d'à côté. Merci à Phillip Morris. Merci à Andrew Barash et à Keith Bray. Merci à Kirk, Julie, Kevin. Merci à Lilly, Leonard, Miles, je vous aime et je vous remercie.

Impression réalisée sur CAMERON par

BUSSIÈRE CAMEDAN IMPRIMERIES

GROUPE CPI

à Saint-Amand-Montrond (Cher)
en mars 2004
pour les Éditions Belfond
12, avenue d'Italie
75013 Paris

N° d'édition : 4006. — N° d'impression : 040732/1.
Dépôt légal : mars 2004.

Imprimé en France